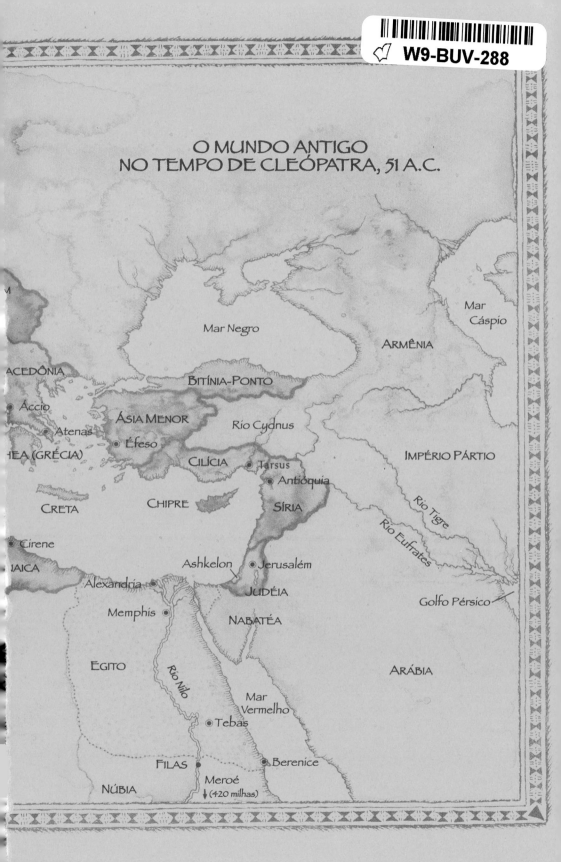

W9-BUV-288

O MUNDO ANTIGO
NO TEMPO DE CLEÓPATRA, 51 A.C.

Mar Negro

Mar Cáspio

ARMÊNIA

ACEDÔNIA

BITÍNIA-PONTO

Áccio

ÁSIA MENOR

Atenas

Rio Cydnus

Éfeso

HEA (GRÉCIA)

IMPÉRIO PÁRTIO

CILÍCIA

Tarsus

Antióquia

Rio Tigre

CHIPRE

SÍRIA

Rio Eufrates

CRETA

Cirene

Ashkelon

Jerusalém

IAICA

Alexandria

JUDÉIA

Golfo Pérsico

Memphis

NABATÉA

EGITO

Rio Nilo

ARÁBIA

Mar Vermelho

Tebas

FILAS

Berenice

Meroé
↓ (420 milhas)

NÚBIA

As Memórias de
CLEÓPATRA

MARGARET GEORGE

As Memórias de
CLEÓPATRA

A Filha de Ísis

TRADUÇÃO DE
LIDIA CAVALCANTE-LUTHER
CASSIA ZANON

2ª. reimpressão

GERAÇÃO
EDITORIAL

As Memórias de Cleópatra

Título original: The Memoirs of Cleopatra
Copyright © 1997 by Margaret George
Todos os direitos reservados
Copyright da tradução © 2000 Geração Editorial

1ª edição – Julho de 2000
1ª reimpressão – Setembro de 2000
2ª reimpressão – Novembro de 2000

Editor
Luiz Fernando Emediato

Tradução
Lidia Cavalcante-Luther
Cassia Zanon

Diagramação e editoração eletrônica
Ponto Gráfico Estúdio Virtual

Capa
Victor Burton

Revisão
Elaine Cristina Ferreira

Dados internacionais de Catalogação na Publicação (CIP)
(Câmara Brasileira do Livro)

George, Margaret
As memórias de Cleópatra / Margaret George ;
tradução de Lidia Cavalcante-Luther e Cassia Zanon.
-- São Paulo : Geração Editorial, 2000.

Título original: The Memoirs of Cleopatra.
Conteúdo: v. 1. A filha de Ísis -- v. 2. Sob o signo
de Afrodite -- v. 3. O beijo da serpente.
Bibliografia.

IBSN- 85-86028-87-8

1. Antonius, Marcus, 83?-30 A.C. – Ficção
2. César, Julio – Ficção 3. Cleópatra, Rainha do Egito, m. 30 A.C.
– Ficção 4. Egito – História – 332-30 A.C. – Ficção
5. Ficção histórica 6. Rainha – Egito – Ficção I. Título.

00-2076	CDD-813.5

Índices para catálogo sistemático:

1. Ficção : Século 20 : Literatura norte-americana
813.5
2. Século 20 : Ficção : Literatura norte-americana
813.5

Todos os direitos reservados
GERAÇÃO DE COMUNICAÇÃO INTEGRADA COMERCIAL LTDA.
Rua Cardoso de Almeida, 2188 – 01251-000 – São Paulo – SP – Brasil
Tel. (11) 3872-0984 – Fax: (11) 3862-9031

GERAÇÃO NA INTERNET
www.editoras.com/geracao/
geracao.editorial@zaz.com.br

2000
Impresso no Brasil
Printed in Brazil

PARA
CLEÓPATRA
Rainha, Deusa, Sábia e Guerreira
69-30 a.C.

E ALISON
Minha Cleópatra Selene

E PAUL
Que é mistura de César, de Antônio
e especialmente de Olímpio

Meus agradecimentos a:

Minha editora, Hope Dellon, que, com perspicácia e humor, ajudou a moldar a massa de argila dos primeiros rascunhos no trabalho final; meu pai, Scott George, que me ensinou o Princípio dos Noventa e Nove Soldados; minha irmã, Rosemary George, que tem o mesmo espírito de diversão de Antônio; Lynn Courtenay, que pacientemente esmiuçou referências obscuras à procura de pequenos detalhes clássicos; Bob Feibel, que me ajudou a relutar a batalha de Áccio; Erik Gray, pela sua ajuda nos mistérios do uso do Latim (quaisquer erros que permaneceram no livro são meus); e nossa idosa cobra de estimação, Julius, que por dezesseis anos tem me ensinado os hábitos das serpentes.

PARA ÍSIS, minha mãe, meu refúgio, minha companheira e guardiã solidária de todos os meus dias, do início da minha vida até o momento que lhe convier pôr um fim a ela, aqui dedico estas escrituras, um registro de meus dias na terra. Você, que me deu a habilidade de fazê-lo, protegei-os e preservai-os, e que sua bondade ilumine a autora e filha sua. Embora você tenha me dado estes dias sem formas, eu os marquei com minhas proezas, fazendo-os portanto singularmente meus. Assim narrei aqui a minha vida para oferecê-la a você inteira e verdadeiramente. Para que possa julgar tanto o trabalho das mãos como o valor do meu coração – minhas ações e meu íntimo.

Aqui submeto-lhe este registro, rezando para que seja piedosa e proteja minhas façanhas e a lembrança delas da destruição pelos meus inimigos.

Sou a sétima Cleópatra da dinastia dos Ptolomeu, a Rainha, a Soberana de duas nações, Thea Philopator, a Deusa que ama seu pai, Thea Neotera, a jovem deusa; filha de Ptolomeu Neos Dionysus, o novo Dionísio.

Sou mãe de Ptolomeu César, Alexandre Hélio, Cleópatra Selene e Ptolomeu Filadelfo.

Fui esposa de Caio Júlio César e Marco Antônio.

Preserve minhas palavras e dê-lhes sua proteção, eu lhe suplico.

 O Primeiro Pergaminho

1

Calor. Vento. Águas azuis dançantes e o barulho das ondas. Vejo, ouço e sinto a calma ao meu redor. Posso até sentir nos meus lábios o gosto do sal deixado pelos borrifos da água do mar. E mais próximo ainda, posso sentir o cheiro da pele de minha mãe, embalador e inebriante contra meu nariz, enquanto ela me abraça no seu peito, sua mão sobre meu rosto para proteger meus olhos do sol. O barco se balança suavemente, e minha mãe também se balança, assim, estou à mercê de um ritmo duplo. Isto me deixa sonolenta e o barulho da água ao redor do barco me cobre como um manto, um manto seguro. Sinto-me protegida, embalada com amor e vigilância. Eu me lembro. Eu me lembro...

De repente... a lembrança é rasgada ao meio, revirada, como deve ter acontecido com o barco. Minha mãe desaparece, e eu sou jogada para o ar e caio nos braços de alguém, braços rijos que me seguram com tanta firmeza pela minha cintura que quase não posso respirar. E as pancadas de água... posso ouvir a água se espalhando e os gritos, breves e surpresos.

Dizem que não poderia, que eu não tinha nem três anos quando minha mãe se afogou na entrada do porto, *um acidente lamentável, e logo num dia tão calmo como aquele, como pôde ter acontecido? Será que o barco foi sabotado? Será que alguém a empurrou? Não, ela apenas se desequilibrou e caiu enquanto tentava se levantar; e você sabia que ela não sabia nadar? Não, ninguém sabia, até que já era tarde, mas por que ela ia para a água com tanta freqüência? Porque gostava, a coitada, pobre Rainha, gostava das cores e do barulho...*

Uma bolha azul brilhante parece envolver todo aquele terror, o sacudir do barco e os arcos de água se espalhando por todos os lados, formando um círculo, e os gritos das acompanhantes no barco. Contam que alguém mergulhou para tentar salvá-la, mas foi também engolido pelas águas, duas mortes em vez de uma. Dizem também que eu me sacudi e esperneei tentando seguir minha mãe, gritando de medo pela perda, mas minha ama me pegou com seus braços fortes e me segurou firme.

Lembro-me de quando me puseram de costas e me seguraram firme e fiquei olhando para o toldo que refletia a água azul cintilante, incapaz de me safar dos braços firmes que me mantinham cativa.

Ninguém me consola, como se faz com uma criança assustada. Estão muito mais preocupados em não me soltar. Dizem que não devo me lembrar disto também, mas me lembro. Como me senti exposta, nua naquele banco no barco, arrancada dos braços de minha mãe e depois segurada firmemente, enquanto o barco se apressava para o cais.

Alguns dias depois, sou levada para um quarto enorme e ecoante, onde a luz parece vir de todos os lados, e o vento também. É um quarto, mas parece também ser ao ar livre – um tipo especial de quarto, um quarto não para alguém, mas para um deus. É o templo de Ísis, e a ama está me levando – ou melhor, empurrando – até uma estátua alta. Lembro que preguei os pés no chão, e ela teve de me arrastar pelo chão lustroso de pedra.

A base da estátua é enorme. Quase não consigo ver o que tem em cima, o que parece dois pés brancos e uma figura acima deles. O rosto está envolto nas sombras.

– Ponha as flores aos pés dela – a ama diz, empurrando o punho da minha mão que segura um ramalhete.

Não quero soltá-lo, não quero deixá-lo ali.

– Esta é Ísis – a ama diz suavemente. – Olhe para seu rosto. Ela está lhe acompanhando. Ela vai tomar conta de você. Agora ela é sua mãe.

Será? Fico tentando ver seu rosto, mas ele está tão alto e tão longe. E não se parece com o rosto da minha mãe.

– Entregue as flores a ela – diz a ama.

Devagar levanto a mão e ponho minha pequena oferta no pedestal até onde posso alcançar. Olho para cima de novo, esperando ver a estátua sorrir, e imagino que ela sorri mesmo.

Foi assim, Ísis, que naquele dia eu me tornei sua filha.

2

Minha mãe, a falecida rainha, chamava-se Cleópatra, e tenho orgulho de ter o mesmo nome. Mas teria orgulho de qualquer maneira, porque

Cleópatra é um nome digno na história de nossa família, que vem desde a irmã de Alexandre, O Grande, de quem nós, os Ptolomeu, somos descendentes. O nome quer dizer 'Glória para sua descendência', e toda a minha vida e reino tenho tentado cumprir a promessa do meu nome. Tudo o que fiz, fiz em nome da preservação de minha herança e do Egito.

Todas as mulheres da minha linhagem eram chamadas Cleópatra, Berenice ou Arsínoe. Estes nomes também vêm da Macedônia, onde nossa família se originou. Assim, minhas duas irmãs mais velhas se chamam Cleópatra (sim, éramos duas) e Berenice, e minha irmã mais nova se chama Arsínoe.

Irmã mais nova... houve outros irmãos depois de mim. Porque o rei precisou casar de novo. Assim, logo depois da morte repentina de sua Rainha Cleópatra, ele recebeu uma esposa nova e ela imediatamente deu à luz minha irmã Arsínoe. Mais tarde, teve mais dois filhos, com os quais me 'casei' por um curto período. Logo depois, ela também morreu, deixando meu pai viúvo de novo. Desta vez ele não se casou de novo.

Eu não dava muita importância para a nova esposa de meu pai, ou para minha irmã Arsínoe, que era pouco mais de três anos mais nova do que eu. Desde muito pequena, era sonsa e mentirosa, manhosa e brigona. Não ajudava o fato de que era muito bonita – o tipo de criança que todo mundo olha e diz 'E de *onde* você tirou olhos assim?', e não apenas por delicadeza. Isto lhe concedeu arrogância desde o berço, porque ela via nisso não uma dádiva para ser apreciada, mas um poder para ser usado.

Minha irmã Cleópatra tinha dez anos a mais do que eu, e Berenice, oito. Como eram privilegiadas de terem tido a companhia da minha mãe por mais tempo do que eu! Não que demonstrassem qualquer agradecimento por isso. A mais velha era uma criatura melancólica e submissa; na verdade, sequer me lembro bem dela. E Berenice – esta era um touro de mulher, ombros largos, voz áspera, com pés largos e chatos que faziam até mesmo seu caminhar normal parecer uma marcha. Nada nela lembrava nossa antepassada, a delicada Berenice II, que reinou com Ptolomeu III duzentos anos antes e tornou-se lendária como uma beleza de forte personalidade que inspirava os poetas da corte. Nada da resfolegante Berenice de rosto avermelhado inspiraria tais demonstrações de ardor.

Eu me deliciava por saber de que eu era a predileta do meu pai. Não me pergunte como uma criança sabe dessas coisas. O fato é que sabem, não importa o quanto os pais tentem esconder. Talvez fosse porque eu achava a outra Cleópatra e Berenice tão estranhas que não fosse possível imaginar alguém sendo mais inclinado a elas do que a mim. Mais tarde, mesmo depois que Arsínoe veio ao mundo com toda a sua beleza, continuei a ocupar o primeiro lugar no coração de meu pai. Sei agora que era porque eu fui a única que mostrou qualquer afeição por ele.

Devo admitir honestamente, mas com certa relutância: o resto do mundo (inclui-se aí suas próprias filhas) achava meu pai deplorável ou cômico – ou talvez ambos. Ele era um homem bonito e frágil, com um jeito sonhador e difidente, que logo se transformava em nervosismo quando ele se sentia atacado. As pessoas o culpavam por ser o que era – um artista por natureza, flautista e dançarino – e pela situação que herdou. O que ele era, não podia mudar, e o que ele herdou era um legado infeliz. Não era culpa dele que, quando chegou sua vez de tomar o trono, a nação estivesse praticamente nas garras dos romanos, tornando necessária uma série de posições indignas para manter seu trono intacto. Posições que incluíam rastejar, adular, descartar seu irmão, pagar quantias exorbitantes em suborno e divertir seus odiados potenciais conquistadores na sua própria corte. Isto, obviamente, não o fez amigo do povo. Nem o deixou seguro no trono. Será que era de se admirar então que ele procurasse consolo no vinho e na música de Dionísio, seu deus protetor? Quanto mais ele procurava este conforto, mais desprezo ele gerava.

O magnífico banquete oferecido por meu pai a Pompeu, o Magno: eu tinha sete anos na época e estava ansiosa por ver os romanos, romanos *de verdade* (quero dizer, os romanos perigosos, não aqueles mercadores inofensivos e os sábios que apareciam em Alexandria para conduzir negócios). Insisti com meu pai para me deixar participar, sabendo muito bem como persuadi-lo, já que ele fazia quase tudo que eu pedia, se fosse razoável.

– Quero vê-lo – eu disse. – O famoso Pompeu. Que aparência ele tem?

Todo mundo tremia na presença de Pompeu, desde que apareceu com todo o seu poder na nossa parte do mundo. Primeiro suprimiu uma rebelião em Ponto, depois continuou até a Síria e tomou posse do resto do império dos selêucidas, tornando-o uma província romana.

Um província romana. O mundo inteiro estava se tornando uma província romana ao que parecia. Durante muito tempo, Roma – que ficava muito longe, do outro lado do Mediterrâneo – tinha se concentrado na sua própria área. Depois, gradualmente estendeu suas garras em todas as direções, como os tentáculos de um polvo. Tomou a Espanha ao Oeste e Cártago ao Sul; depois a Grécia ao Leste, crescendo e crescendo. E quanto mais crescia, mais apetite tinha para alimentar seu tamanho.

Pequenos reinos eram apenas guloseimas – pedacinhos como Pérgamo e Cária, facilmente digeridos. Os antigos domínios de Alexandre seriam um prato maior para abater sua fome incontrolável.

Antes havia três reinos que abarcavam os domínios de Alexandre, governados por seus três generais e os descendentes deles: Macedônia, Síria e Egito. Depois, dois. Depois a Síria caiu, e ficou apenas um: o Egito. Dizia-se que os romanos achavam que tinha chegado a hora para o Egito ser anexado e que essa era a vontade do próprio Pompeu. Assim, meu pai decidiu fazer tudo o que estava em seu poder para comprar a aliança de Pompeu. Ele enviou cavalarias armadas para ajudar Pompeu a arrasar sua próxima vítima, nossa vizinha Judéia.

Sim, era desprezível. Tenho de admitir. Não é de se admirar que seu povo o detestasse. Mas será que era melhor para eles cair sob o domínio de Roma? Suas ações eram as de um homem desesperado, que escolhe entre o ruim e o pior. Ele escolheu o ruim. Será que eles teriam preferido o pior?

– Ele é um homem alto e robusto – meu pai disse. – Um pouco parecido com sua irmã Berenice! – rimos com isso, os dois conspiradores. Depois o riso morreu. – Ele é aterrorizador – continuou meu pai. – Qualquer pessoa com o poder que ele tem já é aterrorizador, não importa a delicadeza de seus modos.

– Quero conhecê-lo – insisti.

– O banquete é muito longo, é barulhento, um calor insuportável e vai entediá-la. Não há por que você assistir. Talvez quando você crescer...

– Espero que você não tenha de diverti-los de novo, assim, esta é minha única chance – argumentei. – E se eles vierem para cá *outra vez*, não será em circunstâncias agradáveis. Não vai ter banquete algum.

Ele me olhou de um modo estranho. Agora sei que foi porque lhe pareceu esquisito uma menina de sete anos falar daquele jeito, mas na hora pensei que era porque ele ficara decepcionado comigo e não permitiria minha presença no banquete.

– Está bem – ele disse por fim. – Mas exijo que você não fique olhando para ele. Deve ter comportamento impecável; precisamos convencê-lo de que o Egito e Roma estão bem servidos se nós permanecermos no trono.

– Nós? – Certamente ele não quis dizer... ou será que sim? Eu era apenas a terceira descendente, embora, naquele momento, eu não tivesse irmãos homens.

– Nós, os Ptolomeu – ele esclareceu. Mas não deixou de notar a chama de esperança que nasceu em mim.

Meu Primeiro Banquete: toda criança real deveria escrever um exercício retórico com este título. Porque os banquetes constituem parte incomensurável nas nossas vidas; são o palco onde exercitamos nossa realeza. No começo, eles nos fascinam, como me fascinaram, mas depois, com os anos, parecem apenas uma sucessão deles. Este banquete, o meu primeiro, no entanto, ficará gravado na minha memória para sempre.

Havia o ato (que logo se tornaria rotina) de se vestir, a primeira etapa do ritual. Cada princesa tinha sua própria criada de guarda-roupa, mas a minha era na verdade minha ama, que não sabia muito sobre roupas. Ela me vestiu com o primeiro vestido na pilha; sua única preocupação era que a roupa estivesse lavada e passada, e aquela vestimenta em particular estava.

– Agora, você precisa ficar quieta, para não amassar a roupa – ela disse, alisando a saia. Lembro-me que era azul e dura. – Linho é tão fácil de amassar! Não é para você sair por aí pulando e agindo como um menino do jeito que você às vezes faz. Esta noite, não! Esta noite você precisa se comportar como uma princesa.

– E como é isso? – Senti-me como se estivesse enrolada como uma múmia, que também são embrulhadas em linho. Talvez não fosse mesmo uma boa idéia ir ao banquete.

– Com dignidade. Quando alguém lhe dirigir a palavra, vire a cabeça *devagar*. Assim – Ela demonstrou, deixando sua cabeça girar devagar para um lado, enquanto abaixava os cílios. – E olhe para baixo, com modéstia – fez uma pausa. – E responda com voz baixa e doce. E não é para dizer '*O quê?*' Só os bárbaros fazem isto. Talvez até os romanos façam assim, mas você não deve seguir o exemplo deles – ela disse com firmeza.

Ela arrumou minha gola, ajeitando-a.

– E se alguém mencionar um assunto desagradável, vamos dizer, os impostos, a peste ou uma calamidade qualquer... você não responde. É impróprio tocar em assuntos como estes num banquete.

– E se um escorpião estiver pronto para picar alguém? Suponhamos que no ombro de Pompeu tenha um escorpião enorme, vermelho, com o aguilhão levantado. Posso avisá-lo? Eu preciso saber todas as regras. Não seria rude se eu não avisasse? Mesmo que seja um assunto tão desagradável?

Ela pareceu confusa.

— Bom, acho que... Ah, não vai ter um escorpião no ombro de Pompeu! Você, hein! Que criança irritante, sempre pensando no que não deve – mas ela disse isso com um tom carinhoso. – Pelo menos vamos esperar que não tenha um escorpião para perturbar Pompeu, ou qualquer outra coisa para estragar o seu bom humor.

— Não posso usar um diadema? – perguntei.

— Não – ela respondeu. – De onde tirou esta idéia? Você não é uma rainha.

— Não tem diademas para princesas? Deveríamos usar *alguma coisa* na nossa cabeça. Os romanos não usam os louros? E os atletas também.

Ela empinou a cabeça, como sempre fazia quando estava se concentrando.

— Acho que o melhor ornamento para uma menina são os seus cabelos. E os seus são lindos. Por que estragar pondo alguma coisa na cabeça?

Ela cuidava com esmero dos meus cabelos, lavando-os com água de chuva perfumada e penteando-os com pentes de marfim. Ela me ensinou a me orgulhar deles. Mas o que eu mais queria era usar alguma coisa especial naquela noite.

— Mas devia ter alguma coisa para nos identificar como a família real. Minhas irmãs...

— Suas irmãs são muito mais velhas e para elas é adequado. Quando você tiver dezessete anos, ou até mesmo quinze como Berenice, poderá usar esse tipo de coisa.

— Você tem razão – fingi concordar.

Deixei-a pentear meus cabelos e prendê-los para trás com uma presilha. Depois falei:

— Agora que minha testa está tão limpa, nem mesmo uma faixa? Uma faixa pequena, discreta, estreita. Sim, seria ideal para mim.

Ela riu. – Menina, menina, menina! Por que não fica contente de deixar as coisas correrem seu curso?

Mas pude ver que ela estava a ponto de ceder.

— Talvez uma pequena faixa de ouro. Mas quero que você a use para se lembrar de seu lugar como princesa a noite inteira.

— Mas é claro – prometi. – Não vou fazer nada grosseiro, nem mesmo se um romano arrotar ou derramar alguma coisa, ou até mesmo se roubar uma colher de ouro escondida no guardanapo, vou fingir que não vi.

– Isto você pode até ver – ela admitiu. – Estão tão esfomeados por ouro que babam quando vêem. Ainda bem que as obras de arte no palácio são grandes demais para ser enfiadas numa toga, senão algumas delas desapareceriam pela manhã.

Eu já tinha estado no salão de banquetes, mas apenas quando vazio. A sala enorme, que tomava um andar inteiro de um dos palácios (havia muitos palácios na área real) e se abria para a escadaria com vista para o porto. Para mim sempre pareceu uma caverna reluzente. Seu piso lustroso refletia minha imagem quando o atravessava correndo, e as fileiras de colunas mostravam minha silhueta quando passava por elas. Acima, no alto, o teto se perdia nas sombras.

Mas nesta noite... a caverna brilhava com as luzes, tanto que pude ver pela primeira vez, muito acima da minha cabeça, as vigas banhadas a ouro que sustentavam o teto. E o barulho! O ruído da multidão – coisa que se tornaria comum para mim – atacou meus ouvidos como uma pancada. O salão inteiro estava repleto de gente, tantas pessoas que eu não pude parar de olhar.

Nós – a família real – estávamos parados no topo de uma escadaria pequena antes de entrarmos, e eu queria segurar na mão de meu pai e perguntar se todos os mil convidados já haviam chegado. Ele estava à minha frente e, ao seu lado, minha madrasta, e não houve oportunidade.

Esperamos as trombetas soarem anunciando nossa entrada. Eu olhava tudo atentamente, procurando ver os romanos. Quais seriam os romanos? Metade das pessoas usava roupas comuns, soltas, e alguns deles tinham barbas. Mas os outros... estavam de barba feita, tinham cabelos curtos e usavam uma capa volumosa e repleta de pregas (que para mim parecia um lençol) ou uniformes militares formados por peitorais e saiotes de tiras de couro. Com certeza eram os romanos. Assim, os restantes deveriam ser egípcios e gregos alexandrinos.

As trombetas soaram do outro lado do salão. Papai não se moveu, e logo vi por quê. As trombetas anunciavam a entrada de Pompeu e sua comitiva. Enquanto caminhavam em fila para o centro do salão, pude observar as insígnias de um general romano da mais alta ordem. O peitoril simples fora substituído por um de ouro puro, artisticamente decorado. Sua capa era púrpura e não vermelha, e ele usava um tipo diferente de botas fechadas. Era uma visão esplêndida.

E o próprio Pompeu? Fiquei decepcionada de ver que ele era apenas um homem comum, com feições suaves. Não havia nada nele que fosse mais impressionante do que seu uniforme. Em cada lado seu estavam outros oficiais, com rostos duros e mais intransigentes do que o dele, e serviam para ressaltá-lo ainda mais.

Agora mais uma vez as trombetas soaram, e era nossa vez de descer a escadaria para que meu pai pudesse cumprimentar seus hóspedes e lhes dar as boas-vindas oficialmente. Todos os olhos se viraram na sua direção no momento em que ele descia cautelosamente, arrastando seu manto real. Tomei todo cuidado para não pisar nele.

Os dois homens se encontraram cara a cara; como era mais baixo e menor, o meu pai! Perto do gigante Pompeu, parecia quase frágil.

– Seja bem vindo a Alexandria, meu nobre imperador Caio Pompeu Magno. Nós o saudamos e celebramos suas vitórias e pedimos que nos conceda a honra de sua presença aqui esta noite – meu pai disse. Sua voz era agradável e normalmente soava bem, mas hoje faltava-lhe força. Ele devia estar nervoso demais, e claro que isto me deixou nervosa também, por mim e por ele.

Pompeu falou alguma coisa, mas seu grego tinha um sotaque tão pesado que ficou difícil para que eu compreendesse. Talvez meu pai tenha entendido, pelo menos fingiu que sim. Mais cumprimentos e mais apresentações entre os dois lados se seguiram. Fui apresentada. Ou será que Pompeu foi apresentado a mim? Qual é a ordem correta? – sorri e fiz um pequeno gesto de cabeça. Sabia que princesas – para não falar em rainhas e reis! – nunca se curvam para ninguém, mas rezei para que isso não o ofendesse. Ele provavelmente não sabia dessas coisas por ser de Roma, onde não se tem reis.

Em vez de seu gesto anterior – um sorriso tépido – ele de repente se curvou e olhou direto no meu rosto, seus olhos azuis redondos no mesmo nível dos meus.

– Que criança encantadora! – ele disse, no seu grego estranho. – As crianças do rei participam dessas coisas desde o berço?

Virou-se para meu pai, que parecia ter perdido a compostura. Senti que ele tinha se arrependido de ter me deixado comparecer; não queria fazer nada que pudesse chamar uma atenção que não fosse satisfatória para nós.

– Apenas depois de completarem os sete anos – ele improvisou na hora. Eu ainda não tinha chegado aos sete anos, mas Pompeu não saberia nunca.

– Acreditamos que esta idade é o portão do entendimento... – diplomaticamente, ele indicou que as mesas do banquete estavam à espera no salão ao lado, quase das mesmas proporções, e encaminhou o general romano naquela direção.

Ao meu lado, minhas irmãs mais velhas sorriam debochadamente. Pareciam se divertir com o meu embaraço.

– Que criança *encantadora*! – disse Berenice, imitando Pompeu.

– Olhe, tem mais um – a Cleópatra mais velha falou, indicando um menino que nos olhava passar. – O banquete está virando uma festa infantil.

Fiquei surpresa de vê-lo e me perguntei qual a razão de sua presença ali. Ele me pareceu totalmente fora de lugar. Será que Pompeu pararia e faria algum comentário sobre ele também? Por sorte ele pareceu mais interessado em chegar até a mesa no salão adjacente. Todo mundo diz que os romanos são comilões.

O menino, que estava vestido em trajes gregos e segurando a mão de um homem de barba com aparência grega, devia ser um alexandrino. Estava nos observando da mesma maneira que eu observara os romanos. Talvez fôssemos uma curiosidade para ele. Nossa família não aparecia muito em público nas ruas de Alexandria por receio aos tumultos.

Passamos devagar e – eu esperava – majestosamente por ele e entramos no salão transformado para o nosso banquete. Alguns raios teimosos do sol de fim de tarde atravessavam quase que horizontalmente o salão, no exato nível das mesas, em que uma floresta de copos e pratos de ouro nos esperava. Para mim parecia mágica o jeito que estavam iluminados, e também para os romanos, porque todos sorriam e apontavam.

Apontavam! Que falta de etiqueta! Mas... fui avisada que isto era de se esperar.

Pompeu e seus acompanhantes não apontavam. Ele nem mesmo parecia interessado; e, se estava, escondeu muito bem.

Tomamos nossos lugares; todos os adultos se inclinariam em divãs, com apenas os menos privilegiados tomando lugar nos bancos – e parecia haver menos dos que não eram privilegiados. Minha ama me contou que, em Roma, as mulheres e as crianças ficavam relegadas a sentar em bancos, mas aqui nem a rainha nem as princesas mais velhas tolerariam isto. Tentei contar quantos divãs eram precisos para mil pessoas se reclinarem e cheguei à quantia de trezentos – mesmo assim cabiam neste salão impressionante, com espaço livre para os servidores passarem entre eles com as bandejas e os pratos.

Meu pai indicou um banco para mim, enquanto Pompeu e sua comitiva se acomodaram em divãs reservados para os mais altos escalões. Seria eu a única a me sentar num banco? Seria como carregar um aviso no peito chamando a atenção para mim. Fiquei olhando minha madrasta e irmãs se acomodarem num divã, caprichosamente arrumando os trajes e cruzando os pés. Como desejei ser um pouco mais velha só para sentar num sofá também!

Senti-me tão à vista que não sabia como conseguiria sobreviver à refeição inteira. Naquele momento meu pai deu ordens para que o homem de barba e o menino se juntassem a nós; vi quando ele enviou alguém com as ordens. Sabia que estava fazendo isto para diminuir o meu embaraço; era de seu caráter perceber a aflição dos outros, mesmo antes que fossem expressadas.

— Meu caro Meleagros — papai falou para o homem. — Por que não se senta onde possa aprender o que desejar?

O homem inclinou-se, aceitando o convite, imperturbado em ter sido convidado para o lugar mais proeminente no banquete. Devia ser um filósofo; filósofos viam o mundo com equanimidade. E é claro que a barba confirmava este fato. Ele puxou o seu filho para a frente, e um banco foi colocado para ele. Agora, éramos dois. Acho que papai pensou que isto faria as coisas mais fáceis. Na verdade, serviu para atrair mais atenção.

— Meleagros é um de nossos sábios — explicou meu pai. — Ele reside no...

— No Museion — disse um romano de rosto quadrado. — É onde vocês guardam os sábios inofensivos e os cientistas, não é mesmo? — Sem esperar pela resposta, ele deu uma cutucada nas costelas de seu companheiro. — Moram lá, mas precisam trabalhar para o rei. Quando ele quer saber alguma coisa, digamos, qual a profundidade do Nilo perto de Mênfis, por exemplo, o rei só precisa chamar alguém que saiba a resposta, mesmo no meio da noite! Não é verdade?

Meleagros ficou rígido; era como se ele quisesse bater no romano.

— Não é bem assim — respondeu. — É verdade que somos sustentados pela generosidade da coroa, mas nosso rei nunca foi tão indelicado fazendo exigências exorbitantes.

— De fato — interpôs meu pai. — Eu o chamei aqui para que ele questione *você*, Varro. Meleagros tem enorme interesse por plantas e animais incomuns e, pelo que ouvi, muitos de vocês andaram observando e reunindo espécies perto do Mar Cáspio, depois de afugentar Mitridates, quero dizer.

– É verdade – admitiu o romano chamado Varro. – Tínhamos esperança de aprender mais sobre o comércio famoso da Índia através do Mar Cáspio. Mas Mitridates não foi o único a fugir, nós também, por causa das serpentes venenosas. Nunca vi tantas serpentes, dos mais diversos tipos. Mas o que se podia esperar de um lugar à beira do fim do mundo conhecido como aquele...

– A geografia é muito interessante – acrescentou o outro homem, cuja língua era o grego. Alguém o chamou de Teófanes. – Muito difícil de mapear...

– Vocês têm mapas? – Meleagros pareceu interessado.

– Completamente novos. Talvez gostasse de vê-los?

E assim continuou a conversa educada. O menino ao meu lado estava quieto. O que veio *fazer* aqui?

O vinho foi distribuído, e a conversa cresceu em volume, ficou mais animada. O romanos esqueceram-se de falar grego e voltaram a conversar em latim. Como soava estranha e monótona se não se compreendia a língua. E eu não a tinha estudado. Havia pouca razão para sabê-la. Nada importante fora escrito nela; nenhum discurso famoso ou qualquer coisa assim. Outras línguas, como o hebreu, o siríaco e o aramaico eram muito mais úteis. E no momento, eu tinha decidido tentar falar egípcio, para que pudesse compreender o povo em qualquer lugar no meu país. Mas latim? Mais tarde, talvez.

Fiquei olhando minhas irmãs, que mal continham o desprezo pelos romanos; quando a conversa mudou para o latim, Berenice e Cleópatra reviraram os olhos. Isto me preocupava; e se os romanos as vissem assim? Pensei que devíamos ter cuidado para não ofendê-los.

De repente, as trombetas soaram e uma multidão de servidores apareceu, como se saíssem das paredes, e levaram os cálices de ouro embora, trocando-os por outros cálices de ouro, ainda mais decorados e cobertos de pedras preciosas do que os primeiros. Os romanos simplesmente ficaram boquiabertos – o que imaginei ser exatamente o efeito desejado.

Mas para quê? Por que papai estava tão ansioso em mostrar nossa riqueza? Será que isto não os fariam ainda mais desejosos de abocanhá-la? Isto me deixava confusa. Vi Pompeu olhando com uma expressão sonhadora para o cálice à sua frente, como se o imaginasse sendo derretido.

Então ouvi o nome de *César*, junto com algo a ver com ganância e necessidade de dinheiro. Parece que ouvi Pompeu dizer para papai – fiz um esforço grande para ouvir – que César (quem quer que fosse ele) queria tomar o Egito e anexá-lo a Roma como província, já que o Egito tinha sido deixado para Roma num testamento...

– O testamento era falso – ouvi papai dizer e sua voz soou tão fina como a de um eunuco. – Ptolomeu Alexandre não tinha o direito de fazer tal doação...

– Ha, ha, ha! – Pompeu riu. – Isto depende de quem o interpreta...

– Então, você quer ser um cientista também? – Teófanes perguntou educadamente ao menino ao meu lado. – É por isso que está aqui com seu pai?

Maldição! Agora não dava mais para eu ouvir o que meu pai e Pompeu diziam, e era tão importante. Tentei bloquear as vozes ao meu lado, mas era inútil.

– Não – o menino respondeu, sua voz afogando as vozes mais distantes. – Embora tenha interesse em botânica e no mundo animal, meu interesse maior é pelo mais complexo dos animais: o homem. Quero estudá-lo, por isso vou ser um médico.

– Como se chama? – Teófanes perguntou como se estivesse realmente interessado. – E que idade tem?

– Olímpio – ele respondeu. – Tenho nove anos. Vou fazer dez no próximo verão.

Fique quieto! Mandei no meu pensamento.

Mas Teófanes continuou fazendo perguntas. Ele morava no Museion também? Estava interessado em um tipo particular de medicina? Que tal *pharmakon*, drogas? Esta é uma maneira de combinar o conhecimento de drogas com a medicina.

– Sim, claro – Olímpio dizia. – Gostaria de perguntar a vocês sobre o "mel louco". Foi para isso que vim aqui esta noite. Ou convenci meu pai a me trazer, para ser exato.

Teófanes parou de sorrir.

– O mel louco – *meli maenomenon* – ... não pergunte a Pompeu sobre isto. Ainda o deixa com raiva. A área ao redor do Mar Negro dominada por Mitridates é conhecida por seu mel envenenado. Alguns de seus aliados puseram favos na nossa rota. Nossos soldados comeram do mel, e perdemos muitos deles. Muitos.

Teófanes sacudiu a cabeça.

– Mas por que comeram do mel se sabiam que era envenenado?

– Não sabíamos; descobrimos depois. Parece que as abelhas se alimentam de azaléias, e alguma coisa no néctar envenena o mel. A planta em si não é venenosa; as pessoas do local a chamam de "envenenador de bode", "matador de carneiro" e "destruidor de vacas". Era um indício que não deveríamos ter ignorado.

– E as abelhas? Elas não morrem também? – Olímpio perguntou.

– E César tentou ratificar uma lei no Senado – Pompeu dizia para meu pai – assim, o Egito...

– Você também, meu amigo! – Papai sacudia o dedo, como se aquilo fosse tão engraçado, em vez de ameaçador, e Pompeu, um grande amigo, em vez do abutre tentando nos devorar.

Pompeu sorria,

– É verdade, é verdade, mas ...

– Não, as abelhas são imunes – disse Teófanes.

– O mel bom fica misturado com o ruim.

Era Varro que tinha entrado na conversa. Não havia como as vozes mais distantes prevalecerem sobre as três mais próximas; o melhor era desistir de ouvir.

– Parece que apenas uma parte do favo pode estar envenenado.

– Mas não tem nenhuma diferença de aparência ou gosto? – Olímpio perguntou. Seu tom era tão solene, tão profissional.

– Pode ser um pouco mais avermelhado ou mais líquido – disse Teófanes. – Mas não tanto para que sempre notássemos a diferença.

– Mel feito no começo da primavera – acrescentou Varro. – E quando ataca... *Então*, você sabe! Os soldados foram tomados por uma dormência formigante, depois começaram a ver luzes circulando e túneis, perderam a consciência e começaram a vomitar e a delirar. Isto de acordo com os que se recuperaram depois – fez uma pausa dramática. – O pulso diminui, e o rosto fica roxo.

– Oooh – Olímpio exclamou, finalmente parecendo impressionado. Ele parecia ser muito difícil de impressionar ou até mesmo irritar.

– Você sabia que as tropas de Xenofonte também foram vitimadas pelo mel? Há quatrocentos anos! Milhares sucumbiram. No mesmo local. Nós historiadores nos ocupamos com tantas informações. Agora que estou aqui, gostaria de consultar alguns de seus pergaminhos na famosa Biblioteca. É onde se diz residir todo o conhecimento! – Ele voltou-se para meu pai, gritando – Não é verdade? Não há meio milhão de volumes na Biblioteca?

Meu pai interrompeu sua conversa com Pompeu – a conversa que eu estava ansiosa para ouvir, embora também achara o "mel louco" interessante. Mas não tão interessante quanto o testamento deixando o Egito para Roma. Será que um dos nossos ancestrais realmente fez isto? Por Ísis, espero que não!

– O quê? – papai respondeu, com uma mão ao redor do ouvido.

– Eu perguntei se vocês não têm meio milhão de pergaminhos na Biblioteca? – Varro gritou de novo.

Minhas irmãs reviraram os olhos de novo com mais esta demonstração de rudeza dos romanos.

– É o que dizem – respondeu meu pai.

– É verdade – disse o pai de Olímpio. – Todo manuscrito que já foi escrito, ou melhor, em que um Ptolomeu conseguiu pôr as mãos.

– Correto – meu pai acrescentou. – Guardamos os originais e entregamos cópias aos seus donos.

– As glórias de Alexandria – disse Pompeu, pensativo. E sorriu.

– Quer visitá-las? – meu pai sugeriu. – Amanhã, se o nobre imperador estiver com disposição?

Antes que Pompeu pudesse responder, as trombetas soaram mais uma vez e os pratos de ouro foram trocados de novo, com muito barulho cerimonial. Em cada mudança, os utensílios eram ainda mais ornados.

A refeição poderia ser iniciada, e foi, com uma profusão de pratos totalmente estranhos para mim – certamente não eram parte do dia-a-dia, mesmo para uma criança real. *Ouriços do mar em menta... enguias assadas com acelga... glandes de Zeus... Cogumelos com urtiga doce ... queijo de ovelha de Frígia... passas de Rodes... e uvas, doces e suculentas* – sem contar os pães de mel. Que escolha infeliz! Pompeu e todos os outros as deixaram de lado; qualquer coisa ligada ao mel não era tão atrativa para eles agora.

– Mas este mel vem de Cós! – meu pai tentou convencê-los, em vão.

Tinha também o vinho e mais vinho, um diferente para cada prato – vinho tinto e branco do Egito, o famoso vinho com buquê de maçã de Tassos e o mais doce de todos, o vinho da Prâmia.

– É feito com uvas parcialmente secas – Varro explicou, estalando os lábios enquanto engolia o vinho. – E isto concentra a doçura, tão, tão... hmmm ...

Como meu vinho foi diluído, eu quase não distinguia entre eles, mas mesmo assim concordei.

Será que o vinho de papai também fora diluído? Porque, no seu nervosismo, ele bebia um cálice depois do outro, e logo estampava um certo sorriso maroto no rosto e se inclinava com muita familiaridade ao lado de Pompeu. E então – nunca esquecerei – de repente decidiu pedir suas flautas e tocá-las. Sim! Para divertir os romanos, ele disse. E porque era o rei, ninguém se atreveu a dizer, "Pare! Não deve fazer isto!".

Eu queria me levantar e gritar para ele não fazer, mas fiquei paralisada no meu banco. Assisti quando seu servo trouxe-lhe a flauta e depois quando ele se levantou se desequilibrando e se encaminhou para um espaço aberto onde pudesse tocar.

Fiquei horrorizada, constrangida e envergonhada. Os romanos olhavam, boquiabertos. Papai respirou fundo para encher os pulmões e começou a tocar suas melodias. Embora o som não fosse muito alto, o silêncio que tomou conta do salão inteiro fazia com que cada nota vibrasse no ar.

Olímpio virou-se e me deu um olhar de pena, mas era um olhar solidário, e não condescendente. Eu queria poder fechar meus olhos e não ter de testemunhar a visão trágica do rei tocando como um músico de rua – ou um macaco para o seu dono.

Era o vinho que estava fazendo isto! Jurei naquele instante nunca deixar que o vinho tomasse conta de mim – uma promessa que, acredito, nunca quebrei, embora Dionísio e suas uvas tenham me causado muito sofrimento mesmo assim.

De repente, um dos romanos num outro divã começou a gargalhar, e isto atiçou os outros, que também começaram a rir; logo, Pompeu também estava dando risada e o salão inteiro se encheu de risos. Meu pobre pai achou que era um sinal de aprovação e aplauso para ele e até mesmo se inclinou para sua audiência. E então – vergonha das vergonhas! – começou uma dança.

O que foi que ele me disse antes? *Deve ter comportamento impecável; precisamos convencê-lo de que o Egito e Roma estão bem servidos se nós permanecermos no trono.* Como pode ter esquecido sua missão e o perigo para o Egito? Será que o vinho era tão forte assim?

Quando meu pai cambaleou de volta para seu lugar, Pompeu arrumou as almofadas, como se o rei fosse um animalzinho de estimação.

– Os romanos acreditam que dançar é uma coisa que degenera – Olímpio se inclinou e cochichou no meu ouvido. – Usam nomes feios para gente que dança.

Por que ele estava me dizendo isto? Para eu me sentir pior ainda?

– Eu sei – retruquei, embora não fosse verdade.

Deve ter comportamento impecável; precisamos convencê-lo de que o Egito e Roma estão bem servidos se nós permanecermos no trono. Nós, os Ptolomeu...

Berenice e a Cleópatra mais velha ficaram apenas olhando; essas Ptolomeu não ajudavam em nada. Por que não fizeram alguma coisa, disseram alguma coisa, para acabar com o vexame?

Esta noite você precisa se comportar como uma princesa... com dignidade... Que criança encantadora...

Talvez houvesse alguma coisa que eu pudesse fazer, qualquer coisa... Pompeu parecia ter gostado de mim, tinha me dado atenção especial...

Levantei do banco e fui até ele, que estava apoiado no cotovelo, e, quando cheguei mais perto, percebi que o vinho o havia afetado também. Seus olhos pareciam um pouco desorientados, e seu sorriso, estranhamente fixo. Uma pulseira larga de ouro brilhava no seu braço, e ele a acariciava com os dedos.

– Imperador – eu disse, tocando minha testa para sentir a faixa de ouro e me lembrar de que era uma princesa. – Há muito mais em Alexandria do que o salão de banquetes, ou a música. Amanhã, durante o dia, deixe-me mostrá-lo as maravilhas de nossa cidade: o Farol, a tumba de Alexandre, o Museion e a Biblioteca. Estaria interessado?

Um lado de seus lábios tremeu quando ele sorriu e falou.

– Que criança encantadora – repetiu, como se a frase tivesse se imprimido em sua memória. – Sim, sim, claro... e você será nosso guia?

– Meu pai pode mostrar o Museion – Olímpio ofereceu de repente, levantando-se. – E eu conheço pessoalmente o mestre do Farol.

Meleagros se juntou a nós.

– Claro. Varro está interessado na Biblioteca e no Museion. Seria uma honra poder conduzi-los...

E foi assim que todos nos prontificamos a salvar o rei e o Egito.

 3

Sozinha na minha cama naquela noite, depois que minha ama me preparou para dormir e todas as lamparinas, com exceção de uma, foram apagadas, eu me aconcheguei no meus lençóis e rezei para você, Ísis.

Ajude-me nesta hora! Implorei. *Amanhã... amanhã tenho de tentar apagar o que foi feito esta noite.* E a verdade é que eu não sabia como; nem mesmo sabia por que sugeri a excursão. O que tinha a ver com Pompeu, meu pai e o destino do Egito? O que eu, uma criança apenas, poderia fazer? Mas precisava tentar; e para isso pedi ajuda a Ísis, minha mãe, a dona de todo o poder...

Tremendo, levantei da cama e fiquei olhando a luz brilhante do farol, uma visão que sempre me confortava. Desde muito pequena me lembro desta torre enorme tomando quase toda a visão da minha janela do Oeste. Cresci observando as mudanças de cores com a passagem do dia; rosa perolado no amanhecer, branco brilhante no calor do meio-dia, vermelho ao pôr-do-sol, azul púrpura no crepúsculo e finalmente, à noite, uma coluna escura com o topo em flamas, o fogo queimando dentro dela, aumentado pelos espelhos polidos de sua lanterna. Ficava no fim de uma ilha que não era mais ilha, já que um molhe longo a incorporara ao continente.

Eu nunca tinha entrado no farol. Estava então curiosa para ver como funcionava. Sua base era quadrada; em dois terços do caminho, a estrutura virava octogonal e, depois, circular. No topo estava uma estátua de Zeus Salvador, que se movia, acompanhando o sol; e logo abaixo de Zeus brilhava o farol maravilhoso. A base portentosa era rodeada por colunas de mármore e de um lado o templo elegante de Ísis Pharia.

Alexandria, por estar à beira do mar, tinha inverno. De dezembro a fevereiro era frio, com tempestades marítimas, jogando borrifos de água salgada nas ruas da cidade. Os navios não saíam para o mar neste período, o farol servia de sentinela para os mares vazios e os barcos ficavam ancorados seguramente nos nossos cais magníficos. Em outras estações, o farol servia para guiar os navios, cujas viagens começavam e acabavam aqui. Os cais de Alexandria podiam acomodar mais de mil navios.

Amanhã precisávamos distrair os romanos, adulá-los e satisfazê-los, o farol de Alexandria e eu.

Acordei com enorme disposição para a aventura. Em parte porque era uma oportunidade para que eu visse coisas que aguçavam a minha curiosidade. Por ser uma princesa, poder-se-ia deduzir que eu teria toda a cidade de Alexandria aos meus pés, mas a verdade é que eu ficava a maior parte do tempo confinada aos limites do palácio e seus muitos edifícios. Os visitantes vinham de toda parte do mundo para admirar nossa cidade, uma maravilha de mármore branco brilhando contra o azul-água-marinha do Mediterrâneo, mas nós, as crianças reais, víamos menos dela do que qualquer outra pessoa. Ah, o que víamos de nosso ponto privilegiado era muito lindo. Da minha janela, a primeira coisa que via era o farol, que parecia um dedo pálido nas primeiras horas da manhã, com as ondas quebrando na sua base. Mais próximo de mim estava o porto do Leste, marcado por escadas que desciam para a água convidativa, onde se podia brincar e juntar conchas. E dentro do palácio em si, havia o pequeno templo de Ísis, com vista para o mar aberto, onde o vento soprava entre as colunas e murmurava ao redor da estátua de Ísis no seu santuário.

Na área do palácio, os jardins eram uma festa de flores coloridas – papoulas vermelhas, centáureas azuis, rosas escarlates – que se balançavam na brisa, uma explosão de cores contra o branco imaculado dos prédios. Em todo canto se achava pequenos lagos cobertos de flores de lótus brancas e azuis, fazendo o perfume combinado de todas estas flores um aroma particular e indescritível. Poderíamos chamá-lo de *a Essência dos Ptolomeu*. Se pudesse ser engarrafado, teria um ótimo preço nos bazares, pela sua característica ao mesmo tempo forte e refrescante; o ar fresco do mar não permitia ao perfume das flores ficar pungente.

Por terem sido construídos em um longo período de tempo, os edifícios do palácio eram muito variados. O mais imponente deles tinha piso de ônix ou alabastro, com paredes de ébano. Dentro havia uma riqueza de artefatos de dar inveja a qualquer mercador: divãs ornados com jaspe e cornalina, mesas de marfim trabalhado, pés de madeira cítrica. Tapeçarias de púrpura tíria, adornadas com ouro, cobriam as paredes de ébano – uma riqueza sobreposta à outra. As sedas do oriente, chegadas aqui através da Índia, eram usadas para cobrir nossas cadeiras. E nos pisos encerados via-se a imagem dos escravos, escolhidos pela beleza física.

Não havia necessidade de eu me aventurar para fora destes confins, mas quando se é criado ao redor de tanta beleza, elas se tornam rotina. O que aguçava minha curiosidade era o que havia além dos portões, as casas e o povo lá fora. Sempre queremos o que nos é proibido, fora dos nossos limites, exótico. Para a pequena princesa Cleópatra, o ordinário seduzia. Agora era minha obrigação servir de guia e mostrar essas coisas para os romanos, quando na verdade era tudo novidade para mim também.

Um número alarmante de romanos escolheu tomar parte da excursão. O que exigiu uma grande quantidade de bigas e quase todos os cavalos da corte real. Meleagros e Olímpio chegaram cedo, visivelmente nervosos; papai, a vergonha estampada na cara, também apareceu. Meleagros recrutou a ajuda de alguns de seus companheiros do Museion, e a Guarda Real da Macedônia nos serviria de guias, enquanto agiam como guarda-costas discretos.

Fiquei agradecida pela companhia de Olímpio; parecia saber tudo sobre a cidade e me dava informações pelo caminho. Claro que ele podia ir e vir à sua discrição, por ser um cidadão grego, mas não de sangue real. E tinha usado bem suas oportunidades de exploração.

Eu estava ao lado de Pompeu numa grande biga cerimonial. Olímpio ao meu lado e papai segurando-se nas guardas, com a cara esverdeada. Atrás vinha o resto; o capitão da guarda conduzia.

Quando deixamos o palácio e entramos nas ruas largas, ouvimos os gritos de viva. Fiquei aliviada por serem gritos amigáveis; em Alexandria, nunca se sabe. Nossa multidão era um pouco volátil, mudando sem aviso contra nós. Mas este povo nas ruas estava alegre, sorrindo, feliz de poder ver seus soberanos. A presença de tantos romanos, no entanto, poderia transformá-lo a qualquer momento.

Papai e eu acenamos para o povo e ficamos satisfeitos quando eles responderam gritando vivas e atirando flores. Depois, ouvi-os chamar meu pai pelo seu apelido, *Auletes*, o "tocador de flauta", mas gritavam carinhosamente.

Viramos a avenida de mármore que levava à tumba de Alexandre. Os dois lados eram margeados com colunatas, fazendo a avenida parecer um templo magnífico. Onde esta avenida que cortava de Norte ao Sul cruzava com a avenida de Leste a Oeste, chamada caminho Canópico, ficava a tumba de Alexandre, nossa primeira parada.

Todo mundo que vinha à cidade oferecia reverência à tumba de Alexandre; era um lugar sagrado. Foi ele quem desenhou os planos para a cidade e lhe deu o seu próprio nome, conferindo assim sua mágica para esta metrópole.

Agora até mesmo os barulhentos e brincalhões romanos ficaram em silêncio quando se aproximaram. O próprio invencível jazia no seu sarcófago de cristal... quem não ficaria impressionado com esta visão?

Olímpio murmurava as explicações enquanto caminhávamos pela tumba. *Foi trazido para cá em vez de Siwa... preservado em mel... o sarcófago de ouro foi derretido durante os tempos difíceis... os sacerdotes em Mênfis se recusaram a enterrá-lo, dizendo que ele nunca jazeria em paz...*

– Como sabe tanto? – perguntei a ele, num cochicho.

– Não sei nem a metade do que gostaria de saber – ele respondeu, como se considcrasse ignorante a minha pergunta.

Pompeu fitava o perfil reclinado. Seus olhos redondos ficaram ainda mais arredondados. Ouvi-o murmurar alguma coisa em latim que pareceu cheio de humildade.

– Ele quer ser o novo Alexandre – Olímpio cochichou no meu ouvido. – As pessoas lhe dizem que ele se parece com Alexandre; e a semelhança não passa despercebida.

Isto não era bom; Alexandre tinha conquistado o Egito.

– Não acho que ele se pareça com Alexandre! – eu exclamei.

– E as pessoas ficam fazendo comparações – continuou Olímpio. – Não param de falar sobre a sua juventude e o chamam de Magnus, o Magno… o único romano que recebeu este título! E com apenas vinte e seis anos. Mas também dizem – e nesse momento, Olímpio se inclinou e falou tão baixinho que quase não entendi – que ele mesmo se deu este título! E que forçou Sula a deixá-lo fazer um Triunfo.

Pompeu ainda fitava com admiração o seu ídolo.

Fiquei ao seu lado e disse (Por que disse aquilo? Será que você, Ísis, me ofereceu as palavras?):

– Tenho o mesmo sangue de Alexandre. Os Ptolomeu são da família dele.

Pompeu teve seu sonho interrompido.

– Então você é abençoada, princesa – ele disse.

– Ele nos preservará e à cidade que fundou na sua eterna glória – eu disse. – Ele é nosso protetor.

Atrás de mim, papai esfregava as mãos e parecia completamente ineficaz.

Pompeu olhou-me gravemente.

– Em você ele tem um defensor nobre – ele disse finalmente.

Próxima parada, o Museion – assim chamado em homenagem às Nove Musas do pensamento criativo –, aonde os romanos foram levados numa excursão detalhada, apresentados aos eruditos famosos e a salas de estudos e leituras. Depois, para a Biblioteca, a maior do mundo, com seu inventário imenso de pergaminhos. Ptolomeu II iniciou a coleção e cada rei depois dele acrescentou volumes a ela avidamente.

O bibliotecário-mor, Apolônio, nos deu as boas vindas.

– Meu idolatrado rei, e princesa, e nossos honrosos magnânimos romanos – ele disse, fazendo uma reverência. Pude quase ouvir o ruído de seus ossos anciãos se movendo. – Permitam-me mostrar-lhes este templo maior do mundo escrito.

Ele nos mostrou as várias salas de tetos altíssimos, uma ligada a outra, como elos numa corrente. A luz do sol penetrava nas câmaras por uma série de janelas que corriam por todo o perímetro das salas, um pouco abaixo do teto. Mesas de mármore e bancos estavam arrumados no meio das salas abertas, e leitores de diversas nacionalidades se inclinavam sobre pergaminhos abertos. Vi o grego em sua túnica, o árabe em seus robes volumosos, o judeu com seu manto e seu capuz, o egípcio, de peito livre e saias de couro. Todos olharam e moveram-se abruptamente quando entramos.

Acompanharam com a cabeça enquanto passávamos, voltando-se como girassóis antes de se inclinarem novamente sobre seus manuscritos. Fomos encaminhados ao que parecia ser uma sala particular, mas na verdade era uma das câmaras de armazenamento dos pergaminhos da biblioteca. As prateleiras corriam por todas as paredes, com etiquetas em espaços determinados, identificando os pergaminhos. Parecia uma colméia, com os pergaminhos enrolados fazendo cada célula. Uma etiqueta de madeira se balançava para fora da saliência de cada pergaminho.

– Então é assim que são organizados – Pompeu disse. Examinou uma etiqueta que dizia "Heráclides de Tarento".

– Medicina, meu imperador – disse Apolônio.

Ao lado deste, um outro com a etiqueta que dizia, "Heрófilo de Calcedônia".

– O mestre incontestável da medicina alexandrina – disse Apolônio, com orgulho.

– Duzentos anos atrás – disse Olímpio, à meia voz. – Existem escritos mais recentes.

– Está tudo aqui – Apolônio mostrou exultante. Aqueles pergaminhos eram o seu orgulho. – Os trabalhos em vários pergaminhos estão arrumados nestas cestas, com as etiquetas nas alças.

Pompeu realmente estava admirado.

– A organização é uma inspiração para aqueles como nós, que temos nossos próprios arquivos para administrar – ele disse.

Os romanos se ocuparam abrindo e fechando pergaminhos; o barulho que resultou me deu oportunidade de questionar o poço de sabedoria que era Olímpio.

– Que história é esta sobre um testamento dando o Egito para Roma? Queria ouvir sobre ele ontem à noite, mas vocês não paravam de tagarelar!

Agora eu queria ver se ele sabia.

– Ah – Olímpio pausou um momento. Depois cochichou de volta.

– Seu ancestral Alexandre X fez um testamento que deu o Egito para Roma. Isso é o que dizem os romanos! Mas ninguém tem certeza se foi isso realmente e, se for verdade, se é legal ou não.

– Por que não lêem o testamento e decidem? – para mim, essa parecia a maneira mais fácil de se descobrir.

– Parece que o testamento desapareceu misteriosamente – ele disse, arqueando as sobrancelhas. – Muito conveniente!

Para nós ou para eles? Era o que eu queria saber.

De repente, os ruídos dos pergaminhos cessaram e, assim, nossa conversa também.

Deixando a Biblioteca, oferecemos aos romanos uma visita rápida ao nosso ginásio, onde nossos atletas treinavam. E finalmente, para o farol.

– Bem-vindos! – O faroleiro estava parado em frente à porta larga, esperando por nós.

– Rei Ptolomeu, Princesa Cleópatra, venham e mostrem ao Imperador Pompeu o que nosso ancestral glorioso, Ptolomeu Filadelfo, construiu há mais de duzentos anos.

Já dentro do farol, ele mostrou o enorme armazém de combustível; parecia uma montanha e tomava a sala inteira.

– A luz do farol deve queimar noite e dia e, para isto, consome madeira, excremento, papel e carvão – qualquer coisa que pegue fogo. Armazenamos nossas reservas aqui e depois as içamos a cento e vinte metros de altura, nestas cestas.

Ele fez um sinal para que o seguíssemos até o poço central, onde as cordas se balançavam e desapareciam para cima, para o que parecia o próprio céu.

– A escadaria fica nas beiradas – ele disse.

– Não podemos subir nas cestas? – perguntou Olímpio.

– Não – disse o mestre do farol. – Porque você chegaria exatamente ao lado do fogo; e se não chegasse, ainda assim não confiaria o orgulho do Egito e de Roma a uma corda puída.

Foi uma ascensão lenta até o topo. Havia janelas ao longo da subida, e enquanto circulávamos pela torre, pude avistar o porto diminuindo e os barcos se parecendo cada vez mais com os de brinquedo que as crianças soltam em laguinhos de lótus. Quanto mais subíamos, mais podíamos ver da plana Alexandria se estirando para além do porto; finalmente, perto do topo, pude ver além do Hipódromo nas fronteiras da cidade e, quase ao extremo Leste, até a cidade de prazeres de Canopo, onde um dos braços do Nilo terminava.

Minhas pernas doíam e estava sem fôlego, quando finalmente circulávamos a última volta da escadaria e alcançamos o topo.

O mestre da flama esperava, emoldurado pela sua fogueira. Ela rugia atrás dele, se enrolando como as serpentes nos cabelos de Medusa, e o som do fogo inclemente combinado com o vento lá fora formava um bramido temível. Atrás do fogo, avistei alguma coisa reluzente e ondulante e depois um escravo, vestido em couro molhado, apareceu. Ele virava o escudo espelhado de bronze polido que era enfiado em vãos ao redor do fogo para que fosse refletido e avistado no alto mar. O escudo apanhava e refletia os raios do sol ao mesmo tempo, aumentando seu brilho. Diziam que o farol de fogo poderia ser visto por quase cinqüenta quilômetros, mas, a essa distância, ele piscava como uma estrela e poderia ser facilmente confundido.

O fogo era um monstro, quase indomado. Só naquele momento notei que o mestre da flama estava usando um escudo de couro grosso e trazia um capacete embaixo do braço – obviamente removido da cabeça em nossa honra – que tinha um véu de ferro para proteger seu rosto. Ele conhecia seu monstro e estava vestido para se proteger. Apesar do calor, o vento forte que soprava evitava que esmorecesse.

– Ouvi dizer que existe uma lente de vidro aqui – comentou Olímpio.

– Como poderia existir? O calor a derreteria – disse Pompeu.

– Tentamos produzir uma há muito tempo – disse o mestre da flama. – Mas não conseguimos moldar um vidro de tamanho que servisse ao nosso propósito. Seria uma solução excelente. Se pudéssemos aumentar a luz que temos, não precisaríamos de um fogo tão imenso. E não é verdade, o calor não derreteria o vidro, a não ser que o jogássemos no meio das chamas.

– No meu ver – continuou Olímpio – se tivéssemos uma lente, poderíamos usar a luz do sol, em vez de um fogo.

– Muito bom durante o dia, Olímpio – interrompeu seu pai – mas, e durante a noite?

Todo mundo riu, mas Olímpio não desistiu.

– Os navios não navegam à noite.

– Mas navegam em tempos nublados – Meleagros disse. – E são afetados por tempestades. Sua lente falharia.

Navios… navegar… só de pensar em estar na água me deixava nervosa. Já tinha sido muito difícil atravessar pelo molhe até o farol. Tinha pavor à água, por causa da lembrança amarga do barco e da minha mãe nele. Mas eu era forçada a viver à beira do mar e olhar para ele todos os dias. Ainda não tinha aprendido a nadar e evitava os barcos na medida do possível. Até mesmo os pequenos lagos de lótus no palácio pareciam ameaçadores para mim. Temia ser chamada de covarde, se alguém notasse que eu evitava me aproximar da água.

– Sua cidade é bela – disse Pompeu, virando-se devagar para apreciar o panorama à sua frente. – Branca… bela… serena e refinada…

– Ninguém poderia amá-la mais do que nós – eu disse de repente. Sabia que estas eram exatamente as palavras certas. – Tomaremos conta dela e a protegeremos para você, e sempre estará aqui à sua espera.

– Tenho certeza de que você a protegerá bem, Princesa – ele disse. – Ela está segura nas suas mãos.

Será que foi naquela hora que eu senti – ou descobri – o poder estranho que tenho em encontros pessoais? Não faço nada em especial, ou digo uma palavra especial, mesmo assim parece que tenho o dom de ganhar a confiança das pessoas e desarmá-las. Não sei como. E funciona apenas com pessoa. Com as cartas não tenho uma mágica especial. Deixe-me ver alguém, falar com ele – ou ela – e tenho poderes de persuasão que não sei explicar. Deve ser alguma coisa que me foi dada pela própria Ísis, que sempre foi minha guardiã. E ela, somente ela, sabe que tentei usar sua dádiva para curvar o mundo à minha visão e, com isso, evitar a destruição do Egito pelo poder romano.

Graças aos deuses, os romanos partiram no dia seguinte, mas não sem antes extorquir mais dinheiro e ajuda de meu pai para suas campanhas. Mas tinham ido, adeus, adeus, e o Egito fora poupado. Pompeu e sua comitiva navegaram para longe, para se ocupar com a política romana. Rezei para não o ver nunca mais, ou a qualquer outro romano.

Mas parecia que nosso destino estava inextricavelmente entrelaçado com o de Roma. Três anos mais tarde, um romano de passagem na cidade matou um gato acidentalmente – um animal sagrado para os egípcios. A população de Alexandria revoltou-se e tentou matar o romano. A cidade ficou um tumulto, e precisamos de nossos guardas para proteger o romano e apaziguar a multidão revoltada. Era o que faltava para instigar uma intervenção romana, uma ameaça sempre presente.

Durante estes anos, meus irmãos mais novos nasceram. Ambos se chamavam Ptolomeu; se as mulheres na nossa família tinham poucos nomes com que serem chamadas, os homens então tinham menos opção ainda. Havia uma diferença de dezoito anos entre a Cleópatra mais velha e o Ptolomeu mais velho e o mesmo entre Berenice e o Ptolomeu menor. Será que era para se casarem entre si? Um pensamento intrigante.

Como Ísis, a deusa mais egípcia que existe, casou com seu irmão Osíris, para nos tornar os soberanos do Egito – quero dizer, nos tornar a família soberana dominadora do Egito, embora nossa linhagem fosse puramente macedônica grega – nós os Ptolomeu adotamos alguns dos hábitos egípcios que outros consideravam com horror. Um deles era o casamento entre irmãos e irmãs, como os faraós fizeram antigamente. Assim, meu pai e minha mãe eram na verdade meio-irmãos, e eu seria forçada a me casar com um dos meus irmãos – embora fosse um casamento apenas por formalidade.

Talvez tivesse chegado a hora de procurarmos nossos consortes em outras linhagens reais. A diferença de idade nesta geração era muito grande para continuarmos nossos hábitos antigos.

Foi então que meu mundo inteiro se modificou e, mais uma vez, por culpa dos romanos. Meu pai finalmente conseguiu descartar o testamento ambíguo e ser reconhecido como o soberano indisputável por Roma. Isso lhe custou seis mil talentos, ou a arrecadação total anual do Egito. Ele tinha de pagar aos três não oficialmente reconhecidos mas de fato governantes de Roma – Pompeu, Crasso e César. Em troca, eles o reconheceram como rei e conferiram ao Egito o título formal de *Socius Atque Amicus Populi Romani*, Amigo e Aliado do Povo Romano. Isso queria dizer que eles nos reconheciam como um estado soberano, cujas fronteiras seriam respeitadas. O preço de tal respeito tinha sido muito alto. Mas não pagá-lo custaria muito mais caro, como meu tio descobriu.

Meu pai tinha um irmão, também chamado Ptolomeu (que monótono), que era o soberano no Chipre. No passado, controlávamos uma vasta extensão de terras, mas estávamos perdendo nosso domínio de geração para geração. Trinta anos antes, um outro Ptolomeu, um primo – com menos garra do que nós –, tinha deixado em testamento a província de Cirenaica, que incluía o Chipre e toda a costa africana, para Roma. Depois de sua morte, Roma tomou o poder, mas deixou o Chipre, parte daquele território, ainda nas mãos de nossos primos. Assim, meu tio Ptolomeu ainda era o soberano lá, até que os romanos decidiram anexá-lo também. Ele não possuía muito dinheiro para convencer os romanos do contrário e estava impotente para mantê-los de fora. Os romanos ofereceram ao meu tio um posto de sacerdote de alto escalão no templo de Artemis em Éfeso – uma espécie de pensão honorável –, mas ele preferiu o suicídio.

Este acontecimento nos entristeceu muito, mas o povo de Alexandria se virou contra meu pai justamente por causa disso. Estavam enfurecidos com a enorme quantia que pagávamos a Roma e também com o que consideravam uma atitude covarde e falta de apoio a seu irmão. Achavam que meu pai deveria de alguma maneira ter salvo seu irmão, embora o que ele poderia ter feito permanece um mistério. Será que era para ter enfrentado as legiões romanas? Seria uma empreitada inútil; mas era muito confortante que os alexandrinos nos atribuíssem um poder que não possuíamos de verdade.

Mas meu pai precisou fugir! Seu próprio povo o afastou do trono, enviando-o à Roma, como um mendigo. Ele veio para os meus aposentos na noite em que fugiu, com uma expressão selvagem no olhar e gestos frenéticos.

– À meia noite, estou indo embora – ele disse. – Espero poder voltar dentro de dois meses, com as legiões a me apoiarem.

Como poderia ir embora? Quem governaria o Egito? Como se ele tivesse ouvido meus pensamentos, ele disse:

– Meus ministros tomarão as decisões de governo. E não vou me afastar por muito tempo, apenas o suficiente para conseguir a ajuda militar necessária.

– Mas… se os romanos vierem para cá com as tropas, irão embora algum dia? – nessa época eu já tinha estudado o suficiente para saber que quando os romanos eram chamados para "ajudar", acabavam ficando.

– Não tenho escolha – ele disse, tristemente. – O que mais posso fazer? Eles com certeza me apoiarão, precisam me apoiar, senão como vão poder arrecadar o dinheiro de suborno? – Ele deu um sorriso amargo. – Investiram muito na minha soberania no trono.

Era terrível. Terrível. Senti uma vergonha imensa. Mas será que o suicídio de meu tio era preferível? Que escolhas degradantes os romanos nos forçavam a fazer!

– Que os deuses lhe acompanhem – desejei a ele. – Que possam iluminar o seu caminho.

E assim ele partiu, fazendo seu caminho para Roma para implorar por proteção e por reintegração.

4

Alexandre, O Grande, tornou-se meu amigo durante a ausência de meu pai. Estranho como uma múmia possa se tornar um amigo de alguém, mas eu estava desesperada. Tinha onze anos de idade e, como os dias passavam e meu pai não retornava, comecei a temer por ele e pelo destino do Egito.

Dia após dia eu descia até o túmulo sob o mármore brilhante da cúpula do Soma e fitava o Conquistador em seu ataúde de alabastro. E todo dia era igual: quando alcançava o último degrau da escadaria, as luzes tremulantes das velas ao seu redor se pareciam por um momento como o céu à noite, virado de cabeça para baixo. E no meio das estrelas, como o próprio sol, jazia Alexandre da Macedônia. Aproximava-me devagar e, quando chegava até ele, fitava-o longamente.

Não é que ele parecesse estar vivo. Quero deixar isto bem claro. Parecia uma estátua pintada, e seus traços eram rígidos. Estava usando um protetor de peito polido, mas sem um capacete, e seus cabelos dourados não tinham desbotado. Suas mãos se cruzavam sobre o peito.

– Ó Alexandre – eu murmurava. – Imploro que não abandone seus descendentes nesta terra. Somos os últimos de seu império a sobreviver, nós, os Ptolomeu do Egito. Todo o resto foi abocanhado por Roma. E mesmo agora, meu pai está lá, suplicando para ser deixado no trono. Tornamo-nos inquilinos em nosso próprio reino, nosso próprio trono, e Roma é a nossa dona!

– O que acha disso, ó grande Alexandre? Ajude-nos! Ajude-nos a nos livrar deles! Não nos deixe ser devorados por eles!

Claro que ele nunca me respondeu; continuou como sempre, serenamente dormindo. Mesmo assim, sua presença me trouxe conforto. Ele tinha existido e enfrentado grandes problemas também, e os vencera.

Voltar à luz deslumbrante do dia era sempre estranho, a jornada da terra dos mortos de volta para a dos que vivem. O túmulo ficava no meio do cruzamento na nossa cidade onde o largo caminho Canópico, que atravessava a cidade inteira do Leste para o Oeste, cruzava com a avenida do Soma, que corria do lago sul de Mareótis para o mar, ao Norte. Sempre que eu olhava para a rua larga e branca, com suas colunatas de mármore se esticando além do alcance dos olhos, sabia que ela não poderia ser abandonada – que o que meu pai precisasse fazer para mantê-la, deveria ser feito.

Na sua ausência, o povo continuou atacando o seu nome. Como ele pudera ficar parado enquanto o Chipre era dominado? Que tipo de fracalhão era ele?

Era tudo culpa *dele* – o indefeso, deplorável rei, aquele que se chamava *Auletes*, porque gostava de música e de tocar a flauta. Antes era um apelido carinhoso, dado com um sentimento de indulgência; agora era uma ignomínia.

O pequeno bêbado tocador de flauta… fracalhão imundo… músico afeminado, fedendo a vinho… eram estes os nomes que eu ouvia quando passava pelas ruas de Alexandria no meu caminho de volta, na avenida do Soma. No passado, eles tinham recebido com fervor os festivais de Dionísio que o rei oferecia ao seu povo, mas agora o aviltavam pelo mesmo motivo. Tinham bebido de seu vinho com toda facilidade, mas suas memórias eram curtas. Aqueles que dizem que eu não sei como seria uma multidão escarnecedora em Roma estão enganados. Conheço o que é uma multidão escarnecedora.

Era sempre um alívio voltar ao palácio. (Será que Alexandre sentiria o mesmo alívio? Ou sentiria vergonha por eu me sentir aliviada?) Dentro do palácio, paz e respeito eram sempre mostrados – pelo menos aparentemente. Sempre, quero dizer, até o dia quando retornei para descobrir que ocorrera uma revolução.

Tudo parecia o mesmo. Não havia nada que me fizesse suspeitar que alguma coisa tinha mudado. Os jardineiros trabalhavam do mesmo jeito, aguando e podando; os servos lavavam as escadas de mármore do edifício principal, aquele com a sala de audiências e o salão de banquete, com os movimentos vagarosos e lânguidos de sempre. Passei por eles a caminho do edifício menor, onde as crianças moravam, quando de repente um guarda alto gritou para mim, "Pare!". Sua voz era rude e peremptória. E estava parado bloqueando a entrada para meus aposentos, olhando seriamente.

Reconheci-o; era um dos guardas cujo trabalho sempre me pareceu relapso. Agora ele fixava os olhos em mim. Ninguém tinha se atrevido antes a falar comigo daquela maneira.

– Não pode entrar!

– O que quer dizer? – questionei-o. Será que havia algum perigo lá dentro? Um incêndio? Ou um animal desgarrado? Talvez uma das panteras de estimação da minha irmã tivesse se soltado da correia e fugido.

– Até sua lealdade ser verificada, tenho ordens de detê-la. E por onde andava? Ninguém conseguia lhe encontrar.

Deu um passo à frente, em minha direção. Mas não se atreveu a me tocar; ninguém tinha o direito de tocar num membro da família real.

– Minha lealdade? Minha lealdade para com quem? Para com o quê? – era muito estranho. – Fui visitar o túmulo de Alexandre, que está sempre aberto a visitas – mesmo depois de dizer isso, sabia que não tinha como provar, porque sempre fui sozinha.

– Sua lealdade para a nova regência – ele disse.

Nova regência? Será que Roma tinha tomado o poder? Navios de guerra haviam atracado? As tropas invadido? Não vi sinal de luta nas ruas e – olhei para o porto – nenhum navio estrangeiro atracado no cais.

– Não compreendo – eu disse. Não sabia mais o que dizer. Mas senti um receio enorme por meu pai.

– As filhas do antigo rei foram elevadas à soberania – ele disse. – Venha reverenciá-las. Estão lhe aguardando.

Minhas irmãs! Minhas irmãs, aproveitando a oportunidade da ausência de meu pai e sua falta de popularidade, tinham tomado o poder. Agora eu estava com medo por mim também. Poderiam muito bem se livrar de mim, de Arsínoe e dos meninos, e não havia ninguém para impedi-las. E poderia ser feito num golpe só, hoje de manhã, antes que a novidade se espalhasse pela cidade. Era um velho hábito dos Ptolomeu – assassinar os rivais, irmãos, irmãs, mães, pais e filhos.

– Então está se recusando! – ele exclamou, dando mais um passo na minha direção, pondo a mão na sua espada. Ele deve ter sido instruído a me golpear se eu mostrasse a menor hesitação. Ou talvez me golpeasse de qualquer maneira – afinal, não havia testemunhas. Olhei para os lados rapidamente e vi os servos ainda limpando as escadarias. Não importa o que testemunhassem, não revelariam a ninguém. Não poderia contar com a ajuda deles.

– Não...

Quanto tempo fiquei parada ali, pensando? Parecia ser muito tempo, mas era impossível. Fiz uma prece rápida para Ísis me socorrer.

– Não, não. Sou uma irmã obediente, agora e sempre.

– Então prove – Ele acenou para outro guarda tomar o seu lugar enquanto levava marchando para o edifício principal – de novo, sem me tocar, mas caminhando bem próximo, o que era ainda mais ameaçador. Tentei não demonstrar meu medo.

Fui levada para um dos salões maiores no palácio, um salão que minhas irmãs evidentemente achavam adequado para sua nova condição, já que nosso pai dava suas audiências ali. Fiquei parada em frente às portas externas, que eram ornadas com casco de tartaruga da Índia e decoradas com esmeraldas, mas hoje sua magnificência não fazia sentido para mim. Devagar, as portas se abriram, e fui admitida na câmara onde o teto era ornado com arabescos e acabamento em ouro. No canto mais distante da câmara sentavam-se Cleópatra e Berenice, em cadeiras incrustadas com gemas. Faziam a pose de Faraós em gravuras.

Para mim não pareciam rainhas ou faraós, apenas minhas irmãs mais velhas, como sempre.

– Princesa Cleópatra – Berenice falou. – fomos criadas para honrar nosso trono. De agora em diante, seremos conhecidas como Cleópatra VI e Berenice IV, soberanas do Alto e Baixo Egito. Queremos que você se proclame nossa irmã querida e nossa súdita amada.

Tentei manter minha voz firme para dar a impressão de calma.

– Mas é claro que vocês são minhas irmãs queridas, e eu, sua irmã mais leal.

Evitei a palavra *súdita,* a não ser que fosse forçada a usá-la. Usá-la seria trair meu pai. Será que notariam?

– Aceitamos sua lealdade – disse Berenice pelas duas. – O povo se manifestou. Deixou claro o seu desejo. Não quer que nosso pai e rei retorne; não será admitido se tentar. Mas não há muita chance de isso acontecer! Os romanos não o reintegrarão ao trono porque, aparentemente, uma certa profecia os proíbe; alguma coisa a ver com "sob nenhuma circunstância nossas tropas deverão ser utilizadas para restaurar o trono de um rei egípcio, embora ele possa ser recebido com cortesia". Bom, isso eles fizeram. Deram banquetes e o mimaram. Mais do que isso, não. Ah, e também ficaram com o seu dinheiro. Ele deve tanto aos agiotas romanos que, mesmo se o aceitássemos de volta, nossa nação ficaria na miséria.

— Sim, e isto é jeito de se amar sua nação? Ele se chamava Philopator, "amante de seu pai" — a nação de seu pai? — mas ele nos vendeu aos romanos! — A Cleópatra mais velha gritou, com a voz cheia de virtude hipócrita. — O Egito é dos egípcios! Vamos tomar conta de nossos próprios assuntos! Por que pagar Roma para que nos dê um rei, quando temos duas rainhas aqui que não custam nada?

— Sou rainha de certos distritos, a maioria no Alto Egito, e Berenice será rainha do Médio Egito e do Oásis de Moeris — ela continuou. — Vamos começar a procurar consortes.

— Temos irmãos — sugeri, para demonstrar ser útil. — Não é um fato que nós, os Ptolomeu, nos casamos dentro da nossa própria família?

As duas caíram na gargalhada.

— Os dois bebês? Um tem três anos, e o outro ainda engatinha! Vai levar muito tempo antes que um deles possa produzir um herdeiro. Precisamos de homens na nossa cama — disse Berenice.

— Casar com um bebê... veja só, é a mesma coisa que casar com um eunuco! — Cleópatra deu uma risada cruel. Depois ficou séria. — Esqueci, você *gosta* de eunucos. Fique ocupada com eles e com seus cavalos, então — ela disse, com um gesto afetando grandiosidade. — Não se meta nas coisas do Estado e vai ficar bem. Você ainda tem o seu cavalo?

— Sim — respondi. Meu cavalo, um árabe branco de raça, era de fato meu melhor amigo naquela idade. Meu cavalo me levava a lugares para longe de mim e do palácio, para o deserto.

— Então se ocupe com ele. Vá cavalgar, caçar e estudar. Não se intrometa em assuntos que não lhe dizem respeito. Faça isto e progredirá. Queremos ser generosas com aqueles que são generosos conosco.

— Sim, majestades — eu disse. Fiz uma vênia graciosa, mas não me inclinei ou me ajoelhei. E tê-las chamado de majestades não era um crime, não éramos todas filhas do rei, portanto reconhecidas como deusas? E os deuses não são majestades? Agi com calma quando deixei a sala.

Uma vez na segurança de meus próprios aposentos, porém, tremi de terror e medo. Elas se viraram contra o próprio pai, tomando seu trono.

Cometeram o pior de todos os pecados; era uma maldição dos Ptolomeu. Corria no sangue.

Nossa família era uma linhagem sangrenta, com tantos assassinatos dentro da família que deixava o mundo enojado. Irmão matando irmão, esposa, mãe... Era uma herança medonha. Tinha me orgulhado tanto de que nós, nesta geração, éramos feitos de coisa melhor. Agora parecia que eu tinha me enganado terrivelmente.

Papai! Papai fora deposto pelas suas próprias filhas. E será que ficava por aí? Eu, Arsínoe, os meninos – será que nos destruirão também?

Eu não tinha ninguém em quem confiar. Já tinha passado o tempo de possuir uma ama e ninguém a tinha substituído. Senti-me completamente sozinha.

A não ser por Ísis, única e sempre.

Por enquanto eu estava segura. Permitiam que eu vivesse, contanto que me mantivesse na obscuridade. Era ainda jovem e inofensiva e não me atreveria a juntar adeptos. Como se eu pudesse!

Assim me ocupei com meus "eunucos e meus cavalos", como elas tão desprezivelmente chamaram. Havia naquela época uma multidão de eunucos dentro do palácio real. Eunucos eram importantes em quase toda esfera da vida; era impossível se imaginar a vida palatina sem a presença deles. Num mundo onde a ambição dinástica vigorava, os eunucos apenas eram isentos de suspeitas. Serviam de tutores para as crianças reais, como confidentes para os reis e rainhas, eram ministros ou generais. Um homem cuja fortuna terrena terminava com ele mesmo e era devotado ao seu mestre. Curioso como fazemos tudo para manter nossa posteridade, mas como mudamos nosso comportamento quando não temos descendentes. E o preconceito popular e caçador sobre suas condições significava que eles nunca tentariam tomar o poder, mas sempre se manter escondidos, figuras-sombras atrás de seus mestres. Servos ideais, então, para os Ptolomeu.

Obviamente, não havia um eunuco que viesse de uma linhagem de eunucos – ninguém admitia ter um pai ou um avô que fosse eunuco – mas a prática de designar um dos filhos para ser eunuco era mais comum em certas famílias do que em outras. Apenas os garotos com mais potencial eram selecionados – qual seria a vantagem de fazer tal sacrifício se o menino não tivesse muita esperança de atingir sucesso na vida terrena? Além disso, quando se usava a palavra "eunuco", estava implicado também "talento, inteligência e diligência".

Muitos eunucos em Alexandria eram gregos, ou egípcios que se tornaram muito gregos na maneira de pensar. Também havia os capadócios, os frígios, os bitinianos, sempre grecófilos. No Egito não se praticava a castração forçada, nem se castravam os escravos. Era uma coisa totalmente voluntária, o que deixava aqueles que empregavam eunucos sentindo-se um pouco menos culpados.

Geralmente a operação era feita em tenra idade. Não na infância, é claro, porque era melhor esperar para ver se a criança era saudável. Às vezes, em circunstâncias especiais, fazia-se mais tarde, até mesmo quando o menino começava a se tornar um adulto. Este tipo de eunuco era diferente dos outros. Sua voz era mais profunda e ele poderia ser confundido facilmente com um homem normal.

Eu não me ocupava em pensar neles, ignorando-os até. Foi apenas quando fui a Roma é que descobri o que era viver num mundo sem eunucos.

Descobri Mardian não muito tempo depois de abraçar Alexandre como meu consolo. Toda vez que visitava o seu ataúde, rezava para tê-lo só para mim. Mas, por vários dias, um menino meio gordo estava sempre lá. Ele se ajoelhava na frente do sarcófago, sem um movimento – seus joelhos deveriam ser de ferro – e com a cabeça inclinada em reverência. Ou o encontrava inclinado sobre o ataúde, com uma expressão meio distante no seu rosto. Para falar a verdade, sua presença me irritava. Queria que ele fosse embora. Eu poderia mandá-lo embora, mas queria que ele fosse sem ser preciso forçá-lo. Dia após dia lá estava ele. Minha paciência se esgotou. Comecei a pensar que ele fazia aquilo de propósito, sua interferência no meu tempo com Alexandre. Quando, à noite, eu fechava os olhos para pensar em Alexandre, o rosto do menino estava sempre aparecendo em um canto da minha cabeça. Não era nobre ou inspirativo.

No dia seguinte, quando descia as escadas que levava à cripta, rezei para que não o encontrasse ali. E por um momento pensei que minhas preces tinham sido ouvidas. E então o vi – de novo! – sua forma arredondada se inclinando, guardando o sarcófago. Era demais.

– Vá embora! – gritei para ele. – Ou venha aqui numa outra hora! Venha pela manhã! – eu nunca podia sair do palácio de manhã; era o período mais agitado nos aposentos das crianças. Alexandre poderia ser todo dele então.

Ele se levantou.

– Não posso – ele disse com uma calma digna. Era mais alto do que eu. Não sabia que era um eunuco. Não se torna aparente até muito mais tarde.

– Por que não? – exigi saber.

– Este é meu único horário livre.

– Você sabe com quem está falando? – perguntei. Será que não sabia reconhecer uma ordem vindo de uma princesa?

– Sim – respondeu, de novo com aquela dignidade estranha. – Você é Cleópatra, a mais nova. Se vivesse em Roma seria chamada de Cleópatra Minor, o que seria errado. Você não é nem um pouco insignificante.

– E você, quem é?

– Meu nome é Mardian – respondeu. – Moro no palácio, Princesa. Estou estudando para que um dia possa ser útil ao rei.

– Então é um eunuco – eu disse, compreendendo finalmente.

– Sim – respondeu sem vacilar.

– Por que vem aqui dia após dia? – eu poderia fazer esta pergunta a ele, mas não ele a mim.

– Porque quero ser como Alexandre.

Ri de sua resposta, depois me senti mal quando vi a expressão de seu rosto. Não esperava de mim um golpe como aquele. Tentei me justificar.

– Não há ninguém como Alexandre. Aquele que tentar ser como ele vai parecer ridículo para os outros. Imagine todos os reis insignificantes que se deram o nome de Alexandre; tentando igualá-lo, mandaram talhar estátuas nas mesmas poses com os cabelos flamejantes, seu pescoço virado. Não, nunca poderíamos ser Alexandre.

Eu falava muito rápido, tentando me desculpar sem na verdade dizer a palavra.

– Então você também deseja ser como ele? Usou o nós.

Tinha me pegado.

– Sim – admiti. – Gostaria de ser como Alexandre. Suponho que você diria que seria ainda mais difícil para uma mulher ser como Alexandre do que um eunuco. E talvez tenha razão. Mas quero tentar ser como ele em caráter. E, às vezes, ele parece tão mais vivo para mim do que as pessoas que andam pelo palácio.

– Para mim também! – Mardian exclamou. – Ele me ajuda a carregar meu fardo. Quando zombam de mim, apenas digo a mim mesmo, "Amanhã você pode contar a Alexandre".

Ele parecia um pouco constrangido por revelar tal coisa.

— Diga-me onde mora no palácio — pedi. — Talvez possa visitá-lo lá.

Tinha quase esquecido de que o considerara uma peste havia apenas alguns minutos.

— Fico no edifício grande do lado oposto ao templo de Ísis, aquele que dá para o mar ao Leste.

Conhecia bem o prédio. Era um lugar agitado, com uma escola para escribas, assim como os arquivos de guerra.

— Há outros... — hesitei. Queria dizer "como você".

— Não, sou o único eunuco no meu grupo de estudos — ele respondeu alegremente. — Há quinze estudantes. Nosso tutor de matemática, Demétrio, é um eunuco; no resto, temos um tutor de gramática de Atenas e um tutor de retórica de Quios.

— Também temos — eu disse, com uma careta. — Nosso tutor de retórica se chama Teódoto, e eu o odeio! Ele é furtivo e maldoso, como uma cobra.

— Cobras não são furtivas e certamente não são maldosas — disse Mardian, sério. Parecia ter se ofendido.

— O que quer dizer?

Todo mundo sabia que serpentes são assim por natureza, até mesmo a serpente-deusa Wadjyt, que protegia os faraós e os soberanos do Egito e que a coroa real mostrava com o pescoço dilatado.

— Sei muito sobre serpentes porque as estudei — ele disse. — São muito diferentes do que os encantadores de serpentes querem que você pense. Precisa ver meus animais; perto dos estábulos, tenho várias jaulas. E construí um cercado para as cobras.

— Que outros animais você tem?

Ele atiçara minha curiosidade.

— Tive uma avestruz por um tempo — ele contou. — Mas cresceu muito. Então agora só tenho animais pequenos — lagartos, tartarugas e porcos-espinhos. Queria conseguir um crocodilo pequeno.

— Gostaria de visitar seu cativeiro, Mardian — eu disse. E nos despedimos de Alexandre, desta vez não tendo prestado muita atenção nele.

5

Não demorou muito para que eu fosse atraída ao lugar onde Mardian tomava suas lições e o encontrei com seus colegas e seu tutor. Minha chegada causou muita perturbação e curiosidade, mas a lição – geometria, uma especialidade alexandrina – continuou. Esperei, observando de um canto. A maioria eram meninos, mas vi cinco ou seis meninas. Foi então que reconheci Olímpio.

Estava inclinado sobre sua lição, concentrado tão seriamente que seus olhos pareciam queimar o papel. Estava mais crescido, tinha perdido a gordura que ainda cobria seus braços e pernas quando o conheci naquele banquete memorável... já faz cinco anos? Seu rosto agora era fino, fazendo seus olhos se sobressaltarem ainda mais. Devia ter quatorze anos, se não fosse mais.

Quando a aula terminou, esperei que Mardian me cumprimentasse. Mas ele me ignorou e continuou conversando com um de seus companheiros. Finalmente, dirigi-me até ele e disse:

– Está envergonhado porque me conhece, Mardian?

Ele fez uma expressão de terror.

– Não, não, Princesa.

Seu companheiro desapareceu num instante.

– Não quis parecer presunçoso, deduzindo que a conheço, já que nossos caminhos se cruzaram por acaso. Seria imprudente da minha parte...

– Que tolice! – eu disse, embora sabendo que outros na minha posição talvez vissem as coisas desta maneira. Um encontro por acaso não constituía amizade. – Então Alexandre não nos faz irmãos?

Assim que falei, notei que *irmãos* era uma expressão peculiar para ser usada, já que nenhum de nós o era num sentido físico. Mesmo assim, *irmãos* queria dizer mais do que no corpo.

– Se desejar que sejamos, então assim desejo também – ele disse.

– Ótimo, então estamos combinados.

Abracei-o.

– Gostaria que me mostrasse os seus animais. Depois levo você para conhecer o cativeiro real. E depois...

Mardian tornou-se um companheiro tão agradável que acabei por sentir sua falta no dia seguinte. Nossa amizade cresceu enquanto fazíamos as lições, apanhávamos flores, construíamos cidades de miniaturas com pequenos tijolos de barro queimado. Construímos juntos uma biga que era puxada por duas cabras, e nos sentimos poderosos enquanto éramos carregados em triunfo pelos jardins do palácio.

* * *

Na minha segunda visita à aula, o tutor estava ensinando a história dos Ptolomeu e ficou visivelmente alterado quando me viu.

— E o oitavo Ptolomeu, quando divertia oficialmente Cipião Emiliano de Roma, foi forçado a caminhar... — ele ficou branco quando eu me aproximei. — quero dizer, o traje era...

— Transparente — terminei a frase por ele. — Era uma visão burlesca, porque ele era extremamente gordo e arfava depois de poucos passos.

Sim, eu conhecia os episódios vergonhosos dos meus ancestrais. Não devo me recuar deles, ou fazer o tutor mudar sua lição por minha causa. O glutão obeso era o meu bisavô, apelidado Physcon, "gordinho", pelos alexandrinos, que adoravam apelidar todo mundo.

— E os romanos insolentes disseram "Ofereço ao povo da cidade uma coisa nova: seu rei caminhando de verdade e pelo menos mexendo os músculos".

Os estudantes riram.

Todas essas humilhações nas mãos dos romanos... eram coisa muito antiga. E Physcon não foi o único obeso na nossa linhagem; muitos outros eram enormes. Devido a isso, eu tinha muito cuidado com o que comia, determinada a continuar magra, embora as mulheres na nossa família não parecessem ser afligidas com o mesmo problema de obesidade.

— Correto, Princesa — disse o tutor, corando. Fiquei constrangida de ter interrompido a lição; parecia que eu não conseguia fazer uma coisa normal sem chamar a atenção para mim. Não devo vir aqui de novo. Mas sair agora causaria mais distúrbio, então tive de permanecer ali até o fim da lição.

Quando acabou, Mardian, seguido por Olímpio, se aproximou de mim.

— Fico feliz em ver-lhe de novo — eu disse. — Mas como pode estar estudando aqui todos estes anos e nunca ter me falado? — repreendi Olímpio. Será que ser uma princesa era tão intimidante que fazia as pessoas fugirem de mim?

— Na maior parte do tempo tomo minhas lições no Museion — respondeu Olímpio. — Mas é bom escapar da sombra de nossos pais de vez em quando... como você mesmo sabe. E o meu, com sua reputação erudita, tem uma sombra muito larga no Museion.

— Mas não é tão larga quanto a do meu ancestral gordo! — eu disse rindo.

— Fica difícil com certeza sair de baixo da sombra dele.

— Vocês dois se conhecem? — Mardian parecia surpreso.

– Há muito tempo – respondi. – Quando Pompeu esteve em Alexandria. – Fiz uma pausa. – Nós dois queríamos participar de um banquete que não nos dizia respeito.

– Olímpio com certeza deve ter impressionado todos os adultos, como faz sempre – disse Mardian.

– Agora não mais – Olímpio disse. – Estou muito velho para ser considerado precoce. Deixou de ser assim quando fiz treze anos.

– É verdade – acrescentou Mardian. – Todo mundo gosta de uma criança espirituosa, mas depois de uma certa idade, a mesma criança se torna maçante.

– *Maçante* eu definitivamente não quero ser – disse Olímpio, arqueando as sobrancelhas.

Nós três começamos a passar muito tempo juntos; Olímpio parecia solitário, embora nunca admitisse. Talvez seu intelecto e sua maneira adulta deixassem os outros desconcertados. Seu interesse em medicina não tinha esvanecido, e ele estava se preparando para estudar em Alexandria mesmo, onde a escola de medicina era a melhor do mundo. Mardian também era uma pessoa solitária, já que se aproximava da idade que o faria invariavelmente diferente dos outros. E eu? Eu era a princesa cujo futuro estava em dúvida, objeto de especulação, curiosidade e murmúrios. As pessoas mantinham distância.

E então chegou o dia que eu mais temia na vida. Olímpio falou com orgulho que tinha adquirido um pequeno barco a vela e que gostaria de velejar conosco. Será que eu daria permissão para ele praticar na enseada real, no porto real, que era mais protegida? A água era muito mais calma.

– Sei que os gregos supostamente nascem já com a habilidade de Odisseu correndo nas veias, mas em mim não foi o caso – comentou ele. – Mesmo assim, adoro a água.

A água. Eu teria de confrontá-la mais cedo ou mais tarde, ou admitir que tinha medo e ficar em terra firme pelo resto da minha vida. Até agora, não fora importante. Nenhuma viagem, nenhum amigo convidando para alguma coisa que envolvesse barcos.

– Claro que pode – eu disse. – Leve o tempo que for necessário para aprender. E pode atracar o barco no fim da escadaria do palácio, a que nos leva direto para a água.

– Muito obrigado – ele disse. – Vou praticar o mais que puder, para logo poder navegar com vocês!

Infelizmente, sabia que seria assim. Naquela época já o conhecia o suficiente para saber que ele sempre honrava suas promessas – e suas datas.

Era alto verão. Justamente como… *aquele* dia. O sol brilhando no céu, jogando seu calor, amornando a água rasa da enseada. As cores, também, eram iguais – um azul leitoso esverdeado, ondas suaves com uma corrente de espuma branca.

– Venham.

Olímpio tinha entrado na água até a cintura e estava segurando o barco balançante. Estava esperando que nós também entrássemos na água e subíssemos no barco pelos lados. Olhei para a água batendo levemente no meus pés, tão inocente. Mais a distância, a água ficava cada vez mais profunda.

Sabia que as pessoas às vezes aprendiam a nadar segurando-se numa pele de animal inflada. Patinhavam ao redor da pele até se acostumarem com a água. Agora eu desejei ter feito isto. Mas era muito tarde.

– Vamos! – Olímpio se impacientava. Por cortesia, Mardian esperava que eu fosse primeiro. Eu não tinha escolha.

Estava usando uma túnica que acabava nos joelhos e não tinha mais nada que se emaranhasse no meu corpo. Com cuidado, dei um passo para dentro da água, deliberadamente tomando todo o tempo do mundo. A água subiu até meu calcanhar. Com o outro pé, dei mais um passo, e agora a água chegava aos meus joelhos.

Podia sentir a correnteza, mesmo suave como era naquela hora. Sob meus pés, a areia desabava, fazendo-me afundar mais um pouco. A água cobria meus joelhos. Uma onda veio, levantando-me um pouco, depois baixou, e voltei à posição de antes. Não gostei da sensação; era como a de um vento forte me empurrando.

– Está tentando andar o mais devagar possível? – Olímpio parecia irritado. – Estou ficando cansado de segurar o barco.

Dei mais um passo, e agora a água se aprofundava tanto – chegando à cintura – que precisei usar os braços para manter o equilíbrio. Detestava a sensação, mais fria do que tinha sido nos meus joelhos. Mais um passo e a água chegou ao meu peito. Mas agora o barco estava próximo. Só precisava virar para o lado.

O que não era fácil. A água parecia densa, e as ondas – mesmo pequenas – me empurravam, como se quisessem me fazer perder o equilíbrio. Por fim – no momento em que uma onda borrifou meu rosto – segurei na madeira firme do barco e subi para dentro. Atrás de mim, Mardian andava sem preocupação dentro do monstro azulado, confiante.

Quando nós dois estávamos no barco, Olímpio subiu na proa, com a corda na mão.

– Bom, pensei que vocês nunca chegariam!

Olhou para mim, severo.

– Se não lhe conhecesse melhor, diria que você nunca entrou na água! E riu para mostrar como achava ridícula tal noção.

Contente, ele começou a se ocupar com as velas e as cordas, acomodando-se diante do remo de controle. A brisa vinha do oeste, e a vela pegou o vento, empurrando-nos para o lado direito. Segurei firme, enquanto sentia o barco começar a se mover, e meu estômago se estreitou. Olímpio ria, saboreando a sensação. Até mesmo Mardian tinha um sorriso no rosto.

Para eles, era um passeio delicioso. O que é uma diversão para uma pessoa, pode ser o teste supremo para a outra. E muitas vezes sentamos lado a lado, sem saber disso.

Estávamos saindo para a enseada, aproximando-nos dos barcos maiores. Olhei para a água e vi que o fundo estava desaparecendo. No começo era visível, e os raios de sol brincavam no fundo de areia, onde eu podia ver os peixes e as algas marinhas. Agora as profundezas estavam nas sombras.

Senti o frio do pânico subindo pela garganta. Íamos retraçar a viagem de muito tempo atrás. Estávamos indo para o mesmo lugar onde o barco virou. Fechei meus olhos e tentei me concentrar apenas nas sensações da água batendo no fundo do barco.

– Oba! – Olímpio deu um grito de prazer quando fomos atingidos por uma onda maior; pareceu para mim que tínhamos atingido uma barreira, sólida como terra. Os borrifos salgados bateram no meu rosto, cobrindo-o com o sal. Lambi os lábios e engoli seco.

Velejamos ao redor da enseada pelo que me pareceu horas, para dentro e para fora de ondas formadas por navios maiores, e um pedaço de mim notou como Olímpio estava feliz, como seu espírito se elevara. Tinha deixado de me observar – pelo que fiquei grata. Mardian estava absorto olhando para a água para ver ouriços, lulas ou até mesmo um golfinho. Ele ficava de cabeça para a água, não se importando quando as ondas o atingiam.

Não havia um toldo, assim não havia um reflexo. Não havia acompanhantes, gritando e pulando. Estas memórias não foram aguçadas. Mas os sons, o gosto do sal, as cores deslumbrantes, tudo explodia na minha mente. Desta vez, não estava indefesa, atada, nem arrancada de ninguém. Tinha a força de me segurar firme, ereta, para ter certeza de não cair do barco. Estava determinada a suportar esta experiência terrível.

Finalmente – até que enfim – Olímpio virou o barco e velejou para o cais do palácio. O sol estava no meio do céu, e a maré subia. Podia sentir como nos levava para a costa. O balanço do barco não era tão ruim; o terror tinha abrandado, tornando-se controlável.

– Agora, vamos nadar! – Olímpio sugeriu de repente, jogando na água uma pedra amarrada numa corda que servia de âncora. A pedra afundou e sacudiu o barco para o lado esquerdo quando atingiu o fundo.

Isto não! Pensei que a tortura – que foi diminuindo durante o tempo em que estávamos no mar – tinha chegado ao fim. Mas nadar... eu não sabia nadar.

Olímpio mergulhou, desaparecendo claramente na água. Senti um aperto no estômago, embora soubesse que ele apareceria de novo um pouco mais para frente. Ou melhor, tinha esperança de que ele aparecesse. E é claro, ele emergiu do outro lado do barco e bateu na água, molhando-nos com um jato salgado.

Afetando uma dignidade ofendida, Mardian, já ensopado, pulou de um lado do barco, caindo na água como uma pedra de catapulta, me molhando ainda mais. Os dois começaram uma guerra de borrifos, gritando e afundando um ao outro. Levaram algum tempo para notar que eu ainda estava no barco.

– Pelo quê está esperando? – Olímpio gritou. – Está agindo como se tivesse medo da água! – Com certeza, ele achava que isto era a acusação mais insultante, como também mais improvável, que podia fazer.

Qual era a profundidade? Será que cobria minha cabeça? Olhei para o lado, tentando avistar o fundo, mas tudo era sombra.

– É só se jogar – disse Mardian. – A água não está fria.

Estava patinhando perto de mim, se divertindo.

Olhei para o líquido azul ao meu redor e senti a aversão mais pura que já experimentei. Estava me esperando – não, estava se emboscando, preparando o bote – pronta para me abocanhar, finalmente me devorar. Não ia perder sua presa.

Você escapou de mim uma vez, parecia murmurar para mim. *Mas não para sempre. Será que não sabe que a água é o seu destino?*

Uma espécie de despreocupação peculiar – não posso descrever como coragem. Era muito improvisada e fatalista para ser coragem. – tomou conta de mim. Sim, estava me aguardando. A água, minha inimiga. Mas eu lutaria com ela, talvez até a pegasse de surpresa. Não estava esperando por isso.

Sem pensar um segundo mais – o que teria me impedido – joguei-me para fora do barco. No instante em que fiquei no ar, equilibrada, sobre a superfície azul, senti tanto terror como vitória. E agora a água me engolia, mas eu bati no seu rosto imperdoável com toda a minha força. Meu corpo cortou o azul e fui tomada pelas suas profundezas, descendo tão rápido que atingi o fundo e comecei a subir de novo. Todo esse tempo, eu não respirava, e logo minha cabeça cortou a superfície de novo, me permitindo encher os pulmões de ar.

Estava patinhando, meus braços totalmente ineficientes. Afundei de novo; depois, de alguma maneira botei a cabeça para fora da água e respirei. Não sentia nada sólido sob meus pés. Então meus braços afinal conseguiram me manter flutuando e instantaneamente aprendi a coordenar minhas pernas para ajudarem a me manter na superfície.

– Você é tão graciosa quanto um hipopótamo em terra – Mardian brincou. – Pare de se mexer tanto. Vai acabar atraindo os monstros do mar.

– Sabe que não existem monstros do mar! – Olímpio gritou, mas vi que seus olhos negros me acompanhavam cuidadosamente.

Fui capaz de patinhar sem a preocupação de afundar. De repente a água fora domada, deixou de ser uma inimiga. Agora era apenas alguma coisa morna e ondulante. Senti-me zonza com o alívio e a surpresa. Surpresa de que o momento terrível tivesse finalmente chegado, e eu sobrevivido. E surpresa de como tinha sido fácil.

Ao pôr-do-sol, voltamos para o cais e atracamos o barco. Nossas roupas molhadas se colavam ao nosso corpo, e agora eu podia ver a diferença entre Mardian e os outros homens. Olímpio, com quase quinze anos, era mais compacto e musculoso; Mardian tinha crescido, mas seus braços e pernas pareciam desproporcionalmente longos. E não tinha os vestígios de musculatura que eram revelados em Olímpio; os ombros de Mardian ainda eram finos e frágeis.

Depois de agradecer pelo passeio, Olímpio voltou para sua residência na parte grega da cidade. O sol se punha às nossas costas. Mardian e eu sentamos nos degraus da escada do porto.

O brilho do sol fazia uma faixa vermelha reluzente nas águas calmas, refletindo os navios ancorados a distância.

– Você nunca nadou antes, não é? – Mardian perguntou.

– Não – admiti. – Mas precisava aprender. Já era tempo.

Abracei meus joelhos e apoiei a cabeça entre eles. Minhas roupas molhadas me esfriavam, mas logo secariam.

– Não é por coincidência que você não sabe nadar – insistiu ele.

Como gostaria que ele parasse.

– Deve ter feito de tudo para evitar.

Ele via tudo! Dei de ombros.

– Não tinha ninguém para me ensinar – eu disse. – Minhas irmãs eram muitos mais velhas do que eu, e a menor, muito mais nova.

– Mas imagino que você teria encontrado uma maneira. Se realmente quisesse – fez uma pausa. – Parece que você encontra uma maneira para fazer o que for que queira. – Seu tom de voz era de admiração. – Como pôde pular na água assim sem mais nem menos? Não teve medo de afundar?

– Tive – admiti. – Mas não havia escolha. Era o único jeito.

– Então deve ter desejado de verdade – ele insistiu. – Porque não precisava fazer isso. E por falar nisso, fez muito bem. A primeira vez que tentei nadar, afundei três vezes!

– Eu queria, porque precisava fazer – eu disse. – Minha mãe morreu afogada nestas mesmas águas.

Mardian ficou branco.

– Sabia... sabia que ela tinha morrido, mas não sabia como. Sinto muito.

– Eu estava com ela.

Ele ficou ainda mais pálido.

– E você... se lembra?

– Apenas as cores, o gosto, os barulhos. E a sensação de perda. E que foi a água que a causou.

– Por que não contou a Olímpio? Ele nunca a teria forçado...

– Sei disso. Mas a verdade é que... quanto tempo eu poderia viver numa cidade como Alexandria, à beira do mar, sem poder me aventurar nas águas?

Ele inclinou a cabeça, escolhendo bem as palavras.

– Que os deuses preservem nossa cidade na sua glória eterna – ele finalmente falou. – Na sua independência.

– Que meu pai, o Rei, retorne para governá-la de novo. – Pronto. Havia dito as palavras proibidas. Será que alguém estava escutando? – Mas por enquanto devo manter a esperança. E enfrentar meus demônios, tudo que possa me comprometer ou me danificar. Medo de água para uma princesa alexandrina é uma desvantagem grave.

– E por isso você o eliminou.

Ele ficou admirado.

– Mas não sem hesitação – admiti. E ninguém precisava saber o quanto.

Era bom ter amigos que viviam uma vida segura e sem alarde, porque nos aposentos das crianças era totalmente o contrário. Nós quatro éramos constantemente observados e guardados e, sem dúvida, qualquer coisa suspeita que disséssemos ou fizéssemos era transmitido para Suas Falsas Majestades. Eu, como a mais velha, tinha um pouco mais de liberdade, mas também era a mais provável de receber censura. Arsínoe, seguindo sua índole mimada e irritável, estava sempre pregando peças nos guardas e causando problemas de ordem mínima – problemas que serviam apenas para chamar a atenção para si. Para mim, aquilo era um comportamento idiota, porque a melhor maneira de agir diante de inimigos é com a maior discrição possível.

Os dois meninos, chamados Ptolomeu, ainda eram muito pequenos para exigir muita supervisão, enquanto brincavam em quartos separados. Neles, não havia sementes de traição, nem conspiração, apenas bolas e brinquedos de madeira.

A idade começou a conspirar contra mim, chamando a atenção para a chegada de minha adolescência – e o potencial como instrumento político – quando a natureza começou a modificar o meu corpo. Durante toda minha vida eu havia sido magra, com pernas e braços sem muita carne, e o que houvesse, logo desaparecia com todas as minhas atividades. Meu rosto também era longo e magro, meus traços finos como os de criança. Mas quando meu pai partiu para Roma, mudanças sutis começaram a acontecer comigo. Primeiro, parei de crescer, e o alimento que teria ajudado no crescimento estava indo para minhas pernas e meus braços e enchendo minhas bochechas. Deixei de ser como um palito, e minhas formas se suavizaram. E, ao mesmo tempo, meus músculos ficaram mais fortes, tanto que agora eu podia arrancar coisas de encaixes que antes eram impossíveis para mim, levantar móveis que antes eram muito pesados e jogar bolas para uma distância maior.

E meu rosto! Meu nariz, como se tivesse seu próprio juízo, começou a esticar, e meus lábios finos expandiram-se, até que minha boca ficou muito larga. Os lábios ainda eram delineados e belos, curvados e combinados para ao todo formar uma imagem agradável, mas eram tão… grandes. Quando fitava meu rosto nos espelhos de prata polida, eu via um rosto de adulto. Um rosto adulto, que poderia nutrir pensamentos adultos. Pensamentos traidores, talvez?

As mudanças me tomaram de surpresa; ainda não observara a aparência de alguém mudando com a idade. Na minha cabeça, sempre vinha a imagem em miniatura de um adulto quando pensava na sua infância. Nosso tutor antipático, Teódoto, teria a mesma aparência, na minha mente, só que em tamanho menor. Agora eu estava presenciando como eu seria de verdade; tinha de me ver sendo reconstruída dia após dia. Estava muito ansiosa para ver o resultado final, porque já tinha me acostumado ao jeito que eu era e agora teria de me aceitar de outro jeito.

É claro que eu queria ser linda, porque é o que todo mundo quer. Se não fosse possível, queria pelo menos ter uma aparência agradável para os outros. Mas, e se fosse pior? E se eu acabasse sendo feia? Não me parecia justo ter começado a vida de uma maneira, em uma categoria, e depois, aos doze anos mais ou menos, ser relegada para outra.

Uma vez ouvi um mercador dizer, ao comentar sobre a gravidez da mulher, quando alguém perguntou o que ele esperava – pensei que ele fosse responder que queria uma criança saudável, ou inteligente. Em vez disso – nunca esqueci! – ele disse, "se for uma menina, rezo apenas para que não seja feia". Sempre me perguntei se o bebê tinha sido uma menina e se nascera feia.

Assim, eu ficava o tempo todo me olhando no espelho (quando sabia que não estava sendo observada), tentando adivinhar meu rosto futuro.

Meus seios e minha cintura começaram a se transformar também. No começo, era apenas um vestígio de mudança, mas, depois de um ano da partida de meu pai, as mudanças eram evidentes. Desejei que meus seios parassem de crescer, porque eram o sinal mais revelador de todos. Precisei usar roupas mais e mais largas e até mesmo comecei a usar uma peça apertada por baixo das túnicas para achatar minha figura toda vez que precisava visitar minhas irmãs régias; queria aparentar juventude e inocência pelo maior tempo possível. Mas nos meus aposentos, não agüentava usar as tiras apertadas; era muito doloroso.

Não havia uma "mulher sábia" para me guiar nestas transformações. Se tivesse uma mãe… mas talvez até ela tivesse vergonha de tocar neste assunto. O que realmente precisava era de uma ama ou acompanhante sem pudor. Os guardas que minhas irmãs colocaram para me vigiar definitivamente não serviriam.

Se as coisas fossem normais, eu poderia ter contado com a ajuda das minhas próprias irmãs. Mas elas eram primeiro Ptolomeu e mulheres e irmãs em segundo e terceiro lugar.

E então o grande momento chegou, a grande divisa entre infância e feminilidade, o poder de produzir filhos, aconteceu naquele verão quando tinha doze anos e meu pai estava longe havia um ano. Já tinha me preparado. Não pensei que estivesse morrendo ou coisas assim, que meninas ignorantes muitas vezes imaginam. Sabia o suficiente, mesmo assim ainda foi uma mudança monumental na maneira como comecei a pensar sobre mim. Nunca mais poderia pensar que não havia uma diferença intrínseca entre eu e outras crianças, tanto meninos como meninas; que a categoria criança era dada igualmente e era a designação mais importante, o termo mais descritivo, o mais adequado para nós todos.

Agora eu tinha este novo elemento – este elemento fundamental, impressionante – a carregar pelo resto de quase toda minha vida. Casamento… eu poderia me casar, elas diriam que eu estava pronta. Poderia ser mandada embora do Egito! Talvez tivesse de tomar residência em outra nação, outra corte, como esposa de algum príncipe. Ter filhos… preocupar-me com eles… um ciclo tão curto, eu mesma quase ainda uma criança…

A possibilidade me assustava e me ameaçava como nada antes – nem mesmo a soberania ilegal de minhas irmãs, nem mesmo os romanos, nem mesmo a água cruel na enseada ao redor do palácio. Foi um presente da natureza, e não de outra pessoa, e com a natureza não se pode argumentar, ou dissuadir.

Somente Ísis, minha guardiã benevolente e minha guia sábia, poderia compreender. Durante os primeiros dias da grande mudança, passei horas e horas no seu templo à beira do mar, fitando sua imagem.

Ela era todos estes mistérios juntos – mulher, esposa, mãe. Não era à toa que as mulheres a adoravam; era a personificação de todos estes aspectos. E me restava apenas implorar-lhe que me protegesse nesta viagem ao desconhecido, ao mundo amedrontador do adulto, da mulher, que se abria para mim.

6

Em parte para tirar estes pensamentos da mente, em parte para me rebelar contra o papel que a natureza me designava – sem minha permissão! – decidi criar um grupo composto de pessoas da minha própria escolha, que eu denominaria Sociedade de Imhotep, em homenagem àquele médico legendário e construtor mestre do Antigo Egito. Para pertencer a ele, a pessoa tinha de estar interessada no Antigo Egito, o que jazia muito além tanto no tempo quanto na distância. Tinham de estar dispostos a aprender a língua egípcia e a decifrar a escrita antiga; além de tudo, precisavam sentir o espírito daqueles que se foram e ouvir o que eles desejavam nos comunicar.

Um número surpreendente de estudantes da sala de Mardian queria participar, como também meninos e meninas, filhos de oficiais do palácio. Eu suspeitava que fosse porque era uma princesa que os liderava, mas, com o passar do tempo, este fato foi obscurecido. Ninguém podia ficar na sociedade se o interesse não fosse genuíno, porque trabalhávamos com tanto afinco que os mais pusilânimes logo desistiam. Queríamos conseguir ler nós mesmos as inscrições nos monumentos antigos.

Um dos maiores incentivos em pertencer ao grupo, no entanto, era o fato de que a sociedade e suas excursões deviam ser mantidas secretas. Por quê? Creio que porque crianças – e eu tinha decidido não abdicar de minha infância sem lutar – adoram segredos, e nos sentíamos importantes e corajosos. Num palácio cheio de espiões, tínhamos orgulho de possuir a nossa própria sociedade impenetrável. (Nunca me ocorreu que ninguém consideraria nossas atividades importantes para merecer serem espionadas. Também, o tempo e a complacência fizeram com que minhas irmãs relaxassem na minha vigilância.)

Assim, durante os dois primeiros anos do exílio de meu pai, saímos por Alexandria, contentes, estudando a língua antiga dos pergaminhos na nossa Biblioteca, de vez em quando preparando um recital de poesia na língua egípcia. Nós também – coisa extremamente corajosa, assim pensávamos – fomos ao bairro judeu e visitamos sua sinagoga, a maior do mundo. (Tudo em Alexandria era o maior do mundo? Para mim, naquela época, parecia ser.) Tão grande que um homem precisava ficar no meio do auditório fazendo sinais com uma bandeira para anunciar qual parte da cerimônia estava sendo desempenhada, porque os fiéis no fundo da sinagoga ficavam muito distantes para poder ver ou ouvir.

Alexandria tinha uma população judaica de porte; alguns diziam que havia mais judeus em Alexandria do que em Jerusalém. Isto sempre me deixava curiosa, já que o seu líder maior, Moisés, os levou para fora do Egito há muito tempo, e eles ficaram extasiados por serem libertados. Por que então desejavam voltar? A tradução grega de seu livro sagrado – escrito aqui em Alexandria – dizia que o deus deles os proibiu de voltar ao Egito. Por que será que desobedeciam?

Fomos pescar nos pantanais de papiros de Mareótis, o grande lago que se estendia ao longo de Alexandria e muito além para o Oeste. Numa outra ocasião, obtivemos permissão para visitar uma das pequenas casas de embalsamamento que proliferavam como moscas fora dos muros do Oeste da cidade, perto dos túmulos. Embora os egípcios não possuíssem mais os monumentos elaborados de tempos antigos, as pessoas que podiam se dar ao luxo ainda preferiam ser embalsamadas. Os gregos eram tradicionalmente cremados, mas aqui em Alexandria estes hábitos, como tantos outros, foram misturados, e agora muitos gregos procuravam as mesas embalsamadoras de Anúbis. As casas estavam sempre agitadas e, no dia em que visitamos uma, o proprietário jovial estava com três corpos para ser preparados para a jornada ao Oeste.

– Na verdade, deveríamos levar setenta dias – ele nos contou. – Quarenta para o nátrio secar e depois embrulharmos e... mas agora fazemos um serviço mais rápido. Hoje em dia todo mundo tem tanta pressa. Especialmente os gregos. O ritmo de Alexandria se estende até mesmo aos seus mortos.

Ele nos mostrou os vários estilos de sarcófagos; muitos cobertos com hieróglifos. Orgulhei-me de poder entender quase tudo o que diziam.

Quantas coisas fizemos! Colecionamos os perfumes e óleos que Alexandria exportava. Havia o Bálsamo de Galaad, amassado e transformado numa geléia; um perfume de Mendes chamado "O Egípcio", que era feito com óleo de bálanos, mirra, resina e cássia; um chamado "Metopion", que tinha óleo de amêndoas amargas perfumadas com cardamomo, junco doce dos mares de Genezaré e gálbano. Combinava-se o óleo de lírios, que era forte, com outros óleos e gorduras para fazer um ungüento popular. Tentamos fazer nosso próprio ungüento ao misturar gordura amassada com pétalas de rosas e algumas gotas de orvalho de lótus, mas o aroma não era muito forte. Não há outros no mundo como os perfumistas do Egito, e seus segredos são bem guardados. Nenhuma loja de perfumes nos deixou entrar enquanto trabalhavam.

Todas estas atividades serviam para nos preparar para o que eu realmente queria fazer: visitar as pirâmides. Estavam situadas não muito distantes de Mênfis, onde todos os braços do Nilo se juntavam e onde terminava o Delta. Era uma jornada longa de Alexandria, algumas centenas de milhas romanas navegando no braço Canópico do Nilo. Deveríamos ter pedido permissão a alguém, ou pelo menos notificado. Sabíamos disso, mesmo naquela época. Mas tal é o caráter de crianças morrendo de vontade de embarcar numa aventura, que preferem até morrer a invocar a segurança e a proteção de um adulto. E dava-me imenso prazer escapulir dessa vez.

Era óbvio que precisávamos de um adulto conosco, e o tio de Mardian, Nebamon, um tesoureiro de escalão inferior na corte, concordou com relutância em nos levar, mas apenas porque queria voltar a Mênfis para visitar seus parentes.

Falamos para nossas camareiras que íamos fazer uma viagem segura e calma para ver o Nilo na época de suas enchentes. Por morar em Alexandria, não estávamos no Nilo propriamente dito, mas a vinte e cinco ou trinta quilômetros de seu braço mais ocidental. Minha camareira, que era para todos os efeitos minha guardiã (os guardas haviam ficado cada vez mais indulgentes), não viu mal algum, e concordou que eu fosse. As outras cinco crianças no palácio, exploradoras resolutas, calmamente contavam a mesma história, e suas camareiras concordavam da mesma maneira.

Saímos ao raiar do dia, levados em três bigas reais pela avenida larga do Soma até alcançarmos o cais em Mareótis. Era constante a atividade no cais; barcos pesqueiros já haviam voltado e estavam descarregando sua pesca. Outros barcos, que navegavam trazendo os produtos do Egito através do Nilo, esperavam sua vez de atracar. Vinho das vinhas de Mareótis e do Delta, tâmaras, papiros, madeira valiosa e especiarias das terras de Punto e Somália, pórfiro do deserto oriental, obeliscos de Assuã – tudo chegava às docas do lago de Alexandria.

Nebamon alugou um pequeno barco para nos levar até Mênfis, mas com tamanho suficiente para podermos dormir nele, já que levaria vários dias até alcançarmos nosso destino. Os ventos naquela época estavam a nosso favor, soprando exatamente para onde queríamos ir, para o Sul, contra a corrente.

Navegamos ao Leste, atravessando o lago na hora do sol nascente. Ele – Re, o sol glorioso – estava emergindo dos matagais de papiros e juncos que margeavam o lago, verde e ouriçado. A brisa da manhã soprava por cima das águas e inflava nossa vela. Velejamos em direção a Re.

Era o fim do dia quando alcançamos o outro lado do lago, onde os canais se ligavam ao Nilo. O barqueiro olhou para o céu, indicando que deveríamos jogar âncora, protegidos entre o junco e as folhas enormes em forma de taça das plantas de vagem. Como nos pareceu parte da aventura, concordamos.

Acordei uma vez no meio da noite, ouvindo o borbulhar da água batendo suavemente nos lados do barco, o sussurro do papiro ao nosso redor e o grito da garça noturna em algum lugar no matagal. Nunca dormi tão bem na minha cama dourada do palácio.

Com o amanhecer, a neblina subiu do pantanal como se os espíritos da noite estivessem fugindo. Logo que Re apareceu, eles se espalharam. E logo estávamos no Nilo, ou o que era chamado de seu braço Canópico.

Uma das nossas lições na escola era memorizar todos os sete braços do Nilo, e todo egípcio que se preze sabe-os de cor: Canópico, Bolbitínico, Sebenítico, Fatenítico, Mendense, Tanítico e Pelúsico. Todos se abriam do Nilo maior e (para uma íbis o sobrevoando) tinham o formato da flor de lótus na ponta de sua haste.

O Nilo Canópico era pequeno. As tamareiras e as vinhas se espalhavam pelos campos à sua margem, úmida e fértil, com uma verdura luxuriante que existe apenas com o que é vivo; a malaquita usada nas decorações do palácio e as esmeraldas que reluziam em pulseiras eram foscas comparadas a ela. O verde é a cor mais preciosa no Egito, por triunfar tão arduamente sobre o deserto estéril.

O rio se transformava num tom esverdeado que era de fato conhecido como "verde-nilo", porque não existe outra tonalidade de verde no mundo como ele.

– Mas quando o Nilo se enche, sua coloração muda – disse Nebamon. – Os nutrientes do rio são marrons, e Hapi, a deusa do Nilo, os traz da fonte do rio no Sul distante. Quando eles se firmam nos campos, misturam-se com o solo velho e o rejuvenescem, como se por milagre. Logo as enchentes começarão. Sempre acontece logo depois da ascendência de Sírio no céu oriental.

Eu sorri. Será que ele acreditava mesmo em Hapi, a deusa do Nilo, de seios pendurados? Sei que um dos meus ancestrais, Ptolomeu III, tentou descobrir a fonte do Nilo. Os gregos apelam à ciência, em vez de deuses, para a explicação das coisas. Ou melhor, tentavam primeiro a ciência e davam crédito aos deuses somente quando não conseguiam encontrar a resposta por si mesmos. Ptolomeu III tinha falhado na sua busca. Assim, talvez devêssemos a Hapi mesmo.

Deitei-me no barco, com uma mão na água, enquanto nos movíamos lentamente, um barco navegando no que parecia campos verdes. Até onde os olhos alcançavam, era tudo plano e tão fértil que parecia o paraíso. Mil canais de irrigação levavam a água do Nilo para todo lugar, e os movimentos lentos dos burros de carga girando as rodas dos moinhos traziam a água para cima.

Havia grupos de casas de taipa espalhados pelos arredores. Os campos eram cheios de gente. Era tão diferente de Alexandria, com seu céu azul e o mármore branco; aqui, as cores eram verde e marrom. Era diferente também num outro sentido; as pessoas pareciam todas iguais. Tinham a mesma tonalidade de pele e cabelos e vestiam o mesmo tipo de roupa, enquanto em Alexandria tínhamos gente de todas as nacionalidades, tanto que as ruas pareciam um bazar.

O rio estava repleto de barcos de diversos tamanhos: pequenos de junco com proas curvadas; barcaças largas para carregar o grão e as pedras de construção; barcos de pesca com velas minúsculas; e barcos com cabines e toldos de junco para a proteção contra o sol. Havia um ar de descontração no rio, como se todos estivéssemos na mesma festa.

De repente, Nebamon apontou para uma área danificada numa vinha.

– Hipopótamos. Olhe só o estrago que fazem!

Um sulco no chão indicava o caminho de uma coisa tão grande quanto um carro de bois.

– Como sabe disso? – perguntou Mardian.

– Ah, meu sobrinho, vejo que você é realmente uma criatura da cidade. Se tivesse crescido às margens do Nilo, onde nasceu, saberia o que são as marcas de um hipopótamo na terra! Observe como saiu da água, olhe o rastro – foi direto para os campos. E depois veja como dá a volta, como se tivesse sido enxotado. E lá, longe daqui, veja onde fez o caminho de volta para a água. Devemos ter muito cuidado. Isto quer dizer que pode estar esperando por nós mais na frente. Detesto hipopótamos! Eles são um perigo em viagens de barco!

– E os crocodilos, não são piores? – queria saber Olímpio.

Nebamon ficou incrédulo com nossa ignorância. Indicou alguns pontos verde-acastanhados, deitados, quase invisíveis, entre o junco às margens do rio. Também avistei olhos sobre a altura da água; o que quer que estivesse nas profundezas da água estava bem escondido.

– Olhe como eles ficam parados, tomando sol. São perigosos para quem está nadando, ou para alguém caminhando às margens do rio, mas não para os barcos. Mas os hipopótamos! Esses ficam parcialmente submersos e de repente se levantam e viram um barco! E quando são perturbados, ou talvez apenas esfomeados, então decidem assolar os campos! Um crocodilo pode devorar um nadador, mas não invade o seu território e destrói seu barco e sua colheita. Pode me dar um crocodilo a qualquer dia.

— Se um hipopótamo é tão ruim assim, porque os egípcios fizeram de um hipopótamo a deusa do parto? — perguntou Olímpio, com sua mente de cientista jovem.

— Tauret — disse Nebamon. — Não sei a resposta. Não nego, não considero um hipopótamo, nem mesmo uma fêmea grávida, uma coisa muito materna.

— E os crocodilos? — Olímpio não desistia. — Não tem um deus que é representado pelo crocodilo?

— Acho que tem um lugar onde são guardados e adorados! — Mardian exclamou. — Conte-nos!

Nebamon precisou pensar por um momento.

— É um lugar perto de Mênfis, no Oásis de Moeris — ele disse por fim. — Nunca estive lá, mas ouvi dizer que os peregrinos vão fazer oferendas num lago com crocodilos sagrados e onde alguns deles usam até ouro e jóias nas pernas e no topo da cabeça.

Começamos a dar gargalhadas.

— Sobek é o nome do deus que se manifesta na forma dos crocodilos sagrados – disse Nebamon. — E o nome do lugar onde fica o templo e onde as criaturas sagradas são alimentadas chama-se Crocodilópolis.

Agora chorávamos de rir. Um crocodilo coberto de jóias – imagine seu olho sagaz espiando sob uma bugiganga dourada –, suas pernas enrugadas usando braceletes! E morando perto de Crocodilópolis!

— Não está falando sério — eu disse quando parei de rir. — Não existe um lugar chamado Crocodilópolis.

— Juro que é verdade, pelo próprio Amon! — Nebamon exclamou.

— Então deve prometer que nos leva até lá — pediu Mardian. — Para provar que é verdade.

— Não temos tempo — ele disse.

— Mas você disse que fica perto de Mênfis!

— O lugar onde o Nilo forma um pequeno braço na direção do Oásis de Moeris fica há mais de oitenta quilômetros rio acima, e depois temos de alcançar o outro lado do oásis. Seria quase como voltar para Alexandria. Não temos esse tempo todo. As pessoas começariam a indagar sobre a nossa ausência.

— E se tivéssemos tempo? – perguntou Olímpio.

— Mas não temos – Nebamon respondeu. – E depois de verem as pirâmides e a esfinge, vocês nem vão se lembrar de Crocodilópolis.

Ao ouvirmos o nome, de novo caímos na gargalhada.

Atracamos naquela noite às margens do rio, perto de um moinho de água e uma trilha bastante usada que começava dali. Parecia estar fora do perigo de crocodilos por haver muita atividade humana. O hipopótamo que Nebamon ficara vigiando continuou submergido.

Assim que o sol nasceu, pulamos do barco para nadar. No decorrer do último ano, acabei me tornando uma hábil nadadora. A água corria devagar no seu caminho lânguido para o mar; fizemos barquinhos de junco e depois tentamos nadar mais rápido do que a corrente que os levava. Era fácil nadar com a corrente, mas, contra ela, precisávamos usar toda nossa força. Brincamos de esconde-esconde entre o junco e fingimos ser Hórus atacando o demoníaco Set nos pantanais de papiro, perturbando os patos e os martins-pescadores. O ruflar das suas asas quando voaram soava como um abano gigante sobre nós.

Uma vez mais começamos nossa jornada antes do nascer do sol, e antes do fim do dia chegamos ao ponto em que todos os braços do Nilo se juntavam para formar um único rio. O sol poente – Re em forma de Atum, o decrépito que se afundava ao Oeste – banhava o busto largo do rio com seu dourado mágico e, enquanto velejávamos, senti um êxtase divino.

— Paramos aqui esta noite e amanhã... amanhã vocês contemplarão as pirâmides! – exclamou Nebamon.

— Espero não ficar decepcionado – disse Olímpio, ecoando nossos pensamentos. Seria insuportável se elas não valessem a viagem. Alguma coisa morreria dentro de mim e talvez me fizesse perder o senso de aventura, de embarcar numa viagem longa para o desconhecido.

— Sempre o grego falando mais alto – comentou Nebamon. – Nunca pronto a acreditar, sempre com o pé atrás, antecipando sempre que alguma coisa não será o que se diz ser.

— É verdade. Esta é nossa maldição *e* nossa glória – disse Olímpio.

— Os romanos aceitam as coisas como elas são e depois descobrem uma maneira de usá-las – eu disse, pensando alto.

— Quer dizer, destruí-las – disse Mardian.

– Não creio que eles decidam isto antecipadamente – eu disse. – Acho que a ação deles é pura neste sentido, não é maculada com decisões antecipadas.

– É, eles decidem cada vez, independentemente, destruir. Não há suspense. Basta ver o que fizeram com Cártago – nivelaram a cidade e a borrifaram com sal.

– Mas, Olímpio, a Grécia eles não destruíram.

– Não, a Grécia não, apenas o seu espírito.

Eu ri.

– Como se alguma coisa conseguisse destruir o espírito grego! Para mim, você não parece sem espírito!

– Um pouco do espírito grego sobrevive pelo mundo, e um pouco talvez tenha penetrado os romanos, mas o que era realmente grego pereceu. A não ser em Alexandria, que tem mais espírito grego do que a própria Atenas no momento.

– Tudo passa – disse Nebamon. – Mas as pirâmides permanecem.

Muito cedo, antes que houvesse qualquer movimento no barco, eu já estava acordada. A excitação me roubou o sono durante a noite; agora que eu estava a ponto de ver as pirâmides e as maravilhas do Egito Antigo, fui tomada de uma expectativa arrebatadora. Éramos famosos pelo mundo através dos nossos monumentos e estátuas, seus tamanhos fazendo-se deduzir que deveríamos ter sido uma vez uma raça de gigantes para termos criado obras tão notáveis. Elas nos distinguiam de outros povos, com o conhecimento secreto e o poder.

Mas, analisando bem, que segredos possuíamos? E de que uso seriam contra o poder romano? O que qualquer sabedoria que fez erguer as pirâmides ainda em existência no Egito de hoje pode fazer contra as legiões romanas, as máquinas de aniquilação romanas, as catapultas romanas?

Somente o poder dos deuses teria qualquer efeito sobre elas. Sabia disso até mesmo naquela época. Ó Ísis, apenas você e Amon e Osíris. No entanto, eles também tinham Júpiter, Hércules...

No sol refrescante da manhã, suave e sem calor, continuamos navegando o Nilo, sem tirar os olhos das margens ocidentais para avistarmos as pirâmides. O verde infinito dos campos do Delta tinham sido trocados por uma fita mais estreita de verde dos dois lados do rio e, além dela, como se alguém tivesse traçado uma linha, o deserto começava. A areia dourada era lisa e sem expressão, como o rosto de um deus, esticando-se até a eternidade, além do alcance de nossa vista.

O sol subiu para o alto, o ar no horizonte tremeluzia. E então, de uma grande distância, as pontas reluziram. Três pontas, piscando na luz do sol.

– Olhem! – gritou Mardian. – Olhem! Olhem!

À primeira vista, pareciam gigantes, senão, como poderíamos tê-las avistado de tão longe? Mas, ao avançarmos, chegando mais perto, elas encolheram e eram apenas grandes edifícios, como o farol em Alexandria. Quando atracamos e vimos as pirâmides enquadradas na paisagem de camponeses com seus burros de carga, elas pareciam ter se encolhido ainda mais, tornando-se quase comuns.

Alugamos burros para nos levar nas três ou quatro milhas até os monumentos e ficamos aliviados de termos feito isto, porque o sol subiu ainda mais no céu e, sem um sinal de sombra à vista, as areias se esquentaram até uma temperatura de queimar os pés. Estávamos sendo carregados pelo mar dourado de areia para o que pareciam montes do mesmo material, a não ser pelos cantos pontudos. Não havia uma brisa soprando, apenas calma e calor.

As pirâmides cresceram até parecer que preenchiam o céu; e quando finalmente alcançamos a base de uma delas e olhamos para cima, era como se fosse totalmente possível que o topo tocasse o sol. Agora eu sabia que elas se assemelham a montanhas, mas naquela época eu nunca vira uma montanha, e a visão me deixou pasmada. Conhecia apenas planície, apenas o horizontal – a lisura do oceano, as ruas retas, planas de Alexandria, os campos planos às margens do rio – e esta forma, este monte ereto, desafiava a minha compreensão.

As pedras polidas brilhavam, refletindo o sol como um espelho de âmbar. Eram duras, vastas, impenetráveis. Não havia em lugar nenhum um simples ornamento, um rosto, um detalhe, uma janela, um parapeito – apenas uma rampa inclinada, brilhante de pedras, tomando conta do céu. Fiquei zonza. O calor, que subia da areia e emanava sem trégua do sol sobre as nossas cabeças, além da luz estonteante, fez minha cabeça rodar. De repente, pressenti que era muito perigoso ficar parada ali. A pirâmide queria nos prejudicar, queria nos golpear.

– Sombra! – eu gritei. – Será que não há uma sombra neste lugar?

O sol estava quase que no meio do céu e as estruturas gigantes não ofereciam uma sombra.

Nebamon trouxe guarda-sóis.

– Apenas isto – ele ofereceu.

Agradeci pela sua consideração em se lembrar de trazê-los.

– Há um abrigo embaixo do queixo da Esfinge – ele disse. – Podemos esperar lá.

Ele montou seu burro e seguimos para a Esfinge, com sua cabeça se levantando da areia. Deveríamos ter ficado igualmente perplexos e amedrontados na sua presença, mas ela parecia quase simpática comparada às pirâmides. Ofereceu-nos abrigo, tinha uma aparência humana e não guardava nada há muito tempo morto e hostil.

Abrimos nossas mantas sobre a areia entre as patas da criatura e nos abrigamos embaixo dos guarda-sóis. Não houve muita conversa; era como se o silêncio do lugar nos proibisse. Havia uma trilha elevada passando de um lado, e sabíamos que era uma estrada abandonada que seguia até uma pirâmide, usada para levar as pedras que a construíram. Mas nela ninguém mais caminhava.

Esperamos o dia passar embaixo da sombra da Esfinge. De vez em quando, um vulto negro voava no céu azul – um abutre. Ou as areias se moviam, e notávamos uma cobra se afundando para escapar do calor. Além disso, não havia um movimento. Este era um lugar às portas da morte.

Fiquei imaginando quem teria jazido dentro das pirâmides e o que foi levado com ele para seu mausoléu. Talvez jóias, comida, livros e instrumentos. Em algum lugar na escuridão e no isolamento do coração da pirâmide haveria desenhos de estrelas e Nut, a deusa do céu, como se pudessem enganar os faraós mortos, fazendo-os acreditar que estavam do lado de fora, deitados sob o céu noturno, em vez de prisioneiros nas pedras, rodeados pelo ar sufocante e rançoso para toda a eternidade.

As pirâmides gradualmente mudaram de cor. Ao meio-dia tinham sido quase brancas, mas aos poucos foram suavizando e, depois, quando o sol se afundou no céu – Atum de novo –, elas foram tomadas por uma incandescência rosada. Pequenas criaturas – lagartos, cobras, ratos – começaram a se mover e a deixar seus esconderijos ao nosso redor. Nós também abandonamos nosso esconderijo aos pés da Esfinge e voltamos para as pirâmides. Agora, grandes sombras se espalhavam de um lado, e a inclinação da luz revelava as imperfeições na superfície. Aqui e ali, uma pedra se desmoronava; o tempo estava devorando sua forma. Até mesmo elas, as coisas mais imortais em existência, não eram imunes à implacabilidade do tempo.

O sol poente delineava as pedrinhas e as ondas na areia ao nosso redor, mostrando que as pirâmides se encontravam num quadro sem formas, mas nem por isso destituído de textura, cuja escrita é indecifrável, a não ser em certas condições de luminosidade.

O céu virou rosa e púrpura, uma mistura de cores que se espalhava de uma bola vermelha no meio do horizonte. Uma brisa logo começou a soprar, como se viesse de nenhum lugar, quente como um ungüento derretido, e tão doce como uma morte que se passou há muito tempo.

– Vamos – pediu Nebamon. – Vamos embora. A escuridão desce muito rápido, e não devemos estar por aqui quando a luz desapareceu.

Ele subiu no seu burro com uma ligeireza surpreendente.

Como seriam as pirâmides durante a noite? Trevas contra trevas?

Eu queria ficar. Porém, ainda era muito nova e tinha de obedecer.

Nada acontece exatamente igual duas vezes. Esperei que a jornada de volta fosse como a ida. E por algum tempo foi – as mesmas margens do rio, os mesmos canais, as mesmas tamareiras. Porém, ao nos aproximarmos de Alexandria e avistarmos as torres brancas da cidade reluzindo no sol, notamos uma multidão incomum de pessoas pelas ruas e muito movimento. Nebamon gritou quando chegamos no cais:

– O que houve?

– Cleópatra morreu.

Embora soubesse que não era eu, foi arrepiante ouvir sobre a morte de alguém com o mesmo nome anunciado tão casualmente.

– Envenenada! – gritou outro homem no cais. – Disso tenho certeza!

– Onde está Berenice? – perguntou Nebamon.

– No palácio. Em que outro lugar poderia estar?

– Não fugiu, se é isso que quer saber – disse um outro. – Mas talvez vá precisar. Uma das outras filhas já fugiu – a pequena Cleópatra. Todo mundo está procurando por ela. Os romanos estão a caminho.

– Os romanos? Que romanos? – eu gritei.

– Os romanos de Roma – disse um homem, sarcasticamente. – Que outro tipo há?

– Não é verdade – disse seu companheiro, com ares de sabedoria. – Estes romanos estão vindo da Síria – três legiões – para devolver o trono a Ptolomeu. Afinal de contas, ele não pagou para isso?

– Mas e a profecia? O que fizeram com a profecia? – perguntei.

Nesse momento já estávamos fora do barco e no meio do povo.

– Parece que as escrituras sibilinas proíbem qualquer ajuda armada de Roma.

– Tem-se preço para tudo – disse um homem. – Uma menina inteligente como você para saber das escrituras sibilinas, deve também saber que o dinheiro anula todas as profecias.

– Vamos! – pediu Nebamon, empurrando-nos para a avenida do Soma. Ele estava alarmado. Tinha deduzido que precisava nos levar de volta ao palácio o mais rápido possível. E pelo jeito, ele seria punido com chicotadas por nos ter levado.

– Nebamon, não tenha medo – eu disse. – Foi minha a idéia de irmos; vou receber a punição e a culpa.

Minha irmã teria prazer em me punir, disso eu tinha certeza; mais difícil era saber se ela pouparia Nebamon.

Será que ela envenenou Cleópatra? Será que me mataria e também a Arsínoe? Enfraqueci de medo.

Quando chegamos ao palácio, não esperei que ela me chamasse e fui direto aos seus aposentos. Dentro havia uma multidão de carpideiras, batendo no peito e chorando com gemidos profundos e altos. Pedi permissão para ir direto ao aposento particular da rainha e, deitando-me para demonstrar minha tristeza – e minha ansiedade – esperei por ela. Ouvi seus passos se aproximar e depois parar.

– Oh, irmã! – eu disse, chorando. – É verdade? Cleópatra está morta? E eu contribuí para sua tristeza por estar distante? Perdoe-me!

Não precisei fingir minha aflição.

– Levante-se! Deixe de lamúrias. Sim, nossa irmã morreu. Os cogumelos a levaram para o reino de Osíris. Devemos ter cuidado com cogumelos. Eu mesma nunca os provo.

Olhei para ela, impassível e aparentemente insensível à morte da irmã. Ninguém deve ser insensível à morte, eu pensei. Então, quando olhei mais atentamente, notei um meio sorriso estampado na sua cara, que ela estava tentando manter sob controle.

– Aonde andava? – Ela me encarou. – Como se atreveu a deixar o palácio e ficar longe por dias sem me informar? Não é mais do que uma criança! Quem planejou isto?

– Fui eu que planejei e forcei Nebamon, o tio de Mardian, a me levar e mais alguns outros. Nós o forçamos, e não ele a nós.

Rezei para que ela acreditasse.

– Levar vocês para onde?

– Para ver as pirâmides e a esfinge.

Esperava que ela ficasse brava. Em vez disso, desmanchou-se numa gargalhada. Depois descobri por quê. Ela temeu que eu estivesse envolvida com alguma coisa política, mas isto era inocente. Senti o alívio tomar conta de mim. Ela não me puniria. Pelo menos, hoje não.

– Eu mesma nunca fui lá – ela disse. – Fico até constrangida de admitir.

– Elas são tudo o que sonhei – eu disse. – E me fizeram ter orgulho de ser egípcia.

– Você não é egípcia, você é uma Ptolomeu – uma grega! – ela fez questão de me lembrar.

– Os Ptolomeu já estão aqui há trezentos anos; depois desse tempo todo, já devemos ser egípcios.

– Que idiotice! Mais uma das suas idéias imbecis! Não corre uma gota de sangue egípcio nas nossas veias; não importa quanto tempo tenhamos vivido aqui!

– Mas… – comecei a dizer que podíamos ser egípcios no espírito, se não no sangue, mas ela me cortou.

– Se um granito vermelho fica do lado de um granito cinza por mil anos, ele muda de cor? – ela bramiu.

– As pessoas não são granito.

– Às vezes podem ser até mais duros.

– Você não – eu disse. – Tem uma parte de você que é bondosa.

Estava tentando adulá-la.

O meio sorriso voltou.

– Espero que meu marido também ache.

– Marido?

Quase engasguei.

– Sim. Tinha acabado de me casar quando nossa irmã Cleópatra nos abandonou. Ela transformou minha casa da felicidade em uma de tristeza. Mas assim são os acidentes do destino.

– Quem... é ele?

– Príncipe Arquelau de Ponto – ela respondeu, e desta vez o sorriso foi completo. Ele é muito bonito e deve ser-lhe agradável.

– Quanta coisa se passou no pouco tempo que estive longe! – exclamei.

– E tem mais – ela disse. – Estamos nos preparando para nos defender contra os mercenários do meu pai! Com o dinheiro romano – tomado emprestado, é claro – ele alugou mais uma vez os romanos para invadir o Egito e tentar usurpar o trono!

Sua voz tremeu ao pensar numa afronta como aquela.

– Mas, e a profecia sibilina? – perguntei mais uma vez.

– Cícero achou um jeito de contorná-la. Sim, o grande orador romano, que se orgulha em ser nobre, é como um mercador fazendo negócio num bazar. A única diferença é que sua mercadoria são as palavras.

– E que palavras ele usou?

Será que ninguém me diria? Eu conhecia bem a profecia: *Se um rei egípcio pedir ajuda, não se pode recusar a amizade; mas não se pode ir ao seu socorro com força, porque só encontrará perigo e dificuldades.* Como ele pode contornar isso?

– Alguma coisa com Gabínio, o governador romano na Síria. Parece que ele vai mandar o rei à frente, assim não o estará acompanhando "com força", apenas dando apoio.

Ela disse com firmeza.

Meu pai estava voltando! Os romanos o colocariam no trono. Não sei como me contive e não pulei de alegria.

– Vou ficar nos meus aposentos – eu disse. – Não precisa se preocupar comigo, nem onde estou. Ainda estou arrependida de ter lhe causado preocupação com a minha ausência.

Ela esqueceu da punição para Nebamon; o exército romano tinha tirado todos os pensamentos ordinários de sua cabeça. Eu me esconderia nos meus aposentos e rezaria para que ela se esquecesse de mim também.

As coisas aconteceram muito rápido. Foi o seu desejo, Ó Ísis – você que entrega o conspirador do mal contra outros homens nas mãos daquele contra quem ele conspira –, que meu pai, Ptolomeu XII Philopator Neos Dionysus, fosse recolocado no seu trono. Foi você quem trouxe as tropas de Gabínio para as fronteiras do Egito em Pelúsio, quem os permitiu combater e vencer as guarnições naquela área e marchar em Alexandria. Foi você quem causou a confusão e a queda das forças de Berenice e a morte de seu novo consorte, Arquelau. Foi você quem fez o jovem comandante da cavalaria de Gabínio mostrar piedade e poupar os egípcios derrotados e dar um funeral honroso a Arquelau e com isso ganhar o respeito dos alexandrinos. Seu nome romano era Marco Antônio e ele tinha vinte e sete anos de idade.

E foi você quem fez tudo isso, teceu todos esses eventos, e em apenas alguns dias me ofereceu uma visão do meu futuro, revelando sua forma.

Berenice teria de ser executada publicamente. Agora eu era a filha mais velha, aquela que seria rainha um dia.

Rainha. Eu seria rainha. Fiquei repetindo a palavra comigo mesma, mas não era com impaciência de chegar lá antes do meu tempo devido; como fizeram minhas irmãs. Deixaria acontecer quando o destino designasse. Suas tentativas de mudar o caminho do destino simplesmente acabaram por me dar o trono. E isto me fez rir em silêncio.

Eu – Rainha. A terceira filha, e uma menina. Com certeza absoluta isso era trabalho de Ísis, ela que molda o destino.

Minha alegria ao ver meu pai de novo foi sem precedentes. Atirei-me nos seus braços, notando que agora meus olhos estavam quase de igual para igual com os dele. Ele ficou longe por três longos anos, que provocaram muitas mudanças em mim.

– Você voltou! São e salvo!

Parecia impossível, como sempre são as graças alcançadas através de preces.

Ele me olhou como se tivesse esquecido o que teria em frente aos olhos.

– Você cresceu e ficou linda, minha filha – ele disse finalmente. – Você será a rainha que o Egito merece.

– Agora tenho quatorze anos – eu disse para lembrá-lo. – Espero não me tornar rainha por muito tempo ainda – que o Faraó viva por mil anos, como os antigos diziam.

– Seu sorriso não mudou – disse meu pai, suavemente. – Levei-o comigo sempre no meu coração.

No entanto, este mesmo homem sentimental nos forçou a testemunhar a execução de sua filha mais velha, Berenice. Como nosso corpo pode ser residência para duas pessoas tão diferentes?

Tentei me escusar argumentando que achava ser uma intrusão; uma pessoa deveria ter o direito de morrer em privacidade. Mas meu pai insistiu.

– Do mesmo jeito que sua traição foi pública, assim será sua punição – concluiu meu pai.

E insistiu que os romanos tomassem parte também. Os romanos, que lhe devolveram o poder – não sem um preço, é claro –, agora iam ver o que o dinheiro deles tinha comprado.

Tomamos nossos lugares em frente às casernas que abrigavam a guarda real; foram erguidos bancos às pressas. Antes de sairmos do palácio, meu pai apresentou os oficiais romanos para mim. Aulo Gabínio era um homem meio quadrado e grande, um tipo que não tolerava idiotices, como se espera de alguém que desafia uma profecia. E seu oficial de cavalaria, Marco Antônio... achei-o um homem cativante, cujo sorriso era genuíno.

E, para ser honesta, é só isso que me lembro dele naquele primeiro encontro.

Berenice foi levada à frente da caserna, com as mãos atadas para trás. Não tinha sido vendada, sendo forçada a nos ver, sua audiência sanguinária.

– Você foi acusada e julgada pelo crime de traição, de usurpação do trono na ausência de seu rei de direito, e por isso terá de ser punida com a morte – disse Potino, um jovem eunuco, um dos ministros do rei. Sua voz tinha o timbre de um menino, mas entoava com o poder de um adulto.

– Tem alguma coisa para dizer? – perguntou o rei. Era apenas uma formalidade. Será que ele realmente queria ouvir o que ela quisesse dizer?

– Escravo dos romanos! – ela gritou. – Olhe como estão sentados! – ela apontou com a cabeça para Gabínio, Antônio e Rabírio, o que emprestou o dinheiro que financiou a campanha. – Sentados para nunca mais arredar os pés do Egito! Quem então, meu pai, é o traidor do Egito?

– Basta! – gritou Potino. – Este será seu último fôlego.

Ele acenou para o soldado que a estrangularia. O homem se aproximou por trás dela. Seus braços eram do tamanho normal das pernas de um homem comum.

Berenice ficou rígida, à espera. Fechou os olhos quando ele pôs suas mãos ao redor do seu pescoço e apertou com um movimento firme. Pelo que parecia um tempo muito longo ela segurou a respiração, mas de repente seu corpo se rebelou e começou a se contorcer tentando se livrar. Suas mãos estavam amarradas e havia muito pouco que ela pudesse fazer. O soldado finalmente a levantou do chão pelo pescoço e a segurou assim até que a vida fosse aos poucos abandonando o seu corpo, até que finalmente ela parou de se contorcer. Seus pés ficaram pendurados, e uma de suas sandálias caiu, fazendo um ruído alto no ar parado. Vi seu rosto se tornar um roxo horrível e desviei os olhos. E então ouvi o barulho de passos e seu corpo ser transferido para uma padiola e levado embora. Um de seus pés – o que estava sem a sandália – foi arrastado pelo chão; se ela ainda fosse viva, aquilo a teria irritado. Mas agora ela não se importava.

O rosto de meu pai perdeu a cor, embora ele não tenha mostrado qualquer emoção. Ao seu lado, Gabínio estremeceu levemente, e Antônio olhou para o outro lado. Soldados preferem a matança num campo de batalha a uma morte como esta, como um ritual, formal. Ao meu lado direito e esquerdo sentavam meus irmãos e minha irmã, aprendendo esta lição de advertência. Arsínoe deu um suspiro curto quando o carrasco se aproximou da condenada. Os dois meninos – agora com seis e quatro anos – tremeram ao mesmo tempo. Até mesmo eles compreenderam que aquilo não era uma brincadeira. Berenice não se levantaria da padiola. Nós todos vimos, e aprendemos, coisas diferentes naquele dia.

Enquanto assistia ao horrífico ritual, compreendi que ela tinha me legado uma coisa, uma coisa que não tinha sido sua intenção. Porque agora eu sabia que uma mulher pode ser soberana sozinha – se for uma mulher forte, quero dizer. As rainhas ptolemaicas anteriores tinham chegado ao poder através de casamentos, mas Berenice provara que uma mulher pode chegar ao poder e somente depois escolher um homem. Ou não escolher homem nenhum, se esta for sua preferência.

Na época, eu estava consciente de que foram as tropas romanas que trouxeram a restauração e também de que as tropas romanas poderiam ser alugadas com a promessa de dinheiro dos Ptolomeu. Suas forças, nosso dinheiro: uma combinação formidável. E por último, que os indivíduos romanos, apesar do ódio pelos romanos como um fato político, não eram demônios. De fato, poderiam ser até mesmo atraentes. Gabínio e este Antônio eram até apresentáveis, agradáveis e bem-educados. Toda a galhofa sobre os romanos serem bárbaros – lembro-me bem do que acreditei antes do banquete para Pompeu – simplesmente não refletia a verdade.

E havia mais uma coisa, algo que vislumbrei em tudo isso: os romanos eram divididos entre eles mesmos. Um grupo era contra a restituição do trono ao meu pai; um outro, a favor. Um grupo de leis proibia isso; um outro achava um jeito para contorná-las. Nem tudo em Roma era marcado na pedra, e talvez um lado pudesse ser usado para neutralizar o outro...

Havia idéias, não bem formadas na época, mas que começavam a se revelar para mim. Os romanos não eram simplesmente uma força contra a qual lutar seria inútil. Eles mesmos estavam divididos em facções e rivalidades próprias, o que poderia ser usado em nosso favor. Percebi que nosso adversário tinha buracos na armadura. Meu pai tinha explorado um deles com sucesso – e com o dinheiro egípcio. O dinheiro é sempre importante.

Meu pai foi bem claro na sua intenção de que os romanos poderiam ficar em Alexandria – por pouco tempo. Depois, deveriam discretamente voltar para onde pertenciam. Mas primeiro haveria um festival dionisíaco para celebrar a volta do rei ao trono. Ele se via um descendente puro do misterioso deus do vinho, da alegria e do drama e também da vida em si. No grande festival em homenagem a Baco – o nome romano para este deus – ele procurou alívio, prazer e camaradagem: tudo o que não achava em Alexandria na luz do dia, por mais reluzente e exuberante que seja esta cidade maior entre as cidades.

Ao me preparar para o cortejo cerimonial pelas ruas da cidade, eu estava muito consciente de que seria objeto de intensa curiosidade. Eu, até este ponto a terceira filha e praticamente despercebida por todos, seria sua herdeira. Todo mundo estaria querendo me analisar; todos os olhos estariam sobre mim. Passei momentos de tormento para escolher o traje correto e o que fazer com os cabelos. E quando terminasse, sabia que uma olhada no espelho me daria a resposta que há muito procurava. Será que sou bela? Agradável? Especial? Será que o jarro da beleza de Perséfone se abriria para mim em tempo?

Decidi por um tipo de penteado que deixava os meus cabelos caírem sobre os ombros. Ainda era jovem o suficiente para usar um penteado de menina e sabia que meus cabelos eram bonitos – não fazia sentido escondê-los. Eram quase negros, pesados e brilhosos, levemente ondulados. E escolhi um vestido de puro linho branco, sabendo que nada combina melhor com cabelos pretos do que um vestido branco. Queria usá-lo no estilo apertado do antigo Egito, já que eu era magra, mas um estilo grego era mais apropriado para a ocasião, com todas suas pregas soltas.

Pelo menos agora não precisava mais esconder meus seios; a morte de Berenice deu um fim a esta prática. Podia agora deixar meu corpo falar por si mesmo. E meus seios – até mesmo sob meus olhos críticos – não aparentavam qualquer falta.

Quando acabei de me arrumar, vi Arsínoe refletida no espelho atrás de mim – Arsínoe, que tinha toda a beleza convencional que eu tanto desejava.

Movi o espelho e sua imagem desapareceu. E então eu estudei minha imagem, tentando imaginar como um estranho me veria. E não fiquei decepcionada.

Se eu visse este rosto, eu pensei, ia querer conhecê-la melhor.

Dei de ombros, pus o espelho para um lado e passei a procurar a jóia correta. Talvez este fosse o melhor veredicto que alguém poderia esperar: *se eu visse este rosto, ia querer conhecê-la melhor.*

Enquanto fazíamos o cortejo cerimonial por Alexandria, observei a multidão que se apinhava nos dois lados das ruas largas. O cortejo começou no palácio, passando depois pela tumba de Alexandre, pelo Ginásio rodeado de colunas brancas, pela Biblioteca, pelo Templo de Serápis, pelo monte artificial do parque de Pan, pelo teatro – todos monumentos da nossa grande cidade. A multidão excitada de hoje estava alegre, em júbilo, subindo em telhados, segurando-se em colunas, no topo de estátuas, tudo para nos ver. Por estarmos passando pelas águas de Dionísio e seus odres de vinho, ao nos aproximarmos, o povo já estava alegre, descontraído e clemente. Este era o mesmo povo que tinha se rebelado quando um soldado romano acidentalmente matou um gato sagrado – volúvel, violento. Hoje eram partidários devotos. E amanhã?

Muito atrás no cortejo, para simbolizar o fim da celebração, ia um homem vestido de Héspero, a estrela vespertina.

Por fim, chegamos ao nosso destino: o Estádio, transformado em um pavilhão onde as festividades aconteceriam. O campo ao ar livre tinha sido coberto com uma treliça decorada com heras e uvas, apoiadas por colunas na forma da vara mágica de Dionísio. O sol brilhante da tarde era filtrado pelas folhas verdes quando entramos na caverna do deus, para os rituais de embriaguez e êxtase.

Ou melhor, meu pai entrou. Como devoto deste deus, ele procurou fazer a união com ele através do vinho. Enquanto o resto de nós provava a nova safra das vinhas do braço Canópico do Nilo, o melhor do Egito, meu pai se embebedava. E quando a dança começou – porque atores e músicos eram elementos sagrados para o deus – meu pai pareceu entrar em transe. Pôs a coroa de hera sagrada na cabeça, tirou a flauta e começou a tocar melodias.

– Dancem, dancem! – ele ordenou a todos ao seu redor. Os egípcios obedeceram, mas o romanos ficaram olhando, pasmados.

– Eu disse, dancem! – o rei demandou. Ele acenou com a flauta para um dos oficiais romanos, um engenheiro do exército.

– Ei, você, Demétrio! Dance!

Demétrio tinha a expressão de alguém que tinha sido mandado se jogar num pântano cheio de malária.

– Eu não danço – ele disse, deu as costas e foi embora.

– Volte aqui! – o rei tentou pegá-lo pela sua túnica, mas tropeçou, e sua coroa de hera desceu sobre seus olhos.

Alguns soldados de Gabínio começaram a caçoar. Senti uma vergonha tão grande pelo meu pai. Sabia que ele estava simplesmente se comportando como se deve num bacanal, mas estes rituais são proibidos na pudicíssima Roma. Para os romanos, isto era apenas uma demonstração cômica, um espetáculo de bebedeira.

– Então é por isso que seu apelido é *Auletes* – o tocador de flauta – disse uma voz perto de mim. Era Marcus Antonius – ou Marco Antônio, como era conhecido.

– Sim, mas o povo de Alexandria lhe deu o apelido carinhosamente – eu disse, séria. – Eles conhecem os rituais de Dionísio.

– Estou vendo.

Ali estava mais um romano pudico e judicioso – tão corretos, enquanto se impõem ao resto do mundo! Olhei para ele e foi então que notei que estava bebendo de um cálice de prata.

– Pelo menos você não considera seus lábios bons demais para tocar num vinho egípcio – eu disse, enquanto ele levantava seu copo para receber mais vinho.

– Muito aceitável – ele disse, bebendo. – Sou muito parcial ao vinho; faço questão de provar as safras onde quer que vá. Já bebi vinho de Chiã, de Retos, o de Coã intolerável e o de Rodes, além do incomparável vinho de Prâmia.

Soava como um pai falando de seus filhos.

– E o vinho de Prâmia é tão bom como dizem ser? – perguntei, já que ele parecia contente de continuar neste assunto.

– De fato. Tem a doçura do mel; não é extraído das uvas de Lesbos. O líquido se derrama pela própria vontade.

Ele parecia tão relaxado e despretensioso; simpatizei com esse romano. Era também bonito, de uma maneira bruta: pescoço grosso, rosto largo e um corpo esbanjando músculos.

– Sim, com certeza compreendo Dionísio – ele disse, mais para si mesmo do que para mim. – Também gosto de atores. Em Roma, até os prefiro aos senadores!

Parou de falar quando o rei apareceu na multidão, sendo perseguido por um punhado de mulheres vestidas de bacantes, à procura de seu deus, gritando e rindo.

– Dançar é considerado imoral em Roma – ele disse. – Foi por isso que Demétrio se recusou a dançar. Queira por gentileza informar o rei, quando ele, bem..., quando ele não estiver mais na pele do deus.

Como foi diplomático ao não dizer quando *ele estiver sóbrio de novo*. Gostei mesmo deste romano, que não parecia realmente um romano.

Mas ele não ficou em Alexandria muito tempo; em um mês, ele e Gabínio tinham partido, embora três de suas legiões tenham ficado para manter a ordem. O único romano que deveria ter ido com eles, ficou – Rabírio, o financiador abominável. Estava determinado a recuperar seu empréstimo diretamente dos egípcios e forçou o rei a apontá-lo ministro das finanças. E logo começou a extorquir quantias exorbitantes da população mais pobre. Os alexandrinos, sempre dotados de seus próprios princípios e quase nunca servis, botaram-no para fora. Meu pai teve sorte de não ser destituído do trono junto com o agiota.

Em Roma, Gabínio e Rabírio acabaram sendo julgados pelo Senado: Gabínio por ter desrespeitado o oráculo sagrado de Sibilina e o decreto do Senado e Rabírio por ter servido num posto administrativo sob um rei estrangeiro. Gabínio foi forçado a se exilar, mas o astuto Rabírio se safou.

Sem seu comandante, o jovem Marco Antônio transferiu sua lealdade e seus serviços para um novo general: Júlio César.

8

Minha vida deu mais uma reviravolta; depois de precisar agir como se fosse mais nova do que era, agora tinha de fazer exatamente o contrário. Comparecer com meu pai a todos os seus compromissos oficiais – especialmente porque ele não tinha uma rainha para lhe acompanhar. E também dar a impressão de ser capaz de tomar o seu lugar. Meus tutores foram passados para os mais novos e adotei eruditos do Museion, como também embaixadores aposentados, para me ensinar as complexidades da diplomacia. Além disso, eu deveria estar presente em todas as reuniões do conselho da corte de meu pai.

De certa maneira, sentia falta da minha liberdade e insignificância anterior; parece que até mesmo experiências desagradáveis acham um caminho de nos fazer sentir nostalgia depois de já terem passado. Assim, meus dias de comando da Sociedade de Imhotep terminaram; e até mesmo Mardian e Olímpio agora pareciam distantes, como se não soubessem ao certo como me tratar. Nunca me senti tão sozinha – solitária e elevada.

Mesmo assim, teria desejado outra coisa para mim? De maneira nenhuma.

Aprender a governar, dia a dia, era um processo lento e apurado. Para exercer as funções de comando de um país, um rei precisa saber detalhes minuciosos, que eram discutidos, laboriosamente, nas reuniões do conselho. Enquanto meu pai se sentava ao topo da mesa, eu ficava do lado, ouvindo. Canais que precisam ser drenados... a coleta do imposto com mais eficiência... racionar os grãos em anos de colheitas pobres... isso mesmo, o soberano precisa saber e ter a sabedoria de tais coisas. Porque, se não souber, estará à mercê de seus ministros.

E a escolha de ministros – essa era uma arte em si. Era preciso ter os mais talentosos, os mais dedicados, porque o país merecia nada menos. No entanto, quanto mais talento, quanto mais dedicação um homem tem, mais fácil é sua lealdade enfraquecer. Ao ver todas as suas deficiências, ele pode ficar tentado a se virar contra você.

Mas ter tolos por ministros também era uma receita para o desastre. Eram tantas as armadilhas em que um soberano poderia cair.

Durante o primeiro ano do retorno de meu pai, o abominável Rabírio e seu débito dominaram as reuniões do conselho; Gabínio tinha exigido dez mil além dos seis mil que tinha concordado em receber. O Egito estava se envergando sob o peso do débito. Não é de se admirar que alguns elementos tenham se rebelado mais tarde.

Mas, nesta época, o problema estava sendo discutido diretamente.

O povo estava de bom humor, dando as boas-vindas ao rei que retornara. Mas quando as contas do que custou para trazê-lo de volta fossem apresentadas, os murmúrios começariam. E talvez os levassem a uma revolta completa.

Meu pai tentou convencer Rabírio a perdoar parte do débito. Outros conselheiros sugeriram aumentar as taxas de importação para cobrir a dívida. E ainda outros sugeriram pedir uma extensão.

No meu raciocínio, países eram apenas um agrupamento de pessoas, e a resposta estava em antecipar seus pensamentos individuais. As pessoas ficam mais generosas depois que lhes é concedido um favor; e então estarão mais inclinadas a fazer um favor em retorno.

– Acredito que as pessoas devam pagar o débito. E pagá-lo em dia, senão os juros aumentarão mais ainda – falei do meu canto da sala. – Mas seria mais prudente anunciar uma anistia geral antes de anunciar a coleta do débito. Perdoar as dívidas ruins e os crimes menores para parecer magnânimo.

Um dos conselheiros abriu a boca para protestar, mas meu pai ficou impressionado.

– Ótima idéia – ele disse finalmente.

– Isso criaria uma atmosfera de boa vontade entre o povo – eu conclui.

– Sim, mas não sem a perda de renda! – protestou um dos conselheiros de finanças.

– A perda seria pequena para compensar uma coleta tão grande. De qualquer forma, há pouca possibilidade de que consigamos receber as dívidas antigas – eu disse.

Para mim, parecia tão óbvio.

– Vou pensar a respeito – disse meu pai.

E acabou por seguir minha sugestão. Fiquei muito satisfeita.

Meu pai estava seguro agora; seu trono, garantido, apoiado pelo poder de Roma e as legiões emprestadas de Gabínio. Ele tinha quase cinqüenta anos e planejava reinar em paz – ou pelo menos, em conforto e tranqüilidade. Ainda fazia suas festanças dionisíacas, é claro, e tinha seus banquetes e recitais de poesia no meio da noite para ocupar suas horas. Uma vez ele nos levou a todos para uma caçada no meio do deserto, para emular tanto os faraós quanto os antigos Ptolomeu.

Tinha visto tantas gravuras de faraós matando leões que botou na cabeça que ele também caçaria um; havia tantos desenhos e gravuras de sua imagem atacando inimigos em paredes de templos que ele começou a acreditar que aquilo realmente tinha acontecido. Assim, fomos à procura de um leão para o rei caçar – duzentos batedores, escravos, mestres de canil, provisões (o rei precisava ser alimentado enquanto esperava sua caça). Fomos em camelos – a melhor montaria para o deserto, apesar de as gravuras pintarem os reis atirando em cima de bigas. Os leões tinham sido afugentados para o meio do deserto selvagem, e para lá precisávamos ir para achá-los.

Durante uma parte do tempo, continuamos seguindo a costa, mas depois viramos para o interior ao longo de um espinhaço onde os caçadores tinham certeza que encontrariam leões.

Eu me balançava em cima de um camelo, apreciando o movimento, minha cabeça protegida contra o sol inclemente por uma touca elaborada. Para mim, não importava se achássemos um leão ou não, mas estava adorando esta extensão de terra tão perigosa e vazia. A paisagem se estendia indolente em todas as direções, colorida com todas as possíveis tonalidades de ouro e marrom. O vento, ainda com sabor do mar, batia ao nosso redor, às vezes murmurando, às vezes suspirando, outras vezes gemendo.

Dormíamos à noite em tendas luxuosas. O tecido era costurado com bordados pequenos e elaborados e sobre nossas camas caíam cortinas de seda finíssima para nos proteger contra os grãos de areia e os insetos. Os lampiões tremulavam nas nossas pequenas mesas de marfim, e nossos camareiros dormiam em estrados aos nossos pés. A tenda maior, onde o rei dormia, era tão grande que ele podia juntar todos os seus filhos ao seu redor depois do jantar.

Enquanto o vento assoviava em torno das cordas da tenda, sentávamonos com ele, acomodados em almofadas aos seus pés. Às vezes, jogávamos um jogo de mesa, como damas ou *senete*. Arsínoe tocava a lira – seu talento era reconhecível –, e os dois meninos às vezes jogavam um jogo entre eles. Neste exato momento, ainda posso nos ver; chego até a sentir o cheiro seco e leve do ar do deserto. Quatro pequenos Ptolomeu, cada um ambicioso, cada um determinado a governar quando o rei morresse – o rei que logo começaria a cochilar com um copo na mão.

Observei Arsínoe atentamente. Nesta época ela tinha treze anos, e eu, dezesseis, e a cada dia ela ficava mais linda. Sua pele da cor de alabastro tinha um toque de pérola, seus traços eram quase perfeitos e seus olhos, da cor do mar em Alexandria. Seu temperamento não era bom. Era caprichosa e instável, mas a beleza sempre acha um jeito de amaciar o coração dos outros.

Meu irmão mais velho, Ptolomeu, tinha quase oito anos e provavelmente seria meu futuro marido – que caráter tinha? Queria gostar dele, pensei, enquanto observava sua cabeça escura inclinada sobre um jogo de dados, mas ele tinha um caráter ruim, era egoísta e dissimulado – do tipo que movia os dados num jogo e mentia quando era confrontado. Talvez até estivesse usando dados marcados naquela hora. Era também covarde. Já o vira fugir de cachorros inofensivos e até mesmo de gatos.

O pequeno Ptolomeu deveria ter nascido primeiro, porque teria sido ele o meu consorte. O menino parecia possuir em porção dupla aquilo que faltava no irmão: era direto, alegre e bem-humorado. Como casal, acho que Arsínoe e ele seriam mais encantadores do que eu e o outro Ptolomeu.

Não era terrível? Deitados aos pés do nosso pai, supostamente felizes, relaxando em família, e estar cultivando tais pensamentos? Mas assim eram os Ptolomeu: todas as nossas afeições familiares eram subordinadas a nossas próprias ambições, que nunca ficavam submersas. A única coisa que podia nos distinguir era se algum de nós não teria limites para conseguir nossos objetivos, ou se haveria algum ato que ainda fosse considerado proibido.

Naquela noite em particular, Arsínoe estava de bruços sobre as almofadas, tocando sua lira e murmurando algumas palavras. Sua voz não era tão agradável assim, e isto me deixava contente. Os lampiões tremulavam, e meu pai levava seu copo de vinho à boca, com uma expressão sonhadora no rosto.

– Quero experimentar – eu disse de repente. – O que for que esteja causando um contentamento tão fora do comum no seu rosto deve ter sido enviado pelos deuses.

O servo encheu meu copo, e provei o vinho. Era divino – encorpado, doce, dourado.

– Do Chipre – disse meu pai. – São famosos por seus vinhos, que podem ser guardados por muito tempo sem se tornar rançoso.

Seu rosto entristeceu.

– Chipre. Nosso Chipre perdido.

Pegou sua flauta. Ia começar a tocar e depois chorar.

– Conte mais sobre o Chipre, papai! – pedi. Não estava com paciência para assistir a um de seus concertos, acompanhados por um ataque de autopiedade. Acho que era isso que eu menos gostava nele – suas indulgências piegas, não o vinho em si.

– O que aconteceu com você e Catão lá?

Na sua viagem a Roma, meu pai tinha parado no Chipre, onde Catão estava fazendo o inventário das últimas posses dos Ptolomeu.

– Catão? O que dizem dele em Roma mesmo? O Austero, o Catão Beberrão. Como podem duas coisas tão distintas conviver na mesma pessoa? – Ele riu, uma risada fina, de embriaguez. – Os romanos tiraram o Chipre das mãos de meu irmão! Simplesmente o anexaram, e meu pobre irmão acabou bebendo veneno.

As lágrimas começaram a rolar de seus olhos.

– E Catão, o que ele teve a ver com isso?

– Mandaram Catão para lá para se aproveitar do tesouro público e para completar a anexação, fazê-lo parte da província de Cilícia – ele fungou. – Quando cheguei lá, Catão... Catão! ... me recebeu enquanto... enquanto... estava sentado numa privada!

Fiquei pasma. Sabia que meu pai fora insultado, mas não a esse ponto. Então, era verdade que descemos tão baixo assim? Um oficial romano recebeu um rei Ptolomeu sentado numa privada? Queimei de vergonha e raiva por dentro. Será que alguém sabia disso? Gabínio ou Antônio?

– Cheirava mal – continuou o rei. – Muito mal – Então acho que ele disse a verdade – estava com o intestino solto e não se atrevia a se mover.

– Maldito seja o intestino dele! – disse Arsínoe de repente. Ela não parecia estar escutando.

– Acho que pelo que papai está dizendo, o intestino dele já estava amaldiçoado – eu disse. – E espero que continue assim.

– Ele tem inimigos – meu pai prosseguiu. – É muito conservador; quer se fazer passar por um nobre romano antigo, mas seus dias e de outros como ele já estão contados. César vai afastá-lo do conselho, como eu afasto essas peças de damas do tabuleiro.

E empurrou com as mãos trêmulas algumas peças para o chão.

– O mesmo Júlio César que assumiu a dívida de Rabírio? – eu perguntei – Quando ele virá ao Egito para recebê-la?

– Nunca – meu pai respondeu. – Se tivermos sorte. Está muito ocupado conquistando a Gália; dizem que ele é o maior general desde Alexandre. É claro que nosso patrono, Pompeu, não concorda com isso. Sua animosidade cresce a cada dia. Não, minha filha, somente se Pompeu for derrotado por César, então César virá até aqui. E se Pompeu for subjugado, a fortuna do Egito também desaparecerá junto com ele. Assim, rezemos para que César nunca venha para cá!

Ele deu um soluço.

– César deve estar rodeado de inimigos – disse Arsínoe. – Catão de um lado, Pompeu do outro.

– Está – confirmou meu pai. – Mas ele parece ser feito de ferro; nada o incomoda. Ele confia cegamente na sua sorte, no seu destino. E ao mesmo tempo, parece ficar tentando os dois.

Ele começou a rir, um quase cacarejado.

– Ele fez da irmã de Catão sua amante.

Caímos na risada.

– O amor é a arma – disse Arsínoe. Sabia que ela estava pensando: *Com minha beleza, é a arma que está disponível para mim.*

– E uma que nós, os Ptolomeu, nunca usamos – meu pai disse. – Muito estranho, já que utilizamos todas as outras.

– Talvez nenhum de nós sejamos muito amáveis – sugeri.

– Tolice! – disse meu pai.

O tempo passou; papai continuou no seu trono; os romanos continuaram brigando entre si, o que desviava suas atenções. Houve muitas ocasiões cerimoniais para nos ocupar, além do trabalho verdadeiro do dia-a-dia de governar.

Os alexandrinos quiseram nos dedicar uma área nova cultivada às margens da cidade – um parque que incluía jardins, santuários e lagos. Comparecemos com insígnias reais completas, presenteadas por meu pai, estátuas humanas entre as de pedra. Eu estava com dezessete anos e já tinha me acostumado a tais cerimônias.

Mas naquele dia, duas coisas eram diferentes. A inscrição – ditada por meu pai – talhada na pedra nos chamando a todos de "Nossos Soberanos e Deuses Maiores". Assim, éramos todos deuses agora, não apenas soberanos? Ele ficou ereto, cheio de orgulho, enquanto a pedra era apresentada, e as palavras recitadas.

– Ó deuses e deusas vivos, jogamo-nos aos seus pés abençoados – dizia o magistrado. Um a um, os cidadãos caminharam e inclinaram a cabeça diante de nós, depois se ajoelharam. Olhei para eles e vi que tremiam, como se estivessem temendo respirar alguma névoa divina e mortal. Como saber o quanto era dissimulado ou o quanto eles realmente sentiam-se emocionados naquele momento?

E depois meu pai falou de novo.

– Hoje, meus filhos, os deuses assumem um novo título: Philadelphoi, Irmão-Irmã em amor. Que eles sejam ligados no amor que une aqueles que partilham do mesmo sangue.

Ombro a ombro com meus irmãos, sabia que nunca poderia ser assim. Mas era tocante meu pai desejar-nos aquilo.

Depois, todos nos reunimos no salão de jantar privado de meu pai para selar a cerimônia com uma refeição. Arsínoe foi a primeira a tirar o seu manto de ouro, dizendo que era muito pesado para carregá-lo nos ombros o tempo todo e deixou-o cair, formando um monte dourado no chão.

– Não acha que o peso do ouro deveria ser leve para os ombros de uma deusa? – brinquei com ela. Sob o manto, ela usava um vestido azul fino que imitava a cor dos seus olhos.

Ela deu de ombros. Ou não se sentia diferente, ou sempre assumira a condição de deusa para si mesma.

Meu pai tomou seu lugar na cabeceira da mesa como o patriarca da família. Parecia cansado, como se fosse ele quem estivesse achando os robes opressivos. Foi a primeira vez que notei a lentidão de seus movimentos; de repente ele me pareceu muito mais velho.

Pegou um cálice de ágata, e vi a melancolia nos seus olhos quando pediu o vinho.

– Este cálice veio da nossa antiga terra, a Macedônia – ele disse. – Quero lembrá-los de que começamos bebendo em cálices de pedra, mesmo que tenhamos terminado rodeados de ouro. Tomou um gole. E depois outro.

– Vocês gostaram da cerimônia?

Dissemos que sim com um gesto respeitoso de cabeça.

– Vocês se surpreenderam?

– Sim. Por que nos deu estes dois novos títulos? – perguntei por fim, já que ninguém parecia estar disposto a falar.

– Porque desejo que todos vocês sejam tratados como sacrossantos, tanto entre vocês, como pelos outros, depois que eu partir…

Será que ele estava apenas sendo previdente e meticuloso, ou sabia de alguma razão para se apressar?

– Partir para onde? – perguntou o Ptolomeu mais novo, de seu banco alto; era estofado e coberto de gemas, mas não deixava de ser um banco, inclinado no cotovelo.

– Depois que ele morrer – disse o seu irmão, friamente, o realista de nove anos.

Arsínoe continuou mastigando sem prestar atenção. Como era calorosa nossa família!

– Oh! – ela exclamou depois de um tempo.

– É muita bondade sua planejar assim, mas com certeza isto não é uma preocupação imediata. – Eu disse, na verdade buscando uma resposta.

Ele preferiu não responder.

– Um bom soberano precisa tomar precauções. Agora, quero informá-los sobre o meu testamento. Despachei uma cópia para Roma, já que eles têm... um grande interesse em nossos assuntos. Proclamei-os os guardiões de nosso bem-estar. Poderiam ficar ofendidos se eu não fizesse isto. Até porque já existe um precedente. – Tomou vários goles de vinho antes de continuar. – Uma cópia fica aqui – continuou. – E isto também é uma precaução. Testamentos podem ser alterados, perdidos ou... e para evitar isto, vocês ouvirão as minhas estipulações da minha própria boca.

Notei que Arsínoe tinha se ajeitado e parado de mastigar.

– Certamente não vai ser surpresa para nenhum de vocês que Cleópatra será minha sucessora.

Virou-se para mim e sorriu.

– Ela é a mais velha e foi treinada para este encargo.

Mas seus olhos diziam mais; diziam: *E ela é a minha filha mais querida, a que escolhi entre todas as outras.*

Não olhei para Arsínoe, mas sabia que ela havia ficado taciturna.

– Como co-regente, o mais velho de seus irmãos, Ptolomeu. E em tempo, os dois devem se casar, como é de costume.

Os meninos riram, como se achassem isso uma tolice odiosa. Bem, odioso era, mas muito sério para ser tolice.

– Papai – eu disse. – Talvez devamos abolir este costume.

Ele sacudiu a cabeça, tristemente.

– Aboli-lo somente traria mais tumulto do que se o mantivéssemos. Qualquer príncipe caçador de fortuna bateria à nossa porta. Seria como nos mitos antigos, em que os pretendentes apareciam para ser testados pelo pai ou pelos deuses, precisando executar proezas impossíveis, tenho coisas mais importantes a fazer do que presidir competições para a sua mão.

– Sempre me perguntei por que nas histórias os pretendentes invariavelmente aparecem e se arriscam. No fim, os rejeitados sempre acabam morrendo.

Meu pai riu.

– Princesas exercem uma fascinação mortal.

Depois da refeição, meu pai pediu que eu permanecesse com ele. Os outros não se demoraram; a mal-humorada Arsínoe pegou seu manto do chão e arrastou-o atrás dela, como para mostrar que desprezava o presente de meu pai, já que ele não lhe oferecera o presente maior.

– Minha filha – ele disse, enquanto se acomodava numa poltrona ao meu lado com a vista para o porto. – Tem mais uma coisa.

Foi a impressão que tive antes mesmo de ele dizer.

– O quê?

– Acho que seria prudente associar você com a soberania imediatamente – ele disse.

– Em cerimônias? Mas já…

– Não. Quero dizer, elevar-lhe formalmente à co-regência. Proclamar você uma rainha.

Rainha… agora? Seria maravilhoso saborear as alegrias sem precisar passar pelo sofrimento do luto pelo meu pai ao mesmo tempo.

– Estou comovida com a honra que você me oferece.

– Então logo teremos outra cerimônia – ele disse.

E tossiu, uma vez, duas vezes. Sabia então que seus preparativos não eram prematuros.

– Papai, queria que você não me fizesse casar com meu irmão. Ele é um mexeriqueiro e está sempre se queixando! E vai crescer para ser coisa ainda pior.

Mas o rei não seria dissuadido, nem mesmo por mim. Sacudiu a cabeça.

– Você tem sorte que eu não a ignore e o nomeie meu herdeiro. É uma coisa inédita para uma rainha ser a primeira soberana.

– Não se atreveria – eu disse afetuosamente. Pus minha cabeça nos seus ombros, pensando como era raro que eu tocasse alguém, ou fosse tocada por alguém. Até mesmo o contato normal entre seres humanos era evitado na nossa família.

Ele suspirou, depois permitiu-se afagar meus cabelos.

– Não, provavelmente não. Você é muito resoluta para ser deixada de lado. E isto é muito bom.

– Não gosto de seu ministro Potino – senti a obrigação de dizer. – Talvez fosse melhor trocá-lo.

– Bom, uma pessoa resoluta para tomar conta da outra.

Ele também podia ser tão teimoso quanto eu – este traço na minha personalidade devo ter herdado dele.

– Não gosto dele – repeti. – Não é de confiança.

Foi a pior coisa que me veio à mente.

– Planejo fazê-lo o chefe do meu Conselho Regente.

– Não preciso de um Conselho Regente. Já sou uma mulher.

– Você tem dezessete anos, e seu futuro consorte, nosso querido Ptolomeu, tem apenas nove. Se eu morresse esta noite, *ele* precisaria de um Conselho Regente.

– Você não precisa ser tão desagradável quanto ele.

Meu pai suspirou.

– Você me cansa! Fique feliz com o que tem! Pare de reclamar! Aprenda a gostar de Potino – fez uma pausa. – Pretendo viver muito tempo para que Ptolomeu não precise de um Conselho Regente, e sim de uma enfermeira na sua velhice!

Ele tossiu de novo, e eu tomei sua mão.

A primeira vez que fiquei ao lado de meu pai, vestida nos robes cerimoniais da nação e ouvi as palavras do meu destino, Rainha Cleópatra, Senhora das Duas Nações, não senti como se um peso fosse colocado nos meus ombros, e sim senti-me tomada por uma força e um preparo até então desconhecidos, como por milagre. Qualquer que fosse a ocasião, essa força misteriosa me seria entregue para enfrentá-la. Nada que eu tivesse lido ou ouvido havia me preparado para essa transformação; assim, recebi-a como um presente inesperado.

Nas histórias antigas, questionar em detalhes um presente significava que os deuses poderiam revocá-lo; era uma demonstração de ingratidão e descrença. Assim, aceitei o meu de todo o coração, completamente confiante.

No trigésimo ano de Ptolomeu Auletes que é o primeiro ano de Cleópatra... assim começou, como os deuses ordenaram.

9

No fim do inverno do ano seguinte, quando os ventos tinham amenizado e não mais infernizavam o mar e as ondas, não mais açoitavam o topo da base do farol de Alexandria, meu tempo era consumido com a leitura de poesia – tanto poesia egípcia antiga quanto grega. Meu interesse em aprender a língua egípcia não diminuíra, e convenci-me de que era uma boa razão para ler poesia, mas isto não era a verdade total. Estava lendo porque o assunto era o amor e eu tinha quase dezoito anos.

Os beijos de minha amada ficavam do outro lado do rio; um braço do riacho corria entre nós dois, um crocodilo se escondia nas margens arenosas. Mesmo assim, pisei nas areias e alcancei a água. Joguei-me na corrente. Minha coragem era mais poderosa do que as águas, as correntezas são como chão firme sob meus pés. O meu amor por ela me fortalece. Ó! Ela me oferece um encanto contra as águas.

Lia os poemas na calada da noite, quando minhas camareiras já haviam se retirado e apenas a luz do lampião me fazia companhia. Nessas horas, a poesia tomava um tom diferente daquele quando lido com meu tutor. Nas lições, prestava muita atenção à tradução e à forma verbal. Agora, sozinha, trocava tudo isso pela sensação única murmurante das palavras em si.

– Oh! Se eu fosse o seu escravo, seguindo seus passos. Então que prazer me daria em ver suas pernas e seus braços.

Acariciei minha perna perguntando-me se ela daria prazer a alguém. A um homem jovem. Untei-a com óleo perfumado, sentindo os músculos fortes sob a pele.

"Meu amor por ti me preenche, como o vinho penetra na água, como a fragrância penetra na resina, como o leite se mistura com o líquido. E tu, tu corres para os braços de teu amado como um corcel corre para o campo de batalha."

Tremi. Tais sentimentos me pareciam mais próximos do divino, da loucura.

Pus de lado o pergaminho. Havia mais poemas nele, mas teriam de esperar por uma outra noite.

Estava inquieta. Os poemas me deixavam assim; devia estar pronta para dormir, mas, em vez disso, andava pelo quarto. Esta noite, o mar lá fora se fazia ouvir. As ondas emitiam um gemido longo e profundo ao bater nas rochas e se retrair num movimento constante.

E a distância, o som de música, de flautas e vozes. Parecia vir do Leste, mas naquele lado havia apenas o mar. Os sons ficaram mais distintos, e agora não havia dúvida de que eram instrumentos humanos e vozes belíssimas. Será que era no palácio? Agora parecia que vinham do subterrâneo, diretamente embaixo do edifício. Os sons aumentaram, depois passaram, foram levados embora, esvaneceram. Deitei-me, ainda ouvindo os últimos acordes. Dormi.

Na manhã seguinte, logo cedo, fui acordada. O rei morrera. Perecera durante a noite. E eu soube que a música que ouvira era do deus Dionísio, tocando sua flauta, chegando ao palácio para levar o seu devoto embora.

Levantei-me. Meu pai morto! Se apenas ontem o vi e ele parecia bem-humorado, embora sua saúde fosse delicada. Mas não me pareceu doente. Meu pai morto! E eu sem sequer ter me despedido. Apenas um boa-noite informal. Fomos enganados; sempre nos despedíamos depois do jantar mais simples. Será que era certo mandar aqueles que amamos na jornada maior sem sequer uma palavra especial?

Pedi para vê-lo. Estava deitado na cama, os olhos fechados, parecia dormir. Sua partida não fora violenta; tinha acompanhado Dionísio por sua própria vontade.

– Ele precisa ser preparado para o Monumento – eu disse. Lá, ele dormiria rodeado dos reis de sua linhagem, perto de onde jazia Alexandre. Que triste encargo o meu!

– As ordens já foram dadas – disse uma voz distinta atrás de mim. Era Potino.

– Sou eu quem deve emitir as ordens – eu disse. – Eu sou a rainha.

– Co-regente, junto com meu pupilo, o mais divino Ptolomeu XIII.

Cada palavra foi pronunciada com um cuidado especial.

– Rainhas não se ocupam de detalhes ordinários.

– Rainhas que não se ocupam dos detalhes ordinários geralmente se acham ignorantes dos detalhes maiores.

Olhei fixamente para ele. Tão cedo, e já estávamos cruzando espadas.

– Você pode cuidar dos detalhes da anunciação da morte do rei e da minha coroação.

– Sua e de Ptolomeu XIII.

Estava vendo que ia ser cansativo.

– Sim – respondi, deixando-o ganhar este ponto. – Faça-o o mais rápido possível. Vamos ter de falar com o povo dos degraus do Templo de Serápis e depois coroados de acordo com os rituais ptolemaicos. Depois vou ser coroada em Mênfis também, de acordo com o antigo costume dos faraós. Faça os preparativos.

Queria deixá-lo ocupado.

E quando ele se virou para ir embora, seu corpo alto se balançando, voltei-me para onde jazia meu pai. Ele parecia menor, mudado. Meu coração se encheu de tristeza, por ele e pelas dificuldades que teve de passar para conseguir ficar no seu trono.

Não terá sido em vão, meu pai, eu prometi. *Seu sacrifício gerará frutos. Não vamos acabar como uma província romana!*

Trinta dias depois, num dia fresco e ventoso, Ptolomeu e eu fomos levados na biga dourada cerimonial à frente do cortejo de coroação que atravessou as ruas de Alexandria, passando por milhares de cidadãos curiosos. Eu tinha acabado de completar dezoito anos, e Ptolomeu, dez. Ele ainda não havia crescido muito; alcançava apenas o meu queixo, e eu não sou tão alta assim. Mas ele ficou na ponta dos pés e acenou para a multidão jubilosa, levantando o seu braço fino e acenando com a cabeça.

Olhei para trás, para a biga que levava Arsínoe e o pequeno Ptolomeu, seguidos pelo séquito do Conselho Regente: Potino, é claro, Teódoto, o tutor e Aquilas, o general das tropas egípcias. Potino, com suas pernas muito longas (um atributo de eunucos) se destacava entre os outros dois. Tinham um ar de contentamento; decerto viam seus futuros como muito promissores. Depois, vinham os ministros de estado e, marchando atrás deles, a Guarda Real Macedônica. O giro das rodas da biga deixava um rastro dourado no caminho.

Saímos do palácio, margeamos o porto, depois viramos no Templo de Netuno e atravessamos o Foro. Virando para o oeste, passamos pela Soma. *Alexandre, orgulha-se de mim?* Eu quis gritar para sua tumba enquanto passávamos em frente. Quase acreditei que ouvi sua resposta na minha mente: *Até agora não, porque nada aconteceu ainda.*

Nos dois lados da Soma, milhares de espectadores se abrigavam à sombra de pórticos ao redor do Ginásio e do gramado. Depois, um pouco mais à frente, mais gente se aglomerava sobre os degraus do Museion, especialmente os eruditos e seus pupilos. Reconheci as várias escolas de filosofia pelo estilo de barba de seus seguidores.

O monte que servia de base para o Templo de Serápis surgiu à nossa frente. Esse monte era o único natural em Alexandria, o que fazia dele um local adequado para o deus da nossa cidade. Seu templo era conhecido pelo mundo civilizado como um monumento de tirar o fôlego – imenso, imponente, emoldurado pelo céu de nuvens ligeiras. Dentro da construção de mármore encontrava-se a estátua do deus embelezada com marfim e, mesmo não sendo tão grande quanto a de Zeus de Olímpia, ainda era uma maravilha de beleza e feitio.

Os jardins do templo ascendiam e, quando entramos no local sagrado, a multidão ficou do lado de fora, já que sua entrada não era permitida. Ainda assim podíamos ser vistos por todos quando descemos da biga e subimos os degraus do templo, lentamente nos aproximando dos sacerdotes que nos esperavam vestindo robes escarlates.

Eles nos cobriram com um manto púrpura e nos levaram para dentro do salão frio de mármore, escuro e ecoante. No momento em que começamos a caminhar na direção da grande estátua de Serápis, a flama sagrada explodiu em chamas.

– Um ótimo presságio – disse um dos sacerdotes. – O deus está lhes dando as boas-vindas.

Trouxeram um vaso com duas alças e derramaram um pouco da água dentro de uma pia de ouro. Deveríamos lavar nossas mãos na água sagrada e depois umedecer nossas línguas com uma gota da mesma água.

– O deus a escolheu para governar – disseram os sacerdotes.

Foram para o santuário atrás da estátua e de lá trouxeram um pequeno cofre, enrolado com correntes de ferro e trancado com um cadeado decorado de gemas. Um deles tinha a chave numa corrente no pescoço; removeu-a, enfiou-a no cadeado e abriu o cofre. Com as mãos trêmulas, ele tirou duas tiras de tecido; o diadema macedônico. Um dos sacerdotes me entregou a minha.

– Você mesma deve amarrá-lo – ele disse.

Segurei-o, olhando para o tecido na luz obtusa. Era apenas uma faixa de linho, um pedaço de tecido! Mesmo assim, que poder emanava dele! Foi isso o que Alexandre usou, em vez de uma coroa como outros reis.

Levantei a faixa, arrumei-a na testa, depois amarrei as pontas com um nó atrás da cabeça.

– Está feito, Vossa Majestade – disse o sacerdote.

Senti o tecido pesado e largo sobre a testa, uma sensação como nenhuma que já experimentara.

A mesma cerimônia foi repetida para Ptolomeu.

— Agora virem-se para Serápis e digam: "Aceitamos o encargo para a incumbência a que fomos chamados; rezamos para que sejamos merecedores dela".

Será que o deus nos reconheceu? Oh! Ísis, somente você sabe disso. Será que os deuses ouvem cada palavra? Ou será que às vezes podem ser desatenciosos, entediados, distraídos?

Voltamos para a loggia do templo, a luz do dia nos cegando, e a multidão embaixo gritando em júbilo. O vento levantou nossos mantos levemente, como se nos desse sua bênção enquanto passava.

Eu era a rainha. Usava o diadema sagrado, e o dia, o povo, a cidade e o próprio Egito eram meus para amar e proteger.

— Meu povo! — eu gritei. — Vamos celebrar juntos! E que eu seja sempre merecedora de seu amor e que me seja dada a sabedoria para preservar o Egito com vocês!

Nossa coroação em Mênfis foi completamente diferente. Pela segunda vez na minha vida fui levada de barco pelo Nilo — e como era diferente desta vez! Era a barca régia com flores de lótus douradas na sua proa com rampas de remos que nos conduzia. A multidão de curiosos se apinhava às margens do rio; todos tinham abandonado os campos. Apenas os burros de carga permaneciam, amarrados às suas rodas de moinho. As pessoas sorriam. Não havia censura na voz, apenas alegria. Ptolomeu e eu pairávamos ao convés, acenando para a multidão, enquanto a víamos deslizar por trás de juncos e papiros.

Passamos pelas pirâmides, e senti como se as possuísse agora. Todo o Egito era meu, todos os monumentos e as areias e o próprio Nilo. A emoção me deixou quase muda.

Mênfis não era muito longe das pirâmides, e a rampa de desembarque estava decorada para nossa chegada, adornada com bandeiras e grinaldas de flores de lótus. As tamareiras se alinhavam dos lados da rua, como os ramos empoeirados ligados, formando um toldo para nos proteger; as pessoas subiam nas árvores e sacudiam as folhas, fazendo um barulho de boas-vindas. Através dos ramos, pude ver o muro de calcário que rodeava o palácio de dentro e os templos que deram origem ao antigo título de Mênfis, a "Cidade do Muro Branco".

Aqui os faraós eram coroados e até aqui Alexandre tinha vindo para ser coroado o soberano do Egito. Seus sucessores fizeram o mesmo, respeitando as tradições e os deuses antigos.

Antes de Alexandria, Mênfis havia sido a maior e mais importante cidade do Egito. Aqui era o lugar onde viviam os faraós e onde os mistérios de Osíris foram desempenhados, o mais sagrado dos sagrados para o Egito. Hoje seríamos iniciados nesses mistérios pelo alto sacerdote de Ptah, que usava um longo manto de linho com uma pele de pantera sobre os ombros. A cerimônia era em egípcio, e senti orgulho de poder compreender tudo o que diziam – a única na minha família a fazê-lo.

Na luz obtusa do templo interior, recebemos os símbolos de um faraó: o bastão dourado, o mangual, o cetro, os robes de linho do Baixo Egito e os trajes cerimoniais de couro. Sobre nossas cabeças foi colocado o *uraeus* de ouro puro, a serpente guardiã do Egito.

Tomei o bastão e o mangual, com os dedos ao redor deles, sentindo-os quase que colados às minhas mãos. Jurei nunca soltá-los ou abandoná-los até que a morte afrouxasse o meu aperto. Até então, seriam meus – e eu pertencia a eles.

Depois tivemos de desempenhar rituais especiais de faraós. Vestindo o manto cerimonial, tínhamos de encangar o sagrado touro de Ápis e caminhar com ele pelas ruas. Isso era para mostrar ao nosso povo que éramos fortes e que poderíamos ser guerreiros; ao mesmo tempo tínhamos de gritar um refrão em que prometíamos nunca ser cruel com ninguém abaixo do nosso nível, como o touro na sua canga.

No seu templo, Ó Ísis, fizemos nossos votos. Você se lembra daquele dia? O dia em que me uni a você em juramento solene? Prometemos ao sacerdote que não faríamos qualquer interferência com o calendário, nem adicionando, nem subtraindo dias, nem mudando os dias de celebração e permitindo que os trezentos e sessenta e cinco dias se completassem como fora instituído. Também juramos proteger a terra e a água que nos foram dadas para governar.

Depois os diademas de Mênfis foram trazidos, e fomos coroados faraós do Alto e do Baixo Egito. Não mais usávamos a coroa dupla pesada, na forma de chapéu do antigo reino, adotando um diadema em vez disso. O tecido era de fibra de linho dos campos sagrado de Ptah.

Este foi um verdadeiro dia de matrimônio, meu matrimônio com o que, se dependesse apenas de mim, duraria para sempre: o Egito. Guardei os diademas e os robes destas cerimônias. Meus quatro casamentos com seres terrenos não sobreviveram, porque nada humano é eterno. Mas o Egito...

*   *   *

Com as cerimônias concluídas e os rituais observados, comecei a tomar o poder. O Conselho Regente tentou me impedir, em nome do seu protegido, Ptolomeu XIII. Insistiram para que me casasse com ele imediatamente. Discordei. Argumentei que muitas cerimônias atrapalhavam. As pessoas gostam de cerimônias, mas precisam ser espaçadas para não empanturrá-las. Por enquanto, o funeral extravagante do rei, seguido da procissão de coroação e os banquetes por toda a cidade bastavam.

Estávamos todos na sala do trono no palácio de alabastro, aquele que foi ocupado por minhas irmãs havia pouco tempo; aquele com as portas de casco de tartaruga e cadeiras decoradas com pedras preciosas. Não me sentava, mas andava de um lado para o outro na frente dos homens. Eram todos muito maiores do que eu, e eu precisava me lembrar disso.

Potino era o mais alto de todos; suas pernas eram finas e longas, mas seu peito era coberto com camadas de gordura em vez de músculos. Com seu nariz comprido e seus olhos pequenos e fustigantes, ele me lembrava a íbis sagrada, embora ele não tivesse nada de sagrado.

— Vossa majestade — ele falou com sua voz de menino, treinada para ter um tom apaziguador. — Se acredita nisso, então não conhece o povo. Não há tal coisa como uma saturação de festividades.

— E o povo está ansioso para vê-la casada — acrescentou Teódoto, que fora meu tutor e agora era o de Ptolomeu. Ele era careca no meio da cabeça, mas tentava disfarçar deixando crescer os cachos que ainda restavam virando-os por cima do couro cabeludo à vista. Ele também começou a usar uma fita como um diretor do Ginásio.

— Não posso imaginar por quê — respondi. — Não é como se fosse mudar alguma coisa. Ptolomeu não é um príncipe estrangeiro, trazendo consigo uma aliança. Sem falar na impossibilidade de termos herdeiros agora.

— Foi a ordem expressa de seu pai — Aquilas falou com a voz alterada. Era um comandante egípcio de um exército e vinha do Alto Egito, onde os soldados são os melhores guerreiros. Era de pele escura e magro e parecia a expressão viva de uma das gravuras que se viam em tumbas. Sempre imaginei-o usando a saia de pregas como nas gravuras antigas; mas é claro que ele usava a última moda em trajes militares, com os peitorais de cobre e protetores de queixo. Tinha decidido se dar um nome grego, como muitos egípcios que queriam bajular os altos poderes. Seu nome verdadeiro talvez fosse "O amado de Amon" ou alguma coisa assim.

– E vou honrá-lo – eu disse. – Amava meu pai. Não acrescentei o título de Cleópatra Philopator, "Aquela que ama seu pai" aos meus outros títulos?

Olhei para meus três inimigos, porque era isto que eram.

– Obediência é a melhor maneira de se honrar um pai – Potino disse.

– E também a melhor maneira de honrar sua rainha – lembrei-os. – Vocês são meus súditos tanto quanto conselheiros de Ptolomeu.

Eu mesma não tinha ninguém para me aconselhar, ninguém mais velho, mais sábio que eu pudesse consultar. Estava rodeada de inimigos; meus amigos eram mais novos ou menos poderosos do que eu. O trio à minha frente parecia ter crescido um pouco mais, e seus olhos penetrantes pareciam ter ficado mais ferozes.

– É claro que vamos honrar e obedecer a Vossa Alteza – disse Aquilas, com seu sotaque egípcio. – Mas não deve negligenciar seus deveres para com seu irmão e co-regente.

– Não vou – respondi.

Ptolomeu XIII tinha seu lugar garantido na corte e na história. Mas, e os outros? O que fariam Arsínoe e o pequeno Ptolomeu enquanto governávamos? Esperar no palácio... esperar sua vez? Rondar como abutres? Tremi.

– Não desejo uma guerra civil! – falei alto. Era melhor deixar claro com quem eles estavam lidando. – Mas vou governar na minha própria corte e na minha própria terra!

Se pelo menos eles não fossem tão mais imponentes do que eu! Aqueles que desprezam a força física e o poder nunca precisaram levantar a cabeça para olhar um inimigo nos olhos, ou empurrar um banco para poder olhar por uma janela alta.

– Os romanos estão, como sempre, nos dando um mau exemplo – disse Aquilas com desprezo, dando caso da minha primeira frase e esquecendo a segunda parte. – Estão prontos a iniciar mais uma guerra civil, desta vez entre Júlio César e Magno Pompeu. Se tivermos sorte, se autodestruirão no processo.

Fungou como um galgo farejando o vento.

– Se Pompeu pedir nossa ajuda, temos de responder – eu disse. Ele fora o aliado de meu pai, e agora, se a situação se invertesse, poderia vir pedir auxílio. César era responsável pela coleta do dinheiro que o Egito devia a Roma. Desejava que ele fosse derrotado. Mas o Egito ficaria mais pobre, porque teríamos de equipar Pompeu para conquistar César. E outro alguém tomaria as dívidas de César...

– Por quê? O Egito está muito longe de Roma. Podemos ignorar o pedido – disse Potino.

Era *este* o homem que se considerava um conselheiro sábio e sofisticado? Fiz de tudo para controlar um gesto de escárnio.

– Como uma criança que finge ignorar os chamados da mãe para ir dormir? Não, Potino, é assim que agem os covardes. E Roma, a cidade, pode estar muito longe de Alexandria – uns dois mil quilômetros – mas o poder de Roma, o exército romano, chegam a Jerusalém, a apenas quinhentos quilômetros daqui. Vocês não se lembram como foi rápida a chegada de Gabínio e suas tropas? Não, não podemos fingir que não ouvimos quando Roma nos chamar. Mas podemos preparar nossa resposta da maneira que melhor nos convier.

– E qual seria? – perguntou Teódoto. Quase tinha esquecido de que ele estava ali; a presença dos outros dois o obscurecia.

– Que cumpriremos... mais tarde.

– A mesma resposta que nos deu sobre o casamento! – retrucou Potino. – Não engana a ninguém.

– Não é para enganar ninguém – eu disse, com a maior altivez possível. – Existem atrasos verdadeiros, atrasos diplomáticos e atrasos de obstrução; existem tantos tipos de atrasos quanto existem situações. Certamente você não está sugerindo que sua solicitação de que eu me case com meu irmão imediatamente seja o mesmo que uma ordem dos romanos?

– Não é uma *ordem* – Aquilas começou a dizer.

– Isso é discutir sobre o significado de palavras – cortei-o. – Vocês fizeram um pedido. Eu recusei no momento. É o bastante. Agora podem se retirar.

Seus rostos escureceram de raiva. Inclinaram-se para mim e deixaram a sala.

Fui forçada por eles a ser abrupta. Senti que os tempos de sutilezas haviam acabado.

Também senti que a hora tinha chegado para que eu procurasse partidários devotados.

Havia tantos pequenos detalhes a serem cuidados, detalhes do tipo que podem ser facilmente confundidos com ações reais e decisões importantes. (Mesmo assim um líder não pode perder o controle desses detalhes. São tantas as coisas que um líder precisa fazer. Não é surpresa que tantos falhem.) Os aposentos do rei, os mais bonitos de todo o palácio, estavam vazios. Tinha evitado ocupá-los, mas agora percebera que era tolice. Por que não honrar meu pai ao morar neles? Quem mais teria o direito de fazê-lo? No palácio de alabastro, em todo o andar de cima, os apartamentos do rei se estendiam do Nordeste do promontório de Lóquias, com vista para as águas turquesas do porto até o farol ao Sudeste, estendendo-se para o mar aberto. As brisas de uma janela aberta para outra eram constantes, mantendo os pisos de ônix agradavelmente frescos, como os gelos com sabores que degustávamos no verão. A luz mudava no decorrer do dia, atravessando o piso enquanto o sol traçava sua trajetória de uma janela para outra, transformando os apartamentos num relógio solar gigante. À noite, era a vez da lua fazer o mesmo. O barulho do mar era um acalento, o que tornava detestável a idéia de se ter algo competindo com sua voz especial. Os apartamentos reais pareciam uma morada mágica no ar.

Enquanto os inspecionava, refletindo sobre o que encomendar para mim ou mudar na decoração, fiquei chocada com a mania de meu pai de colecionar coisas. Ele tinha camas feitas de ébano da África incrustadas com marfim de Punto; mesas de metal feitas à mão de Damasco; almofadas bordadas da Síria; tapetes da Índia, cortinas de seda do Extremo Oriente. Havia vasos gregos e candelabros de prata núbia, como também relógios de Roma. Do próprio Egito ele tinha estatuetas dos deuses de basalto e pórfiro e vasos de vidro multicolorido, uma especialidade de Alexandria. Entrar nos seus aposentos era como entrar num bazar do mundo, em que eram artistas, não mercadores comuns, que negociavam. As cortinas de seda branca transparentes esvoaçavam na brisa, como se tentando iluminar de maneiras diferentes as várias mercadorias para o meu prazer.

Seu guarda-roupa era tão grande quanto uma sala de audiências, e repleto de robes e mantos, sandálias e capas. Sorri, lembrando do seu gosto esmerado por se vestir em ocasiões cerimoniais. Seu guarda-roupa, porém, não poderia ser passado para mim, como as outras coisas seriam. Enquanto olhava para as roupas, senti a presença de alguém atrás de mim. Virei-me e reconheci um rosto familiar: uma das camareiras dos aposentos internos, uma mulher.

— Não percebi que estava aqui. Como se chama? – perguntei.

— Charmian, Vossa Alteza – ela disse.

Tinha uma voz profunda e rouca.

— Perdoe-me. Não tive intenção de sobressaltá-la.

– Você era a guardiã do guarda-roupa do rei?

– Sim. Um trabalho que me dava muita satisfação.

Ela sorriu. Seu sorriso era cativante. Também notei que tinha um diferente sotaque macedônio.

– Você é macedônia? – perguntei. Sua pele e seus traços eram típicos. Cabelos castanho-dourados e olhos cinza-azulados.

– Sou. Fui trazida para servir ao rei, depois de sua estada em Atenas. – Fez uma pausa discreta. Sabíamos por que o rei fora para Atenas. Estava a caminho de Roma depois de ser deposto. – Dizem que nossas famílias se relacionam distantemente.

Gostei de Charmian, ou simplesmente fiquei fascinada pela sua voz e por sua postura. Demoraria um pouco para que eu decidisse o que era.

– Você gostaria de voltar para Atenas, ou prefere ficar aqui e me servir como guardiã do meu guarda-roupa?

Eu precisava urgentemente de alguém. Minha ama de infância não tinha conhecimento de roupas, a não ser que leite removia chamuscos e que se devia jogar sal em cima de vinho tinto o mais rapidamente possível.

Ela sorriu abertamente.

– Se Vossa Alteza me achar digna da função, ficarei muito feliz de poder ficar aqui.

– Digna? Alguém que soube selecionar e coordenar *isto* tudo – mostrei a pilha de brocados e sedas – certamente pode tomar conta do que for que eu tenha. E o que vamos fazer com tudo isso?

– Sugiro guardá-los até quando você tenha um filho que possa usá-los.

– Será tanto tempo que tudo estaria fora de moda.

– Coisas desta qualidade não saem da moda assim tão rápido.

Sua voz profunda, íntima... tomava as palavras para si e as embalava num ritmo próprio.

Assim, comecei a juntar meus auxiliares. Daria o cargo de escriba maior e administrador a Mardian. Não o tinha visto muito durante todo aquele ano, mas sempre que nos encontrávamos nossa amizade continuava forte. E Olímpio, que estava estudando medicina no Museion, seria o meu médico. Sabia que ele não me envenenaria! Mas precisava de um soldado, um homem com treinamento militar sólido, para contrabalançar a presença de Aquilas; mas não conhecia ninguém assim. A Guarda Real Macedônica que protegia o palácio estava sob o meu comando, mas as três legiões romanas – compostas principalmente de bárbaros vindos da Gália e da Alemanha – tinham seu próprio comandante romano. O exército egípcio estava sob o controle de Aquilas. Mesmo se a guarda real estivesse do meu lado, os outros eram muito mais numerosos. Eu teria de esperar o que o destino me ofereceria.

 10

Há muito tempo, o Egito era protegido pelos seus desertos no Leste e no Oeste. Havíamos construído nossas cidades no vale do Nilo, fora do alcance do resto do mundo. Mas os beduínos montados em camelos atravessaram nossas fronteiras ao Oeste, e hoje os exércitos chegam à nossa fronteira do Leste através da Síria. Agora fazíamos parte do mundo como um todo, e o que acontecia lá fora nos afetava diretamente. Assim, a primeira crise do meu reino não veio de dentro do Egito, mas de acontecimentos em outros países.

Para ser breve: a Pártia (Ó Ísis! Como aprendi a odiar esta palavra! A Pártia tem sido a destruidora de todas as minhas esperanças!) importunava a nova província romana da Síria, e o novo governador romano de lá, Calpúrnio Bíbulo, queria as legiões romanas de volta para ajudá-lo num ataque de vingança contra a Pártia. Enviou seus dois filhos para comandarem as legiões do Egito e levá-las para ele. Os soldados, tendo feito do Egito sua casa, não queriam sair, e revoltaram-se contra os filhos do governador. Em vez de obedecê-los, mataram-os.

Como quaisquer rebeldes tolos, que não pensam nas conseqüências de seu ato de rebelião, os soldados ficaram empolgados com o que fizeram. A cidade de Alexandria também se alegrou com eles. E Potino e seus cúmplices não se continham de alegria. Um golpe fora conferido contra Roma! Não importava que fosse um mero assassinato de simples mensageiros.

Convoquei uma reunião na sala do Conselho Real. Estava sentada no trono de rainha quando os membros do conselho entraram, empurrando Ptolomeu como um refém.

– Meu irmão pode se sentar neste trono, ao meu lado – eu disse, mostrando a outra cadeira real. Queria vê-lo separado dos outros, pelo menos uma vez!

– O resto pode sentar ali.

Indiquei o banco, embora decorado a ouro, para todos se sentarem, incluindo Mardian.

– Vocês sabem por que convoquei esta reunião – comecei.

Do lado de fora, o dia estava maravilhoso, brilhante e azul. Os navios se balançavam na enseada do porto.

– Os filhos do governador romano da Síria foram assassinados pelas próprias tropas que deveriam comandar.

– Não tem nada a ver conosco! – disse Ptolomeu. – Foram as tropas romanas que o fizeram! Não foi culpa nossa!

Potino concordou com um gesto presunçoso de cabeça.

– Então é assim que você aconselha o seu príncipe? – eu indaguei. – Sua juventude o exonera, mas se você acredita nisso, então você é a criança e não tem o direito de servir em qualquer conselho, nem mesmo um para racionar esterco de burro!

Fiquei olhando o sorriso morrer de seu rosto. Muito bem.

– As tropas não querem sair do Egito – disse Potino. – Já estão acomodados, casados, com filhos.

– Em outras palavras, não são mais soldados, e sim cidadãos? – perguntei. – Então não sentiremos sua falta se forem embora, porque não mais servem ao propósito de estarem aqui. Não precisamos de mais cidadãos. Temos um milhão deles na cidade. – Olhei firme para todos eles. Agora era o momento de deixar as coisas claras. – Os assassinos precisam ser presos e entregues a Bíbulo.

– Não! – gritou Teódoto. – Isto seria reconhecê-lo como nosso dono! Somos um país soberano!

– Países soberanos, os soberanos de *verdade*, não os de mentira, observam leis de civilização. Não é um sinal de fraqueza, mas de força, ser capaz de controlar nosso próprio povo quando erros são cometidos e de oferecer a oportunidade de consertá-los.

– A verdade – disse Potino com um sorriso de desprezo – é que você tem medo dos romanos! Por isso se ajoelha para eles, degradando-se dessa maneira.

Como se atreve a falar comigo desse jeito? Degradar-me!

– É você quem está degradando o Egito ao defender comportamento criminoso e insultante. Estou vendo que seu amor pelo país não é dos mais fortes.

– Amo o Egito mais do que você jamais compreenderá! – ele insistiu.

– Então faça como estou mandando – eu disse. – Descubra quem são os assassinos. Traga-os à minha presença. Se não tem estômago para mandá-los para Bíbulo, pode deixar que eu os mando.

Olhei para meu irmão.

– E você tem alguma coisa para dizer?

Ele negou com a cabeça.

– Muito bem. Então faça como estou ordenando, Potino.

O eunuco alto ficou mais rígido do que uma estátua de pedra num templo.

Depois que o conselho foi embora, senti a fraqueza me invadir. Sabia que estava fazendo a coisa honrosa, mas será que era politicamente sensato? Alienaria os alexandrinos. No entanto, insultar os romanos era cortejar um perigo maior; eles nunca esquecem uma afronta ou uma derrota. Fui colocada, como um animal encurralado no campo aberto, à mercê dos predadores.

Os assassinos – três homens de aparência comum – foram presos e enviados a Bíbulo para serem julgados por ele. O magistrado romano nos surpreendeu quando agiu inteiramente de acordo com a lei. Embora seus filhos tivessem sido assassinados, ele disse, a lei romana proibia que ele lidasse com seus assassinos diretamente; era um assunto para o Senado julgar. Ele mesmo não se vingaria.

Tal é a lei romana! Se fosse eu que tivesse os assassinos dos meus filhos à minha frente, esqueceria qualquer lei, a não ser aquela que dita vingança por um filho morto – a prerrogativa de uma mãe. As leis podem chegar até um certo ponto, mas, depois, falham. São um substituto pobre para a justiça. Os deuses gregos sabem muito mais sobre isso do que as leis romanas.

O episódio com Bíbulo virou de tal maneira o povo contra mim que quase acreditei ser coisa arranjada por Potino. (Sei que não é verdade, Ísis, mas por que os deuses o favoreceram?) Havia falatório sobre "a amante dos romanos", "a escrava dos romanos" e "tal pai, tal filha". Eles o enxotaram do trono por rastejar aos pés de Roma, e eu era igual. Para fora com ela!

Não ajudou muito também o fato de que, um pouco depois disso, o filho de Pompeu veio para o Egito para pedir legiões e provisões para a batalha iminente contra César. Tivemos de mandar as tropas com ele, assim, no final das contas, acabaram por servir Roma de qualquer jeito. Sessenta navios foram despachados, junto com centenas de soldados. Pompeu e seus seguidores haviam sido expulsos da Itália por César, que desafiou o Senado e agiu como se fosse o dono de seu próprio destino. Diziam que sua sorte não se comparava à de nenhum outro homem; diziam também que sua melhor arma era a diligência, porque ele aparecia nos campos de batalha antes de seus inimigos perceberem sequer que ele tinha se posto a caminho. Diziam que ele avançava centenas de milhas em um dia, comandando ataques relâmpagos.

Devo refutar aqui uma intriga difamatória sobre mim, produto da propaganda romana, espalhada pelos seguidores de Otaviano. Diziam que o filho de Pompeu e eu nos tornáramos amantes quando de sua visita a Alexandria. Não é verdade. Tive encontros formais com ele, ofereci banquetes em sua honra e fiz questão de lhe mostrar minha cidade, mas ele nunca sequer tocou minha mão. Fazer isso seria uma violação de todos os princípios de protocolo. Eu era virgem e tão protetora da minha castidade como Atenas. Além do mais, ele não era nem atraente!

Outro fator que conspirou contra mim ao mesmo tempo foi o próprio Nilo. A última cheia não levantou o rio ao nível exigido, e a escassez de alimentos foi inevitável. Os cientistas calcularam uma tabela com a exata altura que o Nilo deve subir para garantir a colheita. Níveis abaixo da tabela são chamados os "cúbitos da morte". Naquele ano, o nível do grande rio caiu abaixo da linha da morte.

Os deuses mandam a água, ou a retêm, e os soberanos ficam com a culpa. Dei ordens para que os grãos da colheita anterior fossem racionados, mas o que aconteceu foi o que sempre acontece nesses casos: não havia grãos suficientes, embora especuladores, de algum modo, tivessem conseguido provisões para si próprios. As pessoas estavam morrendo de fome. Em Alexandria, os tumultos começaram. No interior, houve ameaças de rebelião. Quanto mais se adentrava no país, acompanhando o Nilo, tanto mais desafeto havia entre o povo. A distância sempre os mantivera pouco ligados ao estado ptolemaico, e agora havia o risco de eles se desligarem por completo.

Foi durante esse período que o touro sagrado de Hermontis morreu, e a cerimônia de sucessão do animal foi planejada. Era uma ocasião elaborada na qual o novo touro sagrado era escoltado na descida do Nilo até o seu curral sagrado. Os faraós participaram dessa procissão na água em tempos passados, mas nenhum Ptolomeu jamais o fizera. Hermontis era uma província onde a desafeição proliferava. Ficava alguns quilômetros acima de Tebas. Decidi que seria uma decisão política sensata participar da cerimônia. Afastar-me-ia das intrigas palacianas por um tempo, enquanto me permitiria angariar apoio de uma área turbulenta.

Assim, embarquei na barca real. Estava ansiosa pela viagem, que deveria durar uns dez dias.

Abrigada por toldos, acomodei-me na popa da barca e observei os campos da minha nação deslizarem à minha frente. Vi como o Nilo estava ao passarmos pelas pirâmides, por Mênfis com seus muros brancos brilhando ao sol do meio dia, por campos verdejantes povoados por palmeiras, as margens do rio cobertas de terra preta-avermelhada, os burros e as rodas dos moinhos, as casas de taipa. A extensão de terra nos lados do Nilo era sempre a mesma; o que mudava era a paisagem de fundo. O deserto era às vezes dourado e arenoso a distância, outras vezes, de um branco cinzento, uma vastidão sem cor, outras vezes eram rochedos pontiagudos. O tamanho da faixa verde aumentava e diminuía, de menos de uma milha para quase dez, mas sempre parava num ponto ao alcance da vista, e então o deserto se apoderava da terra.

Quando o sol se punha – uma bola vermelha se afundando no Nilo raso, fazendo-o ficar da cor de sangue – a luz não se demorava. A escuridão caía sem aviso, numa noite negra, com milhões de estrelas. O silêncio reinava, pairando sobre o deserto um pouco além de nós. E esfriava, mesmo em pleno verão.

Passamos pelas ruínas de uma cidade de pedra, três dias de viagem depois de Mênfis, e perguntei ao capitão o que era.

– A cidade do faraó herético, que seu nome seja perdido para sempre – ele murmurou.

Akhenaten! Sabia um pouco sobre ele, sobre seu rompimento com os deuses antigos e sua tentativa de fundar uma nova religião baseada na adoração de Aten como um único deus. Os sacerdotes de Amon em Tebas não demoraram para dar cabo dele. Estávamos passando pelo que tinha restado de sua vida e seu trabalho. Fiquei profundamente agradecida por minha dinastia não ter tentado subjugar qualquer religião. Não, nós nos jogamos nas religiões com grande prazer! Os Ptolomeu, e meu pai principalmente, foram ávidos construtores de templos no estilo antigo no Alto Egito. Como resultado, nossos templos eram ainda os mais lindos que existiam no país – Edfu, Esna e Kom Ombo hoje são famosos. Um pouco depois de passarmos pela cidade desventurada do Faraó, passamos as pedreiras de alabastro no lado oriental do rio, origem de tantos vasos de perfume e ungüento.

Dois dias depois, passamos pela cidade de Ptolemais, fundada pelo primeiro Ptolomeu; a mais de seiscentos quilômetros de Alexandria. Era o último ponto fronteiriço grego no Nilo. Daqui em diante, a influência estrangeira se esvanecia.

No nono dia da nossa viagem, o Nilo fez uma curva repentina, e começamos a navegar para o Leste. Perto do cotovelo da curva, em Dêndera, passamos pelo templo de Hator, a deusa do amor. Era um templo recente, com ampliações feitas por meu pai. Era visível do rio, suas colunas talhadas sobrepondo-se ao seu muro de tijolos de lama. Queria muito ter tempo de visitá-lo.

Diretamente do lado oposto, no lugar exato onde o rio virava para o Oeste, ficava a cidade de Coptos. Sabia muito bem sobre ela porque era um importante ponto de comércio. Neste local, onde o Nilo se aproxima do Mar Vermelho, as caravanas de camelos iniciam a jornada até os portos, para buscar mercadorias de Punto e da Arábia. Meu pai teve um grande interesse por essa rota de comércio; acreditava que o Egito deveria se voltar para o Leste, para a Índia, para a parceria comercial, deixando o Mediterrâneo para Roma.

Os primeiros Ptolomeu fundaram uma série de cidades ao longo da costa do Mar Vermelho, homenageando suas rainhas com os nomes: Cleopatris, Arsínoe, Berenice. Berenice, a cidade mais ao Sul, era o ponto para onde os elefantes capturados na África eram trazidos. Ultimamente, o comércio de elefantes tinha sido quase que abandonado. Não eram mais novidade como arma de guerra. Júlio César tinha aperfeiçoado uma maneira de debandá-los, e agora tinham perdido o seu valor como uma arma de terror.

Júlio César... que tipo de pessoa era ele? Como soldado, parecia formidável, dotado de infinita engenhosidade. O caso dos elefantes – por que ninguém antes dele explorou o seu ponto fraco tão efetivamente? Os animais são fáceis de debandar: se forem amedrontados por uma chuva de pedras e objetos, viram-se e passam por cima de suas próprias tropas. Durante séculos, elefantes eram valiosos como instrumento de guerra. César, porém, fez com que ficassem obsoletos. Como Pompeu terá qualquer chance contra ele? Rezei para que não fosse preciso que tomássemos partido. Seria um mau agouro para o Egito.

Mais um dia de viagem e chegamos a Tebas, com seus templos enormes. Fora o baluarte do Egito Antigo e ainda hoje os sacerdotes dos templos de Amon exercem grande poder entre o povo. O quarto Ptolomeu enfrentou uma dinastia nativa dessa região e ficou tão absorvido em subjugá-la que acabou perdendo quase todos os territórios estrangeiros do Egito – territórios que nunca mais foram recuperados.

Os sacerdotes e seu séquito faziam fila nos degraus da plataforma de desembarque. Eu podia ouvir sua música religiosa fúnebre e amarga nos acolhendo quando passamos. Os templos gigantes se erguiam por trás deles, fazendo-os parecer anões. O cheiro de incenso atravessava as águas.

Do outro lado de Tebas ficavam os despenhadeiros e vales desolados, onde as tumbas reais foram esculpidas nas próprias rochas. Aqui a rainha Hatshepshut mandou erguer o seu templo mortuário, uma série de terraços longos e horizontais, com salas construídas nos despenhadeiros duros e destituídos de vida. Agora suas fontes e árvores mirras haviam se transformado em pó. Não muito longe estavam os grandes templos mortuários de Ramsés II e Ramsés III, como também o Colosso de Amenophis III, estátuas sentadas de quase vinte metros de altura. Mas os sacerdotes, pagos para desempenhar eternamente os rituais no templo, estavam tão mortos como seus amos. Os rituais foram esquecidos, e apenas as pedras sobreviveram. Os templos, testemunhas dessas crenças de outrora, continuavam radiantes sob o sol do deserto.

Um pouco mais à frente, Hermontis, nosso destino, apareceu na margem ocidental do Nilo. Era um vilarejo, com pouco mais do que o Templo Buchis e suas cercanias, onde o touro sagrado, considerado a encarnação de Amon, residia. Sob o templo havia longas catacumbas onde se encontravam as múmias dos touros mortos.

As pessoas se aglomeravam às margens do rio, e os sacerdotes, de cabeça raspada e vestindo robes de linho branco, estavam de pé, prontos a nos receber. Todos tinham a curiosidade estampada no rosto. *Será mesmo a rainha?* Pensavam. *Podemos nos aproximar? Será que ela é mesmo uma deusa?*

Naquele momento, fiquei aliviada e agradecida por ter vindo toda essa distância para finalmente ter uma recepção calorosa. Que meu irmão fique em Alexandria, onde somos tratados como simples seres humanos – portanto, descartáveis. Senti uma alegria imensa, além do alívio, como se pudesse respirar pela primeira vez na minha vida.

– Vossa Alteza – o sacerdote mais velho falou. – O touro sagrado se alegra com a sua presença aqui para acompanhá-lo.

Mesmo não tendo muita afeição por touros, também me alegrei.

Quando o touro Buchis anterior morreu, uma busca foi feita no Nilo de alto a baixo para que seu sucessor fosse encontrado. O escolhido foi achado não muito longe dali, para alegria de seu dono.

A cerimônia consistia em embarcar o animal – que precisava ser negro, com os chifres e a cauda brancos – numa barca especialmente construída para isso, atracada perto do campo de procriação do touro, alguns quilômetros rio acima. Ele usava uma coroa de ouro e lápis-lazúli e um véu para protegê-lo contra as moscas. Estava engrinaldado com flores e tinha os cascos tingidos de vermelho, o que notei quando seu dono o encaminhou para a rampa. Parecia um touro manso, para um touro. Desejei que tivesse um domínio longo e tranqüilo, com vacas para satisfazer todas as suas necessidades. Não é fácil ser um objeto sagrado e levar uma vida de exclusão.

Os remos com pontas de prata cintilavam a cada remada em que apareciam, levantando borrifos de água no ar. O touro estava a caminho de seu destino e viajava placidamente, enquanto o barco balouçava na água.

Houve muito festa e comida, como de costume. Os sacerdotes haviam preparado banquetes públicos para todo o povo dos arredores, porque a consagração de um novo touro é um evento raro. A maioria vive por mais de 20 anos.

O sacerdote-mor preparou-nos um banquete privado, enchendo a mesa com os alimentos encontrados na área: cebola, alho-poró, alho, lentilhas, grão-de-bico, espinafre, alface e cenoura. As carnes eram de carneiro e bode e de caças, como gazela e cabrito montês. Em deferência ao touro, carne de gado não foi servida.

– Faremos uma placa cerimonial para comemorar sua vinda – disse o sacerdote-mor. – Para todo o sempre, enquanto existir um ser humano para ler, este evento continuará vivo.

Fui servida com um prato de legumes borrifados com o óleo da árvore *bak* temperado com ervas.

— Sua colheita parece ter sido adequada — eu disse. — Como conseguiu toda essa comida não só para nos alimentar, mas a toda a multidão também?

Ele ficou triste.

— Devo confessar, Vossa Alteza, que foi com grande dificuldade. A colheita foi escassa, e o Nilo muito mesquinho na sua generosidade este ano. Notou como a rampa estava alta na hora de desembarcar? Normalmente, os barcos ficam no mesmo nível da rampa. Agora precisamos de uma escada.

— Como o povo está lidando com a situação?

— Não passaram fome ainda. Rezamos para que possamos atravessar o período de necessidade até que o Nilo suba de novo.

Embora ainda estivéssemos três dias de viagem longe de Núbia, notei vários rostos núbios entre os seus servos. Fiquei curiosa.

— Sim, achamos os núbios muito espirituais. São atraídos para o serviço do templo e são muito leais. Sempre os recebemos de braços abertos.

A mulher que nos servia era uma núbia alta com gestos graciosos, como se tivesse sido treinada para ser dançarina.

O anfitrião negou com a cabeça quando fiz este comentário.

— Não, é apenas sua maneira natural. Os núbios são flexíveis e elegantes em tudo o que fazem, servindo um prato à mesa ou simplesmente fazendo um gesto de cabeça. Já nascem com um senso de dignidade corporal.

— Qual é o seu nome? — perguntei à mulher. Seus movimentos me cativaram.

— Iras, Vossa Alteza — ela disse. Quando viu a surpresa no meus olhos, acrescentou:

— Quer dizer lã, *eiras*, por causa dos meus cabelos.

Seu grego era perfeito. Fiquei imaginando onde ela o aprendera. Deve ser de família educada, ou estudou em Tebas ou Hermontis. Seus cabelos eram de fato como lã, densos, penteados no estilo núbio, com os lados mais curtos.

— Vou fazer o que puder para aumentar as colheitas futuras. — Prometi ao sacerdote-mor. — Os canais de irrigação precisam serem aprofundados, disso estou sabendo. Há uma acumulação de lodo. Isso será corrigido.

— Vou rezar diariamente a Amon para que assim seja — disse o sacerdote.

Mas adivinhei que, nos seus pensamentos, ele dizia: *Vou rezar diariamente para que você fique no trono o tempo suficiente para cumprir sua promessa.*

Descansamos depois da cerimônia, que durou o dia e a noite inteiros, no palácio adjacente ao de Buchis. Pretendia voltar para Alexandria em dois ou três dias, mas, ao amanhecer, chegou um mensageiro. Tinha viajado duas vezes mais rápido do que nós ao combinar as velas com os remos. Suas notícias eram desastrosas: o Conselho Regente tinha usurpado o poder em nome de Ptolomeu XIII, e eu havia sido expulsa do trono. Minha ausência em Alexandria fora a minha ruína.

Tão cedo uma rainha, tão logo destronada! Quase não acreditei que eles tivessem tido o atrevimento...!

– É verdade – disse o mensageiro. – Perdoe-me por trazer notícias tão indesejáveis. Mas achei que seria melhor recebê-la de amigos antes que fosse informada oficialmente, e antes que o resto da nação soubesse. Assim poderá... planejar suas ações.

Sim. Meu plano de ação. Porque não me submeteria tão docemente. Nunca, jamais!

– Agradeço – com calma, pedi que esperasse. Pedi a Iras, que tinha sido escolhida para atender-me em meus aposentos durante minha estada, para trazer água para refrescá-lo e vinho para beber.

– Com prazer – ela disse e acenou, na sua maneira delicada, para que ele a acompanhasse.

Do lado de fora, o sol começava a atravessar a neblina dourada que pairava sobre o rio na madrugada, pintando de ouro o junco ao longo das margens. A barca real estava atracada, esperando por mim. Respirei fundo várias vezes enquanto me apoiava à janela.

O que faria? Estava no Alto Egito, num lugar tradicionalmente hostil ao governo em Alexandria. Mas pareciam gostar de mim e me apoiar. Será que poderia levantar um exército aqui? Os melhores soldados vinham desta área, e o próprio Aquilas tinha nascido aqui.

Mas com que dinheiro poderia pagá-los? Não trouxera dinheiro comigo. Os usurpadores em Alexandria estavam no controle do tesouro como também da Guarda Real Macedônica do palácio e do exército egípcio. Eu não tinha condições de equipar um exército, quanto mais treiná-lo, com os recursos daqui. Minha popularidade com o povo, e seu aparente amor por mim, era gratificante, mas de nenhum valor militar. Se tentasse armar uma contra-revolução daqui, tudo o que conseguiria seria derramamento de sangue.

Esses pensamentos passaram rápidos na minha mente. Tão rápido que não percebera que havia respirado apenas duas vezes enquanto pensava. Segurei firme no parapeito da janela.

– Vossa Alteza – era Mardian. Sempre reconheci sua voz: era suave e... graças a Hermes! não era aguda. Quando passou da idade em que a voz normalmente muda, a sua ficou melodiosa e forte, mas não profunda.

Não me virei.

– Sabe que pode me chamar de Cleópatra, quando estamos sozinhos.

– Cleópatra – ele disse de uma maneira que era muito agradável para os ouvidos. – O que vamos fazer? – fez uma pausa. – Sei que você não se resignará tão facilmente.

– Isso já está decidido. – Virei-me. – Nem mesmo vou reclamar de traição. Fui criada num mar de traição, armadilhas, deslealdade. Nadei nesse mar como uma perca nada no Nilo. Não é novidade para mim. Não vou me afogar.

– Mas o que faremos? Na prática, quero dizer. Símiles são poéticas, mas qual será nosso plano de ação específico?

– Paciência, Mardian! Não faz cinco minutos que fiquei a par da crise. Deixe-me pensar!

Foi neste momento que rezei para você, Ísis, para me socorrer. Para clarear meus pensamentos, tirar a vaidade, a raiva e a insensatez do meu coração, para que eu pudesse ver as coisas mais nítidas e o que você, minha guia, aconselhasse que fizesse. Tantas vezes nossos pensamentos humanos não chegam ao objetivo. Distraímo-nos primeiro com uma coisa, depois outra, e acabamos por nos enganar. Sentei-me calmamente, segurando a sua imagem de prata que trago no pescoço e esperei.

Os momentos passaram. Podia sentir, embora com os olhos fechados, o sol começando a entrar no quarto enquanto nascia. As pessoas se moviam no pátio, e os sacerdotes dos cânticos se encaminhavam para o curral do touro para iniciar as cerimônias do dia. Esperei um pouco mais.

Fui tomada por uma sensação de doçura. Foi quando você tomou conta de mim, levando para longe meu medo e minhas incertezas. Eu era sua filha, sua encarnação na terra, e era meu destino governar. Deveria sair do Egito e ir para Ashkelon em Gaza. Aquela cidade havia sido libertada da Judéia por meu avô e recebeu favores de meu pai. Lá eu poderia juntar um exército. O reino dos árabes nabateanos ficava próximo, e o povo de Ashkelon apoiaria minha causa. A província vizinha da Síria também me favoreceria, porque cumpri as ordens de Bíbulo. Sim. Agora estava tudo claro.

— Vamos para Gaza – disse a Mardian.

Ele ficou surpreso.

— Sair do Egito?

— Foi feito antes. Não sou a primeira dos Ptolomeu que vai precisar retomar o seu trono de fora do país. Mas esse é o caminho mais sensato. O Egito está a beira de um período de fome e não pode nos apoiar. Gaza tem mais recursos.

— Mas... como chegaremos lá?

Mardian. Sempre prático.

— Não temos a barca real?

— Sim, mas um navio assim é visível por milhas!

— Não vão nos perseguir aqui no Nilo. Estão contentes por terem o poder em Alexandria. Se queremos tirá-los do poder, é de Alexandria que devem ser enxotados. Devemos atacá-los.

— Você foi tomada pelo espírito de Alexandre.

— Mas é claro. Vamos duplicar nossa velocidade no Nilo colocando remos para ajudar na corrente contrária. Quando alcançarmos o Delta, tomaremos o braço mais oriental do Nilo, depois deixaremos a barca e seguiremos a linha do antigo canal Necho, atravessando o Mar de Junco e os Lagos Amargos. Ali, atravessamos.

— Evitando a estrada entre o Egito e Gaza que passa ao longo da costa.

— Exatamente. Eles com certeza vigiarão o forte de Pelúsio. Dessa maneira, passaremos por suas costas.

Demoraria muitos dias antes que o anúncio oficial alcançasse Tebas ou Hermontis. Devíamos zarpar o mais rápido possível.

No entanto, o sacerdote-mor nos surpreendeu. Apareceu à porta dos meus aposentos, com sua bengala na mão.

— Tive um sonho na noite passada – ele disse. – Sonhei que um grande mal tomaria o Egito. Vim para avisá-la.

— Seu sonho diz a verdade – eu disse. – De fato, um mensageiro acabou de chegar. –Expliquei o que aconteceu. – Assim, temos de partir o mais breve possível. Mas não quero alarmar o povo.

— Fique conosco mais uma noite, então.

Fiquei, agradecida pela oportunidade de descansar antes de enfrentar a jornada árdua que teríamos à nossa frente.

Depois dos sacrifícios noturnos serem feitos para o novo touro e para Amon, o sacerdote me abençoou e a todo o meu séquito.

– Como um presente de despedida, quero oferecer uma parte de nós. Leve Iras com você. Nós a estimamos muito, portanto é um sacrifício ter de dispor dela. Ela será uma lembrança viva de nós. E é também – ele sorriu – de mais uso para você do que um poema, uma gargantilha ou um bode sem manchas.

Fiquei muito feliz, porque tinha começado a gostar muito de Iras.

Enquanto era escoltada cerimoniosamente para minha barca na manhã seguinte, o sacerdote entregou-me, em mãos, uma mensagem.

– Para ficar a par. Já começou.

Quando li a mensagem, vi que era uma ordem vinda do Conselho Regente para o Alto Egito: todo os grãos e gêneros alimentícios que pudessem ser guardados deveriam ser enviados diretamente a Alexandria. Nenhuma provisão deveria ser embarcada para qualquer outro lugar, sob pena de morte. Queriam nos matar de fome.

Ri e rasguei o papel. Tão cheios de si, eles calcularam mal. Tolos. Em Gaza, não poderiam me tocar. E quando eu os tirasse do trono, celebraria o maior banquete já visto com a comida que eles guardaram. Sim, eu e meus seguidores nos deliciaríamos com figos, melões, tâmaras, pão, rabanete, pepino, pato e ganso. Uma comida simples arrancada das garras do inimigo enche muito mais o estômago do que um banquete de guloseimas.

Não enfrentamos problemas na nossa viagem pelo Nilo. Os remadores trabalharam arduamente, suando, para manter a barca se movendo o mais velozmente possível. A corrente era fraca devido ao nível da água. E nos lugares em que precisamos parar, fomos recebidos com amizade e apoio. A notícia viajou mais rápido do que pensamos, e as pessoas já haviam ficado sabendo sobre o golpe em Alexandria. Mesmo assim, diziam-se leais a mim e desejavam boa sorte.

Quando avistamos o lugar sagrado de Heliopólis, com seus obeliscos robustos, soubemos que nos aproximávamos do local onde o Nilo se dividia. A paisagem verdejante começava a se estender quando entramos na área fértil. Viramos a barca para o Leste, para o braço Pelúsico do Nilo, e remamos na direção do sol nascente.

Esta era a parte do Egito que não tinha muito a ver com o Egito, porque os estrangeiros começaram a vir para a região havia milhares de anos. Os israelitas tinham se estabelecido aqui, seguidos dos Hyksos.

Tínhamos viajado uma boa parte do caminho quando avistamos as ruínas do antigo canal na margem leste do rio. A entrada de pedra, que guardava a fechadura, ainda existia, mas agora não havia necessidade de portões ou guardas. Tudo fora coberto pelo matagal. Nesse local, abandonaríamos a barca e tomaríamos os camelos e as mulas. Enquanto subíamos o molhe, notei várias poças de água estagnada, cobertas de lótus. Era tudo o que restava do canal em si. Por um momento, senti um imenso peso em ter de manter um país funcionando. Tudo se desfaz em pó, é destruído pelo tempo; tudo precisa de constante patrulhamento e conserto. Para isso são necessários homens e recursos. Manutenção, e não conquistas e expansão, é o que engole os recursos e nos faz tombar em nossas covas como soberanos que não alcançaram nada memorável. Quem quer em seu epitáfio, "Manteve os canais limpos"? Mesmo assim, precisam ser limpos, quase que sem pensar, enquanto corremos atrás de grandes obras.

O canal seguia uma garganta natural, e fizemos o caminho por sua margem. Muito tempo atrás essa terra havia sido um pasto fértil, e podia-se ainda ver traços dos limites dos campos. Mas quando a água se foi, a safra também se foi. O deserto, com seus arbustos secos e suas pedras de milhares de tamanho, chegava até a trilha.

O canal tinha umas cinqüenta milhas de comprimento, ligando o Nilo ao lago de Timsah, um dos Lagos Amargos, que desaguava no Mar Vermelho. O porto mais próximo era Cleopatris, mas ficava no que se denominava o "golfo pérfido", porque era traiçoeiro, com sua vegetação e seus rochedos.

— É perto de onde vamos atravessar – disse o capitão da minha guarda. – O Mar de Junco nos permitirá atravessar no raso, se os ventos estiverem do nosso lado.

— Como aquele egípcio legendário que se uniu aos israelitas? – perguntou Mardian.

O soldado não compreendeu.

— Não sei de quem está falando – ele disse. – Mas esta travessia já era conhecida em tempos antigos. Pode ser muito traiçoeira, por isso devemos tomar muito cuidado onde pisamos.

– Moisés – disse Mardian. – O nome dele era Moisés. Está no livro de lendas hebraicas. Moisés é um nome egípcio; tem alguma coisa a ver com Thutmose.

O capitão não mostrou interesse.

– Quando chegarmos às margens do Mar de Junco, vamos parar para testar a profundidade da água.

– Na história de Moisés – Mardian insistiu – as águas eram tão profundas que o exército inteiro se afogou.

– Podem ser muito profundas – admitiu o capitão. – Vamos rezar para que hoje não sejam.

A distância, as águas brilhavam, a nossa espera. Tinham uma tonalidade cruel de azul plano, indicando que eram estagnadas e cheias de sais amargos. O junco e a vegetação seriam diferentes daqueles encontrados em água doce.

Quando finalmente alcançamos as margens, senti o odor de lodo e putrefação. Vi os círculos oleosos ao redor das hastes do junco; um lustre opaco refletia a luz do sol. Mas também havia os pássaros voando de uma haste para a outra.

– A água está rasa! – gritou o capitão, excitado, quando seus sentinelas voltaram. – Os guias nos levarão! Vamos alugar barcos de junco, e os camelos passarão sem a carga.

E assim fizemos. Tomei meu lugar num barquinho, feito de hastes de papiro trançadas, que flutuava até certo ponto e deixava a água asquerosa entrar aos poucos no barco. Tínhamos de empurrar os caules e as raízes, além dos juncos e da vegetação, que batia em nossos rostos e arranhava nossas mãos. E o mau cheiro! Pensei que ia vomitar com o cheiro dos gases que emanavam da água quando a movimentávamos. Quando toquei na água para segurar uma haste e nos equilibrar, a mão emergiu com uma camada de óleo e sal pútrido.

Nunca as dunas de areia pareceram tão puras e limpas como desta vez, quando alcançamos o outro lado por fim! Foram apenas três quilômetros, mas foram os três quilômetros mais desagradáveis que já percorrera sob o sol do Egito, disto eu tinha certeza.

O resto da jornada foi monótono. Atravessamos os cinqüenta e cinco quilômetros de areia que separavam a ponta do lago do Mar Mediterrâneo até chegarmos àquele mar com seu azul intenso refletindo o céu e as ondas brancas refletindo as nuvens. Depois tomamos o cuidado de não andar pelas estradas mais usadas que passavam pela costa.

Gaza, a antiga terra dos Filisteus, era fácil de se alcançar. E na rica cidade de Ashkelon fui bem acolhida e encontrei apoio e muitos adeptos a tomar armas para lutar contra os usurpadores. A notícia que se espalhou era de que a rainha Cleópatra estava formando um exército.

 11

Noite; noite quente e ventosa. Eu estava deitada em minha tenda sem poder dormir. Tinha meu exército, e estávamos acampados próximo da fronteira do Egito, perto do lugar onde fizemos a travessia havia alguns meses. Tinha agora dez mil homens, alguns egípcios e outros árabes nabateanos. Eram bons guerreiros.

Mas meu irmão – ou melhor, Aquilas – dispunha de mais tropas. Possuía o que restou das legiões de Gabínio, como também novos soldados egípcios que ele pôde recrutar. Estavam acampados do outro lado da fronteira, ocupando o Pelúsio, a fortaleza que guardava as fronteiras orientais do Egito. Não podíamos passar por eles, nem poderíamos tomar Alexandria pelo mar, porque tinham correntes submersas na água e eram protegidos pela frota.

Dois meses. Fazia dois meses que estávamos frente a frente com as areias entre nós, e eu estava barrada de Alexandria desde um ano antes disso. Recebia as provisões de Ashkelon, e eles, do Egito. Por quanto tempo ficaríamos aqui? Quem atacaria primeiro?

Revirava-me em minha cama de campanha. As molas gemiam. Meus cabelos estavam úmidos na minha testa e, quando eu dormia, meus sonhos eram vagos, mas perturbadores. O vento quente soprando pelo véu que cobria a entrada da tenda era como um beijo ardente de um amante – ou o que eu imaginava ser um beijo de um amante. Conhecia-os apenas em sonhos, em poesia e na minha própria imaginação. A luz do lampião tremulava. Do outro lado da tenda, em seu estrado, Iras gemia e se mexia. Ouvi um suspiro quando ela virou para um lado.

Estava no meio da noite. Todo mundo dormia. Por que eu não? Fechei os olhos de novo. Mais beijos do vento quente. Senti como se alguém estivesse parado na entrada da tenda, levantando o véu, entrando. Estava acordada – ou era um sonho? Vi uma mulher alta, segurando uma cornucópia. O emblema de nossa dinastia? Ela não disse nada. Não consegui ver seu rosto. Sim, era um sonho. Porque no mesmo instante, o visitante verdadeiro apareceu e o ruído que fez quando levantou a borda da tenda era completamente diferente.

– Mardian! – reconheci seu perfil.

– Silêncio! – ele se agachou e se aproximou de minha cama. – Uma coisa terrível aconteceu – ele murmurou. Sua voz tremia.

Sentei e abracei-o, depois sussurrei.

– O quê? Não precisa me poupar de nada.

– Nosso país é a vergonha do mundo. Pobre Egito!

– O quê?

– Traição! Traição!

– Em nome de Ísis, pare de se lamuriar e me *conte*!

– Ptolomeu assassinou Pompeu!

– Como?

Foi tudo o que pude dizer no meu choque. O pequeno Ptolomeu, com seus bracinhos finos, acabar com a vida de Magno Pompeu?

– É tudo uma trama, são mentiras...

Ele parou de repente. Iras tinha acordado.

– Tudo bem. Pode falar na frente dela.

Agora confiava plenamente em Iras e no seu julgamento sereno e sensato.

– Pompeu, derrotado, estava a caminho do Egito. – Mardian começou a contar.

Com todas as minhas angústias, eu tinha esquecido as de Roma. Mas durante o meu tempo de exílio, Pompeu e César se confrontaram numa batalha em Farsália, na Grécia. César saíra vitorioso, mas Pompeu escapara com a vida e alguns poucos homens. Fiquei sabendo disso, mas não me interessei. Roma e seus infortúnios eram pouca coisa comparados à minha aflição.

– Ele queria levantar outro exército. Estava vindo ao Egito para agrupar novas forças; como guardião de Ptolomeu, pois seu pai o tinha nomeado no seu testamento, assim ele dizia, Ptolomeu lhe devia sua lealdade e uma base de onde operar. Mas sabiam que Pompeu estava condenado, assim, queriam se livrar dele.

– E então? – perguntei. – Como você ficou sabendo disso?

– Um desertor do exército de Ptolomeu acabou de chegar. E acho que ele diz a verdade. Vão apresentá-lo a você pela manhã, mas eu queria lhe contar logo.

Meu leal e querido Mardian.

– Agradeço muito.

– Ele assistiu a tudo da praia. Viu o que aconteceu. Pompeu foi morto por Aquilas e dois homens que estavam nos remos do barco que o levava para o porto, à vista de sua mulher no navio de guerra. Foi esfaqueado e decapitado na frente dela.

Pompeu – que havia me tratado tão bem quando menina, quem eu conheci e admirei – decapitado! Em conversa na Alexandria, prometi a ele que *Alexandria seria protegida para ele e o receberia sempre de braços abertos.*

E quando finalmente ele veio, meu irmão malfeitor e seus homens haviam-lhe dado uma horrenda recepção; fizeram da minha promessa uma mentira.

– São bestiais – eu disse. – Estou lidando com animais, e não homens. Então eu mesma não preciso ter pena deles.

Tremi ao pensar em todos eles. Chamá-los de bestas era um insulto aos animais.

– E César?

– O assassinato de Pompeu foi a maneira que encontraram para atrasar a vinda de César a esta parte do mundo. Mas calcularam mal com quem estavam lidando. César veio atrás de Pompeu como um relâmpago, tão rápido que chegou com muito poucas tropas. Nosso informante ouviu dizer que Teódoto deu a cabeça de Pompeu de presente a César, além de seu anel com sinete, em troca de aprovação. Em vez disso, César chorou e ficou irado com eles.

– E onde está ele agora?

– César está em Alexandria, é o que o informante diz. Acomodou-se no palácio. E não parece querer sair tão cedo.

– Mas o que está *fazendo* lá? – Por que estava se demorando? Ptolomeu estava com ele? César era um político tanto quanto um soldado. Será que estava querendo se tornar o próximo "guardião" de Ptolomeu?

– Não sei – respondeu Mardian.

Iras falou pela primeira vez.

– Enquanto César estiver lá, Ptolomeu não governará, e isso é bom para nós.

– Não pode nunca ser bom para nós ter um poder maior ocupando nossa casa. Seria como um leão entrando na nossa tenda e decidindo que quer dormir nesta cama – eu disse.

Depois que Mardian foi embora e Iras voltou a dormir, fiquei olhando para o teto de lona da tenda. Estava escuro, e as chamas do lampião só serviam para fazer mais escuras as partes escondidas da tenda. O vento quente não parava de soprar. Os homens das tribos do deserto tinham um nome para esse vento e sua intensidade opressora. E o vento não me deixava pensar. Tudo o que pude fazer foi ficar quieta e suar. Era prisioneira da noite opressora, acorrentada à minha cama.

Júlio César havia derrotado Pompeu. Júlio César era o dono do mundo romano. Júlio César estava em Alexandria, morando no palácio – meu palácio! Via meu irmão todos os dias. Por quê? Por que tinha ficado? Qual era seu objetivo?

Eu teria de ir até ele e expor meu caso. Iras tinha razão. Enquanto César estivesse no palácio, Ptolomeu e seu conselho nefando não governariam. Eu apelaria a um juiz acima deles. Mas precisava agir com diligência. Cada dia que passava com Ptolomeu tendo toda a atenção de César voltada para si facilitava que se tornassem aliados.

Uma mosca zunia dentro da tenda, batendo na lona. Não havíamos trazido mosquiteiros, porque não estávamos perto dos pântanos. Agora me arrependia. Detestava moscas. E esta chegava cada vez mais perto; ouvi quando se aproximou e, à luz obtusa do lampião, vi onde pousou. Sentei na cama, peguei uma sandália e, num movimento tão rápido que os olhos quase não acompanharam, esmaguei a mosca.

Será que era assim que César esmagava seus inimigos? Diziam que ele se movia ligeiro e atacava seus oponentes de surpresa. Nunca havia sido derrotado numa batalha final, mesmo com um número menor de soldados. E, de acordo com Mardian, havia chegado rapidamente ao Egito com poucos homens, confiando apenas no elemento surpresa para derrotar Pompeu. Isso queria dizer que ele estava em Alexandria com poucos soldados para protegê-lo. O que me levava de novo a questionar: por que ele se demorava lá?

O que eu sabia sobre César? Muito pouco. Apenas que era muito mais popular com o povo do que com os aristocratas, que tinha alcançado seus sucessos militares relativamente tarde na vida e que estava sempre envolvido com mulheres, geralmente mulheres casadas. Mardian me contou uma vez que todo divórcio famoso em Roma parecia contar com um adultério que envolvia César. E seu gosto não se restringia a mulheres apenas, Mardian contou; César também se envolvera com o rei da Bitínia na sua juventude. Era também um colecionador de obras de arte, que valorizava acima de suas conquistas românticas.

Esmoreci. Já o via levando algumas das nossas melhores obras de arte. Limparia o palácio de nossas estátuas gregas e nossos móveis egípcios, além dos quadros. E o estúpido Ptolomeu o deixaria levar tudo!

Lá fora, ouvi movimentos, os primeiros ruídos do raiar do dia. Sabia da hora pela sutileza na mudança do ar que soprava dentro da tenda. Logo, viriam me acordar e, quando o sol estivesse acima das dunas, trariam o informante para relatar sua história. Fiquei contente de poder me preparar para sua mensagem.

O homem era egípcio, um guerreiro mais velho que servira no exército de meu pai antes das tropas de Gabínio chegarem. Ele parecia envergonhado, como se sentem desertores e espiões, mesmo sabendo que a causa de seus mestres anteriores era errada ou inútil.

Eu tinha me preparado para ele, vestindo meu manto real. Afinal, queria que ele sentisse que desertara por uma rainha, e não uma errante qualquer. Ele se deitou no chão, beijando as pedras, depois levantou a cabeça.

– Oh!, grande Rainha do Leste, minha alma lhe pertence e meu corpo ofereço para seu comando.

Sim, como foi de outros antes de mim, eu pensei. Traidores são úteis, mas nunca se deve confiar neles.

Foi como Mardian tinha contado. O ato ignóbil fora executado por Aquilas e um comandante romano chamado Sétimo, um dos ex-soldados de Pompeu. Mas foi por ordem de Teódoto, que dissera "Homens mortos não mordem". Lealdade, honra e débito foram apagados com aquele conselho prático. E assim Pompeu foi assassinado no litoral aonde veio à procura de abrigo e onde tinha todo o direito de ser recebido de braços abertos.

Seu corpo sem cabeça foi jogado na praia e deixado lá para que seu seguidor tentasse cremá-lo. O pobre homem corria de um lado para o outro da praia, procurando madeira, mas não encontrou o suficiente. Então o corpo…

Mandei-o parar.

– Não quero saber dos detalhes mórbidos. É humilhante para Pompeu até mesmo nos permitir imaginá-los. Diga-me o que aconteceu quando César chegou.

– Eu não estava lá. Fiquei enojado com o que já tinha visto. Estava esperando uma oportunidade para escapar. Nunca cheguei a ver César. Apenas ouvi dizer que ele estava em Alexandria. Teódoto tomou a... a cabeça e o anel para dar de presente a ele. Em vez de agradecer, César o puniu. Ouvi Teódoto resmungando como César era ingrato. Mas isso aconteceu poucas horas antes de eu desertar.

– Onde está Aquilas? E Ptolomeu?

– Aquilas ainda está no Pelúsio, à frente de seu exército. Ptolomeu vaivém entre Alexandria e o exército. César está residindo no palácio em Alexandria. A última coisa que ouvi antes de poder fugir foi que ele deixou o povo da cidade furioso porque desembarcou como um magistrado romano usando suas insígnias e trazendo seus oficiais, esperando ser reverenciado. E Teódoto andou reclamando que César se deu o direito de resolver a questão entre Ptolomeu e Vossa Alteza.

Será verdade? Com que fundamento ele se considerava apto para isto?

– Até onde sabe, qual é o estado da cidade? Está bem protegida?

– Muito bem protegida. Aquilas se encarregou disso. Soldados patrulham todas as entradas, e a enseada do porto está bloqueada.

– Então César está preso?

– Pelo jeito, ele não vê as coisas por essa perspectiva. Não parece estar preocupado.

Então César estava enclausurado no palácio, e eu, barrada.

Uma semana, depois duas, se passaram. Nada aconteceu. Nossos exércitos continuaram cara a cara, com uma faixa de deserto a nos separar. Nenhum de nós se moveu. Depois um outro desertor apareceu com notícias de que Ptolomeu fora a César e que os dois residiam juntos no palácio. (O que andavam dizendo os nossos desertores a Aquilas? Que tínhamos perdido a coragem? Cansados de esperar, mas sem homens suficientes para forçar uma batalha?)

Dia após dia sentávamos ao lado dos poços sob a sombra das palmeiras e esperávamos. Os camelos cochilavam com suas pestanas enormes fechadas, e as rochas banhadas pelo sol inclemente exalavam o cheiro de pedra queimada. Uma letargia tomou conta de nós. Era como se sempre tivéssemos vivido aqui e viveríamos para sempre.

Um dia, quando a sua luz parecia ter diminuído, o capitão da guarda, um homem de Gaza, veio para minha tenda e avisou:

– Tempestade de areia! Preparem-se!

Tudo precisava ser coberto com várias camadas, as aberturas das tendas e as caixas, as bolsas, tudo devia ser amarrado. E nossos rostos, cobertos com um véu. Logo o vento começou a urrar, trazendo uma névoa de areia fina, e apenas conseguíamos respirar através do véu.

– Rápido, Iras! – eu disse. – Ponha as caixas de jóias e os cofres de dinheiro num lençol, para o caso de afundarem na areia. E os odres de água também. Cubra tudo. E venha para junto de mim embaixo da minha capa, com um cobertor por cima. Uma tenda dentro de outra.

E assim ela fez. Esperamos. O vento ficou mais forte. Os lados da tenda se balançavam. A areia penetrava cada espaço, por minúsculo que fosse, quase como se fosse líquida. O ar era uma nuvem de areia.

A força implacável da tempestade durou horas e continuou depois que escureceu. Não nos atrevíamos a nos mexer. Agradeci por ela ter começado durante o dia, assim pudemos nos antecipar a ela, com tempo de nos preparar.

Quando pensei que a tempestade tinha abrandado e me preparava para retirar o cobertor, notei um lado da tenda se esticar. O vento estava forte! Mas parecia se concentrar somente de um lado, apalpando o caminho. De repente, mãos apareceram na entrada da tenda, e vi alguém se agachar e entrar.

– Aqui, meu senhor – era a voz de um dos meus guardas.

Um vulto seguiu o outro de quatro. Os dois estavam completamente escondidos em roupas.

– Vossa Alteza – disse o guarda. – Está aqui?

Tirei a capa de cima de mim, mas permaneci com o véu e levantei-me.

– Sim. Quem você está trazendo para me ver? Queira anunciá-lo.

– É Rufo Cornélio, um mensageiro de Júlio César.

César! Fiquei inerte.

– Nós o receberemos. Queiram se levantar e mostrar o rosto.

Os dois homens se levantaram e tiraram as máscaras de tecido. Sob o capuz de Cornélio vi o capacete romano com a escova comemorativa.

– Seja bem-vindo – eu disse. – O que tem a dizer o Imperador César para a Rainha Cleópatra?

Meu coração batia apressado.

– Meu general e comandante diz que veio ao Egito para retificar a triste situação causada pelo fato de o testamento do rei Ptolomeu não ter sido obedecido. Esse testamento, confiado a Roma para sua execução, declara ambos, a Rainha Cleópatra e o Rei Ptolomeu, como soberanos conjuntos. César descobriu que o irmão e a irmã estão em guerra, e isso o deixa angustiado.

E o que planejava fazer a respeito?

– Também me deixa angustiada – eu disse, escolhendo bem as palavras. Enquanto falava, sentia o gosto da areia fina na boca. Estava ainda suspensa, como fumaça que paira no ar. – A traição se acha em todo lugar, o que impede que a justiça seja feita. Pompeu foi traído, como eu também. E pelas mesmas pessoas.

– César ouvirá o caso e decidirá.

– Será que o grande César já não decidiu? A voz do pequeno rei deve soar doce em seus ouvidos.

– Ele deseja ouvir sua voz também. Tem a suspeita de que será ainda mais doce.

Não me movi. O que ele queria dizer com isso? Suborno? Ceder uma parte do Egito para Roma?

– Ele deseja que nós dois barganhemos com ele? Como dois mercadores num bazar?

Cornélio parecia ofendido.

– César tem mais inteligência do que você está insinuando. Além disso, para que haja barganha, é necessário que exista mercadoria com que você possa negociar. E tal não é o caso entre você e César.

Como se atrevia...! Porém era verdade. César era o dono do mundo e podia ter o que quisesse. Não precisava barganhar. Mas se ele pudesse ser persuadido... então seria um assunto diferente, muito diferente...

– César pede que você venha a Alexandria para se encontrar com ele e Ptolomeu cara a cara.

– Ele me dará passagem segura? Terei de passar pelo exército de Aquilas.

– Ele não tem condições de lhe oferecer isso. Não dispõe de soldados suficientes.

– Eles nunca me deixarão passar ilesa.

– Mas se eu falasse com eles...

– Você pode falar, mas a resposta será não. Ou, mesmo dizendo que sim, vão me prender quando eu tentar atravessar.

Ele parecia confuso, como se não tivesse considerado tal suspensão de cortesia.

— Isto é o Egito – eu disse. – A terra da traição. Mas volte para César e diga que tentarei organizar um encontro com ele.

Passamos os dois dias seguintes limpando a sujeira deixada pela tempestade. Apesar de nossos esforços, a areia se infiltrara em todas as provisões de alimentos e nas jarras de água e vinho. Cada peça de roupa estava coberta de poeira, então tínhamos o corpo arranhado sempre que trocávamos de roupa. E quando nos deitávamos, nossas camas também nos arranhavam.

Minha mente estava constantemente voltada para como chegar a Alexandria. Já que não poderia entrar abertamente, teria de ir disfarçada. E precisava não só entrar em Alexandria, como também no palácio onde César se encontrava. E isso seria impossível.

Pensei em vários esquemas. Entrar pelo esgoto? Era nojento e perigoso. Fingir ser uma doméstica? Muito óbvio. Botar uma pele de urso e entrar com um domador? E se eles atiçassem os cachorros atrás de mim? E se me fizessem ficar de pé e dançar? Ou será que eu poderia ser contrabandeada num engradado de alimentos? Mas isso também não me levaria aos aposentos de César. Haveria guardas vigiando sua porta.

Foi então que, deitada na cama, olhando distraidamente para um tapete decorado que servia como chão para a tenda, a idéia me ocorreu.

— Muito perigoso – disse Iras. – E não fica bem para uma rainha.

— É por isso que ninguém suspeitará de nada.

— Você pode sufocar – disse Mardian.

— Ou ser atacada pelas pulgas – disse Olímpio, brincando. – Este é o perigo maior. E como César reagiria ao ver uma rainha coberta de picadas de pulgas rolando para fora de um tapete poeirento?

— Talvez beijasse as picadas – disse Iras, levantando uma sobrancelha.

Tentei sorrir. Mas a verdade era que este era, para mim, o aspecto mais intimidante do plano.

— Você me dará um ungüento para evitar isso.

— E se César gritar, e seus guardas aparecerem e esfaqueá-la? – perguntou Mardian.

— Isso ele não fará. Todos dizem que sempre mantém a cabeça em situações inesperadas. É o menos provável de todos os homens a gritar em alarme.

— Você se engana. Ele pensará que você é um assassino. Afinal, é o mais provável em tais circunstâncias.

– Então terei de confiar nos deuses – eu disse com firmeza. – Fica tudo nas mãos deles.

E isso era verdade. Não havia absolutamente nada que eu pudesse fazer para adivinhar a reação de César, ou evitar que ele agisse exatamente como lhe conviesse naquele momento, mesmo que meu destino dependesse disso.

Foi nesse momento que eu soube que confiava em você, Ísis. É somente quando nosso destino está na balança, quando nossa própria vida depende de alguma coisa, que sabemos se acreditamos ou não que a corda que agarramos nos suportará. Se não confiamos, não tirarmos os pés da beira do despenhadeiro e não nos jogarmos com todo o nosso peso para que a corda nos permita alcançar o outro lado.

Confiei, e você não me abandonou. Salve minha adorada Ísis!

Não foi difícil conseguir um homem corajoso disposto a me transportar para Alexandria. Ele já estava ali conosco – Apolodoro, um mercador da Sicília com quem neguei e comprei tapetes e tendas. Mas o que seria esperado de mim quando chegasse lá, isso era um assunto completamente diferente. Assunto sobre o qual eu era totalmente ignorante.

César tinha apenas uma fraqueza. De fato, um único aspecto que parecia humano no meio de tantos atributos super-humanos. Os deuses são bondosos: sempre deixam um vão em nós para que nos aproximemos uns dos outros com igualdade. César tinha uma predileção por paixões amorosas – ou melhor, para ser mais precisa, por paixões sexuais.

Os deuses também podem ser cruéis, porque essa era uma área na qual eu *não* tinha esperança em interessá-lo. Fosse perita em ginete – diziam que César sabia andar num cavalo a galope maior com as mãos nas costas –, eu poderia ganhar sua admiração. Fosse línguas, poderia surpreendê-lo com o meu conhecimento de oito – enquanto ele sabia apenas duas, latim e grego. Fosse riqueza, minha fortuna pessoal e os tesouros do palácio o deixariam mudo. Fosse linhagem, eu vinha da casa real mais antiga do mundo, enquanto ele descendia de nobreza antiga, mas mesmo assim ainda era apenas um cidadão.

Mas amor! Sexo! Ele tinha estado com homens e mulheres de todas as idades e tipos e adquirira a experiência que o distinguia mesmo entre os seus companheiros de idade. Enquanto eu – eu era virgem e não sabia nada sobre os refinamentos ou nem mesmo sobre o que era fundamental no ato do amor, além do que li em poesias. Meu melhor amigo era um eunuco! Senti-me perdida só de pensar em encarar César.

E havia um outro porém: será que eu estava preparada para me entregar a ele? Ninguém jamais me tocara de maneira íntima. Poderia permitir que um estranho o fizesse?

Fiz questão de lembrar do que estava em jogo: Alexandria e o Egito. Imaginei o Nilo fluindo no meio da fita verdejante de terra, com suas margens cobertas de palmeiras. Os obeliscos de granito tentando alcançar o sol. As areias brilhantes e mutáveis sob um céu azul cortante. As estátuas escuras de faraós antigos. Esperando. Sim. Pelo Egito eu faria qualquer coisa. Até mesmo me entregar a César.

Sacudi a cabeça. Pronto. Estava decidido. Agora devia me preparar. Preparar-me como sempre me preparo para um empreendimento arriscado. Quase disse "preparar meu corpo", mas sabia, instintivamente, que nesse caso era a mente que precisava estar preparada.

Já era o crepúsculo do terceiro dia depois da chegada do mensageiro de César. Não havia tempo a perder. Mandei chamar Olímpio.

Quando ele chegou, convidei-o para sentar-se nas almofadas e dividir uma ceia comigo. Graças a Apolodoro, a tenda real era mobiliada com mais requinte do que uma tenda comum, com sua cama de campanha espartana, a mesa de dobrar e os utensílios de cobre. Na minha, havia muitas almofadas cobertas de bordados ou de couro trabalhado, tapetes de lã colorida e cortinas tecidas com fios de prata, que dividiam as áreas privadas e de recepção. No alto ficava suspenso um toldo com franjas que servia ao mesmo tempo para refrescar e para afastar os insetos.

Sentamo-nos nas almofadas. Éramos servidos em pratos de bronze de Damasco. Iras serviu-nos figos suculentos, tâmaras doces, seguidos de pão sovado de Ashkelon. E para beber tínhamos vinho. Esperei que Olímpio se servisse do primeiro prato antes de começar o assunto a ser tratado. Sabia que os homens são muito mais maleáveis com um estômago satisfeito.

— Excelentes figos — disse Olímpio, observando a fruta minuciosamente.

— Lembrei de como você gosta de figos — eu disse.

— Isso quer dizer que você quer um favor!

— É impossível enganá-lo, Olímpio — eu disse, usando uma de minhas lisonjas infalíveis. Na minha experiência, há apenas duas coisas que ninguém admite: não ter senso de humor e ser suscetível a lisonjas.

— A verdade é que preciso de seu conselho médico. Você é meu médico, não é?

— Sim e muito honrado de sê-lo.

— Se eu me tornasse a amante de César — eu disse com calma — o que quer dizer, medicamente?

Ele quase se engasgou no figo que chupava tão distraidamente. E me deu um choque; Olímpio era uma pessoa impossível de se chocar, ou até mesmo agitar.

— Significa... significa que você geraria um bastardo para ele!

— Por quê? As suas outras amantes não geraram. Servília e Múcia. Postúmia e Lólia. E sua mulher de agora, Calpúrnia, que também não tem filhos. De fato, nenhuma de suas esposas teve filhos com ele, a não ser a primeira. Talvez ele seja incapaz de tê-los.

— Ou teve o cuidado de não tê-los, já que todas essas mulheres eram casadas.

Ele sacudiu a cabeça.

— Você quer me dizer que vai para a cama com aquele velho libertino? Imaginar já é repulsivo!

Ele me olhou como se fosse o meu guardião, pronto para me punir.

— Por quê? Se ele fosse repulsivo, ficaria sozinho em sua cama, o que, pelo que sei, não acontece com freqüência.

— O poder torna até os feios atraentes.

Seu semblante era severo.

— Mulheres procuraram sua cama antes que ele tivesse poder.

— Ele é velho!

— Tem cinqüenta e dois anos.

— Isso é velho.

— Ele nada mais de um quilômetro de armadura. Isso não é ser velho. Não há muitos jovens que conseguem fazer isso. Você consegue?

— Não — admitiu, com relutância. — Então está determinada a fazer isso?

— Estou preparada a fazer o que for necessário. Existe uma diferença.

Ele se sentou fazendo beicinho, como se fosse um amante ciumento.

— Preciso de seu conselho. Não tenho desejo nenhum de conceber um bastardo. Ouvi dizer que existem ervas que se pode tomar... remédios...

— Sim — ele resmungou. — De Cirenia, existe a erva de *silphion*, com que se faz o suco cirenaico. E para as emergências, embora não seja muito eficaz, o poejo, que cresce em qualquer lugar. Devo entender que você quer que eu consiga algumas.

– Sim, mas quero mais do que isso. Quero que você consiga uma outra coisa para mim. Temos um exército aqui, e onde quer que se encontre um exército, há também prostitutas. Quero falar com a prostituta mais refinada que existe, a rainha das prostitutas.

– De uma rainha para outra? – Ele quase não conseguiu dizer as palavras.

– Sim. Há coisas que preciso saber.

– Está bem – ele disse finalmente. – Acho que conheço exatamente a que você procura.

– Ora, Olímpio – eu disse. – Parece que você já a conhece e pode dar uma recomendação pessoal!

Ele me olhou sério.

– Vou mandá-la para você esta noite mesmo.

– César ficará eternamente grato.

Olímpio resmungou. Ele estava muito próximo de não ter qualquer senso de humor naquele momento.

Os lampiões de óleo estavam quase vazios quando ouvi um movimento à entrada da minha tenda. Eu tinha desistido de esperar visitas e resolvi vestir a camisola. Sob a luz fraca, lia *Os Comentários de César*, com esperanças de compreender sua maneira de pensar. Mas o estilo era impessoal. César referia-se a ele próprio na terceira pessoa, como se fosse um espectador. Será que ele era mesmo assim tão controlado? Era um mau sinal para minha empreitada.

Iras enfiou a cabeça pela cortina.

– Majestade, uma mulher está aqui. Ela diz que seu nome é Jehosheba.

Era óbvio para mim quem era Jehosheba.

– Pode mandá-la entrar.

Sentei-me e vesti o robe. Eu tinha acabado de me cobrir quando Jehosheba, majestosa à sua maneira, entrou na divisão privada da tenda.

Primeiro, devo dizer, ela era linda, como uma deusa de abundância. Tudo nela parecia duplicado: tinha mais cabelos do que uma mulher normal, com uma cor mais rica e profunda e cachos mais fortes e mais brilhantes. Seu rosto e seus traços eram refinados, seus dentes brilhavam como pérolas e eram perfeitos. E seu corpo – notei pelo jeito com que sua pele se movia nos seus braços delineados – era perfeito também.

– Obrigada por ter vindo – eu disse. – Gosto de apreciar as coisas belas que a natureza provê.

E ela, sem dúvida, era uma destas coisas.

– E eu ansiava por apreciá-la de perto – ela disse, com sua simplicidade cativante.

Simplicidade cativante. Pensei. Faça uma anotação mental. Lembre-se disto.

– Estou precisando de seu auxílio – eu disse. – Você teve muito treinamento naquilo que eu não sou mais do que uma noviça. Quero dizer, a arte de fazer amor com um homem.

– Fico grata que a reconheça como uma arte – ela disse. – Somente porque alguém possa se satisfazer com ela, não quer dizer que todo mundo saiba como fazê-la. Todo mundo sabe como andar, mas são poucos os que agradam aos olhos de quem os vê caminhando.

– Conte-me – eu disse. – Conte-me tudo o que sabe.

Não posso relatar tudo o que ela me disse. Muito foi bom senso, é claro. Não tire as roupas num quarto frio. Não permita interrupções. Não fale noutro assunto. Não fale, em nenhuma circunstância, sobre outras mulheres. E nunca, nunca, pergunte *Você vem me ver de novo?* E pior ainda, *Você me ama?* Só os tolos perguntam essas coisas.

– Cada homem tem uma imagem de si mesmo com uma mulher, e é a sua função realizar esse sonho para ele. Quando o fizer, ele ficará satisfeito – ela disse. – O desafio está no fato de não ser aparente qual imagem cada homem tem em mente. Talvez nem ele mesmo saiba. Só um gênio descobriria. E todas as grandes cortesãs são gênios neste sentido. Elas trazem à tona o que há de mais profundo na outra pessoa e lhe dão um rosto e uma forma. Essa é a magia. Esqueça as poções e os perfumes. O encanto está em descobrir esse desejo profundo e esse sonho e torná-los realidade. E ao fazer isso, você também se transforma no processo, e talvez possa até vir a amá-lo. Porque existe a possibilidade de que ele também responda ao seu sonho secreto mais profundo. Essa possibilidade está sempre presente.

– Já aconteceu com você? – perguntei àquela criatura inspiradora de amor.

– Não – ela admitiu. – Mas sempre há a próxima vez! – Jogou a cabeça para trás e riu, uma risada alta e carente. Mesmo nisto, ela era sedutora.

Apontando para os meus baús, disse: – Deixe-me ver seus trajes. Eles são suas armas.

Depois que ela foi embora, senti-me mais perdida do que nunca. Antes, desconhecia o que não sabia, imaginando que seria simplesmente um caso de juntar os componentes para construir uma cadeira ou os ingredientes para preparar um cozido. Agora sabia que era muito mais do que isso, além de ser algo que não se pode ensinar. Teria de enfrentar César sem conhecimento ou experiência nesse campo. E quando adquirisse ambos, seria muito tarde. Senti-me um verdadeiro sacrifício humano.

12

Fui meticulosa na seleção do tapete. Sabia que, como um entendido de mobília fina, César não desprezaria o meu presente. Também tive oportunidade de me distrair comparando o fio escarlate da Capadócia com o da Arábia, além de outros detalhes não menos importantes. Levei um dia inteiro para decidir entre minhas duas escolhas finais, o que servia para adiar um pouco mais meu encontro com César. Mas logo o tapete estava aos meus pés, enrolado num saco, e eu, desamparada no barco de pesca que Apolodoro remava – com muita competência – a uma distância segura da costa, a Oeste de Alexandria.

Eu via o clarão indistinto das fogueiras do inimigo, a fumaça subindo para o céu. Mas logo as passamos, e as areias ficaram desertas. Ele içou a vela. E logo, o verde do Delta se mostrou. Estávamos nos aproximando.

Não cheguei a ver o farol. Muito antes de poder avistá-lo, já estava enrolada dentro do tapete, amarrado por Apolodoro. Era prisioneira da escuridão ao meu redor, da prisão de fios tecidos com um leve perfume doce. Podia sentir cada choque e estremecimento das ondas batendo no barco. Senti o balanço mais forte quando passamos por um pedaço mais agitado e deduzi que era a entrada do porto, onde as ondas batiam contra a base do farol até mesmo com tempo bom. Enquanto sacudíamos, subindo e descendo com as ondas, comecei a me sentir enjoada e ri em silêncio; tanto esforço para escolher o tapete, e eu talvez acabasse por arruiná-lo!

Isso deixaria César impressionado, pensei comigo mesma. Que quadro sedutor, que quadro atraente! Mordi os lábios e me esforcei para pensar em horizontes planos. E então, quando achei que não agüentaria nem mais um minuto, a agitação parou. Estávamos entrando em águas mais calmas. Ouvi vozes abafadas. Havia outros barcos próximos.

Claro que haveria. O palácio também tinha de ser abastecido com alimentos, tecidos, lenha. Um barco a mais certamente não seria notado.

Ouvi Apolodoro gritando comentários alegres para os outros barcos. A água sob o barco era plácida agora, e deslizávamos. Logo senti um solavanco, madeira contra madeira. Depois senti o barco subir, quando Apolodoro desceu. Estava puxando a embarcação ao longo do canal, provavelmente o principal, que levava ao lago ao Sul e à área do palácio ao Norte.

Que horas seriam? Devia ainda estar claro, quando os barcos comerciais estavam fora, mas desejava que fosse pouco antes do pôr do sol. Quanto mais tarde chegasse aos aposentos de César, maiores eram as chances de ele estar sozinho.

Deslizamos pelo canal e logo paramos abruptamente. Devia ser a entrada para a área do palácio. Ouvi, abafadas e indistintas, as vozes dos guardas e de Apolodoro. O que estava dizendo? Ó Ísis, você deve ter colocado as palavras na boca dele, porque logo depois ouvi o ruído do portão de ferro sendo levantado, e atravessamos. Apolodoro agradeceu em voz alta.

Senti o barco ser amarrado. Depois, nada. Nenhum movimento, nenhuma voz. Era como estar sendo estrangulada. O tapete muito bem enrolado não me permitia encher os pulmões de ar e, sem poder me movimentar, perdi a orientação.

Devo ter caído no sono, ou desmaiado, porque não me lembro absolutamente de nada até ser acordada por um solavanco. O tapete estava sendo carregado. Seria Apolodoro ou outra pessoa? Tentei ficar tão inerte que nada – a não ser meu peso – traísse minha presença. Tinha dito a Apolodoro para explicar que o peso extra era o de taças de ouro enroladas no tapete para serem presenteadas a César.

Fiquei tão reta como pude, rezando para que não estivesse fazendo formas suspeitas no tapete. Não podia, porém, ficar tão rígida a ponto de parecer que havia uma vara dentro dele; precisava me moldar como se não tivesse espinha.

Meu pescoço estava a ponto de quebrar, e minha cabeça pendia a cada passada, batendo contra o rolo do tapete. Isso, aliado à falta de ar, começou a me tirar os sentidos. Via estrelinhas na frente dos olhos com cada batida.

E então paramos de novo. Ouvi vozes cochichando, depois vozes altas discutindo. Depois o barulho de uma porta se abrindo.

Fiquei tesa; não tinha como evitar. Ouvi mais vozes. Depois senti o tapete ser colocado no chão e um solavanco quando as cordas foram cortadas. De repente um puxão, e o tapete inteiro rolou ao meu redor, me jogando no chão liso de ônix. Deslizei várias vezes até poder usar um braço para parar. Quando olhei para cima, vi duas pernas esbeltas e musculosas – os pés cobertos com as botas militares romanas – à minha frente.

Sentei, meus olhos seguindo o corpo, passando pela saia de couro do uniforme de um general e depois pelas couraças e, finalmente, encarando o rosto: o rosto de César.

Era o mesmo rosto dos bustos e gravuras. Os traços eram os mesmos. Mas nenhum artista tinha capturado o poder reservado e mortal do homem.

– Saudações – ele disse, e sua voz era calma e baixa, quase um sussurro. Mas não era o tipo de sussurro de quem está com medo de ser ouvido; era o sussurro de alguém que sabe que os outros farão o maior esforço para ouvir cada palavra e que ele não precisa se dignar a levantar a voz a um tom de conversa normal.

Mesmo assim, notei vestígios de surpresa em seu rosto; não conseguiu escondê-la inteiramente.

Estendeu a mão para me levantar. Fiquei chocada com sua segurança absoluta; como teria sido fácil para que eu o esfaqueasse com uma adaga. Em vez disso, aceitei sua mão e me levantei.

Esqueci-me do medo de tão intrigada que fiquei com esse homem e pelo que me rodeava. As horas dentro do tapete me deixaram confusa e vacilante. Estava escuro lá fora. Os lampiões de óleo tinham sido acesos no quarto. O que havia sido feito do tempo? Quanto tempo esperamos em Alexandria? César parecia estar sozinho. Seria possível?

– Um presente da rainha do Egito – disse Apolodoro, mostrando o tapete aberto. César deu um passo e pisou no tapete macio.

– Mas não é egípcio – ele disse.

– Eu sou a egípcia – eu retruquei.

Ele me olhou. Olhou como se soubesse muito bem como sorrir, mas estivesse se contendo de propósito.

– Você também não é egípcia – disse, finalmente, quase sem expressão no rosto. Era impossível saber o que passava pela sua cabeça. No entanto, sua falta de animação não era fria, mas estranhamente cativante e brinca-lhona.

— Minha linhagem, como César bem mencionou, é macedônica, mas como Rainha do Egito, tomei o espírito do Egito como meu.

— Mesmo?

César me rodeou, como se eu fosse uma árvore, enraizada e crescendo no seu – no meu – quarto. Porque agora eu era uma intrusa no meu próprio aposento.

— Você gosta das portas de casco de tartaruga deste quarto? – perguntei, mais altiva do que me sentia de fato. – Sempre gostei muito delas. Você é meu hóspede ou eu sou sua?

Agora ele riu, mas seu rosto ainda manteve a reserva de poder e vigilância.

— Somos hóspedes de nós mesmos. Você terá de me educar sobre essas coisas. Sou apenas um bárbaro romano.

Sentou-se, escolhendo uma cadeira de costas duras.

Preferi não responder.

— Estou aqui, como você pediu.

Esperei.

Ele levantou uma sobrancelha.

— E em bom tempo também. Estou impressionado. Muito impressionado.

— Disseram-me que você respeita a diligência.

— Acima de quase tudo.

— E quais são as outras coisas que você respeita?

— Fortuna, e a coragem para buscá-la.

Ele se inclinou para trás e cruzou os braços. Eram braços morenos, delineados, vigorosos.

— Ouvi dizer que você é um jogador. Que você gritou, "Deixem os dados voarem alto", quando atravessou o Rubicão.

— Você ouviu muito – ele disse.

— Sua audácia foi recompensada – eu continuei. A verdade era que eu não tinha ouvido tanto e estava quase esgotando o meu conhecimento sobre ele.

— Como você espera que a sua seja – ele disse.

— Claro.

Agora, finalmente, ele quase sorriu.

— Audácia é a própria recompensa. Pertence a poucos escolhidos.

Era como se eu estivesse ouvindo os meus próprios pensamentos ditos por outra pessoa.

– Não, ela *traz* recompensas. Porque algumas recompensas são tomadas apenas pelos audaciosos.

– Basta de palavras – ele disse, e acenou para Apolodoro se retirar.

Apolodoro se inclinou e se retirou. E então César virou-se para mim.

O momento tinha chegado. Ele ia se levantar e me tomar, do mesmo jeito que tomou a Gália e a Roma. Preparei-me. Estava pronta.

– Por que você mandou provisões para Pompeu? – ele perguntou de repente.

Eu estava de olhos baixos, esperando. Quando levantei os olhos, vi que ele me observava, consciente do que eu estava esperando dele, mas sem interesse de ir em frente. Ele até parecia repugnado, ou talvez apenas divertido. Com ele, era difícil saber.

– Tive de mandar – eu disse. – Magno Pompeu havia sido patrono de meu pai, o rei.

– E seu filho, Cneu Pompeu?

– O quem tem o filho?

– É seu aliado? O que você deve a ele?

– Nada.

– Muito bem. Porque tenho intenção de matá-lo. E não quero que você se torne minha inimiga por isso,

Suas palavras, "tenho intenção de matá-lo", foram ditas tão casualmente como um menino diz "vou pescar". Mas logo lembrei ter ouvido que César ameaçara um tribuno romano com a morte se ele continuasse importunando-o com questões sobre os fundos do tesouro e acrescentara "E isto, meu caro jovem, é mais desagradável de dizer do que fazer". De repente, a anedota parecia muito plausível.

– Faça como lhe convier – ouvi minha voz dizer.

– Está me dando permissão, então? – ele disse. – Muita gentileza sua.

– Não vim aqui para discutir Pompeu. Estou aqui porque fui deposta de meu trono e porque está nas suas mãos fazer o que é direito. Meu irmão e seus conselheiros são perversos...

Ele piscou.

– Por favor, não vamos usar esta palavra. É usada demais. É suficiente dizer que eu não me interesso por eles ou sua maneira de operar: inepta e sem honra. Você vai ter o seu trono de volta, não duvide. Como você mesma disse, audácia traz recompensas. E você provou que é audaciosa.

— Obrigada.

Mas será que eu poderia confiar na palavra dele?

— Agora que estamos conversados — ele disse, sorrindo finalmente. — Dê-me sua mão como aliada leal.

Estirei a mão. Ele a segurou com as suas. Fiquei surpresa de ver que ele tinha mãos pequenas.

— Vai descobrir que minha lealdade é absoluta.

— Uma mercadoria muito rara. E ainda mais rara entre os Ptolomeu.

Agora ele parecia ter trocado de personalidade. Sua maneira abrupta tinha suavizado, mas seus olhos castanhos continuavam vigilantes. Relaxou na cadeira com a mão bem longe da espada.

— Queria poder acreditar em você — ele continuou com toda sinceridade. — Eu, por mim, sempre mantenho a minha palavra, mas até agora não encontrei um outro como eu.

— Você verá — assegurei-lhe.

Mantive minha promessa. Fui leal a ele muito tempo depois de sua morte.

— Sim — ele disse com um sorriso. — Lembro-me de ter prometido aos piratas silícios que me raptaram que eu voltaria para matá-los. Não acreditaram em mim, porque cantei com eles ao redor da fogueira e fui boa companhia. Mas mantive minha palavra.

Tremi.

— Você quer dizer que mantém sua palavra somente quando é para matar? Quando dou minha palavra, quero dizer muito mais que isso.

— Mantenho minha palavra em tudo, bom ou ruim.

— E os seus votos de matrimônio? — retruquei.

Como podia o notório adúltero dizer que sempre era leal?

— Bom, casamento é outro assunto — ele admitiu. — Em Roma, os votos de matrimônio são menosprezados. Mas fui fiel a Cornélia.

— A esposa de sua juventude — eu disse.

— Sim. Amei-a. Talvez seja uma capacidade que se perde com a idade — ele disse com amargura, e eu quase acreditei. — Talvez o que sobre depois dos cinqüenta seja a lealdade e o amor pelo companheiro de batalha.

— Deixe de pensar assim! Seria pior do que ser derrotado numa batalha — eu disse.

Agora ele abriu um sorriso amplo, em vez do meio sorriso anterior.

— Espere até ser derrotada numa batalha antes de dizer isso. Não há *nada* pior do que ser derrotado numa batalha.

– Fala como o conquistador do mundo – eu disse, olhando para ele. Era o conquistador do mundo, o novo Alexandre. No entanto, aqui estava, numa cadeira em meu quarto, e nem era um homem tão imponente assim.

– Espero que derrote completamente o meu irmão e seu exército.

– Até agora nada aconteceu. Tenho ocupado meu tempo visitando sua magnífica cidade branca, indo ao Museion, ouvindo as palestras, lendo na Biblioteca. O exército egípcio ainda está acampado, guardando a fronteira oriental contra *você*.

– Quando descobrirem que entrei furtivamente, voltarão correndo para cá.

– Então terei um grande desafio. Tenho apenas quatro mil homens comigo e trinta e cinco navios. Pelo que ouvi, são vinte mil homens no exército egípcio. São cinco para cada um dos meus – ele disse, alegremente.

– Mesmo assim vamos derrotá-los! – exclamei, desafiante.

– Enquanto isso, vou pedir reforço.

– Muito prudente. – Nós dois rimos. – Deixe-me mostrar os seus aposentos, Imperador – eu disse. – Conheço-os bem, pois eram meus.

– E podem ser de novo – ele disse, cruzando os braços.

– Seria muito bom. Posso oferecer aposentos muito confortáveis no prédio próximo ao templo de Ísis.

– Não. O que quis dizer é que você pode viver aqui comigo.

– Com você? Dividir o seu divã?

Era como eu tinha antecipado. O conquistador que quer possuir tudo.

– Divãs não são confortáveis. Prefiro uma cama. Mostre-a para mim.

– E onde tem dormido?

– No divã. Estava esperando por você para poder usar a cama.

– Esperando por mim?

Fiquei decepcionada. Então não o surpreendi? Ele não ficara admirado com a minha ingenuidade em vir até ele passando pelas linhas inimigas?

– Estava. Fui informado de que você era resoluta, inteligente e cheia de paixão... pelo menos foi isto que seus inimigos contaram! E isso foi uma espécie de teste. Se eu fosse você, tentaria encontrar um jeito de entrar em Alexandria; acreditei que você também o faria, embora não pudesse adivinhar que método usaria. Assim, esperei. Sabendo que, se você viesse, como eu esperava que viesse, eu a saudaria e a admiraria por isso. E a desejaria. E só então teria razão para usar a cama. Mostre-a para mim.

Levantou-se, com um movimento ligeiro do corpo pequeno e forte.

O mais impressionante era que eu também queria. O sacrifício terrível, a tarefa medonha... não seria assim. Era totalmente inesperado. Não sabia como explicar a mim mesma.

— Venha comigo — eu disse. — Siga-me por onde quer que eu vá.

Peguei sua mão e gostei da sensação.

— Não é uma coisa com que eu esteja acostumado, seguir.

Estávamos passando pelos quartos que ficavam entre a câmara geral de audiências e a parte mais íntima dos aposentos reais. De repente, ele parou e puxou minha mão.

— Não dou mais um passo até você me prometer que está fazendo isso por livre e espontânea vontade — ele disse, suavemente. — O que eu falei no começo sobre a cama foi uma brincadeira. Não sou nenhum estuprador, nem saqueador. Vou apoiar sua reclamação do trono de qualquer maneira. Não precisa fazer nada comigo intimamente. Nunca toquei numa mulher que não desejasse ser tocada.

— É meu desejo e vontade — confirmei.

Era verdade, mas não conseguia compreender por quê. Esse homem era um estranho. Não sabia nem se ele era canhoto ou não. Talvez fosse essa a emoção maior.

Não, não. Estou enganada. Era o próprio César. Apenas de olhar para ele — seu corpo vigoroso, sua postura ereta, seu rosto magro e bronzeado — sentia vontade de tocá-lo. Nunca antes toquei ou acariciei nada além de animais — apenas meu cavalo, meu cachorro, meus gatos. Agora eu não desejava outra coisa senão tocar a pele desse homem à minha frente. Será que estava enlouquecendo?

Como em um sonho, caminhei com ele pelos quartos. Estavam na escuridão, a não ser por alguns cantos em que um lampião fora acendido.

Pisamos no chão de ônix, liso aos nossos pés, com a luz fraca da lâmpada refletindo-se nele, passamos por salas e quartos cobertos em painéis de marfim. Eu ouvia o murmúrio distante do mar através das janelas do Leste. Caminhei com ele em silêncio, eu Orfeu e ele Eurídice, até chegarmos ao meu quarto.

Estava exatamente como o deixara meses antes. A colcha, de tecido tingido com tinta de Tíria, parecia mais marrom do que roxo, sob a luz da lua. Uma meia-lua descia pela janela, como se estivesse apressada em ir embora sem olhar para trás.

Agora, de repente, não sabia o que fazer. Havia trazido-o até aqui, mas era tudo tão formal, tão abrupto. Parecia quase uma cerimônia de iniciação, um dos mistérios celebrados em rituais secretos. E esse era um ritual secreto que eu desconhecia. Onde eu estava com a cabeça?

César ficou parado como uma estátua. E depois eu disse – a idéia veio do nada...

– Você precisa usar os robes de Amon.

Abrindo um baú incrustado de ébano, tirei os robes antigos que os soberanos deixam preparados para as cerimônias nos templos. Esse era coberto de fios de outro, decorado de gemas e de tecido com cores brilhantes e raras.

– Não sou um deus – ele disse baixinho, enquanto eu cobria seus ombros com o manto. – Mas, em Éfeso, fui adorado como um deus. – Sua voz traiu um leve tom de melancolia, quase imperceptível.

– Esta noite, você é um deus – eu disse. – Vou me entregar a Amon.

– E você? Quem será você?

– Ísis – eu disse.

Meu manto cerimonial estava à mão.

– Por que não podemos ser apenas Júlio César e Cleópatra?

Fiz um grande esforço para ouvir o que ele disse.

– Esta noite, somos mais do que isso, e devemos aceitá-lo.

Estava com medo do que tinha começado; não tinha nem certeza se poderia ir até o fim. Talvez as roupas servissem para disfarçar minha perturbação.

Ele ficou diante de mim vestindo o manto do deus Amon. Na escuridão, seu rosto estava escondido, mas sua presença física preenchia o manto e lhe fazia justiça.

Inclinou-se para me beijar. A primeira vez que eu seria beijada. Quase me retraí com o toque, de tão estranho que era deixar alguém se aproximar tanto. Ele tocou meus cabelos, com as duas mãos. Abraçou-me suavemente, beijando meu pescoço. Cada movimento seu era tão lento e calculado que me pareceu algo auspicioso, como abrir uma porta secreta ou penetrar um santuário imaculado. Pegou minhas mãos e me fez abraçá-lo também, como se soubesse que eu precisava ser guiada. Tocá-lo para mim foi tão proibido quanto o seu toque: chocante, estranho, ilícito. Não era apenas ele que era estranho, agora parecia que eu também me tornava estranha para o meu próprio ser. No entanto... era como se o conhecesse, de uma maneira fundamental, tranqüilizadora. Meu medo se evaporou, e fui tomada por avidez e excitação.

Ele me levantou nos braços, com mais facilidade do que Apolodoro. Senti os ossos de seus braços e desejei que eles fossem dedicados a mim, para me proteger, para lutar por mim. Deu dois passos até a cama.

O traje de Amon era pesado e sufocante. Agora ele deveria tirá-lo, mas não o fez. Insistiu em tirar seu uniforme militar de maneira ritualística e ficou nu sob o manto.

Tirei o meu vestido e fiquei aliviada por fazê-lo; inicialmente adequado, depois da longa e árdua viagem o vestido estava sujo e cheirava ao tapete e ao fundo do barco. Com mãos trêmulas, joguei o manto de Ísis sobre os meus ombros e minhas costas.

– Ah – ele me tocou, como se admirado. Se eu já não soubesse de tanta coisa, teria acreditado que ele nunca antes vira um corpo de mulher à sua frente. – Você é linda – e eu soube que naquela noite era como se fora verdade.

Mais atrevida agora, toquei-o, apalpando os músculos de seu peito, tão diferentes dos de Mardian, o eunuco – o único homem que jamais abraçara. Passei a mão sobre seus ombros, explorando como uma criança num quarto novo. Ele parecia entretido.

– Você deve me ensinar – murmurei em seu ouvido, admitindo minha inexperiência. Confiei plenamente nele. Coisa muito curiosa.

– Será que Amon pode ensinar a Ísis? Não creio. Os dois têm conhecimento pleno. Um deus e uma deusa.

Puxou levemente o manto e o desabotoou. O manto pesado caiu dos meus ombros. Ele beijou-me onde estivera coberta pelo manto. Seus lábios fizeram minha pele se arrepiar.

Desceu e beijou meus seios, primeiro o direito, depois o esquerdo. Tocou-os quase com reverência.

– Até mesmo Vênus nunca foi retratada com seios tão perfeitos – sussurrou. Abraçou-me com delicadeza, como se ainda estivesse inseguro sobre se devia continuar. Depois do que pareceu um longo tempo, ele disse: – Você é jovem e me oferece um grande presente. Mas não posso roubá-lo de seu marido.

– Estou livre para oferecê-lo a quem eu quiser – gritei, repentinamente temendo ser recusada por ele. E o destino pode não ser tão bondoso para me oferecer o cônjuge que desejo! Certamente não era o meu irmão, não tinha qualquer vontade de guardar nada da minha pessoa para ele, ou até mesmo deixá-lo me tocar. – Você tem de ser meu marido! – insisti. – Sim, Amon para Ísis…

Queria esconder meu desejo desatado e destituído de política atrás das convenções de um manto.

– Então, por esta noite...

Finalmente ele pressionou seu corpo contra o meu e afundamos juntos nas almofadas. Ele se deitava por cima de mim, com o manto pesado de Amon nos sufocando. Estava desesperada para que nos ligássemos. Tudo desapareceu da minha mente e só ficou o desejo. Não me lembrava do que tive medo, ou que procurara informações da prostituta ou de Olímpio, apenas que queria ser possuída fisicamente por César.

– ... serei seu marido.

– Que assim seja – eu disse, de todo coração.

E me entreguei a ele, e nossos destinos se fundiram. Ele se tornou meu senhor e cônjuge, e eu, sua rainha e esposa.

Ele foi carinhoso e paciente comigo; a sofreguidão e a fome eram minhas, como se ele tivesse criado um apetite em mim que nunca antes existira. Fui carregada por ele, levantada e transportada para um outro mundo, como o que ouvi dizer acontece com os sábios; depois que voltam para a terra, balbuciam sobre as visões que tiveram, visões indescritíveis, inefáveis, transformantes. Às vezes, esses homens sagrados contam que foram sugados para as nuvens por ventos circulantes e carregados por grandes distâncias; outras vezes são tirados apenas da quietude de seus aposentos. Mas sempre mudam quando retornam. E comigo foi assim também. Fui tocada e toquei um outro ser humano, permiti que alguém passasse pelos portões vigiados da minha intimidade, que penetrasse meu próprio ser, levantando todas as minhas barreiras. O que tinha temido por toda a vida como aniquilação, estava agora recebendo como complemento. Meu mundo se transformou naquele instante. Abracei-o como se nunca fosse perdê-lo. Desejei que aquela revelação, aquele momento de transfiguração, nunca se esvanecesse. Mas iria esvanecer. E esvaneceu. Com ele aprendi duas coisas naquela noite e no dia seguinte: a perfeição de um momento e sua natureza efêmera.

Ele dormiu. Seu corpo estirado na cama, um lençol de linho cobrindo suas costas como se estivesse apenas cochilando depois da visita aos banhos. O manto de Amon abandonado no chão, descartado depois de servir a seu propósito. Sabia que dormia por sua respiração, suas costas largas subindo e descendo num ritmo constante, expostas ao perigo de um golpe, se eu portasse uma adaga escondida. Pompeu fora assassinado por um Ptolomeu traidor. Entretanto, César dormia inocentemente à mercê de um outro Ptolomeu. Mas ele me avaliou corretamente; não somente eu nunca lhe faria mal, como também mataria qualquer um que o tentasse. Sentei na cama por um longo tempo, apenas olhando para ele, ouvindo sua respiração e seus movimentos durante o sono.

Senti-me profundamente ligada a ele. O ato de amor já feito, meu coração batendo num ritmo normal, o calor do momento substituído por uma vigilância serena, não o vi como um romano abstrato, ou nem mesmo como César, o famoso conquistador, mas como um homem solitário, um exilado como eu. Sob a luz fraca do lampião, podia traçar os nós de sua espinha, como uma corda sob sua pele, e até mesmo algumas cicatrizes. Sua vida nos últimos anos havia sido dura; meses de acampamento nos campos antes de uma batalha, liderando soldados meio mortos de fome para atacar aquele que fora seu genro e agora era o inimigo. Sem descanso, sem segurança, traído pela mesma cidade para a qual acumulou vitórias, tendo arriscado a vida somente para ter seus direitos reconhecidos... ele dissera que, no fim das contas, somente suas tropas o salvaram de ser sacrificado pelo Senado. Um homem abatido, um homem desvalorizado... um exilado, como eu. Mas ele acabara com meu exílio. Eu queria poder fazer o mesmo com ele – se houvesse alguma maneira.

A enormidade do que eu havia acabado de fazer começou a me inundar. Tinha acabado de oferecer a ele – o famoso voluptuário perito! – a minha virgindade. Será que daria o valor merecido? Por que fiz isso? Perguntava a mim mesma, como se essas questões tivessem alguma importância. Mas deveriam ter. O "sacrifício" havia sido desnecessário – ele mesmo disse que tomaria meu partido de qualquer maneira. A minha aparição dentro do tapete já o havia conquistado; fui eu que insisti em selar o pacto ao torná-lo meu amante. E agora... era para que eu estivesse chorando de vergonha, mas em vez disso sentia uma felicidade incontrolável e improvável. Ele e essa felicidade eram completamente diferentes do que eu havia imaginado.

Lembro da primeira vez que ouvi seu nome, ligado à dívida de meu pai e à anexação do Egito. Ele era Cônsul na época – antes mesmo de ter ido à Gália. Imaginei-o uma pessoa grosseira, gananciosa, avara, de rosto inchado, espalhafatoso, piorando com os anos, o que faria dele hoje quase um porco, apesar de seu apetite desvairado por obras de arte. Imaginei sua atitude na cama (não chamaria de atos amorosos) como bruta e áspera, como a de um soldado de campanha que era. Ninguém me havia preparado para o homem estranhamente elegante e cortês que ele era. E certamente ninguém havia me indicado que suas crenças e palavras seriam como um eco de meus valores e de mim mesma. Éramos parecidos, no nosso íntimo, embora tivéssemos nascidos com tantos anos e tantas milhas entre nós, sem contar a diferença de estirpe. Ele era muito mais meu irmão do que os meus irmãos de verdade.

E ninguém havia me preparado para esse sentimento de completa lealdade por ele, para esta instantânea ligação entre nós. E quanto ao seu jeito de fazer amor... eu queria mais. Não recusaria nada a ele; nem queria recusar.

Minha felicidade era imensa; talvez, pela primeira vez na vida, experimentava tal sentimento sublime de felicidade. Encostei a cabeça em suas costas e fechei os olhos, deixando que sua respiração me acalentasse e me levasse a flutuar e saborear aquela felicidade serena.

Devo ter dormido, porque quando abri os olhos, estava claro e ele fitava o horizonte pela janela. Vestira sua túnica, mas ainda estava descalço. Levantei da cama e me encostei atrás dele, com meus braços ao seu redor.

— Você escapuliu da minha cama — eu disse.

— Para que não fosse acorrentado por meu próprio desejo à luz do dia — ele disse, virando-se para mim. A luz oriental iluminou seu rosto, com as rugas ao redor dos olhos, o único sinal que traía os seus anos. No resto era rígido e saudável.

— O que houve? — perguntei.

Sabia que, durante o dia, seria uma coisa completamente diferente.

— Isso é tão não-romano — ele disse, rindo. — Não sabe que tais coisas são praticadas apenas pelos povos degenerados do oriente? Mas, é claro, *você* é do oriente!

— Como pode algo que César faz ser considerado não-romano?

— Há aqueles que gostam de ditar os costumes romanos. É melhor não aliená-los, quando suas opiniões ainda contam — Sorriu seu meio sorriso. — Mas, ultimamente... bem, deve-se admitir que seus padrões são questionáveis. Dizem que o adultério é permissível, mas apenas no escuro!

— Quem são esses romanos? — fiquei curiosa.

— Cícero, Catão, Bruto... mas você não precisa se preocupar com seus murmurinhos.

— Nem você, enquanto estiver aqui.

Tomei sua mão. Mas logo vi que seus pensamentos já estavam nos negócios do dia que surgia. Soltei-a e deixei-o ir para o outro lado do quarto, onde abandonara suas roupas. Ele se vestiu rapidamente. Fiquei admirada com a ligeireza com que um soldado se vestia.

— Mandei preparar o seu ca... — ele começou e foi interrompido pela batida na porta.

— Entre — ele gritou.

As portas se abriram, e Ptolomeu e Potino entraram. Agora compreendi por que César já estava de pé e vestido e por que eu não. Minha única proteção era um lençol que enrolei no meu corpo. Era exatamente assim que César queria.

Os dois perderam o fôlego, Ptolomeu parecia estar prestes a cair no choro, e Potino, dessa vez, ficou mudo. Ele sacudiu sua cabeça de íbis no seu corpo obeso. Fixou os olhos em mim, depois na cama real, com os lençóis e travesseiros em desalinho, e depois em César, sorrindo e cheio de si. Ele compreendeu.

— Não é justo! — gritou Ptolomeu. — Não é justo! O que *ela* está fazendo aqui, como conseguiu chegar aqui, não é justo, não é justo! — e saiu correndo do quarto.

— Grande César — começou Potino com a voz trêmula e alta — estamos surpresos com a presença de...

— Segurem aquele menino! — gritou César para seus guardas, que tinham voltado aos seus postos durante a noite. — Detenham-no antes que ele chegue lá fora.

Mas meu irmão conhecia todas as passagens secretas no palácio e, antes que os guardas pudessem localizá-lo, já tinha alcançado o pátio interno e depois a cerca que separava o palácio do resto da cidade. Sempre havia uma multidão naquele local, e hoje não era exceção. Vi da janela do quarto quando ele correu para a multidão, arrancou seu diadema real, jogou-o no chão e começou a chorar.

— Fui traído! — gritou. — Traído, traído! — e soluçou, com as lágrimas derramando pelo rosto.

Dois soldados romanos corpulentos, com o sol cintilando nas tiras de bronze de seus uniformes, correram para fora do palácio, pegaram o menino pelas costas e arrastaram-no para dentro.

Meu sangue gelou. Acabava de ver uma demonstração não ensaiada — portanto, ainda mais reveladora — de quem realmente tinha o poder aqui.

Soldados romanos comuns botaram as mãos no Rei do Egito e trataram-no como um moleque de rua travesso. Não devo perder a afeição de César, senão meu tratamento pode ser o mesmo.

Às minhas costas, Potino balbuciava.

– Perdoe-me, ele não… tem prática na arte de governar. Ainda não sabe esconder suas emoções.

César estava em pé, com um braço encostado nas costas de uma cadeira. Não tinha se dado ao trabalho de ir até a janela para ver o que acontecera com Ptolomeu. Sabia o que aconteceria. Apenas olhou para Potino e também parecia que não se daria ao trabalho de respondê-lo.

– Devo permitir que ele reine como seu co-regente, Rainha mais majestosa?

Ele perguntou, com sua voz calma e precisa com a qual eu já estava me acostumando. Mas não era o mesmo tom que ele usara na calada da noite.

– Prefiro que não – respondi.

– Mas o desejo de seu pai era que assim fosse – César insistiu. Será que ele estava brincando? O que pretendia fazer? – E você não tomou como título "Cleópatra, a deusa que ama seu pai"? Então, é claro, deve honrar seu desejo. Você se importa de proceder ao matrimônio com Ptolomeu?

A idéia de ser atada ao meu irmão, não importava como, era politicamente repelente; mas não era nada comparada a possibilidade de que ele pudesse me tocar como César tinha feito.

– Não suportaria – eu disse.

Ptolomeu foi trazido à força, chorando e resmungando. Os soldados o seguravam pelos seus ombros franzinos.

– Ah! O noivo em pessoa! – exclamou César. – Vamos, enxugue as lágrimas. Não é muito natural chorar no dia de seu casamento.

O choque secou suas lágrimas.

– O quê?

– É meu julgamento, como o executor do testamento do falecido rei, que devemos acatar seus termos. Você se casará com sua irmã Cleópatra e reinará conjuntamente na maneira tradicional.

César não poderia estar fazendo isso comigo! Como pude confiar nele, ou esperar dele a justiça? Será que todas as minhas impressões dele estavam erradas? Agora, pelo jeito, ele era tão traiçoeiro e cruel como todos os seus compatriotas. Fiquei em choque.

– E juntos, vocês vão levantar o dinheiro que devem a mim. Como devem bem lembrar, assumi a responsabilidade de coletar a dívida que o falecido rei ainda deve à república romana. – E acenou com a cabeça, como se aquilo fosse coisa trivial.

Aquele homem! No fim *era* apenas ganancioso mesmo.

– Não pode ser o juiz e o beneficiário ao mesmo tempo – eu disse friamente. – Escolha o que quer ser, ou o juiz maior ou o coletor de débito.

Ele me olhou firme. Nos seus olhos não vi raiva, mas resolução.

– Ficarei satisfeito de uma ou de outra maneira, como me convier. Queiram se preparar para o matrimônio, do modo que escolherem, e depois daremos um banquete de reconciliação – acenou para Potino. – Prepare-se. Deve ser uma festa extraordinária, oferecida naquele salão... qual é mesmo? O que tem os caibros de ouro e as colunas de pórfiro... para servir pelo menos duzentos convidados. Façam o que vocês, alexandrinos, sabem fazer melhor do que ninguém. Dançarinas. Acrobatas. Mágicos. Pratos de ouro. Tapete de pétalas de rosa no chão. Sabem melhor do que eu. O povo deve compreender que todos recebemos e amamos uns aos outros.

Ficaram como múmias, tesos e enrolados como Osíris.

– Então? – disse César. – Já falei o que devem fazer.

As múmias se inclinaram e se retiraram.

Aproximei-me de César.

– Como pôde? Pensei que éramos aliados!

Tive senso suficiente para não gritar *até mesmo depois de se dizer meu marido!* Será que tinha se esquecido disso? Mas eu sabia que César não era de esquecer nada.

Senti raiva, senti-me traída, queimava por dentro. Tivera apenas algumas horas para saborear o acontecimento extraordinário da noite passada e agora estava tudo acabado. E para quê? Para que fosse me dado um outro tipo de prisão?

Com esforço, tentei me compor, um lado da minha mente acalmando o outro. Você veio de Ashkelon, arriscando sua vida para ter uma audiência privada com César. Fiz questão de me lembrar. E teve êxito. Teve sua entrevista privada com ele e conseguiu seu acordo em lhe devolver o trono e impor a vontade dele sobre seu irmão e seus conselheiros patéticos. Pareciam tão astutos e colossais, mas agora, com César aqui, eram dispensados como alunos malcomportados. Não valiam nada. Eu tinha conseguido o que viera buscar – a segurança política. Se desejei mais quando o conheci, então estava sendo tola.

César ainda estava de pé, segurando o braço de uma cadeira, com a cabeça inclinada. Notei que o topo de sua cabeleira estava ficando rala. Amon na luz do dia não era nenhum deus. E eu, nenhuma deusa, apenas uma mulher que ansiava por um homem na mais antiga das formas, embora fosse novidade para mim.

– E somos – ele disse.

Levei um instante para entender o que ele estava respondendo – ao meu anseio íntimo e às minhas palavras.

– Então me deixe ser rainha sozinha – eu pedi. – Por que tenho de tolerá-*lo*?

– Não vai ser por muito tempo – ele disse. – Mas por enquanto tem de ser feito.

– Por quê?

Ele olhou para mim, um olhar longo e inquisidor.

– Cleópatra. Como adoro o som de seu nome na minha língua! Você sabe muito bem. Como também sabe que é preciso respeitar as legalidades, mesmo se for para descartá-las mais tarde.

– Para isso deve haver uma demonstração pública?

Sabia que estava soando tão obstinada como Ptolomeu, mas não pude me conter.

– Sim – ele disse áspero. – Você e Ptolomeu serão proclamados monarcas conjuntos, o exército será desmobilizado. Potino poderá ser descartado...

Parou como se acabasse de se lembrar de um fato insignificante.

– Eu lhe disse que bani Teódoto? Foi minha recompensa para ele.

Banido... varrido... num piscar de olhos... Sim, César esmagava as pessoas como eu esmaguei aquela mosca na minha tenda. E nem mesmo sujava as sandálias. Apenas um aceno de mão, e a pessoa desaparece. Para sempre.

Ri de prazer.

– Esta sim é a Cleópatra que conheço!

Ele atravessou o quarto e me abraçou.

– E não se preocupe, Ptolomeu nunca vai ser o seu marido verdadeiro. Eu serei. Como prometi.

Beijou-me, inclinando-se para me alcançar.

– Somos iguais, você e eu – ele disse, tão baixo que eu quase não compreendi. – Sei disso. Posso senti-lo. Finalmente, encontrei alguém que é exatamente como eu. Acho que não vou querer nunca me separar de você. Somos as duas metades de uma romã, e cada metade se encaixa com perfeição.

Abracei-o com toda minha força. Acreditei nas suas palavras, porque queria acreditar e também por achar que entendia seu significado verdadeiro.

O banquete ficou pronto. Potino seguiu as ordens de César e preparou um banquete para todos os dignitários da corte: os principais escribas, os bibliotecários, o tesoureiro real, os sacerdotes dos templos de Serápis e Ísis, o comandante da Guarda Real, os mensageiros e cortesãos, os médicos mais celebrados, os poetas, os oradores, os cientistas, os eruditos. Os caibros banhados a ouro reluziam à luz suave dos lampiões, e o piso havia sido coberto com pétalas de rosas trazidas por mar de Cirenia, onde crescem as rosas mais aromáticas. Onde quer que se pisasse, o perfume inebriante era liberado sob os pés.

Com os dentes cerrados, permiti uma cerimônia curta a ser desempenhada na parte mais alta do palácio, onde o vento do mar sopra mais forte. Ptolomeu e eu recitamos as palavras que nos ligava oficialmente em matrimônio, numa fórmula inventada no palácio. Tivemos como testemunhas César, Potino, Arsínoe e o Ptolomeu mais novo. Sussurrei baixinho as palavras, na esperança de invalidá-las. Assim que acabou, corri para me vestir para o banquete.

Agora César nunca me acusaria de não ter cumprido a minha parte, eu pensei. O ato repugnante fora consumado.

Charmian ainda estava no palácio, lealmente me esperando. Não tinha percebido o quanto senti falta dela até ver seu rosto tranqüilo e ouvir sua voz cantarolando enquanto dobrava os mantos de seda e as túnicas na sala que servia de guarda-roupa.

– Alteza! – ela exclamou, seu rosto repleto de perguntas.

– Charmian! Ó, Charmian! – eu disse, correndo até ela.

Ela continuou olhando, escondendo o riso, e depois olhou para o meu vestido empoeirado.

– Não houve oportunidade para mudar a roupa que usei para escapar – eu disse. – Cheguei num barco ontem e entrei no palácio secretamente.

– Todo mundo sabe – ela disse. – Ouvi dizer… mas, ah! Fico tão feliz que você esteja aqui, sã e salva! Os últimos meses foram um tormento. Eles se vangloriavam e saíam por Alexandria inteira com ares de superioridade, o trio alegre com seu marionete, declarando que você havia morrido.

– Não são mais um trio. Agora são uma dupla – eu disse.

– César…? A pergunta pairou no ar.

– Baniu Teódoto – eu conclui. – Não vai nos perturbar de novo.

– E você conheceu César? – ela perguntou delicadamente.

– Como "todo mundo sabe" – eu disse, repetindo suas palavras. – Fui contrabandeada para seus aposentos dentro de um tapete.

Ela deu uma gargalhada.

– Ele deve ter levado um choque!

– Se levou, não demonstrou – eu disse. – Agora… tantas coisas para contar. Mais tarde. Agora preciso que você me vista como uma rainha, para o banquete que está sendo dado no andar debaixo. Faça-me linda o suficiente para receber um reino.

Faça-me linda para que seja amada, era o que eu queria dizer. Mas, com César, o que importava eram os reinos, as coroas e as posses. O amor, se é que importava, deveria vir apenas depois dos outros três.

E agora, eu estava parada à porta do grande salão cerimonial, com minhas costas para os painéis refrescantes de ébano. Estava tão carregada de pérolas do Mar Vermelho que me senti como se iluminada pela luz da lua. As pérolas foram colocadas por Charmian entre os fios dos meus cabelos e ao redor do meu pescoço, e as maiores e mais valiosas de todas, penduradas nas minhas orelhas, balançando cada vez que eu virava o rosto. Meu corpo havia sido coberto com seda sidônia quase transparente, como se eu estivesse envolvida por uma névoa. Nos meus pés, sandálias trançadas de couro prateado. Fiquei quieta, respirei fundo e senti o perfume de flores de lótus, que Charmian esfregara em meus pulsos e no meu pescoço, no latejar das veias. Durante o dia inteiro, meu corpo parecia diferente, servindo para me lembrar que o que acontecera tinha sido real – e irreversível.

Os músicos, agrupados num canto, tocavam suavemente suas liras e flautas. O som ecoava nas paredes de pedra polida.

O ruído de botas. Os soldados estavam vindo. Seria a Guarda Real ou os de César? Eram os soldados em uniformes romanos – reconheci as capas e lanças – que entravam pelo outro lado do salão.

No meio deles estava César. Mas ele escolhera usar as roupas de um Cônsul Romano – a toga branca com uma faixa púrpura nas barras – em vez de as de um general. Deve ter passado pelo barbeiro, porque seu rosto estava lustroso e barbeado, e seus cabelos, cortados. Para mim ele era tão bonito quanto Apolo, embora notasse que não era mais tão jovem, nem tão forte, com o peso do mundo que carregava sobre os ombros.

Deixe-me ajudar a carregá-lo, eu pensei de repente. É muito pesado para um homem só.

Os soldados se aproximaram, e César tomou a frente. Notei seu olhar cravado em mim. Sabia que, para ele, eu havia me transformado da criatura desamparada que ele conheceu secretamente em outra completamente diferente.

Ele estendeu a mão, e eu a recebi, em silêncio. Juntos, caminhamos para a mesa cerimonial, feita de uma parte do tronco de uma árvore gigante das montanhas Atlas, equilibrado sobre presas de elefante. César não olhou para mim o tempo todo, mas pude sentir que sua atenção estava comigo. Finalmente, ele se inclinou e murmurou no meu ouvido, sua respiração movendo um dos meus brincos.

— Este foi um dia muito longo, e tenho a impressão de que a conheci várias vezes e cada vez com uma aparência diferente. Qual é a verdadeira?

Virei a cabeça, sem incliná-la, movendo-a com todo o aspecto real.

— E eu vi muitos Césares diferentes. Qual deles é o verdadeiro?

— Depois do banquete, saberá – ele disse. – E depois disso, saberá ainda mais – seus olhos negros e ávidos me analisavam. – Filha de Vênus, você é bela!

— Você também não é o filho de Vênus?

Sabia-se que a família de César descendia de Vênus da parte da mãe dele.

— Sim. Como lhe disse, somos iguais, ambos temos a natureza daquela deusa – sua respiração esquentava meu ouvido.

Neste instante, Potino se aproximou, caminhando lentamente até seu lugar reservado, seu manto de linho engomado se recusando a acomodar o seu corpo obeso. Ele parecia um exemplo da arte de dobrar o papiro. Tinha engraxado seus anéis e usava brincos enormes de argola que esticavam penosamente os lóbulos das orelhas.

Atrás dele, veio Ptolomeu, vestido nos trajes de um faraó antigo. E depois deles, entrando devagar e cerimoniosamente pelo outro lado do salão, Arsínoe e o pequeno Ptolomeu.

Todo mundo se virou para ver Arsínoe e sua maneira de caminhar quase ondulante no seu traje de seda brilhante. Seus cabelos negros estavam amarrados no topo da cabeça, no estilo grego antigo, e Helena de Tróia não podia ter sido mais bela.

Vi César olhando para ela. Seus olhos se alargaram e, embora não tivesse se movido, senti que ficou alerta. Os dois estiveram juntos no palácio, César e Arsínoe – agora com dezoito anos, pelo menos duas semanas antes de eu chegar. O que teria acontecido entre os dois? O fato de que nenhum dos dois mostrara sinais de reconhecimento não significava nada. A beleza de Arsínoe era tal que enchia o coração de alguém de desejo ou inveja, e César... bem, agora eu sabia qual era a sua natureza.

Ela tomou seu lugar no divã real, sorrindo com seus lábios macios e vermelhos. Seus olhos azuis brilhantes fixos em César, batendo os cílios, num exemplo clássico de flerte. Eu a odiava.

César ofereceu as boas-vindas depois que o salão foi preenchido pelos curiosos participantes, convidados às pressas. Eu também dei as saudações, e Ptolomeu completou com algumas palavras na sua voz fina. E então César se levantou de novo.

– Vamos todos usar as grinaldas de alegria e celebração, porque agora proclamamos que tudo está em paz de novo nesta terra! A rainha Cleópatra e o rei Ptolomeu concordaram em viver em harmonia e reinar em união! – levantou bem alto uma grinalda de flores de lótus, centáureas e rosas e a pôs no pescoço. – Celebrem com eles!

Fiquei agradecida por ele não ter mencionado o "matrimônio". Senti que ele o faria apenas se fosse absolutamente pressionado a oferecer mais concessões.

Os servidores moveram-se pelo salão com as bandejas cobertas de grinaldas, entregando-as aos convidados. O perfume das flores misturado com os corpos quentes logo exalou pelo salão.

Depois, César levantou uma taça incrustada de gemas e a encheu com o vinho de Falérnio.

– Bebam! – ele ordenou. – Bebam e alegrem-se!

Levou a taça à boca, mas não vi sua garganta se mover. Pôs a taça na mesa e acenou para os servidores para se aproximarem com as bacias de cristal para lavarmos nossas mãos antes de iniciar a refeição.

De súbito, levantou a mão de novo, pedindo atenção.

– Uma outra coisa! Quero anunciar que, como um gesto de amizade, Roma retornará o Chipre para a Casa Real dos Ptolomeu. Será governado pela princesa Arsínoe e o príncipe Ptolomeu – Olhou para os dois, que lentamente se levantaram. As pessoas gritaram vivas, surpresas, e os recipiendários da honra pareciam igualmente estupefatos. Então este era um dos golpes de surpresa de César. Era assim que ele operava, dentro e fora do campo de batalha.

Ele olhou para mim, e pela leve mudança nos seus olhos e nas rugas ao redor de seus lábios pude ler a mensagem *não lhe disse que você me conheceria melhor depois do banquete?*

– César tem a autoridade de presentear territórios romanos sem mais nem menos? – perguntei friamente.

– Sim – ele respondeu. – Não lhe agrada?

– E deve? Não foi a mim que você deu.

– É para o *seu bem*, para sua proteção. Parte de meu compromisso com você.

Meu coração batia descompassado, tanto que não me atrevia a falar. Era verdade; César havia dado um passo ousado e surpreendente, um passo que o antagonizaria com o Senado em Roma.

A refeição teve início. Prato após prato, e eu não tenho palavras para descrever a habilidade dos cozinheiros reais em produzir uma festa para o paladar em tão pouco tempo. Além das costumeiras carnes de boi, pato e cabrito, houve mariscos roxos, algas marinhas, croquetes de peixe, mel de Ática e nozes de Ponto.

César, porém, comeu pouco e não bebeu uma gota do vinho de sua taça, preferindo a água com sabor de pétalas de rosa.

– Você não bebe – disse, indicando sua taça.

– Na minha juventude, bebi o suficiente para o resto da vida – ele respondeu. – Agora sinto que o vinho incita a tontura e causa sintomas estranhos em mim. Assim, não flerto com Baco.

– Também não é de comer muito – comentei. – A comida também incita sintomas estranhos?

– Você parece muito interessada em observar tudo o que faço – ele disse. – Será que por ventura acrescentou alguma coisa nessa comida que lhe deixe ansiosa para que eu coma?

Apenas uma alteração na inflexão no fim da sentença me indicou que ele não falava sério.

– Você suspeita de tudo – eu disse, e experimentei a comida do prato dele. – Deixe-me sossegá-lo, então.

Potino franziu os lábios com a falta de etiqueta de minha parte, mas César riu – ou quase.

Quando foram servidas as romãs junto com outras frutas em bandejas, César tirou uma e abriu-a no meio, deixando o sumo escorrer, vermelho e ácido.

– Está vendo como todas as sementes se encaixam – ele disse. – Mas quando se quebra a fruta, fere-se o todo.

Ele me passou uma metade, sem tirar os olhos de mim.

Peguei a fruta e olhei para o seu centro, no lugar onde fora violentamente dividida.

– Não deveria nunca ser dividida ao meio desta maneira.

Mostrei minhas mãos manchadas, e qualquer um que escutasse, pensaria que estávamos falando apenas daquela romã em particular. Ele sorriu.

Ao fim da refeição, quando os pratos foram levados, os acrobatas apareceram, dando cambalhotas pelo salão, com os corpos azeitados tão brilhantes e movimentos tão ágeis que era difícil acompanhá-los com os olhos.

– Já vi serpentes atacarem – César disse. – Mas nunca vi seres humanos se moverem assim.

Depois vieram os dançarinos de Núbia, altos, esbeltos e musculosos, dançando ao ritmo dos tambores estridentes e das palmas.

O barulho da música frenética abafou qualquer outro som, e não vi César acenar para seus guardas. Notei Potino se levantar e deixar seu divã. Infelizmente, o barulho furioso dos tambores não me permitia perguntar o que se passara. Quando a música finalmente acabou, César parecia impaciente, mastigando uma haste de cardamomo.

– Onde está Potino? – indaguei.

Arsínoe e Ptolomeu estavam se remexendo nervosamente nos seus divãs.

– Provavelmente já tenha sido decapitado.

– O quê?

– Vamos para fora! – disse César, me pegando pelo pulso, tão forte como as mandíbulas de um leão. E de tal maneira que eu parecia ter me levantado de espontânea vontade. Levou-me para uma pequena porta que se abria para dois pilares no lado do salão com sacada.

O ar frio da noite bateu no meu rosto com força, depois da atmosfera perfumada e quente do salão. O vento ficava mais forte, fazendo ondas de espuma na enseada do porto.

– Aqui – disse César me puxando para um canto.

Quando olhei, avistei Potino – o que sobrou dele – tomando três degraus da escada. Sua cabeça – se ainda a tivesse no corpo – estaria apontando para baixo. Desse jeito, o sangue que escorria de seu pescoço descia pelos degraus brancos de mármore. Ao seu lado, segurando a cabeça com os enormes brincos ainda nas orelhas, estava um soldado romano. Sua espada, ou melhor, a parte do meio da espada, estava coberta de sangue.

– Pompeu, agora você foi vingado – disse César. – Disponham da carniça – ele ordenou ao soldado.

Fiquei muda. Conseguia apenas olhar para o cadáver e de volta para César, parado calmamente ao meu lado.

– Agora sei como uma serpente ataca – murmurei, quando recuperei a voz.

– Não, o que viu foi uma serpente impedida de atacar – retrucou César. – Esta tarde meu barbeiro me contou da conspiração de Potino para me matar hoje à noite. Meu barbeiro leal é um homem tímido com centenas de ouvidos. Assim... – Ele deu de ombros, indicando os degraus manchados de sangue – A serpente foi morta no meio do bote.

– No meio? Ele estava apenas no meio de sua refeição!

De certa maneira, a idéia de ser abatido com o estômago cheio de carne de boi assada e alga marinha era macabra.

– Não, ele já tinha iniciado sua traição – disse César. – Mandou um recado para Aquilas para trazer o exército e nos invadir aqui. Enquanto reconciliava você e Ptolomeu, dobrando-se e beijando sua mão, estava ordenando as tropas que acabariam conosco.

Agora me sentia enjoada. Será que minha única segurança estava nas mãos de César, que até agora conseguira pensar rápido, atacar ligeiro e golpear mais mortalmente do que aqueles ao seu redor? Mas mesmo César precisava dormir de vez em quando, cochilar talvez, e quando relaxasse...

Caí no pranto. Era minha única forma de alívio além de gritar, e não queria que ninguém aparecesse do salão de banquete.

Ele me abraçou e me levou embora.

– Não podemos voltar ao banquete. Até mesmo eu não posso fingir que nada aconteceu.

Estávamos de volta ao meu – nosso – aposento real. César ordenou sentinelas duplas em todas as entradas, usando apenas os seus soldados mais confiáveis. Uma vez no quarto mais íntimo, ele se afundou num banco. De repente, parecia muito mais velho, e as rugas no seu rosto se aprofundaram. Na luz do crepúsculo, um anel com sinete de ouro no seu dedo bronzeado era a única coisa que brilhava na sua aparência.

— César — eu disse, parada à sua frente, com meus braços ao seu redor — pensei que conhecia o mundo, mas agora vejo que o mundo é ainda mais cruel e implacável do que imaginei.

— Quando nos damos conta disso pela primeira vez — ele disse, tristonho — mudamos para sempre. Mas, pela manhã, quando o sol nasce, e há trabalho por fazer... é surpreendente como temos prazer em fazê-lo.

Mas agora ele se encostava na parede, exausto com aquele dia de trabalho. Fiquei de pé às suas costas, beijando o topo de sua cabeça quase careca. Massageei suas têmporas e puxei sua cabeça para mim, para acalentar o conquistador do mundo. Ele fechou os olhos e ficou quieto.

Observei a luz lá fora mudar, se esvanecer e finalmente desaparecer por completo. A escuridão tomou conta do quarto e cobriu tudo. E César continuou encostado em mim, com meus braços ao redor de seu pescoço, subindo e descendo a cada respiração dele.

O que o fez confiar em mim? Eu me perguntava. Por que eu, e não Arsínoe ou Potino? Teria sido tão mais fácil aliar-se a eles. Agora tinha se embrulhado num turbilhão de problemas ao me apoiar.

Poderia ter vindo aqui, aceitado a cabeça de Pompeu, outorgado o trono a Ptolomeu e feito o seu caminho de volta para Roma. Tão mais fácil para um general cansado. Mas ele confiou em mim, pela mesma razão inexplicável que confiei nele. Tínhamos compreendido um ao outro instantaneamente, reconhecido um no outro.

Ele se mexeu. Tinha dormido no meus braços. Fiquei muito emocionada; nenhuma palavra teria dado prova maior de sua confiança.

— Meu querido — eu disse. — Vamos descansar de verdade. Creio que não vamos ser perturbados esta noite. Seus guardas são fortes.

Ele me permitiu levá-lo até a cama, desatar sua toga e colocar seus pertences sobre um baú, tirar suas sandálias e massagear seus pés.

Ele me observava com olhos sonolentos.

— Como faz bem essas coisas — ele murmurou. — Sabe servir e ser servida quando assim o quer.

Delicadamente, levantei suas pernas e o coloquei na cama, cobrindo-o com a manta de seda lustrosa.

— Descanse — eu pedi. — Até mesmo Hércules descansou depois de seus doze trabalhos.

Ele fechou os olhos e virou o rosto para um lado, dando um suspiro profundo — De contentamento? Exaustão? Alívio?

Deitei-me ao seu lado na escuridão, cobrindo-me com a manta. O silêncio inundou o quarto, mas eu sabia que, no resto do palácio, nas ruas de Alexandria, não havia silêncio, mas tumulto. Nosso silêncio era o resultado artificial de guardas romanos vigiando nossas portas.

Durante a hora mais escura da noite, quando o céu fica suspenso, César me procurou. Ambos estávamos totalmente despertos.

– Não lhe disse que você me conheceria melhor depois do banquete? – Ele disse baixinho. Deve ter pressentido que eu estava acordada.

– Sabia sobre Potino, então? Já tinha dado suas ordens aos soldados? Falei baixinho também, e virei-me para ele.

– Sim – ele respondeu. – E agora você pode amar a pessoa que eu sou?

– Mais do que nunca – respondi. Fez o que tinha de ser feito, e não vacilou.

Se antes o admirava, agora tinha grande respeito.

Abraçou-me, pressionando-me contra seu corpo esbelto de soldado, já recuperado com as poucas horas de sono. Beijou-me, e parecia que todos os apetites que ele não se permitia desfrutar – por comida, por sono, por vinho – se fundiram em um único desejo multiplicado.

Embora possa parecer inoportuno para mim relatar aqui como César era famoso por sua eficácia em guerras, diziam que qualquer batalha que ele lutava era decidida tão completamente que não havia necessidade de lutá-la de novo. Assim foi ele comigo naquela noite; quando me possuiu e fez amor comigo, tantas vezes naquela longa noite, de maneiras tão diferentes, ele me cativou para sempre, meu corpo, minha alma, minha força.

13

A Guerra Alexandrina – como César a chamou quando começou a escrever seus comentários sobre ela – estourou de verdade. Eu quase não fui mencionada nos seus comentários, mas isso era típico de César. Foi uma guerra complexa, não somente porque César não estava preparado para uma guerra quando desembarcou, mas também porque foi a primeira vez que ele teve uma cidade por campo de batalha, o que exigia táticas e estratégias diferentes daquelas usadas em campo aberto.

O exército de Aquilas, que já estava a caminho enquanto o banquete de reconciliação se desenrolava, chegou a Alexandria em poucos dias, com vinte mil homens. César mandou mensageiros até Aquilas, que os assassinou em vez de mandar respostas.

– Então – disse César na sua voz calma – ele não apenas mata quando parece ser para sua vantagem política, como matou Pompeu, como também desrespeita regras diplomáticas tradicionais. Assim, não preciso ter pena dele.

Fiquei admirada com sua maneira de conter a raiva, se é que sentia raiva. Talvez já tivesse passado a fase de acreditar que comportamentos medonhos não eram mais do que o que se pode esperar; talvez, para ele, lealdade e honra seriam as coisas mais raras de se encontrar. Também me admirava como ele tinha como certa a derrota de Aquilas e seu exército numeroso, composto de antigos legionários romanos, escravos fugidos, piratas, bandidos e degredados – um bando misturado e desesperado.

Meu próprio exército, abandonado em Gaza, havia se dissolvido por falta de ação e pagamento e não podia ajudar. César já tinha pedido reforço da Síria e Cilícia, mas por enquanto ele precisava fortificar a parte Leste de Alexandria e mantê-la a salvo, especialmente a parte onde ficava o palácio, numa península. Na enseada, seguros, estavam seus dez navios de guerra de Rodes, entre outros. Avistava-os de minha janela, ancorados dentro do quebra-mar. Na parte Oeste do porto ficava a frota egípcia, que Ptolomeu e eu comandávamos: setenta e dois navios de guerra.

Aquilas e suas forças, com a ajuda de cidadãos impressionáveis, construíram barricadas triplicadas de blocos de pedra com quase quatro metros de altura atravessando as ruas, interditando a magnificente Avenida Canópica e a rua larga do Soma. Construíram às pressas torres móveis de três metros de altura, que podiam ser puxadas por cordas para onde quer que desejassem. Fábricas de armas foram estabelecidas em plena cidade, e escravos adultos foram armados, enquanto seus coortes veteranos ficavam centralizados para ser mobilizados em qualquer parte da cidade que se fizesse necessário. Foram capazes de reproduzir todas as armas que capturavam do nosso lado com tanta habilidade que as nossas pareciam as cópias.

Enquanto isso, César transformou o salão de banquetes em seu quartel general, espalhou seus mapas e relatórios na grande mesa de mármore e conferenciava com seus centuriões e comandantes. Insisti em comparecer às reuniões – ficara fascinada com a idéia de aprender como o exército mais disciplinado e avançado do mundo operava.

– Temos de tomar a ofensiva – disse César um dia, depois da primeira semana de luta, enquanto batia no diagrama da cidade pendurado entre duas colunas na sala de reuniões.

Um de seus oficiais fez um muxoxo. César deu uma olhada séria para ele.

– Não a cidade inteira – ele continuou. – Mas devemos capturar a ilha e o farol para que nossos reforços possam nos alcançar pelo mar. Estamos fixados aqui e precisamos manter a costa livre.

Será que era este o tipo de audácia pelo qual ele era tão famoso?

– Como vamos atacar? – um dos centuriões perguntou.

– Há apenas uma pequena extensão de frente marítima entre nossas barricadas e a deles que controla o molhe de proteção. Ao sinal, correremos para nossa extensão e tomaremos a frente marítima. Lutaremos dali até alcançar o molhe e depois até o farol.

Ao meio-dia, depois dessa conferência, César fez sua refeição rotineira comigo, meus irmãos e seus oficiais. A mesa fora posta com pratos de madeira, pão mofado e vinho barato e amarelado do Taeniótico – ordens expressas de Potino.

– Vejam como o rei e a rainha do Egito, e os soberanos do Chipre, jantam – disse César, indicando a mesa. – Comida de soldado depois de uma longa campanha?

– Potino disse que não tinha sobrado nada para comermos por causa dos romanos – reclamou o Ptolomeu "maior" no seu tom de voz irritante. – Ele disse que tudo havia sido devorado por seus soldados! E ainda por cima derreteram nossos pratos de ouro!

– Potino não tem mais como mentir – disse César. – E fico contente em ver que vocês estão comendo de boa vontade uma refeição tão simples, quando o que há de melhor pode ser conseguido nas cozinhas do palácio. É bom para desenvolver o seu caráter. Um homem não deve se interessar demasiadamente por comida. Eu mesmo uma vez por acidente derramei um ungüento sobre um prato de legumes e não notei – mesmo depois de comê-lo.

– Bárbaro – resmungou Arsínoe.

– O que foi, minha querida? – perguntou César. – Bárbaro? Sim, talvez o seja. Adquiri grande respeito por eles nos nove anos que lutei contra eles na Gália. Têm uma mentalidade diferente de algumas mentes degeneradas aqui no oriente. Por exemplo, lá eles não assassinam seus chefes.

Arsínoe deu um sorriso azedo que mesmo assim não servia para arruinar sua beleza. César levantou sua taça de vinho para ela e tomou um gole.

– Não me sinto bem – ela disse, depois de pôr a taça na mesa. – Vou voltar para meus aposentos e descansar.

Naquela noite, ela escapou do palácio, acompanhada por seu tutor eunuco, Ganimedes, e foi juntar-se a Aquilas e suas forças.

Fiquei esperando a ira de César rebentar, agora que ele não podia mais dizer que as tropas egípcias eram apenas uma facção traiçoeira em rebelião contra toda a família real. Mas não havia raiva nenhuma nele, mesmo depois que as tropas proclamaram Arsínoe sua rainha.

– Um coisa é certa, ela perdeu o Chipre – ele disse. – E nem mesmo chegou a visitá-lo. Nós dois precisamos ir lá, quando a guerra acabar. Vênus nasceu na espuma do mar e apareceu numa praia no Chipre; seria ideal para nós estarmos juntos lá – ele deu um sorriso leve, que não se estendeu aos seus olhos.

Quando a guerra acabar... que certeza ele tinha da vitória!

Naquela noite, antes de nos retirarmos, ele ficou muito tempo no pátio no topo do palácio, olhando para a enseada do porto, analisando suas definições. Suas mãos enrugadas seguravam firmes na balaustrada, e notei os músculos se apertando em seus braços quando ele contraiu e depois relaxou os dedos.

– Não será fácil – ele admitiu. – É uma distância razoável, e a largura não permitirá muitos homens na superfície ao mesmo tempo.

Às nossas costas, os servos acendiam as tochas noturnas, e o sol se punha, tingindo o que seria o campo de batalha de amanhã de vermelho brilhante.

– Hoje, o sol; amanhã, o sangue dos homens dará a cor – ele disse.

– Como pode se acostumar com isso? – perguntei. – Como pode se acostumar com a morte antecipadamente?

– A morte – ele disse finalmente. – Talvez eu seja como aquele rei de Pérgamo que cultiva um jardim de plantas venenosas. Talvez eu me cerque da morte a fim de me acostumar com ela.

– E se acostuma?

– Creio que sim – ele disse. – Posso dizer honestamente que a morte não me dá terror nenhum, apenas tristeza... tristeza pelo que devo deixar para trás – ele se virou e fitou os meus olhos. – Detestaria ter de deixá-la tão cedo. Temos tanto ainda para falar, para ver, para explorar juntos. É apenas o começo para nós. Quando iniciei a campanha da Gália, eu tinha quarenta e dois anos. Era um mundo novo, uma expansão infinita de verde... florestas, montanhas, lagos, rios, tudo desconhecido e esperando por mim. O que aconteceu comigo lá naqueles nove anos deveria ser suficiente para qualquer homem. Mas agora quero mais, em vez de menos. Acendi fogueiras, em vez de apagá-las – virou-se de novo e fitou a enseada, que agora tinha um tom azulado. – Ali, amanhã... parece inacreditável que um pequeno pedaço de metal polido possa apagar o meu fogo.

Pus meus braços ao seu redor e inclinei a cabeça nele.

– Vocês, romanos, não acreditam que existam três irmãs imortais que controlam a medida de seus dias? Uma enrola o seu fio da vida, a outra o mede e a última o corta. A sua vida ainda não foi medida.

– Tal é a habilidade das irmãs que não sentimos o fio ser desenrolado ou percebemos quando a tesoura é aberta.

De repente seu tom de voz mudou.

– Este tipo de conversa só traz má sorte! Vamos para dentro!

Bruscamente, ele deixou o pátio e entrou.

A Guerra Alexandrina foi tão extraordinária, que eu, do topo do palácio, tive uma visão ampla da ação do dia seguinte. Não queria assistir, mas não tinha como não fazê-lo, porque queria saber o que estava acontecendo sem precisar de um mensageiro.

De manhã cedo, antes dos raios do sol terem alcançado o cume dos templos e com as ruas ainda escuras, César e seus homens saíram com força total da área protegida do palácio, surpreendendo o inimigo. Logo dominaram as ruas e, quando o sol iluminou a zona portuária, pude ver a luta feroz que se desenrolava nas docas. Os romanos eram fáceis de distinguir, com seus capacetes e o uniforme militar distinto, ao contrário das tropas de Aquilas, com seus trajes variados e improvisados. Distingui o próprio César, com seu manto púrpura de general e, embora desejasse olhar para outro lugar, não conseguia tirar os olhos dele por um segundo sequer.

Vi quando liderou seus homens para as áreas menos vigiadas e mais perigosas, encorajando-os simplesmente com sua própria bravura. Ele não buscava proteção. Em vez disso, marchava para o meio da luta. Mas logo os números superiores de Aquilas começaram a fazer diferença e, de uma hora para outra, os romanos pareciam ter sido engolidos. Senti um calafrio horrível quando César desapareceu do meu ângulo de visão sob um mar de espadas e escudos. O tumulto de metal contra metal, de pedras atiradas, quebrando-se contra as docas e as casas, e depois os gritos de homens morrendo, chegaram, como o grito de um monstro, até o meu ponto de observação.

Vi com horror traços de labaredas fazendo um círculo na doca; alguém havia jogado uma tocha. Outras se seguiram, e de repente um dos navios de guerra estava em chamas. As labaredas começaram no cordame e logo se espalharam para o centro do navio.

Um dos meus navios de guerra! Dei um grito abafado. Não!

As chamas se espalharam rapidamente. Era óbvio que o alcatrão e o piche a bordo do navio tinham pegado fogo. Os homens saíam do navio e se jogavam na água. E logo o navio ao lado pegou fogo também. Os gritos aumentaram enquanto a água se enchia de marinheiros tentando escapar. A luta nas docas continuou com a mesma ferocidade de antes.

Meus navios em chamas! Minha marinha de guerra estava sendo destruída! Assisti com horror a minha frota inteira pegar fogo e meu orgulhoso e valoroso poder naval desaparecer. Mas, pior ainda, o vento carregou as flamas dos navios fumegantes e incendiou os armazéns nas docas. Sabia bem o que havia nos armazéns – grãos, óleo, mas, o mais precioso de tudo, os manuscritos da Biblioteca. Um armazém inteiro de manuscritos seria aniquilado! Comecei a gritar, gritos impotentes e horrorizados, mas continuei olhando.

O fogo distraiu os alexandrinos e deu a César e seus homens a oportunidade de invadir o molhe. Eles se aglomeraram no molhe e correram para o farol, onde vi mais fumaça e fogo subindo no meio do combate corpo a corpo.

Era impossível dizer o que estava acontecendo, quem estava ganhando, até o que parecia horas depois, quando o reluzir do sol nos capacetes romanos denunciou o resultado: tinham dominado a ilha e agora estavam prestes a dominar a extensão do molhe. Os homens se espalharam e agora – graças a você, Ísis, e a todos os deuses que o protegiam – vi num relance o púrpura do manto de César. Ele estava à frente, liderando seus homens de volta pelo molhe na direção das docas.

De repente, não sei de onde, um navio inimigo repleto de soldados navegou através dos cascos queimados de meus navios na parte Leste da enseada e se aproximou do meio do molhe, fechando a passagem dos romanos na frente do resto de suas tropas, deixando-os ilhados. Era César que perseguiam; queriam acossá-lo e destruí-lo. Os soldados que haviam acabado de desembarcar avançaram para ele, enquanto os que estavam em terra firme fecharam o cerco.

Os romanos decidiram bater em retirada para os navios, mas as pranchas de embarque haviam sido retiradas para evitar que os inimigos subissem a bordo. Os romanos mergulharam e começaram a nadar para as embarcações; vi César se jogar e nadar para o navio mais próximo, que, no entanto, estava sobrecarregado e corria o risco de afundar. Assim, ele foi forçado a nadar para o navio mais distante, enquanto evitava o tempo todo uma chuva de flechas e projéteis. Seu progresso era ainda mais lento porque estava nadando com um braço só, segurando no outro uma pilha de pergaminhos – o que seria tão importante, eu me perguntei – e puxando o seu manto pesado de general atrás dele, determinado a não deixar o troféu para o inimigo. Mas finalmente vi quando ele se libertou do manto e nadou livremente para o navio. O manto flutuou de volta para o molhe, onde foi resgatado pelo inimigo sob uma salva de gritos triunfantes.

Ele estava salvo. Estava salvo. A doçura de saber que ele voltaria de seu dia de batalha quase me inundou de pura gratidão.

Ele estava sentado em nosso quarto íntimo, inclinado sobre suas cartas geográficas. Com os cabelos em desalinho, tremia de cansaço e de frio. Seus braços estavam cobertos de cortes, e suas pernas, machucadas. E ele não parava de sacudir a cabeça.

– Quatrocentos homens perdidos – ele dizia. – Quatrocentos!

– Mas você venceu – eu disse. – Venceu. E fez tudo o que planejou fazer. Capturou a ilha e o farol.

– E botei fogo na frota! – disse, com amargura. – Perdoe-me! Mas não houve outro jeito. Sabia que iriam capturá-los, e isso lhes teria dado de presente uma marinha, coisa que ainda não têm.

– Então foi você quem jogou a tocha – eu disse. – Não foi um acidente.

– Não, claro que não foi – respondeu. – Foi minha decisão. E uma decisão boa. Olhe o dano que fizeram com apenas um navio.

De novo ele sacudiu a cabeça.

– Perdi quatrocentos homens – ele repetiu suavemente. – E o manto de general. Ficaram com ele.

– Pelo menos não ficaram com *você* – eu retruquei. – E por que insistiu em proteger estes papéis? O que há de tão importante para arriscar a vida por eles?

– Planos militares – ele disse. – Cifras. Códigos. Não podem ser perdido por nós, ou resgatados por eles.

Tirou os papéis de dentro de seu jaquetão de couro molhado e jogou-os na mesa, dando um suspiro de alívio.

– Pronto.

– Manuscritos que estavam nas docas para serem transferidos para a Biblioteca foram destruídos – eu disse.

– Sinto muito. O incêndio dos armazéns foi um acidente verdadeiro.

– Sim – eu disse. – Um acidente de guerra. Vejo agora que uma guerra, uma vez começada, não é facilmente controlada. Vai aonde quiser, como um animal louco, mas esperto. Até mesmo o grande César não consegue refreá-la.

– Sinto muito – ele repetiu, tirando as últimas peças de seu traje ensopado e em farrapos e deitando na cama.

– Você está a salvo – eu disse. – No final de tudo, é isso o que mais importa.

E enquanto observava-o cair no sono, sabia que essa era a verdade para mim. Ele estava salvo hoje. Mas, e amanhã, quando a luta recomeçasse?

A guerra civil romana que se estendera até nós parecia contagiar tudo. Não levou muito tempo para que o fantasma de Pompeu assassinado viesse buscar sua vingança final: Aquilas não sobreviveu a Potino por muitos dias, porque Arsínoe o matou e passou o comando das tropas para Ganimedes. As adagas que os assassinos usaram contra Pompeu acharam carne nova nas entranhas de seus donos.

Inebriado pelo poder, Ganimedes lançou um ataque direto ao palácio. César e eu estávamos jantando em nossos aposentos íntimos, uma semana depois da batalha pela ilha, quando uma tocha em flamas foi jogada diretamente na nossa varanda, seguida por uma chuva de flechas com mensagens atadas.

César arrancou uma que ficou enfiada no toldo e mostrou para mim. *Rendam-se, seus cães romanos!*, dizia a mensagem.

– Que originalidade – eu disse.

– Tem mais uma – disse César, agachando-se para pegá-la. *Uma barra de ouro para cada soldado que vier para o lado de Arsínoe*, prometia a nota.

Essa era mais perigosa.

– Não têm com que pagar – eu disse, com escárnio.

– O soldado comum não sabe disso – retrucou César. – Preciso ir até eles e estimulá-los – saiu rapidamente.

Em poucos dias, a ingenuidade furiosa de Ganimedes se manifestou no fornecimento da nossa água potável. Impossibilitado de invadir o palácio ou retomar as áreas da cidade e a ilha sobre as quais tínhamos controle, resolveu fazer-nos sair pela sede.

Os cozinheiros descobriram que a água que saía dos encanamentos se tornara salgada e salobra, e os soldados que vigiavam a cidade informaram que toda a água nas casas da redondeza estava com o mesmo problema, que começou de repente, no meio da noite.

– Como conseguiram fazer isso? César se perguntou. – Como puderam estragar nossa água sem afetar a deles?

Convoquei nossos engenheiros, e a resposta foi clara. O fornecimento de água para Alexandria vinha de túneis subterrâneos que canalizavam a água do Nilo pela cidade. Ganimedes dividiu o fluxo da água, protegendo sua parte, e bombeando a água do mar na nossa.

– Esta guerra não está sendo fácil – César admitiu. – O inimigo é engenhoso e inteligente. Forçam-nos a ser mais engenhosos e inteligentes do que eles. Vou falar com as tropas.

Para mim sua voz denotava o cansaço e a sensação de que estava chegando ao fim de seus recursos, embora não tivesse a intenção de demonstrar.

Da sacada mais alta do palácio, ele falou com seus oficiais e homens, aglomerados no pátio térreo.

– O covarde Ganimedes e seu exército de piratas, escravos e romanos corruptos descobriram como construir moinhos gigantes para tirar a água do mar e mandá-la para partes mais altas – ele gritou. – Engenhoso! Impressionante! Será que acham que podem nos conquistar assim? Usando um brinquedo de menino?

Pelo modo como os soldados se moviam impacientes, vi que estavam incomodados. E sedentos. Provavelmente haviam bebido todo o vinho que acharam e agora não havia mais nada.

– Se não se é homem suficiente, não se deve ir à guerra! Um brinquedo de menino não pode triunfar sobre o conhecimento de homens experientes e a determinação e a coragem de suas tropas! Eu sei onde podemos encontrar água, e com facilidade. Sempre há veias de água doce nas praias, não muito fundo. Algumas horas cavando e teremos toda a água que quisermos!

Seria verdade? Ou ele estava apenas com esperanças de que fosse?

– E além do mais, mesmo que não haja água na praia, temos o controle das águas do mar, e é simples navegar em qualquer direção e trazer o fornecimento de água. Assim, não temam, mas peguem as pás!

Os homens não gritaram os vivas de sempre. Estavam querendo uma retraída ordenada, para navegar para longe dessa enrascada.

– E não pensem por um segundo em abandonar seus postos! Se nos verem embarcando, invadirão nossas barricadas. Uma retraída ordenada não nos é possível neste momento.

Fez uma pausa.

– Tampouco necessária! Peguem as pás!

Levantou uma pá e mostrou-a para os homens.

– Para a praia!

Uma vez mais, a deusa generosa do destino não abandonou seu filho predileto. A suposição de César provou-se correta. A escavação durante a noite produziu vários poços e, quando o sol nasceu na manhã seguinte, nosso problema havia sido resolvido. Dias de trabalho do inimigo foram desfeitos em apenas algumas horas pelos esforços de César.

Chegou a notícia de que os navios de suprimentos da trigésima sétima legião, chegando à frente das tropas por terra, tinham passado de Alexandria e estavam ancorados ao Oeste. César tomou sua pequena frota e foi encontrá-los. O fim da guerra parecia estar próximo, mas mesmo essa simples ação acabou em batalha, com o inimigo atacando os navios, e César usando todas as suas armas para não ser capturado. No final, o conhecimento naval dos romanos derrotou o inimigo, e César retornou são e salvo.

– Cada passo acaba por ser mais difícil do que jamais esperei – ele disse, com a voz cansada. – E está se arrastando por muito tempo. Estou cansado – sacudiu a cabeça. – Esperava que Alexandria me oferecesse um descanso do resto das minhas campanhas. Engraçado, não é?

Sim. A guerra estava se arrastando. E nesses últimos dias eu havia descoberto algo que decidira contar a César somente depois do fim da guerra. Mas cada vez que achava que era o fim, acabava sendo apenas o encerramento de mais um episódio. A guerra parecia se arrastar infinitamente.

Uma das coisas peculiares em meu modo de pensar é que acho difícil misturar coisas. Gosto de tomar cada coisa por sua vez, uma de cada vez.

Era o que pretendia fazer agora também. Mas a guerra não acabava nunca! E vendo César cada vez mais cansado e desiludido, seu sono mais profundo e seus passos menos ágeis, meu coração tomou conta da minha língua. Também estava sendo cada vez mais difícil manter qualquer segredo com ele, porque agora era como se ele fosse cada vez mais uma parte de mim.

– Você é um grande general – eu disse devagar. – Não existe ninguém no mundo para desafiá-lo. O que está acontecendo aqui é um acidente, como se esses homens não tivessem ouvido o que todo o mundo já sabe. Ouvi histórias de tropas isoladas que continuam lutando muito depois do final da guerra e do retorno de seus comandantes para casa. É essa a situação aqui. Não perca a esperança.

– Não perdi – ele disse. – Talvez a paciência, sim.

– Se conquistou o mundo inteiro, não é muito tarde para fundar uma dinastia.

– Roma não tem monarcas.

– Eu disse do mundo inteiro, não só de Roma. O Egito unido a Roma, não será apenas Roma. E essa nova criação precisaria de uma dinastia.

Ele levantou a cabeça e olhou para mim como se eu estivesse balançando algo perigoso diante dele. Um objeto dourado proibido. Um testamento selado. Um suborno de grandes proporções. Seus olhos se estreitaram, mas não antes que eu visse a chama de curiosidade e desejo neles.

– O que está dizendo?

– Somente que... se você tem um império para ser herdado, então teremos o filho para herdá-lo.

E foi assim que contei.

– Um filho – ele parecia chocado e incrédulo. – Não pensei em ter um filho.

– Eu sei. Já faz trinta anos desde que sua filha nasceu, sua filha única. Todo o mundo soube de sua dor quando ela morreu.

Ele fez um esforço grande para não mostrar sua alegria.

– É possível?

– Sim. Não é apenas possível. É uma certeza. E é o meu presente para você. Não é Alexandria, ou o Egito, porque esses você pode conquistar, mas um filho, um herdeiro para César.

– Uma dádiva dos deuses – ele disse, levantando-se lentamente e abrindo os braços para mim. – Uma dádiva sublime e inesperada dos deuses.

Ele me abraçou de uma maneira diferente. E fiquei aliviada e feliz por não ter esperado mais para contar a ele.

Foi você, Ísis, a Mãe de toda mãe, que decidiu nos oferecer esta dádiva. É você quem decide fazer do infecundo, o fértil, como fez com César. Foi sua designação que – do mesmo modo como seu filho Hórus pôde vingar o seu pai, Osíris – quando César caísse, atacado por homens malévolos, teria o filho para vingá-lo. Sei disso agora, enquanto na época apenas me alegrei com o fato de ser capaz de dar a César algo que ele queria tanto e que até então lhe tinha sido negado, quando o mundo inteiro havia sido colocado aos seus pés.

Desejei que Olímpio estivesse aqui, precisava de seu cuidado médico, mas ele e Mardian ainda estavam detidos atrás do exército rebelde. Já o via sacudindo a cabeça e dizendo, "Onde estava o *silphion* quando precisou usá-lo? Por que não o usou?" E quando eu respondesse que estava feliz com o que havia acontecido, ele ficaria perplexo. E Mardian! O que vai pensar? Tudo aquilo que esperávamos e havíamos planejado na tenda no deserto mudara.

César não conseguia esconder seu prazer. Um sorriso incomum brincava em seu rosto no meio de uma reunião, até seus oficiais perguntarem se ele estava contente que a populaça estivesse destruindo os edifícios da cidade, numa tentativa de construir uma frota.

– Estão determinados a construir uma frota por eles mesmos – falou um dos centuriões.

– Com o quê? – perguntou um outro, com escárnio.

– Eles sem dúvida se lembraram dos navios de guarda estacionados em cada uma das sete bocas do Nilo, usados para recolher impostos – eu disse, falando do meu canto da sala, onde estive escutando em silêncio. – Também existe um número de docas secretas com navios antigos e mofados. Esses poderiam ser tomados sem muita dificuldade.

Ainda assim César não mudou sua expressão agradável.

– Quanto tempo precisam para deixá-los em condições de navegar?

– Alguns dias, César – disse um dos soldados a quem os espiões haviam informado. – Já estão de posse dos navios do lago e estão trabalhando neles. A falta de remos e madeira está sendo aliviada com a madeira dos prédios e das vigas das colunatas. Ouvi dizer que estão preparando vinte quadrirremes.

– Vinte quadrirremes! – ainda assim César não perdeu sua compostura.
– Gente industriosa.

– O que foi destruído? – perguntei. Minha bela cidade! Como se atreviam a reduzi-la em pedaços! Preparei-me para ouvir o pior.

– Arrancaram o telhado do Museion e atacaram até mesmo o templo de Netuno – o homem respondeu. – E o Ginásio... os longos pórticos acabaram sendo uma tentação muito grande. Foram desmontados.

Gemi, angustiada. Toda aquela beleza, acabada.

– E a Biblioteca? As tumbas reais?

– Ainda estão intactas.

– Mas não por muito tempo – disse outro soldado. – Se desejarem equipar os qüinqüerremes.

– Então, se quisermos salvar sua cidade, rainha Cleópatra... – disse César – teremos de distraí-los, ou deixá-los pensar que não há mais necessidade de uma frota. O próximo combate será forçosamente em terra firme; afinal, viemos aqui para salvar Alexandria, e não para destruí-la.

Naquela noite, em nossos aposentos, César andava de um lado para o outro no quarto maior, onde as portas se abriam para o terraço. O chão de mármore estava tão encerado que suas pernas e a parte inferior de seu uniforme militar – a túnica vermelha e as correias de couro – eram refletidas, embora a parte superior de seu corpo ficasse invisível, engolida pela escuridão.

– O que o preocupa, meu querido? – perguntei, aproximando-me – podemos reconstruir a cidade, quando nos pertencer novamente.

A verdade, porém, é que eu não estava tão despreocupada como quis mostrar. Meu coração doía ao imaginar o que estava sendo destruído, e sabia que nada poderia ser o mesmo de novo. As madeiras não podiam ser substituídas; as florestas nas montanhas Atlas e no Líbano não mais possuíam árvores que crescessem tão altas. Somente a habilidade não pode restaurar o que desapareceu.

– A natureza destruidora da guerra machuca mais agora porque diminui o que deixarei para... para nosso filho – ele disse. – Mas os marinheiros da trigésima sétima me contaram que as forças terrestres levantadas por Mitridates de Pérgamo já estão em marcha. A guerra deve acabar logo.

– Para sempre – eu disse. Agora não haveria incerteza sobre quem governava o Egito, qual o seu status em Roma, se continuaria independente, qual seria o seu futuro. Todas essas perguntas haviam sido respondidas, embora para isso muito sangue fora derramado. No futuro – nos tempos de nosso filho – não haveria necessidade de derramamento de sangue, porque seus pais já teriam feito o sacrifício.

– Marte é um deus sedento – ele disse – jamais se sacia de sangue. Mas por enquanto é verdade...

Tirou do cinto um pequeno pergaminho com uma mensagem.

– O que aconselha? – ele me perguntou.

Li rápido. Vinha de uma delegação de alexandrinos que serviam no conselho do exército inimigo. Dizia que o povo estava se virando contra Arsínoe e Ganimedes e que queriam seguir Ptolomeu, se ele lhes fosse entregue. Assinariam um cessar-fogo e negociariam com César sob a liderança de seu rei.

– Que coisa absurda – respondi finalmente. – Eles podem vir e se submeter a Ptolomeu agora mesmo. Não há necessidade de tirá-lo do palácio.

– Exatamente. Mesmo assim, vou fazê-lo – disse César. – Não poderia ser melhor! Agora podemos nos livrar dele e remover o último inimigo entre nós.

– Não – eu disse. – É um truque!

Ele olhou para mim como se dissesse, "Como você é devagar!"

– Claro que é um truque! Mas nós temos um truque maior! Porque sabemos que suas forças estão condenadas a ser massacradas entre nossas forças e o exército terrestre que se aproxima do Egito neste exato instante. Então, vamos enviá-lo para liderar suas tropas... por um tempo. Deixe que ele ponha sua coroa e levante sua espada. Não acha que toda criança merece brincar pelo menos por uma tarde?

Sorri, mas sua análise fria era preocupante. Quanto tempo levou para que ele se tornasse assim tão duro? Quantos anos, quantas traições, quantas decepções? Será que era este o preço da sobrevivência? *Não conte com a felicidade de um homem até que ele esteja morto,* dizia o ditado. Talvez devesse dizer, *Não conte com a felicidade de um homem a não ser que ele morra jovem e sem experiência nos modos humanos.*

– Está quase no fim – eu disse, para me acalmar. – Quase no fim.

Na manhã seguinte, depois de César ter se levantado e tomado sua refeição de pão, mel e queijo, mandou chamar Ptolomeu à sala militar. O pequeno rei veio em trajes finos de brocado de ouro, usando o seu diadema real. César, que estava sentado, não se levantou.

– Bom dia – ele disse, calmamente – tenho notícias que acredito lhe serão bem-vindas.

Ptolomeu parecia apreensivo. Será que uma notícia boa para César seria na mesma medida boa para ele?

– Sim? – ele disse, preparando-se.

César desenrolou o pergaminho e leu seu conteúdo.

– Como vê, seus súditos desejam sua presença. Quem sou eu para ficar entre vocês? Talvez esta seja a oportunidade dos céus que todos desejamos para acabar com esta guerra. Vá até eles! – e deu um aceno ensaiado com o braço.

Ptolomeu ficou perplexo.

– Mas   por que me força a deixar o palácio e me juntar a eles! Não tenho vontade nenhuma de fazê-lo.

– Que tipo de conversa é essa para um rei? Um rei deve fazer o que é melhor para seus súditos, para seu reino! Sacrifício, meu caro menino, sacrifício!

Ao ser chamado de "menino", Ptolomeu eriçou-se e se esticou. Estava com treze anos.

– Sinto que a verdade é que desejam me sacrificar. Arsínoe e Ganimedes me atacarão. Não, não irei e pronto!

– E eu digo que irá – César insistiu.

Olhei meticulosamente para seu rosto e vi que ele estava gostando de causar constrangimento a Ptolomeu.

– Não, não quero! – o rosto de Ptolomeu se franziu e ele começou a chorar. – Não, não me mande embora! Quero ficar com você! Minha lealdade é para com minha irmã e você!

– Ah – César parecia tocado. – Como alegra meu coração.

Solenemente ele pôs a mão no peito.

– Mas deve ter piedade de seus pobres súditos, vá até eles e ajude a chamá-los à razão, persuadi-los a parar de destruir a cidade com fogo e desolação. Assim provará sua lealdade para comigo e para com o povo romano. Confio em você; por que razão então o enviaria para se juntar aos meus inimigos, armados contra mim? Sei que você não me falhará.

Ele agarrou no braço de César.

– Não me mande embora! Não há outra visão tão agradável aos meus olhos quanto a sua! Nem meu reino, nem meu povo... somente você, Grande César!

César se desvencilhou dos dedos pegajosos de Ptolomeu e segurou seu braço com uma força de comandante.

– Coragem, coragem!

Chorando, Ptolomeu disparou para fora da sala.

César olhou para o braço examinando se tinha arranhões.

– Ele agarrou como um animal, com unhas longas – sacudiu a cabeça. – Como um macaco.

– Então agora ele se foi – eu disse. – Quanto tempo antes que venha contra nós, comandando suas tropas?

– Antes do pôr-do-sol, sem dúvida – disse César.

Errou por uma diferença de três horas. O certo é que, antes de o dia acabar, Ptolomeu foi recebido pelas tropas e, alçado numa liteira real, denunciou a César e a mim com uma linguagem tão causticante que o espião gaguejou quando teve de nos contar, "O – palavra inadequada para ser repetida – César tirânico, sem princípios, ganancioso, e sua puta, a – mais uma palavra inadequada – inundada de prazer, insaciável Cleópatra devem ser destruídos, e os malévolos – mais uma palavra proibida – e glutões romanos devem ser detidos enquanto querem nos devorar", foram as palavras do rei.

– Vejo que Teódoto ensinou um vocabulário extensivo ao seu pupilo – disse César. Depois riu, e o mensageiro respirou aliviado.

– Estou enojada! – eu gritei. Toda aquela encenação de cortar o coração sobre lealdade que ele desempenhou naquela manhã mesmo... nojento!

– Agora compreende por que há aqueles que, da mesma maneira, questionam sua lealdade a mim – disse César. – Sinto dizer, mas, por gerações, os Ptolomeu ganharam a reputação de traiçoeiros. Seu irmão é um exemplo clássico de sua linhagem – e falou baixinho em meu ouvido – mas aqueles que questionam não sabem o que eu sei de você. Como poderiam?

Ele pôs seu braço por trás de mim e me deu um beliscão perto dos quadris. Fico envergonhada de lembrar como aquilo me excitou, despertando as lembranças das longas noites com ele e provocando ansiedade pela noite por vir. O sol já tinha se posto. Ptolomeu estaria certo quando me descreveu como inundada de prazer e insaciável?

O propósito de César fora cumprido. Ptolomeu seria destruído, separado de nós, que por fim prevaleceríamos. Se ele não o tivesse mandado embora, Ptolomeu teria continuado no trono comigo depois que a guerra acabasse, tomando a vitória de César para si mesmo. Talvez Ptolomeu não tivesse sido tão desleal quando implorou para não ser enviado; antecipou o que o seu destino miserável seria.

A guerra alcançara seu auge e fim. Mitridates de Pérgamo, o aliado de César, chegou aos portões de Pelúsio, na fronteira mais ao Leste do Egito. Invadiu e dominou a cidade e depois continuou marchando pelo Egito para se juntar a César. Mas Pelúsio era muito longe de Alexandria, e Mitridates precisou marchar diagonalmente, atravessando o Delta até chegar ao local perto de Mênfis, onde o Nilo é um só rio, para poder atravessá-lo e seguir para Alexandria. Ptolomeu e Arsínoe tentaram interceptá-lo e marcharam até lá, para detê-lo antes que se juntasse a César.

César manteve-se informado de tudo por meio de uma corrente constante de mensageiros. Jamais esquecerei sua figura parada no terraço no topo do palácio, de olhos fixos na enseada do porto enquanto fazia seus planos. Seus olhos procuravam o horizonte, como se estivesse esperando um navio, mas era apenas sua maneira de se pôr a pensar. Os olhos de outros homens ficam nublados e sonhadores quando estão pensando sozinhos, mas os de César eram concentrados como os de uma águia.

– Quando o sol se puser – ele disse, resoluto – então irei.

– Como? – perguntei. – Aprendi que ele sempre tinha um plano. E era sempre um que eu não podia adivinhar. – Parte das tropas de Ptolomeu estão vigiando e bloqueando a saída da cidade. Querem você preso aqui dentro.

– Não temos os navios? Não retive o poder naval, enquanto destruí o deles? – ele sorriu, calmo. Hoje, ao anoitecer, deixarei a enseada e navegarei para o Leste, completamente à vista do inimigo. Vão esperar que eu desembarque em uma das bocas do Nilo. E quando a escuridão cair, viro a frota. Navegaremos para Oeste e atracaremos do outro lado de Alexandria, no deserto. Depois, marcharemos para o Sul, circulando as forças de Ptolomeu, e nos ligaremos a Mitridates.

Ele sacudiu a cabeça. Era tão simples – para ele.

E foi exatamente o que se passou. Ouvi os detalhes dos mensageiros e dos soldados que relataram cada combate. Ptolomeu levou suas forças em navios remendados através do Nilo e construiu um forte numa parte mais alta, acima dos pântanos. César se aproximou, para surpresa e choque dos egípcios, que mandaram uma cavalaria para detê-lo. Mas os legionários atravessaram o rio usando pontes improvisadas e os enxotaram de volta para o forte. No dia seguinte, as forças de César atacaram o forte, ao deduzir que a parte mais alta era a mais indefesa, por ser o ponto naturalmente mais seguro. Invadiram-no, e os egípcios, num pânico para escapar, pularam os muros e foram para o rio. A primeira leva caiu nas trincheiras e foi pisoteada até a morte pela segunda leva, que vinha atrás deles, na pressa de alcançar os pequenos barcos e tentar remar entre o junco e o papiro. Os barcos não foram feitos para acomodar tantos, e afundaram. Ptolomeu estava num deles; quando o barco virou, ele desapareceu entre o junco.

Os rebeldes se renderam. Arsínoe foi trazida para César, suas mãos atadas nas costas, descalça, com o vestido coberto de lodo do pântano. Ela cuspiu em seu rosto antes de ser amarrada e levada embora.

– Encontrem Ptolomeu! – ordenou César. – Onde foi visto pela última vez?

Um dos soldados indicou uma parte escura e oleosa entre o junco. Os pássaros se agarravam aos caules que se moviam com o vento.

– Mergulhem! Tragam-me seu cadáver!

César sabia que se afogar no Nilo era considerado sagrado para Osíris e sabia também que um rei que desaparecesse misteriosamente teria o potencial de reaparecer anos mais tarde – na forma de um impostor.

Foi uma operação medonha. O pântano raso tinha muitas camadas de lodo fétido, onde viviam serpentes e crocodilos. De quando em vez, os homens voltavam à tona, para respirar, cobertos em matéria pútrida, de mãos vazias. Mas, finalmente, um deles voltou, carregando o corpo inerte de Ptolomeu, com os olhos abertos e água suja escorrendo da boca. Vestia um corselete de ouro puro, e seus ganchos brilhavam através do emaranhado de plantas que cobriam seu corpo.

– O peso o afogou – César disse, olhando para o cadáver. – O ouro o levou ao fundo.

– Mostre isso às tropas e ao povo. Deixem o povo ver com seus próprios olhos. O rei morreu. Não vai se levantar do Nilo para liderar ninguém.

César deixou o campo de batalha e, montado em seu cavalo, dirigiu-se sem demora para Alexandria com sua cavalaria. Estava escuro quando chegou; mas, do palácio, vi a multidão indo ao portão da cidade para recebê-lo. Mil velas longas tremulavam enquanto eles se moviam lentamente pelas ruas, vestidos em luto. Haviam sido derrotados; pela primeira vez, Alexandria caiu nas mãos de um conquistador.

Alexandria e o Egito estavam nas mãos de Roma: exatamente o destino que eu sempre vi como o pior infortúnio que poderia nos acontecer, o destino que eu jurei prevenir a qualquer custo. Agora estava esperando no palácio, ansiosa para receber seu conquistador, carregando no ventre um filho do general que se aproximava da cidade, que se submetia docemente a ele. Eu teria morrido de vergonha se esses fatos me fossem contados com essas palavras anos atrás. (De que valem os oráculos, então, se eles cobrem grandes eventos como este de nossos olhos vendados?) Mas o general, o conquistador, era Júlio César e, nestas duas palavras, neste nome, estava a razão da minha espera, feliz, para poder abraçá-lo. Era verdade, ele era um romano, formado naquela raça, com hábitos e maneira de pensar, mas era muito mais do que isso. Não seria apenas romano, mas cresceria para algo incomparavelmente maior, algo novo.

O povo de Alexandria recebeu-o de joelhos, inclinando-se, jazendo à frente do Grande Portão do Sol, colocando estátuas de Anúbis, Bastet, Sekmet e Tot nas ruas para se submeter à sua autoridade. Vestidos na cor azul de luto, com as barbas por fazer, descalços, jogando poeira em suas cabeças, os sábios da cidade gemiam em coro, "Piedade, ó filho de Amon! Submetemo-nos, ajoelhamo-nos e jazemos aos seus pés, conquistador máximo! Viva César, descendente de Aires e Afrodite, Deus encarnado, salvador do mundo!". Pude ouvir o som lamuriante de suas lamentações, finas, como a voz de um eunuco, subindo no ar.

Ouvi o gemido dos portões quando se abriram, e César entrou em seu cavalo, passando por fileiras de alexandrinos ajoelhados, pelas estátuas douradas dos deuses que agora o deixavam passar em silêncio através da rua destruída, iluminada por tochas até o palácio.

Ele entrou no salão de colunas onde as janelas deixavam entrar apenas o ar perfumado do jardim do palácio. Eu estava esperando, quase sem conseguir respirar. Abri meus braços e abracei-o.

– O Egito é seu – eu disse.

– Você é o Egito – ele disse. – Minha mais preciosa conquista.

14

César queria ver sua nova possessão, e eu queria mostrá-la em toda a sua extensão: o Egito de Alexandria a Assuã, mais de seiscentas milhas descendo o Nilo. Navegaríamos na barca real dos Ptolomeu. Com ela eu queria deixá-lo admirado; o conquistador de florestas e vales selvagens da Gália agora experimentaria as riquezas do oriente, antigo e legendário.

Tão grande como um navio de guerra, dedicada ao prazer e ao poder, a barca navegava no coração do Nilo. Tinha noventa metros de sua popa em forma de flor de lótus até a proa curvada, impelida por muitos bancos de remo. O convés continha salão de banquetes, cortes rodeadas por colunatas, santuários para os deuses e um jardim. As cabines e os corredores eram de cedro e cipreste, com as cores deslumbrantes de cornalina, lápis-lazuli e ouro. César embarcou e, então, como eu esperava, ficou parado olhando ao redor, deixando seus olhos passearem pela sala em ávida apreciação.

De repente senti uma apreensão. E se ele decidisse anexar o Egito no final das contas? Era seu por direito de armas. Não deu indicação de que desejava fazer isso, mas cada um dos países derrotados acabou como uma província romana. Será que era apenas a minha pessoa que o detinha? E será que esta viagem aguçaria seu apetite por meu país, em vez de abrandá-lo?

— Ah — ele finalmente disse, virando-se para mim — Roma de repente parece um lugar esquálido e mesquinho, com seus edifícios apertados e sombrios, até mesmo seu Fórum ordinário e limitado.

Notei de novo a faísca da avidez nos seus olhos.

— Temos muito que aprender com vocês.

Quando levantamos âncora e o navio real começou lentamente a percorrer seu caminho sob as velas de seda, Alexandria brilhava em sua brancura sob o sol de primavera, tão pura como as nuvens que passavam acima. A maior parte dos prédios não havia sido danificada, afinal: o Museion, o Serapion, a Biblioteca, todos eram visíveis do convés cerimonial. Mas o dano à cidade fora grande, e eu sabia que levaria anos para ela voltar à sua perfeição anterior. As pessoas no cais estavam vestidas em trajes gregos e gritavam em grego.

— Agora estamos saindo de Alexandria para entrar no Egito propriamente dito — eu disse, enquanto a cidade diminuía às nossas costas. — Vai ouvir cada vez menos grego. Mas não tem o que temer, porque falo egípcio.

— Temer? — ele indicou os quatrocentos navios menores que nos acompanhavam, carregados com seus soldados. — Não enquanto tiver meus legionários.

— Então sente-se nu sem os seus soldados? — brinquei.

— Como qualquer general — ele disse — mas em particular um general romano. Aprendi que, apesar de meus serviços para o Estado, seria recompensado com meu assassinato quando voltei da Gália não fosse pelos meus soldados.

— Fico feliz por tê-los trazido. O Egito precisa nos ver juntos para ficar sossegado. Precisam ver o poder do exército que impedirá qualquer outra guerra civil por aqui.

Enquanto navegávamos, lentamente, como era o costume numa procissão, lembrei da vez em que passara por esse caminho, numa aventura infantil com Mardian e Olímpio para as Pirâmides. Agora mostraria aqueles monumentos para o homem que amava. Mostraria com o orgulho de possuí-los.

O quarto real era tão grande e suntuoso como o que tínhamos em Alexandria. Havia uma cama quadrada, coberta com peles de leopardo, e cortinas de véus da mais fina seda para nos proteger dos insetos. Espalhados pelo quarto havia divãs decorados com marfim, banquetas de ébano dourado, bacias com pétalas de rosas e lâmpadas de óleo de alabastro. César e eu nos retirávamos para nosso aposento logo depois que o sol tingia a água do rio de dourado. Assistíamos à neblina noturna subir dos juncos às margens do rio e depois fechávamos a cortina de seda na escotilha quadrada da cabine.

— Meu mundo encolheu, sendo agora apenas esse cristal de luxo e prazer — ele disse, tirando as sandálias e esticando-se no divã.

— E aqui não é o mundo inteiro? — eu disse, sentando num banco ao seu lado. — Para os amantes não é o quarto deles o centro do mundo?

— O centro do mundo deles — concordou ele. — Mas quando os amantes são César e Cleópatra, a rainha do Egito, então o mundo se estende muito além dessas paredes.

— Você me chamou de rainha do Egito, mas para você não usou título nenhum. — tentei fazer minha voz soar tranqüila, mas sabia que a omissão queria dizer alguma coisa. — Com certeza há muitos que você pode escolher. Alguns já foram conferidos: Cônsul, general. Um deles você é: dono do mundo romano. E Amon.

Ele riu com gosto.

— Amon! Claro, vesti seu manto uma vez. E um milagre aconteceu — ele se inclinou e pôs a mão em meu ventre. — Deve ter sido obra do deus.

Cobri sua mão com a minha.

– Sabe que foi ele.

Eu tinha certeza que devia ser o desejo expresso dos deuses, porque, com todas as suas esposas e amantes, ele apenas teve uma única filha, e havia trinta anos, antes que eu tivesse nascido. Tão generosos nos benefícios que conferiam a César, os deuses tinham-lhe negado o presente de um herdeiro. Não era assim mesmo que agiam? Entregam o mundo aos pés de alguém para depois deixá-lo sem ninguém para herdá-lo? Foi assim também com Alexandre.

– Que nome daremos? – perguntei séria. Que significado teria o nome? Será que César o reconheceria como seu herdeiro? E o que significaria se ele o reconhecesse?

– Você pode escolher – disse César, tirando sua mão da minha e pousando-a em seu peito.

– Você quer dizer com isso que não haverá um reconhecimento romano oficial do filho... ou filha? Nenhum nome que o fizesse parte de uma família?

Seu rosto mostrou aflição.

– Não pode ser de outra maneira. Você não é minha esposa, e na lei romana um casamento estrangeiro não é válido ou reconhecido. Os filhos de tal união não têm qualquer condição social.

Fiquei perplexa. Era este o conquistador do mundo, o homem que quebrou todas as leis romanas, que golpeou de morte a República com seu exército e revelou a impotência do Senado?

– A lei romana? – perguntei. – E o que a lei romana significa para você?

Ele ficou alarmado e se estreitou no divã. Respirou fundo várias vezes enquanto se acalmava.

– Este é um pensamento que não deve ser pronunciado.

– É um pensamento que está na mente de todo mundo. Você fez tremer as fundações do mundo romano. Agora não há por que não reescrever suas leis como lhe convier.

Ele se levantou devagar, segurou meu rosto com suas mãos e me beijou demoradamente.

– Egito, Egito, és perigoso – ele murmurou. – Se ficar mais tempo, estou perdido. Deixei Roma um general e vou voltar...

– Um rei – eu sussurrei. Ele *devia* ser rei; o destino ditava.

– Eu ia dizer "Amon" – ele disse, com um sorriso.

Como o general conquistador que era, levantou-me em seus braços e me levou para a cama, afastou o véu que a rodeava e me deitou delicadamente sobre as peles de leopardo. Eram frescas e lisas, e eu me acomodei, esperando que ele se juntasse a mim e me abraçasse apertado. Como senti falta de seu toque nas últimas semanas, quando esteve ausente de corpo ou de mente durante a guerra que acumulava um problema atrás do outro. Compreendi com tristeza que tinha chegado ao ponto de precisar dele do mesmo jeito que precisava de descanso, de ar fresco e do perfume das rosas na minha janela. Sua presença era a personificação da alegria para mim. Do mesmo jeito que não poderia sobreviver sem descanso, ou ar fresco, ou sem o perfume das rosas – numa prisão – assim seria sem ele, sua ausência faria que qualquer lugar fosse uma prisão, não importando sua suntuosidade.

Quando fazíamos amor, era como se ele nunca tivesse tocado em outra mulher. Sabia que não era verdade e sempre que me deixava imaginar como e com quem fez seu aprendizado, o ciúme me corroía por dentro. Consolava-me com o pensamento de que juntos éramos um todo: ele meu primeiro amor, e eu, seu último. Assim tinha forças para lembrar de Pompéia, Calpúrnia, Servília e Múcia e... é claro, Cornélia, seu primeiro amor.

A escuridão tomou conta do quarto quando ele apagou as lâmpadas. Ouvi seus passos se aproximando. Depois, senti sua presença ao meu lado na noite tranqüila e silenciosa. E quando me abraçou com todo o seu corpo, tremi com a antecipação dos prazeres que ele me daria naquela noite.

Por muito tempo, ele não se moveu. Ficou respirando calmamente, seu peito subindo e descendo quase no mesmo ritmo da água se movendo por baixo de nós. Era espantosa a tranqüilidade que era capaz de manter dentro de si. Enquanto outros homens correriam e agarrariam, ele recuava. Comecei a me perguntar – será que ele caiu no sono? Será que seus pensamentos eram tão profundos que o levaram de novo para longe de mim? No momento que também comecei a me distanciar em meus pensamentos, senti que ele se moveu e virou-se para mim. Um braço se aproximou para tocar meu pescoço, enquanto ele se virou, inclinando-se no ombro oposto.

Sua mão – não tão calosa e áspera como eu imaginava ser a de um soldado – acariciou levemente meu pescoço, minha face, minha orelha. Afagava com as costas dos dedos a minha pele, como se precisasse sentir todos os contornos. Fechei os olhos e me deixei levar por seu toque de pluma, calmante e excitante ao mesmo tempo. Fez-me sentir como se fosse uma relíquia preciosa, uma gema trabalhada que fazia um colecionador tocá-la com reverência e grande respeito. Seu toque foi se firmando à medida que ele memorizava todas as curvas e cavidades do meu rosto e pescoço, como um cego, que vê apenas com seus dedos. Durante todo o tempo, não disse uma palavra. Finalmente, inclinou-se um pouco mais e me beijou, um beijo tão leve como seus toques. O beijo desencadeou em mim uma torrente de desejo, era como se ele me tivesse arrebatado; a promessa suave e provocante do que estaria por vir incendiou uma impaciência de desejo dentro de mim.

Então começou a tocar meus ombros, meus seios, meu ventre – tudo com uma lentidão deliberada, que começava a me torturar. Do lado de fora da janela, eu ouvia o burburinho do Nilo enquanto passava, líquido e prestativo. Minhas pernas começaram a se liberar, como uma das flores que flutuam no Nilo, e a se emaranhar nas dele. Suas pernas eram longas e musculosas, e eu amava sentir sua firmeza e maciez.

Eu estava usando um robe de seda da cor do céu alexandrino no crepúsculo; era um de meus trajes mais valiosos, porque a seda não era da ilha de Cós, mas de algum lugar além da Índia. Era transparente como a neblina da madrugada. Agora, pressionado contra o corpo de César, parecia existir apenas como uma camada de névoa sedosa, quase um lustre na pele em vez de um invólucro. Tinha esquecido que ele existia – embora nenhuma pele natural seja assim tão lustrosa e perfeita – até que ele desatou com destreza seus laços e me despiu.

– A pele da serpente precisa ser trocada – ele disse. – Venha para mim toda nova.

E me senti como se tivesse trocado de pele, ou uma outra parte de mim. O robe caiu no chão ao lado da cama, tão leve que não fez barulho.

– Agora, sua túnica – eu insisti. Já tinha caído dos seus ombros, e seu peito estava à vista. – Não é necessária. – E tirei sua túnica.

À nossa volta, uma brisa leve soprava e inflava o véu da cortina ao redor da cama.

– A Áurea da luz, ventos brincalhões nos enamoram – eu disse.

– A Áurea tem de partir – ele disse – não quero testemunhas para as nossas horas privadas.

Chutou uma das cortinas, e ela murchou.

– Então até os deuses lhe obedecem – eu disse.

Estava desesperada para que ele me possuísse, o desejo me fazendo tremer.

– Às vezes – ele disse, abraçando-me. Mas não parecia com pressa de fazer o resto. Diminuiu o ritmo, quando eu me apressaria. Até hoje fico grata por isso, porque agora me lembro de cada momento, por mais prolongado que fosse, e a cada fase eu me via como um homem sedento a quem é dada meia taça de água, assim água nenhuma seria melhor ou mais fresca. No fim, ele não me decepcionou.

– Do mesmo jeito que ganhar a Gália valeu todos os nove anos que levou para consegui-la, aprendi que há momentos que exigem rapidez e outros que pedem por um prolongamento do tempo – ele disse.

Suspirei; quase não conseguia falar.

– O prazer deveria ser sempre prolongado e a dor encurtada – eu disse, finalmente.

– Não importa que tempo tomaram em realidade, na memória parecem sempre se formar exatamente no oposto. Todos os prazeres são lembrados como ligeiros, passageiros e rasos, e toda dor, remanescente e prolongada. Mas juro a você que nunca vou esquecer esses dias aqui ao seu lado. Minha memória pode encurtá-los, mas nunca poderá apagá-los.

Pude sentir seus olhos me fitando no escuro. Ao mesmo tempo, senti uma presença profunda e escura passar acima de nós.

– Que palavras sombrias! – eu disse. – Deixei-o triste, agora!

Nervosamente, levantei da cama e procurei no escuro uma maneira de acender uma das lâmpadas de óleo.

– Vamos tomar um vinho temperado para nos alegrar.

Consegui acender a lâmpada, fazendo-a tremular na escuridão. Olhei para onde ele deitava, estirado nos lençóis, um deles cobrindo um de seus ombros. Ao seu redor a cortina de véu formava uma moldura.

Sob a luz fraca e trêmula, ele parecia uma estátua de bronze, e por um momento sua expressão solene me fez pensar que talvez tivesse sido transmutado em uma. Mas logo riu e estendeu a mão para pegar o vinho que eu servia numa taça de ônix de uma jarra decorada com pedras.

A barca real continuou seu caminho pelo Nilo e, do nosso pavilhão coberto no convés superior, olhamos os campos passarem – palmeiras eriçadas, casas de taipa com telhados planos, moinhos de água ruidosos e campos de um verde reluzente. Nossas velas se enchiam e murchavam; a cada vilarejo, o povo as via e corria até as margens para nos saudar quando passávamos.

– O país mais rico do mundo – disse César, protegendo os olhos contra o sol. – Milha após milha de verde brilhante, produzindo grãos para alimentar o mundo. – Seria admiração... ou cobiça na sua voz? Novamente, senti um pouco de temor. – A Itália parece infértil perto disso, com seus montes de pedra e pinhos pequenos e cerrados. E a Grécia... uma terra desolada e rochosa é o que a Grécia é. Não é à toa que os gregos precisam sair e viver noutros lugares.

– Mas o Egito é verde apenas perto do Nilo. Espere até chegar ao deserto. O Egito é só deserto – assegurei-lhe.

– É uma faixa longa de fertilidade – disse César, como se não tivesse me ouvido. – Mil quilômetros de jardim.

– Chegaremos às pirâmides amanhã – eu disse. – Então vou mostrar-lhe a Esfinge.

– Você já me mostrou a Esfinge – ele disse. – A Esfinge é você.

– Mas não sou um enigma! Tampouco impossível de conhecer – protestei.

– Será que a Esfinge tem consciência do que é? – ele indagou. – Você é muito mais enigmática do que imagina ser. Sei muito menos de você do que de qualquer pessoa com quem passei tantas horas.

– Mas estou lhe dizendo, não sou nenhum mistério!

– Ninguém é um mistério para si mesmo – disse César. – Mas o que você realmente quer, o que você realmente é... essas coisas continuam veladas para mim no que diz respeito a você.

Mas era tão simples! Como ele podia dizer isso? Queria estar com ele, ser amada por ele, tornar-me uma parceira numa união que seria, política?, militar?, matrimonial? Ó, Ísis, naquele momento percebi que não sabia o que realmente queria – ou melhor, que o que eu queria era totalmente novo; uma nova aliança – um novo país – talvez formado por Leste e Oeste, como Alexandre imaginara. Mas era uma visão que havia morrido com ele, qualquer que fosse. Se era para ser renascida, teria de ser reformulada para o nosso mundo, trezentos anos mais tarde.

– Você está com um ar tão solene – ele disse. – No que está pensando?

– Em Alexandre...

– Estranho. Eu também penso nele. Deve ser este país. Alguma coisa a ver com o Egito que traz à mente visões de Alexandre. Aqui ele foi ao oráculo e descobriu que era o filho de Amon.

– Enquanto você é Amon – eu disse, rindo.

Ele riu também.

– Então eu sou o pai de Alexandre!

– Não. Mas esta criança, de quem você é o pai, talvez seja... possa ser...

Ele imediatamente pôs o dedo sobre meus lábios e me interrompeu no meio da sentença.

– Não! Não diga isso! Você quer incitar a cólera de deuses invejosos? Não! – ele parecia irritado. – Fui até a tumba de Alexandre antes de viajarmos – ele disse. – Queria vê-lo. Muito tempo atrás, quando estava na Espanha, aos quarenta anos, deparei com a estátua de Alexandre. Dei-me conta de que quarenta anos depois de seu nascimento ele já estava morto havia sete! Havia conquistado o mundo conhecido e tinha morrido, e eu, sete anos mais velho, não tinha feito nada. Alguma coisa mudou em mim. Quando deixei a estátua, era um homem diferente. Agora, desta vez, quando me aproximei do homem de verdade, jazendo encaixado na sua armadura de ouro com o escudo ao seu lado, rígido na morte e irado com ela, percebi a raiva no seu rosto, fui capaz de dizer, "Fiz tudo o que queria fazer desde aquele dia na Espanha, a não ser uma coisa: completar suas conquistas".

Ele se virou e olhou para mim, com os olhos mostrando surpresa de ter dado palavras aos seus pensamentos.

– Sim? – eu disse, para encorajar-lhe a continuar. – Conte. Diga o que é que ainda quer.

– Conquistar a Pártia. E depois a Índia.

O ar ficou parado. As palavras flutuaram.

– Por Ísis! – exclamei.

– Pode ser. É possível.

Mas... *você tem cinqüenta e dois anos, o resto do exército de Pompeu ainda está solto, Roma está infestada de inimigos políticos, tem pouco dinheiro para financiar tal aventura ... Egito...* eu pensei. O império de Alexandre, renascido e mais extenso...

– Eu também procuro consolo na tumba de meu ancestral Alexandre – eu disse, cautelosamente. – Seu sangue corre nas minhas veias. E nas veias de nosso filho – fiz questão de lembrá-lo. – Mas seu sonho pode ser perigoso... demônios do deserto nos empurrando para a ruína.

– Não. Alexandre foi para o deserto e encontrou seu sonho – disse César, insistindo. – E se o sonho e a ruína estão interligados... não posso me dar ao luxo de desistir do sonho por medo da ruína.

Tive um calafrio, olhando para o horizonte e procurando o topo das pirâmides, os únicos monumentos que desafiavam a ruína. Certamente seus construtores sucumbiram – esquecemos sua história, a não ser pelos nomes, e os ladrões tinham roubado todos os tesouros e profanado suas múmias.

*   *   *

Era crepúsculo quando primeiro avistei, como pequenas cabeças de alfine-te, as pontas das pirâmides, muito além das margens verdejantes do Nilo. O sol se pondo tocava levemente suas pedras, que reluziam.

– Olhe! – gritei para César. – Lá estão elas.

César levantou-se para ver melhor e ficou parado, encostado no para-peito, por um longo tempo, enquanto o dia mergulhava na noite.

Ao primeiro clarão da aurora, levantamos âncora e partimos. Enquanto o disco de ouro pálido subia ao céu, vimos as pirâmides crescendo diante de nós. Quando finalmente atracamos, e os monumentos tomavam uma parte do horizonte, César tinha emudecido. Parado, ficou olhando. Depois, saiu, caminhando apressadamente pela trilha elevada que levava às pirâmides. Segui-o em minha liteira. Em circunstâncias normais eu não teria cami-nhado tão rápido como ele, quanto mais na minha condição presente.

Minha mente evocou as sombras dos antigos sacerdotes que acompa-nharam o trenó fúnebre do faraó; devem ter se sacudido, caminhando de-vagar, cantando, as nuvens de incenso cobrindo-os. Agora um romano fazia o mesmo caminho, seu manto brilhante esvoaçando ao vento.

Aos pés da pirâmide, desci da liteira e fiquei de pé ao seu lado. Ele ainda estava mudo. Precisava esticar a cabeça para trás até o limite para ver o topo. Peguei sua mão na minha e a apertei.

Ele ficou assim uma eternidade, como se tivesse sido vítima de um en-canto. Finalmente se moveu e começou a caminhar ao redor da pirâmide. Meus carregadores logo correram com a liteira, e eu segui, sacolejando no terreno íngreme de pedras. César continuou caminhando à minha frente, mais rapidamente do que eu jamais vira alguém andar sem chegar a correr. Era como se nos quisesse deixar para trás e ter as pirâmides todas para ele. Mandei meus carregadores pararem e me levarem para perto da Esfinge. Sabia que ele iria para lá, quando se saciasse das pirâmides. Sabia também que só viria quando estivesse pronto.

Um pavilhão foi construído para me proteger do sol enquanto eu esperava. O sol tinha subido no céu, e as sombras maravilhosas da Esfinge estavam desaparecendo. Olhei para o rosto melancólico da criatura. Se tivéssemos chegado na madrugada, teríamos visto seu rosto banhado pelos primeiros raios rosados e suaves, porque seu rosto fitava o Leste. Ela cumprimenta o

Re ascendente – há quantos anos? Ninguém sabia. Acreditamos que seja a coisa mais antiga na terra. Quem a construiu? Não sabemos. Por quê? Não sabemos. Será que é a guardiã das pirâmides? Será que as pirâmides foram construídas sob a proteção dela? Um mistério. A areia cobria suas patas, que a cada cem anos eram descobertas. Mas então o deserto soprava de novo, cobrindo-as novamente na sua cama macia e dourada. Descansando, mas não dormindo.

César apareceu de um canto, repentino como um trovão. Correu para o meu lado. Parecia excitado; em vez de cansá-lo, sua caminhada parecia tê-lo fortificado.

– Venha! – ele disse e agarrou minha mão. Levantei da minha cadeira desmontável.

O sol estava quente, queimando o topo da minha cabeça, fazendo-me sentir tonta. Desvencilhei minha mão.

– Devagar, eu lhe peço! Está muito quente para toda esta pressa, e as areias aqui são traiçoeiras!

Só então ele pareceu acordar de seu encanto.

– Claro – ele disse. – Perdoe-me.

Juntos caminhamos num ritmo normal até a Esfinge. Sua cor anterior fora mudada pelo sol do meio-dia e se transformara numa brancura rígida, e não havia qualquer sombra de piedade nos seus traços.

– Os lábios – César disse finalmente. – Não são maiores do que os de um homem deitado. E as orelhas, são maiores do que uma árvore!

– Ela é poderosa – eu disse. – Ela vai proteger o Egito, como tem feito por tempos incontáveis.

– No entanto, foi construída por seres humanos – disse César. – Não devemos nos esquecer disso. As pirâmides foram construídas tijolo por tijolo, mas mesmo assim por seres humanos.

– Mais acima no Nilo você verá outras maravilhas – eu disse. – Templos com colunas tão grossas e altas que parece impossível que tenham sido erguidas por seres humanos.

– Mesmo assim sabemos que foram seres humanos – ele disse. – Não há mistérios, nada é totalmente desconhecido, minha amada, apenas o que ainda foge à nossa compreensão.

Do abrigo de nosso pavilhão, ficamos olhando o dia passar pelos monumentos. O calor se intensificou ao meio-dia, e eu sentia a luz do sol lutando para entrar pelas costuras do toldo, procurando com dedos ávidos um vão. E quando conseguia penetrar, a areia onde tocava fervilhava. As pirâmides e a Esfinge radiavam no calor branco, ofuscante como uma miragem no meio de um céu puramente azul.

César se inclinou e as observou, tomando um pouco de vinho, deixando um dos servos abaná-lo com um pequeno abano militar intricado com latão. Não servia muito para mexer o ar parado e sobrecarregado de calor.

– Por que não usa um dos meus? – sugeri. Meus servos ficavam de pé com os abanos de pena de avestruz, fazendo grandes meio círculos que emitiam correntes de ar em todas as direções.

– Nunca – ele disse. – Até parecem decadentes. Quem usaria um abano desses?

– Quem está com calor – eu disse. – Quanto mais descermos o Nilo e chegarmos mais próximos da África, mais intenso ficará o calor. Aposto que você vai implorar por um dos meus abanos!

– Sabe como gosto de uma aposta – ele disse. – Sou um jogador. Aceito seu desafio.

– O que me dará se eu ganhar? – perguntei.

Ele pensou por um momento.

– Caso com você de acordo com os rituais do Egito – ele disse finalmente. – Você será minha esposa... em qualquer lugar a não ser em Roma. Porque...

– Sim, eu sei. A lei romana não reconhece casamentos estrangeiros.

Mas são os homens que fazem as leis; e as únicas coisas construídas pelos homens que até agora pareciam imutáveis eram as pirâmides.

O calor começou a abrandar; podia sentir suas garras esmorecerem. As cores da paisagem também começaram a mudar; o branco inflexível foi substituído por um tingimento da cor do mel no calcário, e este, por sua vez, transformou-se numa cor dourada e rica de âmbar, uma tonalidade tão doce que fazia o ouro parecer ofuscado na comparação. Atrás dos monumentos, o céu ficou de um tom suave de violeta azulado, com longos dedos de nuvens púrpuras se estirando para dar as boas-vindas ao sol poente. O sol pousaria atrás das pirâmides, iluminando-as por detrás por algum tempo.

O odor das pedras esfriando foi trazido com a brisa noturna que começou a soprar. Logo a escuridão tomaria conta de tudo; deveríamos voltar logo para a barca.

– Venha – eu disse, levantando-me.

– Não. Quero ficar – disse César. – Não vamos velejar à noite de qualquer maneira. A lua está quase cheia. Por que nos apressarmos daqui?

Porque... porque o deserto muda à noite, eu pensei.

– Está com medo? – ele perguntou baixinho.

– Não – tive de dizer. E não era medo, mas apreensão. Não queria dormir tão perto de monumentos para os mortos, da cidade dos mortos. Tradicionalmente, este lado do Nilo ficava deserto de qualquer criatura viva assim que o sol partia da terra a cada noite.

O pavilhão foi aumentado para nós, transformado numa tenda de verdade. Agora poderíamos nos deitar e estirar as pernas; havia almofadas e bebidas à mão. Mas depois que os servos prepararam tudo isso, César os mandou se retirar. Ficamos completamente sozinhos.

– Algo que nunca fizemos – ele disse. – Acostumamo-nos com a presença dos outros ao redor, mas há uma diferença em tudo.

César todo meu! César sozinho! Quantos não pagariam somas exorbitantes só para trocarem de lugar comigo? Haveria pedidos, súplicas, subornos... possivelmente até mesmo veneno ou uma adaga. Deve ter confiado plenamente em mim.

A única coisa que desejava dele era que deixasse as horas passar lenta e ininterruptamente entre nós.

A escuridão caiu repentinamente no deserto. Quase não se presenciou o crepúsculo. Num momento as pirâmides e a Esfinge estavam arredondadas, completas, emitindo uma luz própria, como se a tivessem armazenado durante o longo dia; no outro, desapareceram contra o céu.

– A lua está subindo – César disse. – Logo haverá luz suficiente.

Uma lua gigante, inflada, ascendia no horizonte. Sua face ainda estava pálida e da cor dos sonhos. Depois dispensaria as nuvens que a cobriam e encolheria, ficando mais brilhante ao mesmo tempo.

As areias eram de um azul esbranquiçado, e a lua estava tão cintilante que podíamos distinguir cada linha na nossa palma. Podíamos distinguir a fibra das cordas segurando nossa tenda. As pirâmides mostravam seu pico afiado, jogando sombras vastas nas areias atrás delas. Os buracos dos olhos da Esfinge eram como piscinas vazias e negras.

Tinha esfriado consideravelmente; enrolamo-nos em nossos mantos. Pude ouvir, não muito longe dali, os uivos de uma mantilha de hienas.

Pensei que conversaríamos, finalmente abrindo nossos corações e nossos íntimos. Em vez disso, o silêncio reinou. Devia ser mais de meia-noite quando César finalmente disse:

— Agora vi seis das sete maravilhas do mundo.

Como tinha viajado! E eu não tinha ido a lugar algum, não vira nada fora do Egito.

— Conte-me sobre elas — eu pedi.

— Não há necessidade de descrever o Farol de Alexandria — ele disse. — Mas as outras: o Colosso de Rodes caiu, mas ainda se pode ver os seus pedaços de bronze; o Grande Templo de Artemis em Éfeso é tão grande que se pode perder-se dentro dele; e não posso imaginar Zeus com outra aparência a não ser aquela da estátua em Olímpia. Mas a maravilha que ainda não vi e que estou determinado a conquistar são os Jardins Suspensos da Babilônia.

— Existem mesmo? — perguntei. — Alguém os viu durante essas centenas de anos?

— Alexandre os viu.

— Sempre Alexandre.

— Foi na Babilônia que ele morreu. Talvez sua última visão tenha sido a dos jardins, pela sua janela. De qualquer maneira, pretendo conquistar a Pártia e, quando dominar a Babilônia, minha recompensa será visitar o lugar sagrado onde Alexandre morreu e ver os Jardins Suspensos.

— Confia em mim o bastante para revelar suas intenções? Tem um plano para tal conquista, ou ainda não se formou?

— Venha — ele disse me levantando das almofadas. — Vamos caminhar um pouco.

Com cuidado ele arrumou o manto ao redor dos meus ombros.

Precisei apertar os olhos porque a luz era muito forte. Tudo sob a luz do luar tomava um ar diferente, frio e preciso contra o céu tingido.

— Estou sem ligação com o mundo de fora desde que cheguei ao Egito — ele disse. — De fato, a verdade é que deveria estar a caminho de Roma. Prolongo-me aqui por causa — sacudiu a cabeça — parece que estou submetido a um tipo de encanto.

Quando eu ri, ele disse:

— Se me conhecesse melhor, saberia como é fora do comum para mim passar minhas horas tão relaxado assim. O trabalho chama. A obrigação chama. Mesmo assim, aqui estou... numa noite no deserto com a rainha do

Egito, longe de Roma, e de meus inimigos, que sem dúvida se aproveitarão ao máximo disso.

– Então você tem de aproveitar ao máximo também. E espero que os monumentos estejam à altura.

Esperei que ele dissesse, *É muito mais do que os monumentos*, mas deu apenas um tipo de resmungo.

Senti que ele hesitou, depois tropeçou. Baixou a cabeça, caiu rígido de joelhos, antes de se prostrar, fazendo um ruído engasgado. Aconteceu tão rápido que não tive tempo de dizer uma palavra ou reagir. Ficou caído no chão, seus braços e pernas esgotados e duros como se ele estivesse na maior agonia. Mas ele não fez um ruído, a não pelo grito no início.

Cai de joelhos ao seu lado, desesperada. O que havia acontecido? Será que alguém estava escondido atrás de uma rocha e atirou uma adaga? Será que uma serpente deslizou de debaixo de uma pedra para atacá-lo? Será que foi envenenado por um inimigo secreto que teve acesso à sua comida durante o dia?

Com toda a minha força, empurrei seus ombros e o virei de frente. Estava mole como um... um morto. Seu rosto estava coberto de areia onde havia tocado o chão. Meu coração batia tão apressadamente que quase não conseguia pensar; fiquei confusa; somente quando toquei em seu peito, senti que ainda respirava.

– Pelos deuses! – eu gritei. – Salvem-no, salvem-no, o que fizeram com ele? – gemi como as hienas. Ele não podia morrer, não podia, não podia me abandonar. Era impossível que César morresse tão facilmente, tão de repente.

Ele gemeu e se mexeu. Senti seus braços adormecidos começarem a voltar à vida. Sua respiração era pesada e difícil. Limpei a areia de seus lábios e de seu nariz. Foi tudo o que pensei em fazer – um gesto inútil. Continuei limpando seu rosto, sua testa, seus ouvidos.

Finalmente, seus lábios se moveram, e ele murmurou.

– Agora você sabe.

– Sabe o quê?

– Que tenho... que fui acometido de... da doença da queda.

Ele fez grande esforço para se sentar, mas seus braços não o obedeciam.

– Começou... somente este ano. Nunca sei quando... vai atacar. Vejo um clarão de luz, ruídos... e depois a fraqueza e a queda.

– Vê alguma coisa no clarão de luz?

– Você quer dizer se os deuses falam comigo, é isso? Não. Ou se falam, me dão muito pouco tempo para ouvi-los antes que eu perca a consciência e quando acordo... não sei mais do que antes.

Não conseguiu falar mais; exauriu o pouco de forças que ainda tinha. Caiu num sono profundo imediatamente. Não havia nada que eu pudesse fazer a não ser me prostrar ao seu lado no meio do deserto prateado e vazio enquanto a lua olhava o general caído. Tirei meu manto e o cobri; e depois, com o frio me atacando, enfiei-me embaixo do manto e deitei-me tremendo ao seu lado.

Ainda estava escuro, embora a lua se escondesse atrás das pirâmides, formando triângulos enormes, quando César se mexeu e foi acometido de um violento ataque de tremedeira. Ele acordou por completo com o movimento, e eu fiquei aterrorizada. O que estava acontecendo? Era um segundo ataque, mais violento? Abracei-o com toda força, tentando fazer parar a tremedeira.

– Estou morrendo de frio – ele balbuciou. – Onde estou? – olhou para o céu, coberto de estrelas. Virou-se procurando as pedras que cortavam suas costas.

Não se lembrava de nada! Fiquei abismada. Ao mesmo tempo, parecia o mesmo de antes.

– Você teve um... ataque – eu disse. – Foi necessário descansar aqui mesmo. Venha, pode andar? A tenda tem um estrado, mais confortável do que esse chão duro.

Lentamente ele se sentou e depois ficou em pé. Suas pernas tremiam. Pôs um pé na frente do outro e começou a andar com dificuldade para a tenda.

Já dentro dela, deitou-se no estrado e, uma vez mais, caiu num sono profundo e imediato. Ouvi sua respiração suave e cada vez era como um pequeno milagre.

Vi as sombras se tornarem cada vez mais longas lá fora até desaparecerem e o céu clarear. Não dormi um instante.

O sol surgiu. A qualquer momento, os servos viriam para nos buscar. Não me atrevia a acordá-lo até que ele estivesse pronto, mas ao mesmo tempo não queria que ninguém o visse naquele estado e soubesse do que acontecera. Não venham! Implorei em meu pensamento. Sabia que o capitão da barca pretendia continuar a viagem muito cedo.

Meus pensamentos devem ter um poder especial, porque César acordou. Piscou um pouco com a luz brilhante que entrava na tenda e protegeu os olhos. Gemeu como um homem que tivesse bebido mais do que a conta na noite anterior – não mais do que isso.

– Sinto-me terrível – ele disse. – Sinto muito também por você ter de testemunhar isso.

– Quem melhor do que eu, então? – eu disse. – Mas tive medo... não esperava e não soube o que fazer.

– Não há nada a fazer – ele disse, e sua voz soava meio resignada e meio com repulsa. – Um dia bato com a cabeça numa pedra ou numa estátua de metal e será o fim. A areia do deserto é mais macia do que o mármore ou o bronze. Desta vez tive sorte.

– Já aconteceu durante uma... uma batalha? – Era uma doença terrível para um soldado.

– Não, ainda não.

Sacudiu a cabeça.

– Tenho de esconder a evidência antes que alguém chegue. Você tem água aqui?

Trouxe a jarra e derramei um pouco de água numa bacia.

– Aqui, deixe-me ajudá-lo.

Lavei a sujeira de seu rosto, revelando os machucados e os arranhões.

– Vamos fingir que tivemos uma briga – eu disse, tentando soar despreocupada.

– Saudações, grandes soberanos! – uma voz alegre ecoou lá fora.

Ele ficou quieto naquele dia, mas a única mudança evidente para alguém que o observasse era que ele se sentava mais do que de costume, olhando a paisagem de uma cadeira no pavilhão coberto, em vez de ficar de pé encostado ao corrimão. Uma vez, naquele dia, ele se virou para mim com tanta certeza nos olhos que soube que sua memória retornara e que ele estava grato pelo que fiz para ajudá-lo. Fiquei feliz de ele se lembrar. Agora compreenderia meu amor por ele.

Levou vinte dias para chegarmos a Tebas. Durante todo o caminho, as pessoas ficavam às margens do rio, se esforçando para avistar os faraós modernos que navegavam com pompa, seguidos de uma flotilha. O vento levantava nossos mantos, e dávamos um aceno real para o povo. César, completamente recuperado, apreciava tudo: a adulação, o desejo do povo por um deus. *Ísis!* Eles gritavam para mim enquanto passávamos. *Amon!* Saudavam César, e ele os permitia fazê-lo.

Depois de trinta e cinco dias chegamos à primeira catarata do Nilo, Assuã, o fim da nossa viagem. Aqui foi impossível arrastar a barca enorme por terra para evitar as rochas traiçoeiras do canal do rio, e tivemos que parar. César tinha visto o Egito de norte a sul, mas seus soldados estavam começando a ficar entediados e desconfortáveis com esta viagem cada vez mais ao sul, pelo que parecia uma estrada líquida infinita, para o coração da África. E o calor aumentava cada vez mais. Numa tarde, quando os raios de sol estavam especialmente inclementes, César pediu a um servo para abaná-lo com o abano de penas de avestruz.

– Concedo – ele disse com um sorriso. – Aqui sou derrotado. Aqui, na sua terra, com seu clima, admito que seus abanos são superiores.

Será que ele se lembrava de sua aposta? Devo lembrá-lo? Mas queria que significasse mais do que uma aposta.

– Mostre-me o templo de Filas – ele disse. – Prepare o sacerdote.

E foi assim que entrei pela primeira vez no templo que veio a significar mais do que qualquer outro para mim. Sua casa, Ísis, naquela ilha sagrada onde os rituais mais devotos são desempenhados e aonde peregrinos de todo o Egito e Núbia vêm para adorá-la. Ouvira dizer que era belo, mas não estava preparada para o que vi, sua pureza de mármore branco, como marfim, suas proporções perfeitas e as gravuras. Na ilha irmã, do outro lado, ficava o santuário de Osíris, e, como uma esposa fiel, a cada dez dias, você, em forma de estátua, atravessa a água para visitá-lo. Que lugar mais perfeito para um matrimônio do que aos seus pés? Sua estátua, banhada a ouro, foi testemunha quando César tomou minha mão e pronunciou as palavras que constituíam o matrimônio nos rituais de Ísis. Ele repetiu as palavras depois do sacerdote num murmúrio, em egípcio.

Depois disse:

– Não tenho a mínima idéia do que acabei de prometer.

– Prometeu se ligar a mim em casamento sob a honra de Ísis.

– Muito bem – ele disse indiferente. – César sempre mantém suas promessas.

Senti uma pontada de decepção e dor; ele agiu como se tivesse acabado de comprar um punhado de tâmaras num mercado e era o mesmo para ele se elas fossem comestíveis ou não. Era apenas um jogo para ele, ou uma coisa para satisfazer uma criança. Mas fez seus votos e houve testemunhas para a cerimônia.

Na nossa viagem de volta para Alexandria, foi anunciado formalmente em Tebas e Mênfis: O deus Amon, na sua encarnação de Júlio César, e a deusa Ísis, sua mulher, na encarnação da rainha Cleópatra, dariam ao mundo uma criança real e divina. Foi anunciado, porque minha gravidez era óbvia. Em Hermontis, foi iniciada a construção de uma maternidade para comemorar o nascimento real e deixar clara sua linhagem. O rosto de Amon tinha o mesmo semblante de César.

Ele se mostrou satisfeito, alegre até. Mas agora que era meu "marido", senti-me mais distante dele. Foi como se a cerimônia tivesse nos separado em vez de nos unir e nos deixou constrangidos na companhia um do outro. Acho que foi porque nenhum de nós realmente sabia o que significava, e tínhamos receio de perguntar um ao outro. Eu não queria ouvi-lo dizer, *Fiz por brincadeira, por ter perdido a aposta,* e ele não queria ouvir eu dizer, *Agora você deve anunciar isso em Roma e divorciar-se de Calpúrnia.* Enquanto nenhum de nós mencionasse nada, podíamos viver como antes.

Na viagem de volta, em vão esperei que ele dissesse que me amava e que me considerava de certa forma sua esposa. Ele foi divertido, alegre, descontraído. Foi um amante cheio de paixão, um ouvinte paciente. Mas nunca se referiu à breve cerimônia em Filas, e eu não me atrevia a fazê-lo, enquanto o barco se aproximava cada vez mais de Alexandria.

15

Paramos em Mênfis e ancoramos os navios na margem oposta aos muros brancos da cidade e dos bosques de sicômoros que estendiam suas sombras na avenida da procissão. Quando nos aproximamos da cidade e vi o ápice da pirâmide de degraus de Saqqarah, senti uma fisgada de opressão. Estávamos entrando novamente no mundo de política, comércio, guerras, alianças, deixando para trás o domínio dos deuses, dos templos, dos mistérios. A única luz momentânea de assuntos terrenos que entrou no nosso idílio foi o interesse de César pela cidade de Coptos durante a viagem de volta. Ele ficou curioso de saber mais sobre as rotas de comércio da Índia que passavam por lá. Quando mencionou a Índia, a faísca da cobiça uma vez mais iluminou seu rosto. Mas foi uma intrusão breve.

Agora, porém, Mênfis ficava na fronteira entre o mundo exterior e o nosso privado, um mundo que o tomaria para si de novo – disso eu sabia. Mal jogamos as âncoras e alinhamos os navios, um barco menor cheio de romanos se aproximou apressadamente na nossa direção.

– César! – gritou um oficial que reconheci, Rufio, que César deixou vigiando Alexandria. – César!

Nunca pronto a se esconder na cabine ou dispensar assuntos de negócios, César acenou para ele com entusiasmo. Quase odiei-o por isso; aparentava ser escravo da urgência de assuntos de outrem. (Desde então, sou acusada de ter o "vício do oriente" por não respeitar tempo ou mensageiros. Respeito – mas apenas na minha conveniência, e não na deles.) Rufio logo embarcou e César o cumprimentou como um irmão há muito perdido.

– César, como você está preto! – falou alto Rufio. – O sol o transformou num núbio? – ele olhou de canto para os abanos de avestruz com óbvia censura.

César riu e disse:

– Vi e passei por muitos quilômetros, mas César ainda sou, mesmo queimado de sol.

E depois a pergunta temida.

– Quais são as novas?

Rufio tirou um maço de papéis e mostrou a César, que empurrou-o para um lado e disse:

– Não. Conte você mesmo. É mais rápido. Alexandria?

– Em Alexandria, tudo calmo. Não há mais luta. Mas em Ponto – o rei Farnaces derrotou o seu general Calvínio, tomou a província romana e matou ou castrou todos os cidadãos e mercadores romanos. Ele pensa que pode se atrever a cometer tais atrocidades porque você está muito… distraído.

– Calvínio! Ele mandou sua trigésima sétima legião para nós... e ficou sem proteção.

O bom humor de César se esvaneceu.

– Ele precisa ser vingado.

– Vai ter um prato cheio de afrontas para se vingar, então.

Agora Rufio parecia se desculpar por ter de detalhá-las.

– Os relatórios que recebemos do Oeste de Alexandria contam que o resto das forças de Pompeu, incluindo seus filhos, estão se juntando ao longo da costa da África do Norte, negociando com o rei Juba de Numídia.

– A única questão então é em qual devo me empregar primeiro.

– Exatamente.

Só então Rufio tomou conhecimento da minha presença, parada ao lado de César.

– Saudações vossa Alteza mais nobre.

– Sempre me alegro em lhe ver, Rufio, mas suas notícias não são tão bem-vindas como a sua presença.

E era verdade, sempre gostei de Rufio. Era o filho de um ex-escravo, com um rosto largo como um sapo, mas mesmo assim agradável. Era um mistério para mim o que nos faz simpatizar com uma pessoa em particular entre outras.

– Será que o mundo nunca vai ser um lugar calmo? – gritou César, como se, por um instante, as tribulações constantes fossem demais até mesmo para ele. Deu a impressão de estar exausto, mesmo depois de seis semanas de descanso.

– Não vai demorar muito, meu querido – asseverei a ele. – Em pouco tempo, quando você voltar a Roma...

– Roma está uma desordem só – disse Rufio me interrompendo.

César se assustou.

– Venha, vamos para o nosso salão de audiências – ele disse. – Não são assuntos para ser tratados no meio de um convés.

Ele deu meia volta e assumiu que o seguiríamos. Desceu as escadas rematadas em ébano e entrou na grande sala no meio do navio, onde ele e eu conferíamos com o capitão, estudando mapas e manuscritos relacionados à nossa viagem e esporadicamente fazíamos reuniões com os oficiais romanos que nos acompanhavam. Ele se sentou no canto de uma mesa longa de cipreste polido, balançando uma perna.

– Agora, ele disse.

Puxei uma cadeira dourada e indiquei a Rufio para fazer o mesmo.

– Há cadeiras – eu disse para César. – Ou você já se encontra num campo de batalha?

Ele pegou uma cadeira e a puxou para a mesa.

– E Roma? – ele perguntou com sua voz baixa, cheia de ameaça e tensão, que eu quase esquecera nesta viagem.

– Está em desarranjo total – disse Rufio. – Não há um líder lá desde a sua visita curta há um ano e meio. Seu tenente Marco Antônio pode ser um homem bom de luta, mas, como substituto político, não é grande coisa.

Houve luta no Fórum, os homens de Antônio contra os comparsas de Dolabela, com oitocentos homens mortos. Houve também um motim de seus veteranos no interior da Itália. Estão dizendo que não receberam as recompensas que lhes foram prometidas.

– Algo mais? – perguntou César.

– Não – disse Rufio surpreso com a pergunta de César. Já não era suficiente?

– Estou no Egito há oito meses – disse César com calma. – Vim atrás de Pompeu e me envolvi numa outra guerra. Perdi um tempo valioso.

– Você ficou tão desligado de Roma que até dezembro ninguém lá sabia do seu paradeiro – disse Rufio, quase ralhando. – Alguns até pensaram que você estivesse morto.

– Morto, não estou – ele disse. – Mas, de certa maneira, enterrado.

Olhou ao redor para a sala ricamente decorada e fez um aceno de desdém com a mão.

– O Egito é como uma tumba gigante. Quem fica muito tempo aqui, acaba mumificado. Este país está cheio de homens mortos rodeados por monumentos à morte.

Não pude agüentar mais.

– E eu sou uma múmia? – gritei. – E Alexandria... a cidade mais moderna do mundo para o conhecimento, a beleza e a arte de viver... uma tumba?

Ele riu.

– Alexandria, como todo mundo sabe, não é o Egito. Mas mesmo ela parece removida da vida diária... talvez por ser tão opulenta, tão civilizada.

Sua missão havia sido cumprida aqui. Comigo. Com ela. Estava pronto para ir embora. Estava se agarrando à ponta da corda.

Naquela noite, em nosso quarto de dormir, ele estava pensativo, quase triste porque tinha chegado ao fim. Ficou olhando fixamente para sua taça, que inusitadamente enchera de vinho. Até bebeu uma taça cheia, e sua expressão rígida suavizar-se um pouco. Brincou com a base da taça, passando os dedos sobre as decorações em relevo.

– Muito tempo atrás contei a você que evitava o vinho porque incitava estranhos sintomas em mim. Agora, depois daquela noite no deserto, sabe o que são eles. Mas hoje não me importo.

Fiquei em pé e abracei-o pelas costas.

– O que vamos fazer? Quando... vai partir?

– Logo. Dentro de alguns dias.

– Alguns dias? Não vai poder ficar para o nascimento de nosso filho? Faltam apenas algumas semanas.

– Não posso esperar algumas semanas.

Sua voz soou tão resoluta que seria inútil fazer qualquer objeção.

– Compreendo.

Então eu ficaria sozinha para ter a criança. Mas não havia como discutir com César. Tentei ao máximo manter minha voz calma e não trair qualquer tremor de emoção. Não serviria de nada irritá-lo. *E a cerimônia em Filas?* Minha mente gritava. *O que significou para você? Alguma coisa?* Seria anunciado de alguma maneira?

– Tem mais uma coisa – ele disse, ainda tocando na base da taça com seus dedos.

– Sim? – meu coração se excitou.

– Deve se casar com Ptolomeu antes que eu parta. Não pode governar sozinha e deve estar devidamente casada.

– Sou devidamente casada! – gritei. Não consegui me controlar. – Já foi anunciado que este filho...

Ele riu condescendente.

– Isto foi num sentido divino e místico. Os alexandrinos são mais insensíveis e céticos. Riram com tal história. E de quem rimos, perdemos o respeito e o medo. Sem um marido, príncipes estrangeiros virão cortejar-lhe, e isso seria muito cansativo.

– Para mim ou para eles?

– Para você e para mim – ele disse. – Fico desejando que você ache a atenção deles um tédio, e para mim, eu os consideraria... perturbadores.

Levantou-se e pousou a taça na mesa. E finalmente me abraçou.

– Descobri que não posso suportar a idéia de você com um outro homem. Isso nunca aconteceu comigo antes. Desculpei o caso de Pompéia com Clódio e, francamente, não me importaria se Calpúrnia estivesse se divertindo com o próprio Cícero durante a minha ausência. Mas você... nenhum príncipe sírio para você. Eu não suportaria.

– Então devo esperar, preservada, por você... como as múmias que você viu abundar no Egito?

– Vou mandar buscá-la para Roma assim que for seguro.

– O que pode levar anos!

A terrível realidade que se desenrolava à minha frente de repente ficou clara para mim. Ao me ligar a César, estava me tornando uma múmia, com todos os prazeres da vida proibidos, sem uma promessa de qualquer reconhecimento a não ser como sua amante.

— A vida que você me oferece não é vida nenhuma.

— Confie em mim. Em pouco tempo, as coisas serão diferentes.

Num homem comum, seu tom de voz seria o de implorar. Mas será que César poderia implorar?

— Como poderão ser? As leis de Roma são o que são, e sua natureza é a que é.

— Confie em mim — ele disse, e dessa vez seu tom era realmente de alguém implorando. — Nunca encontrei uma pessoa como você, nunca encontrei a minha outra metade numa mulher. Você tem meu espírito, minha audácia, minha natureza de jogador, minha sede de aventura. Espere e verá o que posso cumprir.

— Espere e verá — murmurei. — E se nada acontecer?

— Se for humanamente possível construir um futuro para nós e nosso filho, eu o farei — ele prometeu. — Mas preciso primeiro saber que você estará me esperando e que confia em mim.

— Não tenho escolha — eu disse finalmente. — Meu coração deseja assim, embora minha cabeça aconselhe o contrário.

— Porque você é jovem, os dois estão equilibrados. Na minha idade, é de se admirar que o coração até fale.

Em dois dias estávamos de volta a Alexandria. A distância, parecia perfeita como sempre, mas depois que desembarcamos e fomos transportados em liteiras através da cidade, pude ver a pilha de destroços e a madeira queimada que se acumulava nas ruas. Havia muito o que consertar. A guerra havia sido um negócio caro — mas se esse era o preço de me manter no trono, então que fosse.

Quando entramos no palácio, fiquei consciente de olhares que não eram apenas de boas-vindas. Durante a viagem, minha gravidez avançara para a fase de ser claramente notada. Teríamos de fazer o anúncio sobre Amon imediatamente. Ou não fazer qualquer anúncio? César tinha razão; uma declaração desse tipo só causaria galhofa entre os alexandrinos. Minha cidade era conhecida como um lugar onde o amor e o prazer misturavam a sofisticação dos gregos com a indulgência sensual do oriente; saberiam bem de onde saiu esta criança. Corei ao pensar que até a imaginação deles talvez não chegasse aos verdadeiros atos. Quem acreditaria que um velho soldado romano, tão austero em todos seus outros apetites carnais, seria tão imaginativo e vigoroso no seu comportamento sexual? Por outro lado, *imaginativo* e *vigoroso* eram as duas palavras que melhor descreviam suas proezas no campo militar também.

Mesmo detestando deixar nosso mundo privado do navio, fiquei muito alegre de ver Mardian e Olímpio à frente dos oficiais esperando para nos receber. E quando entrei nos meus aposentos, Charmian e Iras estavam lá.

– Minha Charmian! Minha Iras! – Abri meus braços para recebê-las.

– Alteza! Bem-vinda! Olhe! Estamos preparadas! As mercadorias voltaram a chegar ao Egito, agora que a guerra acabou. Temos novas cortinas de seda para a cama, incenso fresco da Arábia; o vinho ótimo de Cécubo; e as rosas de Cirenia – tanto vermelhas como brancas.

Senti o perfume distinto das rosas, docemente penetrante. Dois vasos grandes de vidro estavam arrumados com elas.

– Estamos tão felizes com a sua volta – elas disseram.

– O que prepararam para os aposentos de César? – perguntei.

– Arrumamos uma mesa de trabalho – Charmian disse. – Há uma montanha de documentos que chegaram para ele.

Suspirei. Ele não notaria ou se importaria com as novas sedas na cama ou as rosas. Somente os documentos.

– Com certeza, há documentos para mim também – eu disse.

– Muito menos – disseram. Iras indicou uma mesa com uma pequena pirâmide deles.

Era verdade, eu não governava o mundo, apenas um país. E nessa viagem tive a oportunidade de ver as preocupações dele com meus próprios olhos. Os problemas do Egito eram os mesmos que sempre foram desde os mais antigos faraós: a colheita, os impostos, os soldados. Era o mundo de César que se movia, e não o meu.

– Ele agradece seus esforços – eu disse. Senti um cansaço, e sentei-me na cadeira de madeira cítrica.

– Sua condição...? – elas procuravam as palavras certas para dizer.

– Não tive problemas, a não ser que agora fico cansada com facilidade. A viagem foi tranqüila para mim – disse.

– E quando é...?

Se minhas próprias camareiras ficavam constrangidas de falar sobre o assunto, como agiria o resto de Alexandria?

– Não tenho certeza – eu disse. – Vou pedir a Olímpio para fazer os cálculos. Acho que um mês, talvez um pouco mais. César não vai poder ficar.

Precisei contar logo para que não fosse mal interpretado. Mas o jeito de olharem dizia tudo. Censura. Fiquei numa posição de ter de defender sua decisão – para mim e para elas.

– São assuntos urgentes... – comecei, mas minha voz não continuou. Não era convincente.

– É a desvantagem de se amar o dono do mundo – disse, finalmente. – Não somos tão importantes para ele como desejamos ser.

Era a verdade pura e simples. Eu era uma rainha, descendente de uma casa real nobre, e meu país era o mais rico do mundo. Mas ele não precisava me lembrar de que, quando nos conhecemos, eu estava reduzida a viver numa tenda. Sem ele, ainda estaria lá – ou morta. Ele poderia ter transformado o Egito numa província romana depois que Alexandria se rendeu, como cada país no Mediterrâneo depois de uma derrota: Grécia, Síria, Judéia, Espanha, Cártago. O fato de que me deixou no trono e passou semanas preciosas na nossa viagem pelo Nilo mostrou sua afeição pessoal por mim. Mais do que isso, eu não teria.

Agora pertencíamos ao mundo de novo, e nossa privacidade se fora. César leu os relatos detalhados da insurreição em Ponto, do agrupamento dos malcontentes na África, do turbilhão em Roma, e recebeu uma corrente de mensageiros com as informações mais atuais.

Ele sacudia a cabeça no meio da noite cada vez que acabava de ler um relatório, pondo no seu lado esquerdo. Lá fora, as ondas na enseada interior dançavam sob a luz do luar. Era uma noite suave; a brisa fazia tremular a luz dos lampiões. Provavelmente pela cidade as pessoas estariam bebendo vinho doce, ouvindo música suave, reunindo-se para as *symposia,* lendo ou fazendo amor. Era o que fazia a fama de Alexandria: os prazeres da mente e do corpo. César trabalhou durante horas, parando apenas para sacudir a cabeça ou esticar seus braços de vez em quando.

Era quase meia-noite quando ele murmurou:

– Isso é tudo.

A pilha de papéis do seu lado direito tinha sido transferida para o esquerdo.

– Então, para onde decidiu ir primeiro? – perguntei, calmamente.

– Ponto – ele disse. – Não posso voltar para Roma deixando um inimigo às minhas costas. O Leste precisa ser garantido.

– Mas você já está na África – eu disse. Os rebeldes romanos estavam muito mais perto.

– Sempre dou cabo de rebeliões desagradáveis antes de dar a atenção aos assuntos mais importantes – ele disse. – Foi assim que reduzi a Espanha antes de perseguir Pompeu. Parecia que eu estava indo na direção errada, mas era intencional. Agora devo ir a Ponto primeiro, antes de voltar para cá. São mais de dois mil e quinhentos quilômetros na direção oposta.

Ele se levantou e foi ao terraço no topo do palácio. Segui-o e fiquei ao seu lado, olhando para o farol cuspindo chamas e fumaça. Ainda possuía o poder de me encantar e me encher de orgulho toda vez que olhava para ele.

– Vai embarcar deste porto – eu disse, afirmando o óbvio. – Quando?

– Em poucos dias – ele disse. – Decidi deixar aqui três legiões para protegê-la, sob o comando de Rufio. Não haverá um outro Potino.

– Mas... você ficará com apenas uma legião para enfrentar Ponto!

Não permitiria que ele se arriscasse tanto. Melhor eu me arriscar aqui.

– Sim, a sexta – ele disse.

– Mas não é suficiente!

– Vai ter de ser.

– Não, de novo não! Aconteceu uma vez em Alexandria quando esteve sem poder suficiente de homens. Não repita isso! – e então lembrei de outra coisa. – A sexta legião nem mesmo está pronta! São apenas mil homens... nem mesmo um quarto de sua capacidade total!

– Sim, sei disso.

– Está exigindo demais da sua sorte! – eu gritei. – Acho que quer forçar a deusa da fortuna a abandoná-lo. É insano levar apenas mil homens!

– É assunto meu! – ele começou a mostrar-se irritado.

– Não, agora é assunto meu também! – e toquei meu ventre.

– Minhas campanhas militares são assunto meu – ele repetiu.

– Por que está arriscando o destino tanto assim? – implorei. – Por que acha que está imune à derrota e ao infortúnio?

Senti minha voz aumentando de volume, impelida pelo temor.

– Acho que o destino nos salva – alguns de nós – por muito tempo, para nos induzir a uma armadilha e nos prender. Aqueles que ele salva por mais tempo talvez terão o fim mais cruel de todos.

– Neste caso, não há nada que eu possa fazer para evitá-lo – ele disse. – O destino vai fazer o que quiser, leve eu uma legião ou vinte.

– Sim, e não.

Sabia que o destino desejava o contrário, vinte legiões não o protegeriam, mas às vezes o destino não se importa de uma maneira ou de outra e, neste caso, ele estaria melhor com um pouco de preparação humana.

– Você está confusa – ele disse, abraçando-me. – Acho que é o cansaço que faz você falar assim. Venha, vamos descansar.

Delicadamente, segurou meus ombros e me virou.

Deitada com ele no escuro, não acreditei que logo partiria para mais um campo de batalha. Ele fez-me sentir muito segura. Naquele instante.

Antes de cair no sono, ele disse baixinho:

– Creio que é melhor se preparar para a cerimônia com Ptolomeu.

O sacerdote esperava na pequena sala adjacente ao salão de banquetes que César tinha organizado para os votos serem trocados. Ptolomeu, com doze anos de idade, ficou de pé, obediente e pronto para cooperar. Era o último de meus irmãos e irmãs; todos os outros acabaram em morte violenta tentando tomar posse do trono, a não ser por Arsínoe, que sobrevivia na prisão. César planejava mandá-la para Roma para mostrá-la nas ruas no seu Triunfo. Na época não dei muita atenção a isso. Mas agora...

Ptolomeu era um menino agradável, de bom coração. Parecia não possuir a perfídia e a ferocidade dos outros; talvez tenham sido evaporadas pelo medo.

– Grande César – ele disse – minha querida irmã, fico contente em obedecer a tudo! – Ele passou os dedos pela sua corrente de cornalina e lápis-lazúli.

– Venha aqui – disse César, indicando um mosaico de um hipopótamo. Ptolomeu correu para o outro lado da sala para onde foi indicado.

– E você, aqui – ele disse para mim, indicando o mosaico de um crocodilo. A decoração inteira fazia parte de uma cena do Nilo, que incluía peixes, pássaros, flores e barcos. Fiquei parada em cima do focinho do crocodilo.

Olímpio, Mardian, Rufio, Charmian e Iras eram as testemunhas. O sacerdote de Serápis pronunciou as poucas palavras que repetimos, e o fato foi consumado. Ptolomeu XIV e Cleópatra VII, o deus, que ama a irmã e o pai, e a deusa, que ama o irmão e o pai, foram unidos como soberanos do Alto e Baixo Egito. César estava exultante e pronunciou uma bênção romana. Depois, voltamo-nos para a mesa de banquete que estava preparada, à nossa espera.

A última noite de César tinha chegado. Na manhã seguinte ele partiria do porto com seus navios e mil legionários.

– Vou com grande hesitação – ele disse. – Não pode imaginar o quanto.

– Sua longa estada aqui manteve muitas línguas ativas por todo canto – admiti. – Que prova melhor teria de que você queria ficar?

– Levo comigo muitas idéias para serem transplantadas em Roma. Vejo agora como uma cidade deve ser. Agradeço a você por isso.

– O que quer dizer? O que vai mudar em Roma?

– Roma é um lugar muito primitivo – ele disse. – Vai ver quando vier. E mudou rápido de assunto.

– Mas agora vi as ruas de mármore largas, os prédios públicos, a Biblioteca... gostaria de copiá-los. E seu calendário é superior ao nosso. Certamente vou mudar isso quando...

– Quando as guerras acabarem – terminei a frase por ele. – Mais uma razão para não atentar o destino, mas em vez disso ajudá-lo.

– Vou levantar reforços quando chegar na Síria – ele disse. – Você tem razão.

Fiquei olhando os navios de guerra velejarem para fora da enseada e se perderem no horizonte. Ficaram cada vez menores e depois desapareceram. Senti como se a vida partisse de mim. Conheci-o por tão pouco tempo, mas, nesse curto intervalo de tempo, meu mundo mudou para sempre – como tudo o que ele tocava. Nem a Gália nem Roma jamais seriam o que eram antes de ele aparecer. Não havia retorno; César refizera o mundo.

AQUI TERMINA O PRIMEIRO PERGAMINHO

Ele havia partido. Olhei ao redor, como se estivesse acordando de um sonho. Pelo que parecia a primeira vez desde que deixei Alexandria, para comparecer à cerimônia do endossamento do touro em Hermontis, vi o palácio e a cidade pelo que eram, embora com os olhos de uma adulta. Dois anos se passaram. Naquela época eu sabia pouco ou nada sobre o que era governar e menos ainda sobre o que existia além de nossas fronteiras. A sorte foi minha companheira – César e eu parecíamos compartilhar dela. Mas agora precisava mais do que sorte. Tinha de governar sozinha o que fora antes uma grande nação e precisava curar suas feridas.

Pelo menos agora, pensei, todos os meus esforços podem ser dirigidos para o Egito e não desperdiçados em guerras civis ou intrigas palacianas. Foi-me dado o livre comando, mas, se eu falhar, não tenho ninguém a quem culpar. Rufio e suas legiões me assegurariam o direito de agir livremente. Era o presente maior que César tinha me dado. Quero dizer, maior depois do filho que eu carregava no ventre.

Fui inspecionar imediatamente a área do palácio, levando Mardian e Charmian comigo. Durante minha viagem pelo Nilo, Mardian cuidadosamente averiguara os danos aos prédios e aos jardins e, agora, agia como um guia nessa caminhada desoladora.

— Foi aqui – perdão, Alteza – que os soldados acamparam, destruindo as plantas.

E apontou para uma área onde antes havia grama e arbustos floridos. Cheirava mal.

— Estou vendo que deixaram fertilizante suficiente para assegurar o crescimento de novas plantas – eu disse. – Até mesmo as plantas mais delicadas terão suas necessidades providenciadas por anos e anos.

O templo de Ísis, na parte mais distante da península, parecia ter sofrido poucos danos, talvez porque estivesse fora do alcance de pedras e projéteis lançados pelo povo por cima dos muros do palácio. Quanto mais perto do muro, mais destruição encontrávamos. Os estábulos, os armazéns, os banhos, as cisternas, tudo aparentava algum estrago – uma parede rachada ou quebrada, um telhado queimado. Umas das minhas árvores prediletas, um sicômoro gigante em que brinquei quando criança, fora reduzida às cinzas.

Virando-me para olhar o edifício principal, notei manchas horríveis deixadas por tochas jogadas nas paredes. Meu belo palácio branco à beira-mar! Gemi de tristeza.

– Será restaurado assim que ordenar, Alteza – disse Mardian.

Fiquei admirada com o inventário que ele preparara. Agora o deixaria responsável pelas restaurações.

– Alteza, acho que você está se cansando demais – disse Charmian, com sua voz doce e rouca. – Deixe o resto de Alexandria para amanhã.

– Tem razão. Vou a Alexandria amanhã para rezar no grande templo de Ísis. Quero dizer, se ainda estiver de pé.

– Pode ficar sossegada, ele está – disse Mardian. – Uma ou duas colunas foram danificadas, mas a não ser por isso... está em ordem.

– Quero entregar tudo nas mãos dela, porque vou precisar de ajuda na hora do parto.

Senti um pouco de tontura. Segurei-me em Charmian.

– Esta noite – eu disse, sentindo a fraqueza. – Acho que quero consultar Olímpio.

Esperei por ele no meu quarto mais privado. Olhando ao redor, para as mesinhas de mármore, as mesas de três pernas que serviam para acomodar as lâmpadas e os pequenos divãs para os pés, senti que cada objeto trazia as marcas de César de uma maneira ou de outra. Ou César perguntara com curiosidade sobre um móvel aqui, sentara-se num outro ali, ou feito uso de outro. É assim que objetos inanimados incorporam a essência de quem vive e, mais tarde, vêm causar dor ou prazer apenas ao se olhar para eles.

Estava sentada numa das poucas cadeiras com encosto, e meus pés descansavam num divã. Sentia-me cansada e desajeitada. Estranho que, quando estava com César, não prestara atenção para as mudanças no meu corpo, mas agora não tinha como ignorá-las.

Sei que Olímpio me repreenderia. Ele tinha o direito, como um amigo de infância e alguém de uma honestidade constante. E decerto, quando entrou no quarto, seu rosto magro de águia franziu ao me ver.

— Saudações – ele disse. E logo depois: – Esta é toda a claridade que temos? Indicou a luminária de chão com cinco pavios.

— Podemos acender mais – sugeri. Havia muitas outras luminárias nas mesas, repletas de óleo, prontas para ser usadas. – Não tinha certeza do que você precisava ver.

— Posso ver bem o fato principal! – disse, olhando diretamente para minha barriga.

— Minha querida Cleópatra... por que fez isso? Ensinei-lhe como prevenir! O que aconteceu com o *silphion*? Deveria ter feito o suco cirenaico para evitar isso.

— Carreguei comigo, mas era impossível preparar qualquer coisa enrolada num tapete!

— Deve ter tido tempo depois! Com certeza não saiu do tapete direto para a cama dele.

Esperou que eu negasse. Quando não neguei, ele ficou chocado. Não era fácil chocar Olímpio, e, mesmo quando se chocava, ele sabia bem esconder. Deu um gemido de desaprovação.

— Não estou esperando sua compreensão. Não contei com sua aprovação desde o princípio.

Ele deu um grunhido.

— Mesmo assim, depois da primeira vez... depois do tapete... deveria ter tomado as medidas necessárias! Ainda não teria sido tarde! Afinal de contas, ele não é Zeus, que precisa visitar uma mulher terrena apenas uma vez para ela conceber!

Não consegui suprimir o riso.

— Não estou esperando que você compreenda minha decisão. Basta saber que estou contente com o que aconteceu; melhor ainda, estou *feliz* com o que aconteceu. Não foi nada como imaginei na tenda em Gaza. Não. Foi uma coisa completamente diferente, uma coisa...

Olímpio deu mais um grunhido.

— Pode me poupar de todo esse sentimentalismo. Está me deixando enjoado.

— O fato é que você não gosta dele.

— Não gosto e nunca vou gostar.

– Isso é o que chamo de honestidade.

– Fico feliz que aprecie. Agora, vamos aos seus problemas... o que deseja saber? Ao que me parece, não precisa de meus conselhos ou meus remédios!

– Você estudou com os mais renomados médicos em Alexandria, e seu treinamento foi impecável. Saberia antes da hora quando posso esperar dar à luz?

– Não. Apenas com alguns dias de antecedência. Há muita variação.

Aproximou-se e pôs a mão delicadamente no meu ventre, apalpando ao redor e dos lados.

– Quando foi a primeira vez que sentiu um movimento? Geralmente calcula-se mais ou menos cento e cinqüenta dias depois disso.

Disso eu me lembrava muito bem. Foi quando uma pedra enorme foi jogada para dentro do palácio e fez um barulho explosivo ao cair dentro de um poço. Minha barriga se moveu, e pensei que tivesse sido em resposta ao ruído. Mas, quando senti de novo, algumas horas depois, num momento de calma, sabia que era outra coisa. E isso foi um pouco antes de ouvir que Mitridates estava nas fronteiras Leste do nosso país.

– No fim de fevereiro – eu disse.

– Então vai chegar no fim de Quintilis, no próximo mês.

– Quintilis! É o mês de aniversário de César! É um bom presságio!

Olímpio não parecia contente.

– Sem dúvida, o grande general ficará muito honrado – ele disse.

– Ele já está muito honrado – respondi.

Olímpio não poderia sequer imaginar o prazer de César.

– Então quer dizer que tenho mais uns cinqüenta dias? Isto nos dá bastante tempo para nos prepararmos. Você poderia conseguir parteiras experientes para mim? Não quero velhas supersticiosas, quero mulheres novas que tenham sido muito bem treinadas.

– E as suas camareiras?

– Estarão comigo, é claro, mas quero outras que tenham experiência presentes. Afinal de contas, Charmian e Iras são virgens.

Ele rolou os olhos.

– Charmian não me parece muito virginal. Com aquela voz... faria até Helena de Tróia soar como um ralho em comparação.

Sim, a voz dela era cheia de insinuação de sabedoria de coisas entre homem e mulher.

— Isto é verdade, mas ela ainda é virgem.

— Não vai ser por muito tempo se seguir seu exemplo.

— Que eu saiba, não há nada determinando que, para me servir, a mulher tenha de ser virgem. Isto é coisa de Roma; aqui não temos Virgens Vestais.

— Nós, gregos e orientais, somos mais realistas. Somente os romanos mesmo para inventar tal coisa como Virgens Vestais e ter como seu líder alguém como Júlio César! Muito engraçado seu comentário quando se divorciou de sua terceira mulher, Pompéia. Disse que "a esposa de César deve estar acima de qualquer suspeita". O que dizer das esposas dos amigos, quando ele passava por Roma?

— É melhor você parar antes que diga alguma coisa da qual não vá poder se retratar.

— Então ele vai ficar entre nós! É sempre assim. Todos os soberanos dizem que querem ser tratados pelos amigos como sempre, mas, cedo ou tarde, tornam-se imperialistas com esses mesmos amigos!

— Não estou me tornando imperialista, estou apenas respondendo como uma mulher responderia se ouvisse calúnias sobre o pai de seu filho. Não quero diminuir sua honra ao ouvir essas coisas ou ao permitir que você fale de tal forma sobre ele.

— Então você quer silenciar a verdade!

Ele começava a ficar imponente.

Olhei para seu rosto ainda severo.

— Não vou silenciar a verdade. Mas também não pretendo ridicularizá-lo. Olímpio, sua amizade não tem preço. Como uma soberana, sou abençoada por desfrutar de um amigo como você. Sei que César tem... esteve com muitas mulheres. Não estou me iludindo sobre o seu passado. Mas não vejo a necessidade de me torturar com isso. Vejo o meu futuro com César, e não o seu passado.

— O passado prediz o futuro — ele disse, teimosamente.

— Nem sempre — retruquei. — Minha visão do mundo é mais otimista.

Na manhã seguinte, muito cedo, me aprontei para visitar o grande templo de Ísis em Serapion. Queria ir até ela como qualquer outra devota, porque Ísis é a protetora de todas as mulheres, e foi como mulher, e não rainha, que procurei sua bênção e sua ajuda. Eu passaria pelas dores do parto como qualquer outra mulher; meu filho nasceria do mesmo jeito. Como uma mulher comum, cujo marido era um soldado ou um marinheiro, eu amava um homem que estava muito longe e correria perigo. Vou até você, Ísis, minha Mãe, meu socorro e esperança, como uma humilde suplicante.

Vesti um traje de linho azul escuro e escondi minha condição com um manto. Também tinha um capuz para cobrir a cabeça. Não queria ser reconhecida por ninguém. Levei uma jarra de pedra com oferendas de leite de cabra e cobri meu rosto com um véu.

O sol começava a nascer quando desci da minha liteira aos pés do monte de Serapion e subi a escadaria lentamente. A subida me deixou sem fôlego, com meu fardo cada vez maior na barriga, mas, quando alcancei o cume do monte, fui recompensada com uma visão do mar ao amanhecer, e Alexandria inteira reluzia em ouro na luz renovada da manhã. Atrás de mim, a uma distância discreta, vinha Iras.

Rezei para que não fosse muito tarde. As portas do templo tinham sido abertas usando o incenso – senti o cheiro pungente e doce. Parei para lavar minhas mãos e meu rosto com a água cerimonial da bacia de bronze na entrada para me purificar. Quando entrei no vasto e sombreado edifício com o santuário de Ísis, vi os sacerdotes começarem a borrifar a água sagrada do Nilo na entrada do santuário. Atrás deles, numa fila, estavam os acólitos, cantando os hinos matinais.

– Levante, Senhora das Duas Terras do Egito, Dona dos Céus, Senhora da Casa da Vida…

A tonalidade forte e sonora das vozes subia e descia como o próprio Nilo. As cabeças raspadas dos sacerdotes e acólitos eram como pedras lisas e pálidas na luz fraca. Balançando-se, eles caminhavam devagar para o pedestal onde a estátua de Ísis coberta com o véu ficava e depois se prostravam aos seus pés.

Finalmente, o sacerdote-mor se aproximou da estátua, delicadamente tirando o véu. Com reverência, colocou colares de ouro e turquesa ao redor de seu pescoço e, na cabeça, um adorno de penas de abutre.

Uma estátua sua, Ísis, não tem como ser confundida com qualquer outra deusa. Sempre segura o adufe e o sisto numa mão, e a jarra de bico longo cheia de água do Nilo na outra. Seu vestido está sempre amarrado com um nó sagrado somente seu, um nó místico. Neste santuário, você também tem um adorno de cabeça, que é a representação da naja e, sob seus pés, um crocodilo. E no seu rosto, o sorriso mais perfeito, símbolo de seu amor vasto por todas nós.

Por muito tempo ajoelhamo-nos em silêncio. Depois, um grupo de mulheres começou a bater com as mãos no peito, emitindo gemidos altos – as "lamentações de Ísis". Elas abriram os corações e suas tribulações para você – os maridos doentes, os filhos ingratos, as filhas rebeldes, a dor nos joelhos, o forno que não assava bem o pão, suas despensas infestadas de ratos. Qualquer coisa, não importava a insignificância ou banalidade, era apresentada na esperança de que você pusesse tudo em ordem. Uma depois da outra elas se aproximaram e deixaram suas oferendas aos seus pés – flores, pães, jarras de mel, grinaldas de flores. Eu me arrastei de joelhos para oferecer o leite de cabra, a minha oferta.

– "Eu sou aquela que já foi, é e será" – entoou a voz de uma sacerdotisa falando por você.

As palavras tocaram meu coração, e olhei para o seu rosto. Parecia mais jovem do que eu, mas sabia que havia enfrentado tudo o que uma mulher pode suportar. Sua jornada chegara ao fim, enquanto a minha apenas começava. Você foi esposa, viúva e mãe.

– Sou aquela chamada Deusa entre as mulheres – a voz continuou.

– Eu triunfo sobre o Destino. A mim o Destino dá ouvidos.

– Sou aquela de nomes incontáveis.

Seu semblante era de beleza incomparável para mim. E assim a venerei.

Permaneci em seu altar por muito tempo, pedindo auxílio para as horas doloridas do parto e iluminação nos assuntos do Egito. Gradualmente, o resto dos devotos foi saindo e, quando senti a glória de sua presença se esvanecer e voltei à realidade comum, estava quase sozinha. Apenas algumas mulheres ainda permaneciam, e duas delas caminhavam lentamente em direção à porta. Fiquei me perguntando se eram aleijadas. Entretanto, elas estavam eretas e caminhavam normalmente. Aproximei-me e percebi que uma delas era cega e tateava o seu caminho, enquanto sua companheira a ajudava. Mesmo assim, não parecia uma cega comum, porque ficava esfregando os olhos, como se esperasse que a luz fosse de repente inundar sua visão.

– Pediu a Ísis para restaurar sua visão, minha irmã? – perguntei.

Ela virou-se rapidamente para mim, como se pudesse me ver. Sua companheira, agora eu via, era uma menina, provavelmente sua filha.

– Sim, pedi – ela respondeu. – Todos os dias venho aqui e peço. Mas a névoa continua.

– E eu rezo para que Ísis, a Grande Mãe Piedosa, ajude minha mãe – disse a menina. – Não perco as esperanças.

– Não estou acostumada à cegueira – a mãe disse, como que se desculpando. – Talvez se você já nasce assim, quem sabe... mas de repente tornar-se uma outra pessoa e ter a metade do mundo roubado de seu alcance... e também meu trabalho! As habilidades de uma pessoa cega levam muito tempo para se aprimorar. Não se pode fazer o que outros cegos fazem! Não sei talhar, não sei tocar instrumentos musicais, não posso servir de provador de alimentos da realeza.

– O que fazia?

– Trabalhava desembaraçando seda.

Que infortúnio! Este tipo de trabalho manual, no qual uma mulher habilidosa com a agulha desembaraça a seda chegada da Arábia para fazê-la ficar mais esticada e transparente, exigia uma visão apurada. Talvez o trabalha lhe tivesse lhe custado a vista.

– Como aconteceu?

– A guerra! – ela exclamou. – Na luta, parecia haver incêndios por tudo. Alexandria tinha proteção contra incêndios porque é feita de pedra, mas havia muito material solto para pegar fogo. Quando uma dessas tochas molhadas em piche foi jogada na minha loja de tecidos, joguei um tapete em cima para apagá-la e atirei-me sobre ela para evitar que o resto fosse engolido por chamas. A fumaça, terrível, grossa, escura e oleosa, atingiu meus olhos. No outro dia, estava cega.

A guerra. Essa fora particularmente terrível, porque tinha acontecido não em um campo de batalha, mas dentro das ruas da cidade e nas casas do povo.

– Vou levá-la ao meu médico. Talvez ele possa ajudar. Você conhece outras que tenham ficado feridas, perdido o meio de sustento?

Ela vacilou.

– Por que deveria ver seu médico? Não tenho dinheiro para pagar. Quem é você?

Ela parecia indignada.

Tirei o véu do rosto.

– Sou Cleópatra, sua rainha, mas também uma devota de Ísis. Vou ajudá-la a ajudar você. – As duas pareciam aterrorizadas. – Não é Ísis quem batalha pelas mulheres? E eu, como sua filha, também batalho. Quero ajudar as mulheres que sofreram aqui em Alexandria. Venha comigo até o palácio – eu disse.

Ainda com o rosto estampando horror, as duas me obedeceram.

Olímpio examinou os olhos da mulher, mas concluiu que o dano era por certo permanente. Receitou duas vezes por dia a lavagem com água da chuva misturada com infusão de uma erva que ele tirava de um arbusto da Arábia. Eu lhe disse que ela e sua filha podiam ficar no palácio durante o tratamento e, se sua visão não voltasse, eu encontraria um novo trabalho para ela.

— Por que está tutelando esta mulher? — perguntou Olímpio. — A cidade deve estar repleta de mulheres na mesma situação que ela!

— Eu sei. Ísis me abriu os olhos para isto. Gostaria de encontrar um meio de ajudá-las. Sofreram por causa da guerra, uma guerra que foi lutada para meu benefício. É o mínimo que posso fazer.

— Você não pára de me surpreender — ele disse secamente.

Mas foi meu filho que nos deu a surpresa maior. No meio da noite, não mais do que vinte dias depois de minha conversa com Olímpio, senti uma pontada de dor violenta enquanto dormia. Acordei sobressaltada, como se tivesse sido atingida por um objeto pesado. Deitei de costas, imaginando o que poderia ser. Teria sido um sonho? E quando comecei a pegar no sono de novo, uma outra pontada me atingiu. Gritei e sentei-me, ofegante.

As chamas nas lamparinas que eu sempre mantinha acesas no quarto não tremulavam. Tudo parecia tão calmo, tão quieto. Podia ouvir lá fora o barulho suave do vento, mas, nessa noite de junho, todo o resto estava tranqüilo. Parecia uma aberração sentir dor numa hora dessas.

Enquanto pensava nisso, fui tomada por uma nova onda de dores. Tremendo e começando a suar profusamente, toquei o sino chamando Iras e Charmian, que dormiam perto. Tive de tocar muitas vezes antes que elas me ouvissem; era uma noite, como eu disse, para doces sonhos.

— Acho que... a hora do parto chegou — eu disse, quando elas apareceram. Eu estava chocada e um pouco assustada ao descobrir como era difícil até mesmo falar. — Chamem as parteiras!

Fui levada numa liteira — e como sacudia! — para uma sala que havia sido preparada para isso. Lá, numa cadeira baixa, foram penduradas cordas torcidas para que eu as agarrasse; ao lado, pilhas de toalhas de linho, lençóis e bacias. Elas me despiram e comecei a tremer descontroladamente, mesmo numa noite como aquela, até que me cobriram com um lençol. Todas as lâmpadas foram acesas. Eu segurei firme nos braços da cadeira. As parteiras ficaram ao redor, murmurando e fingindo mostrar que aquilo tudo era normal. Para elas, era. E eu fiquei muito grata de tê-las obtido com tanta antecedência.

As dores aumentaram; Iras e Charmian limpavam minha testa com água perfumada, uma de cada vez. Pendurei-me nas cordas e arqueei as costas. Não queria gritar, não importava a intensidade da dor. Senti enxurradas de água quente sair de dentro de mim e ouvi as parteiras dizerem "A placenta estourou!". Depois disso, perdi a noção do tempo. A dor parecia pertencer ao seu próprio mundo e, enquanto me penetrava, eu me via tentando montá-la como se fosse uma bola escorregadia que continuava rodando e me jogando para fora. Finalmente, senti um crescendo de dor e uma pressão enorme e depois... tudo parou.

– Um menino! Um menino! – elas gritaram.

E depois ouvi um gemido alto e vibrante.

– Um menino!

Levantaram o bebê, com suas perninhas vermelhas se agitando e o peito arfando pelo esforço do choro.

Limparam seu corpinho com a água morna e perfumada e enrolaram-no com linho lavado. E deram-lhe o meu peito. Eu só via a coroa de sua cabeça coberta de cabelos finos e escuros. Seus pequenos dedos se relaxaram e se esticaram, e ele parou de chorar. Senti o calor contra meu corpo e fui inundada de alegria – e exaustão. Contra minha vontade, fechei os olhos e dormi.

Era metade da manhã quando acordei de novo. Vi os reflexos da água do mar dançando no teto, fazendo movimentos brancos pululantes. Por algum tempo fiquei apenas olhando, ainda atordoada. Mas logo lembrei-me de tudo.

Lutei para sentar, apoiada nos cotovelos, e vi Charmian, Iras e Olímpio num canto da sala. Conversavam em voz baixa. A luz do sol que vinha de fora era tão forte que doía nos olhos.

– Meu filho! Quero vê-lo de novo!

Charmian inclinou-se no berço real, uma caixa de madeira ricamente decorada com pequenos pés. Pegou uma pequena trouxa e trouxe para mim. Parecia muito pequena para conter um ser humano. Tirei o linho de perto de seu rostinho vermelho. Ele parecia um velho irado, queimado de sol e sábio. Ri.

Olímpio veio para o meu lado.

– É pequeno, mas vai sobreviver – ele disse, satisfeito. – Bebês de oito meses geralmente não têm essa sorte.

– Ele veio mesmo um mês mais cedo – eu disse. Então dei-me conta de que César quase o vira. Senti-me duplamente decepcionada por ter sido por tão pouco. Olhei atentamente para o rostinho me olhando com seus olhos azuis enevoados. – É impossível notar qualquer semelhança no rosto de um recém-nascido, não importa o que todo mundo diga. Este rosto eu nunca vi antes! No entanto, posso dizer que ele não é careca como o pai! – e acariciei seus cabelos fininhos.

Que alegria a notícia daria a César! Que imenso prazer me dava poder presenteá-lo com a única coisa que ninguém mais no mundo fora capaz de dar-lhe por tanto tempo e que lhe era impossível obter através de suas conquistas de terra. Devo mandar notícias imediatamente. Mas não sabia nem mesmo onde encontrá-lo; não recebi qualquer notícia sua desde a partida.

– Como vai chamá-lo, Alteza? – perguntou Charmian.

– Um nome que marcará os dois lados de sua herança – eu disse – Ptolomeu César.

Olímpio ficou chocado.

– Você se atreve a dar o nome familial de César sem a permissão da família dele?

– Não preciso da permissão daquela família! O que têm a ver com isso? O membro mais importante da família é o pai desta criança. É assunto meu e dele – eu disse.

– Ele concordou com isso? – Iras perguntou calmamente.

– Disse que ficava por minha conta dar o nome ao nosso filho.

– Mas talvez não tenha imaginado que você se apropriaria de seu próprio nome! – disse Olímpio. – Talvez quisesse apenas dizer que não se importava se fosse Ptolomeu ou Tróilo.

– Tróilo? – dei uma gargalhada, mas senti uma pontada de dor e parei instantaneamente. – Tróilo!

– Um grande nome, saído da história de Tróia – disse Olímpio, sorrindo. – Um nome heróico adequado. Ou que tal Aquiles ou Ajax?

Rimos. Mas Olímpio continuou:

– Não estou bem certo se você tem algum direito legal de usar o nome César. Há muitas leis sobre essas coisas em Roma...

– E eu sou a rainha do Egito! Que se afundem Roma e suas leis! Caio Júlio César é o pai desta criança, portanto esta criança levará o seu nome! – gritei.

– Acalme-se – disse Iras. – Acalme-se. Claro que terá o nome dele. Do contrário, César não iria querer saber dele.

– Você o forçará a reconhecer este filho, então – disse Olímpio. – Vai testá-lo desta maneira. – Sua voz era cheia de admiração.

Ele não compreendeu. O que dissera era verdade também. Mas eu queria que meu filho tivesse o nome do pai. Simplesmente isso.

– Ele não me decepcionará – eu disse baixinho. – Ele não decepcionará *este filho*. – Beijei a cabecinha do bebê. Mas Olímpio já havia cravado temor em meu coração. Eu sabia que, em Roma, um pai deve reconhecer *formalmente* seu filho. Será que César faria isso?

Os dias que se seguiram foram além da felicidade. Esta simples palavra não pode expressar a alegria, o êxtase, que preencheu meu ser. Senti-me tão leve como a pluma de uma asa de falcão, e não foi apenas por ter me livrado do peso e do incômodo do bebê na barriga, mas era a alegria de ainda estar de alguma forma ligada a ele. O bebê era um indivíduo, mas era e sempre seria parte de mim também. Enquanto o segurava e o amamentava, sentia uma convicção absoluta de que nunca ficaria sozinha de novo.

Racionalmente, sabia que isso não era verdade. Não éramos uma única pessoa, e não há como uma outra pessoa possa dispersar este estado de solidão que tanto tememos. No entanto, foi assim que me *senti*; senti que agora estava completa.

Olímpio não aprovou a minha decisão de amamentá-lo. Disse que me rebaixava e que deveria achar uma ama-de-leite. Prometi fazer isso logo, mas, pelas primeiras semanas, enquanto não sabia e apenas imaginava onde estaria César e o que estava fazendo, precisava ter meu filho perto de mim de hora em hora.

A cada dia que passava, o pequeno César – foi assim que o povo de Alexandria o apelidou, Cesarion, pequeno César, desse modo evitando todas as conjunturas legais e indo direto ao assunto – mudava. Seu rostinho deixou de ser tão vermelho e enrugado e seus olhos ficaram arredondados e perderam aquela aparência esticada e estranha de um recém-nascido. Agora podíamos começar a procurar semelhanças.

Meus traços eram fortes. Meu nariz é longo e meus lábios, carnudos, tão carnudos quanto os lábios nas estátuas de pedra dos faraós. (Refiro-me aos faraós mesmo, e não a suas mulheres, que tinham rostos delicados.) Meu rosto era longo e fino, mas a boca larga ajudava a contrabalançá-lo. Sozinha, no entanto, ela seria muito grande. Os traços de César são exatamente o contrário; são traços finos, para um homem. No nosso filho, surpreendentemente eram os traços finos que triunfaram sobre os mais proeminentes. Cesarion puxava ao pai, e não a mim. Isso me deu grande felicidade.

Decidi que deveria haver uma maneira que eu pudesse celebrar este nascimento, uma maneira que, apesar da ausência de César, saudasse o evento oficialmente. Não queria desfiles ou festivais públicos; eram por demais efêmeros. Queria algo substancial, duradouro. Então, cunharia uma moeda de comemoração.

— Não! — exclamou Mardian, quando ouviu. Ele se tornava cada vez mais meu principal conselheiro, apesar de sua tenra idade. Confiava nele, e ele demonstrou grande senso de julgamento em cada encargo que lhe dera; a sua supervisão da reconstrução de Alexandria vinha sendo magnífica.

— Por que não?

Eu estava deitada num divã em minha sala predileta, aquela em que a luz do sol entra pelos quatro lados e as brisas se encontram, brincando no centro. As cortinas de seda se inflavam como velas de navio, e os juncos perfumados do lago de Genezaré tremulavam nos vasos. Cesarion foi colocado sobre uma pele de pantera no meio da sala, e seus olhos acompanhavam o movimento das cortinas. Eu já havia me recuperado completamente do parto e estava cheia de energia.

— Por que não? — perguntei de novo.

— Será que não pareceria, bem... presunção? — ele disse. — Além de levantar mais perguntas. Por exemplo, e o seu marido, o pequeno Ptolomeu? Ele seria mostrado na moeda?

O pequeno Ptolomeu era como um outro filho meu. E tinha aceitado Cesarion como seu irmãozinho. Nunca fez exigências, a não ser a de que eu o permitisse velejar num barco maior na enseada interior do porto. Eu quase tinha esquecido de sua existência.

— Claro que não — eu disse.

— Nenhuma rainha ptolemaica jamais cunhou uma moeda por si mesmo, sozinha — Mardian fez questão de me lembrar. — Até mesmo sua grande ancestral Cleópatra II não se atreveu.

Peguei uma uva suculenta e fria e pus na boca, apreciando a sensação de prazer de seu líquido fino e meio ardente explodindo no céu da boca.

— Talvez então devesse pôr César na moeda também? — perguntei, fazendo ares de inocente.

Mardian apenas sacudiu a cabeça. Compreendia o meu humor.

— Tente para ver. Vai causar ondas de choque por toda Roma.

Fez uma pausa. Ao contrário de Olímpio, Mardian sabia melhor se opor às minhas idéias quando minha decisão parecia final.

— Que tipo de cunho está considerando fazer?

— No Chipre. Vou cunhar uma moeda no Chipre.

— Ah, como você tenta Roma! — ele não conseguiu suprimir o riso. — O Chipre foi um presente polêmico de César. Deu um território romano sem mais nem menos. Não é uma coisa muito popular de se fazer. Claro que ele se desculpou, dizendo que foi forçado a apaziguar os alexandrinos, já que parecia encurralado pelas forças hostis. Mas essa desculpa não é mais válida. Afinal de contas, ele ganhou a Guerra Alexandrina. E não havia por que não tomar o Chipre de volta. Está havendo muito falatório sobre isso em Roma.

Sempre me admirava habilidade de Mardian em colecionar intrigas e mexericos dos lugares mais distantes. Era como tivesse se um posto de observação em Roma. Como conseguia?

— É a irmandade internacional de eunucos — ele me disse uma vez, e eu quase acreditei. Nada mais poderia servir de explicação.

— O que mais andam falando em Roma?

Eu estava me divertindo.

— Dizem que ele perdeu seu juízo no Egito, desperdiçando o tempo quando devia se ocupar com tarefas romanas de homens, como ir atrás dos rebeldes de Pompeu, deleitando-se nos prazeres efeminados do Nilo, e assim por diante. Foi maravilhoso para sua reputação: uma mulher por quem César mudou seus planos! Seus soldados veteranos fizeram rimas com isso, algo assim "O velho César se chafurdou na lama com a filha do Nilo, enchendo suas margens…". Não me lembro do resto.

— Claro que não — concordei. Senti meus ouvidos esquentarem. Muitas vezes agradeci o fato de que meu rosto não fica avermelhado quando estou com vergonha, mas meus ouvidos sim. E hoje, estavam cobertos pelos meus cabelos.

— Agora, vamos falar sobre a moeda. Acho que deve ser de bronze. E terá a minha imagem amamentando Cesarion.

– Como Ísis – ele disse sério. Compreendia o significado.

– Sim – eu disse. – Como Ísis e Hórus. E Vênus e Cupido. O Chipre é, afinal, a terra natal de Vênus.

– E Vênus é ancestral de César.

– Exatamente.

– Como pode uma simples moeda carregar tantas mensagens! – exclamou, cheio de admiração.

Eu estava posando para a moeda. Um dos artistas alexandrinos fazia o esboço. Sentava-me, segurando Cesarion, numa cadeira de espaldar. Cesarion ficava pegando meus cabelos, e eu, gentilmente, desvencilhava suas mãozinhas. Eram pequenas, gordinhas e macias, lisas como iogurte. A mão de um bebê dava um prazer enorme ao toque; um milagre que logo se esvanece – como folhas novas, como a névoa da aurora, como toda coisa nova que acaba mudando para algo mais trivial com o passar do tempo. As mãos de Cesarion ainda eram preciosas.

O artista fazia um modelo em argila, e eu teria de aprová-lo. Queria ter uma beleza mais convencional. Embora soubesse que meus traços, combinados, produziam um efeito agradável, sabia também que minha melhor posição era de frente. Um perfil mostrava o tamanho do meu nariz e da minha boca, e não a harmonia do conjunto. Como queria ter o perfil de Alexandre!

– Levante a cabeça – o artista murmurou. Eu levantei meu queixo.

– Você tem um pescoço real – disse o artista. – Tem uma curva maravilhosa.

Uma pena que os pescoços não sejam celebrados em poesia, eu pensei. Ninguém nunca menciona um pescoço.

– Seus cabelos devem aparecer em destaque na moeda – ele disse. – Quer que eu mostre os cachos?

– Claro – respondi.

Os cachos nos cabelos de Alexandre foram sempre mostrados. Meus próprios cabelos eram pesados e ondulados, semelhantes aos de Alexandre. Mas os meus eram pretos, enquanto os dele eram loiros. A vantagem de se ter cabelos negros era que se podia lavá-los com ervas e óleos e fazê-los brilhar como as asas de um corvo.

– E os olhos. Devo mostrá-los olhando em frente?

– Como desejar.

Era quase impossível mostrar uma faísca de vida no perfil de olhos. E, é claro, não havia distinção de cor. Cheguei a achar curioso que César, o romano, tivesse olhos escuros, enquanto os meus eram de um verde claro, na tonalidade de âmbar. Os olhos de Cesarion haviam escurecidos; seriam como os do pai. Se eu não o tivesse trazido ao mundo, imaginaria qual teria sido minha contribuição para sua hereditariedade.

Fiquei sentada pelo que pareceram horas. Precisei entregar Cesarion para Iras, porque ele começou chorar e se agitar. Quando pensei que não agüentaria mais, o artista disse:

– Acho que terminei. Quer dar uma olhada?

Há sempre o instante de horror quando olhamos nosso próprio retrato. Ele é como as pessoas nos enxergarão e, no nosso modo de ver, suas opiniões devem ser mais verdadeiras do que as nossas próprias. Levantei-me da cadeira – com as pernas quase dormentes – e me aproximei para ver o que ele tinha feito.

Era horrível!

Sem pensar, gritei:

– É assim que eu sou?

Ele ficou chocado.

– Eu... eu...

– Esta mulher parece mais um velho machado hitita! – gritei.

A matrona impassível, queixo cerrado, olhava fixo de um lado da moeda. A criança no seu peito – era uma criança ou um globo de pedra? – não tinha traços, apenas uma cabeça redonda e de tamanho fora do normal.

A criança ridícula fez com que me sentisse melhor. Sabia que Cesarion não parecia nada com ela.

– Vai ter de mudar tudo! – eu disse. – Sei que não tenho a beleza de Afrodite, mas sei também que não pareço ter sessenta anos de idade. E não sou do tamanho de um touro de Ápis! E meu filho tem olhos!

– Pensei... pensei que quisesse enfatizar a dignidade do trono – disse o artista.

– E quero – eu disse. – Mas idade e tamanho não são atributos automáticos de grandeza. Olhe para os cascos apodrecidos de navios de guerra queimados! Pensando bem, acho que deve ter sido o que você tinha na cabeça quando me fez parecer assim!

– Mil perdões! É que pensei que... você sendo uma mulher... que seria melhor... quero dizer...

Sabia muito bem o que ele queria dizer. Por razões desconhecidas, se alguém quisesse mostrar que uma mulher era poderosa, ou inteligente, o jeito de demonstrar era retratá-la como não tendo qualquer atração física. Para um homem, porém, era exatamente o contrário. A beleza de Alexandre não era considerada difamadora de sua grandeza militar. Em nenhum lugar era mencionado que um homem jovem e bonito não podia ser um bom governante, inteligente, forte ou corajoso. Na verdade, as pessoas ansiavam por um rei esplendoroso. Mas para uma mulher... Sacudi a cabeça. Era como se a beleza numa mulher tornasse suspeitos todos seus outros atributos.

— Sei que há um código secreto em tudo isso, e as moedas devem seguir o código — eu disse irritada. — Uma mulher jovem que mostre uma mera atração física não parece compatível com a arte de governar. É uma convenção. Mas, isto! Isto é demais!

— Minha majestade graciosa, vou mudar agora mesmo — ele disse. — Seja gentil de me permitir que eu refaça de acordo com o seu gosto.

Mardian e eu estávamos olhando para o produto quase pronto. Uma reprodução da moeda em bronze foi completada por um outro artista para depois ser feita a matriz. Isto se, é claro, obtivessem minha sanção.

— Então — disse Mardian, tentando não mostrar que estava rindo. Mas não conseguiu.

— Você já viu alguma coisa tão... tão horrível? — perguntei. O artista fez poucas alterações.

— Bem feito para você — ele disse. — É um antídoto contra a sua vaidade.

— Eu não sou vaidosa! — disse, e acreditava ser verdade. Nunca fiquei mastigando sobre o assunto, mas tentei sempre receber uma opinião honesta de meus atributos, apenas isso.

— Foi vaidade que a fez pensar em uma moeda em primeiro lugar — ele insistiu.

— Foi uma afirmação política, pura e simples.

— Foi uma afirmação política, mas não pura e simples — ele rodou a moeda. — Você parece formidável. Roma tremerá — ele riu. — Eles também vão se perguntar o que César viu em você.

Suspirei. Estava tão ansiosa para saber o que se passava com ele, como estaria. E, também, por que não me escrevera?

– Mardian – comecei, tentando não dar a impressão de estar me queixando. – Você tem notícias de seu paradeiro? – Se alguém sabia, esse alguém era Mardian.

– Ouvi dizer que chegou em Antioquia, depois fez o caminho para Éfeso. E parece que ainda está lá.

– Quando?

– Parece que alcançou Éfeso na última parte de Quintilis.

Estávamos agora no último dia de Quintilis. Ele partira no começo de junho. Cesarion nasceu no dia vinte e três de junho, quase no mesmo dia do solstício de verão. Por que então não havia recebido uma mensagem sequer?

– Então está indo direto para Ponto?

É o que se supõe – respondeu Mardian. – Quer atacar com rapidez.

– É como sempre faz – eu disse.

Ele ataca rápido e depois se faz a caminho, acrescentei comigo mesma. Faz-se a caminho e jamais olha para trás.

17

Veni, vidi, vici: Vim, Vi, Venci.

Até mesmo hoje, estas palavras têm o poder de excitar minha alma. Foram as três palavras lacônicas que César usou para descrever o que aconteceu quando ele finalmente encontrou o Rei Farnaces de Ponto. Depois de ter viajado centenas de milhas, César foi ao encalço do rei dentro de seu próprio território e, então, no mesmo dia em que o avistou, travou batalha. A luta durou apenas quatro horas e acabou com a completa derrota do rei fanfarrão. As forças de Farnaces estavam tão cheias de si que até tentaram um avanço de quadrigas no monte onde César fez seu acampamento. O resultado foi inevitável. Mais tarde César parece ter dito que não era de se admirar que Pompeu tivesse sido considerado um general invencível, se este era o calibre de seus inimigos.

A batalha aconteceu no primeiro dia do mês de Sextilis, menos de dois meses depois que ele deixou Alexandria com um quarto de sua legião. Uma vez mais, sua velocidade e a bravura pareciam supernaturais.

Queria muito que estas palavras, *veni, vidi, vici*, tivessem sido escritas para mim, junto com uma descrição da batalha, mas não foram. Estavam numa carta que ele endereçou para um tal de Caio Mário, em Roma, um antigo confidente de César. É claro que os espiões se apoderaram dela e ecoaram seu conteúdo pelo mundo. Os mesmos espiões, assim como a "irmandade internacional de eunucos" de Mardian, também contaram que ele retornara a Roma em setembro, depois de redistribuir cargos e nomeações nos territórios problemáticos.

Quase todos os dias, Ísis, eu ia visitar o seu santuário, para agradecer por César estar são e salvo. Minha apreensão constante por sua segurança era um fardo difícil de carregar. Senti, mesmo na época, que os deuses estavam galhofando dele, como se o preparassem para um sacrifício. Mimamos os touros e os pombos que escolhemos para o altar, como se lhes estivéssemos dando mais escolha. Decoramos os animais com grinaldas e oferecemos como ração o melhor milho e a grama mais doce, dando proteção contra o calor do sol do meio-dia ou o frio da noite. Mas você, Ísis, de todos os deuses, é a única que possui compaixão. Você conhece a tristeza de uma mulher e a alegria da maternidade. Eu sabia que minhas preces e súplicas seriam ouvidas.

Quase simultaneamente à vitória de César contra o rei Farnaces, o Nilo começou sua elevação anual. Recebi isso como bom presságio, significando que nossas fortunas estavam se inflando numa grande maré. Era o Ano Novo no calendário egípcio, e, pelas margens do rio, começaram os festivais para dar as boas-vindas às primeiras cheias. Em Tebas, o barco sagrado de Amon-Re foi levado em procissão pelos sacerdotes, com mil lanternas se balouçando na água morna. Em Coptos e Mênfis, foram abertos os portões dos canais para receber as águas e deixar que possuísse a terra como um homem a uma mulher. Isso transformou-se num grande festival de amor, noites de banquetes e casamentos, com os homens jovens cantando:

Iluminei minha barca sobre a água,
Na minha cabeça, a grinalda de flores,
Ligeiro para os portais do templo eu vou,
Muitas horas de alegria a me esperar.
Grande deus Ptah, faça minha amada
Em júbilo vir para mim esta noite
E que amanhã, a aurora a encontre
Ainda mais bela, repleta de amor.

Mênfis! Cheia de sons e perfumes,
Por que és dos deuses a moradia mais completa.

E sua amada respondendo:

Meu coração não se contém de desejo
Até que meu amor venha até mim.
Devo encontrá-lo quando as águas
Nos canais abertos se apressarem
Entregue-lhe as grinaldas de flores,
Solte meus cabelos para que ele os elogie
Estarei mais feliz do que a filha do faraó
Quando nos seus braços me encontrar.

Ouvindo Iras cantando esta cantiga, meu coração se enchia de saudade de César. Imaginava todas as demonstrações de amor e as noites de festival pela terra toda, enquanto eu, com apenas vinte e dois anos, permanecia no palácio, sozinha na minha cama, no meu quarto que de repente parecia tão sufocante.

As águas continuaram a subir, e todo mundo se alegrou. Durante os primeiros dois anos do meu reino, não houve água suficiente, o que causou a fome. Agora, na primeira enchente desde que havia retornado ao trono, uma restauração da natureza estava sendo prometida.

Mas as águas continuaram subindo e subindo. Chegavam aos templos sagrados, batendo nos portais dos santuários mais interiores. Atravessaram as barragens e as bacias e continuaram até as areias do deserto. As casas de taipa, construídas a uma distância supostamente segura, foram tomadas e voltaram a ser de novo lama do Nilo.

Meus engenheiros na Primeira Catarata, onde as águas da enchente aparecem primeiro, mandaram mensagens desesperadoras. Lá, o nilômetro, um medidor que marcava as águas das enchentes, já indicava uma altura nunca vista. E era uma água "rala", não era a água marrom escura, que significava a fertilidade. Algo estava errado.

Água. Naquela noite sentei olhando para uma jarra cheia de água trazida do Nilo do Alto Egito. Tão inocente na minha mesa, traindo-se apenas com uma leve nuança de cor. Era muito diferente do que deveria ser normalmente para essa época do ano. A tonalidade deveria ser opaca, repleta com as substâncias escuras que dão a vida e que eram trazidas pela correnteza. O Egito chamava a si mesmo de a Terra Negra, por causa da fita negra de solo rico que o Nilo deixava em suas margens a cada ano. Não ter essa dádiva era não ser o Egito. E depois de dois anos sem muita água!

Havia algo que se pudesse fazer? O que afinal fazia a matéria negra entrar no rio, e de onde vinha? Para minha surpresa, nem Olímpio nem Mardian pareciam ter uma idéia clara, ou sequer mesmo uma opinião formada.

– Deve vir da fonte do Nilo – disse Mardian. – E você sabe que ninguém descobriu onde fica.

– Pensei que era a deusa Hapi que trazia – disse Olímpio, com ares de inocente.

– Vocês, que galhofam dos deuses no Olimpo e em Hades, me decepcionam com suas respostas – eu disse.

– Alguém no Museion deve saber – disse Mardian. – Vamos tocar o sino para acordar estas bestas formidáveis que são os eruditos cientistas.

Uma brisa leve, com perfume de jasmim de um dos jardins fechados, passou por nós. Suspirei. Queria poder me entregar aos prazeres de uma noite tão deliciosa, em vez de estar me preocupando com reuniões e cientistas.

Numa janela no segundo andar de uma vila que dava vistas para a rua de colunatas, vi uma lamparina sendo apagada, e a incandescência no quarto desaparecer. Alguém, um dos meus súditos, fazia exatamente aquilo. Mas eu, a rainha, devo ficar acordada para que ele possa dormir em paz.

– Amanhã vamos consultá-los – disse para Mardian e Olímpio. E, hoje à noite, ficarei acordada pensando no que devo aprender com eles amanhã.

Minha cama, feita com lençóis de linho branco, parecia molhada para mim. Havia umidade por tudo. Lembrei de ter ouvido dizer que os engenheiros colocavam jarras de argila não queimadas perto do Nilo e as pesavam depois de uma noite para ver quanta água tinha sido absorvida; era assim que calculavam a cheia do rio. Se era verdade que o Nilo tinha uma respiração nebulosa, então hoje estaria cheia de sereno.

Ninguém tem o poder de parar o Nilo, eu disse a mim mesma. O que podemos fazer é mover as coisas para longe de seu alcance, cavar bacias mais fundas para conter a água e recolher estrume para jogar nos campos que não recebessem sedimento. E quanto às serpentes e às pragas – devo indagar sobre o povo das serpentes – os Psylli, que dizem ter poderes mágicos...

Apesar do ar opressivo e do emaranhado de lençóis, consegui dormir.

Ordenei que um conselho de eruditos e cientistas se reunisse no Museion para me ajudar a planejar o combate ao desastre iminente. Já contei sobre a história do Museion? É uma academia devotada às Musas – daí seu nome – adjacente à Biblioteca; as duas entidades partilham do mesmo salão de refeições. Mas, desde sua fundação, a entidade cresceu para abrigar uma colméia de eruditos, todos sustentados pelos Ptolomeu. Nós providenciamos tudo o que necessitam, oferecemos o melhor ambiente de trabalho – uma biblioteca magnífica, com manuscritos ao alcance das mãos, salas de aula de mármore polido, obras de arte de todos os cantos do mundo para inspirá-los e laboratórios em que possam estudar os fenômenos da natureza – enquanto exigimos apenas uma coisa em retorno: que coloquem o seu conhecimento monumental à nossa disposição. Raramente necessitamos deles, a não ser pelos tutores reais; assim, têm a melhor parte da barganha. Mas, agora, eu precisava da sua ajuda.

Encontrei-os no grande salão rotundo, acompanhada de meus conselheiros e escribas. Otimista que sou, esperava receber informações profusas para os meus escribas tomarem nota. Os engenheiros, os geógrafos e os naturalistas estavam à espera; aglomeravam-se ao redor de uma enorme planta no pote com folhas grossas, como sola, e examinavam alguma coisa no seu caule. Ficaram eretos e atenciosos quando entrei na sala e abandonaram a planta.

Senti alívio ao ver tantos deles, como um paciente doente sentiria ao ver um armário cheio de remédios. Certamente o remédio estaria na cabeça de um deles!

– Meus bons eruditos e cientistas do Museion... famosos através do mundo... venho aqui hoje para que possam ajudar o Egito – fiz uma pausa para deixar minhas palavras calarem em seus espíritos. – As notícias do Alto Egito confirmam que o Nilo está subindo mais do que jamais subiu, mas que as substâncias que dão a vida não se encontram na água. Assim, temos uma calamidade em dobro: todo o dano da enchente combinado com a crise da fome. Por isso, peço-lhes: há alguma coisa que a ciência possa fazer para ajudar?

Eles me olharam em silêncio. Seus olhos mudavam de direção, procurando os outros para ver se alguém falaria primeiro. Finalmente, um jovem deu um passo à frente.

– Sou Íbico de Priena – ele disse. Tinha uma voz fina e ondulada, completamente contrária à sua figura compacta e musculosa. Seus braços, brilhantes como uma fruta madura, destacavam-se sob a túnica. – Sou engenheiro. Tudo o que posso sugerir é que levantemos a terra – ou cavemos para abaixá-la – para assim conter o rio. Construir barragens ou grandes bacias reservatórias. Ou talvez ambos.

– E como poderíamos construí-las a tempo? – perguntou um outro homem. – Seriam necessários muitos mais braços do que os usados para construir as pirâmides! O Nilo tem milhas e milhas de margens!

– A maioria dos vilarejos já possui bacias de irrigação. Talvez cada uma pudesse alargar as que já existem. E isso não seria uma tarefa muito árdua – eu disse. – Mas construir uma barragem... é possível?

Um outro engenheiro respondeu:

– Não. O Nilo é muito largo. Não há como construir uma barragem que o contenha e, se quisermos desviá-lo... de novo, o rio é muito largo. E as correntes são muito fortes.

Piscou várias vezes, como para dar o peso necessário às suas palavras.

– Muito bem, muito bem – eu disse, acreditando ter exaurido o assunto. Havia pouco que se podia fazer para estancar a enchente em si. – O que acontece numa enchente? O que devemos esperar? Tem alguém que possa me dizer?

Um homem gigante deu um passo para a frente.

– Sou Telésicles – ele disse. – Venho do vale do Eufrates, onde temos enchentes com freqüência. Temos até um poema sobre um grande dilúvio, o épico de Gilgamesh. O grande Utnapishtim teve de construir um barco gigante, de seis andares, para poder sobreviver. "Assim que o brilho da aurora apareceu, surgiu uma nuvem escura da criação dos céus. Dentro dela, o deus da tempestade trovejava. Sua ira tomou conta dos céus, tornando toda a claridade em escuridão. Seis dias e sete noites o vento raivoso, a inundação constante e o ciclone poderoso devastaram a terra"– declamou Telésicles.

Ficamos olhando para ele. Seu corpo tremia enquanto ele recitava o poema, como se o vento soprasse sobre seus braços.

– E em Moisés, no livro sagrado dos Hebreus, há também um dilúvio, e uma arca é construída – disse outro.

– Não vamos construir barcos ou arcas para todo mundo no Egito – eu disse. – Porque a inundação não vai cobrir todas as partes da terra. Não estou interessada em descrições poéticas de enchentes, mas quero saber o que realmente acontece como resultado de uma inundação. Quando Noé desceu da arca, tudo tinha sido destruído. O que acontecerá conosco?

– "E toda a humanidade foi transformada em barro. A terra ficou plana como um telhado" – recitou Telésicles, ameaçadoramente.

– É um absurdo! – gritou um outro homem com uma voz aguda. – A rainha está nos perguntando sobre detalhes e não poemas inúteis. Ninguém vai virar barro, e a terra no Egito *já é* plana como um telhado. Fique quieto, seu tolo!

– Se me permitirem... – um homem com nariz de gavião deu um passo à frente. Notei que ele era ainda jovem. Embora seus rosto mostrasse rugas, seus cabelos ainda eram escuros e densos.

– Sou Alcaio de Atenas, um engenheiro interessado em História. Vivo no Egito há um tempo suficiente para estar a par do que acontece nos campos desta terra quando a água surge. – Olhou para os lados para ver se alguém o desafiaria. – As inundações muito perigosas são raras, mas a história já registrou várias. Em primeiro lugar, o que acontece quando a maré sobe na praia?

Ninguém respondeu.

– Vamos. Vamos. Nunca caminharam pela praia? Nunca estiveram na Judéia? Que bando de tacanhos! A maré sobe e destrói tudo que foi construído de areia. Todas as pequenas casas que as crianças fazem... são levadas pela água. Não são apenas as crianças que constroem casas de areia. Do que são feitos os povoados no Egito? De tijolos de barro queimado pelo sol. O que acontece quando os tijolos se molham? – Ele indicou uma bacia de água, ao lado da planta misteriosa, à espera de sua demonstração. Ele jogou um tijolo dentro da bacia, borrifando água no chão. – Olhem para isto. Em uma ou duas horas vai voltar a ser lama.

Os outros eruditos levantaram as barras de suas túnicas.

– Precisa ser tão veemente? – um deles indagou.

– Quero enfatizar minha explicação – ele disse. – Assim se acabarão as casas. Não haverá muitas perdas e danos se, com antecedência, novas casas forem levantadas fora do alcance das águas da enchente. Ao contrário dos dilúvios na poesia, essa inundação acontecerá gradualmente. Há tempo para se preparar.

Deu alguns passos ao redor da sala antes de anunciar:

– Água parada, porém, é muito diferente de água corrente.

Este moço era dado ao espetáculo, eu pensei. Mas o que ele dizia não precisava de adornos.

– Gera insetos, sapos, refugo. Cheira mal. Cria doenças. Infiltra-se em coisas mesmo fora de seu alcance porque penetra pelo subsolo. Grãos armazenados, a não ser que estejam bem longe de seu alcance, tornar-se-ão molhados e mofados. Logo os ratos se multiplicarão como loucos. Haverá uma praga de ratos! – Sua voz trovejou.

– Acalme-se – disse Olímpio. – Eles ainda não estão correndo ao redor de seus pés.

– E o que vai acontecer, então? – Continuou Alcaio, ignorando a troça de Olímpio. – As serpentes! Uma praga de serpentes!

Agarrou o braço de um ancião e o puxou para frente da multidão de eruditos.

– Conte a eles, Asquines! Conte a eles sobre as serpentes!

O ancião tinha a pele como papiro antigo: cheio de rugas, áspera e descascando. Sua voz era também frágil e quebradiça.

– As serpentes! As serpentes! – ele murmurou. – O repositório de serpentes venenosas vai se abrir e derramar seu tesouro! – piscou e olhou ao redor, claramente medindo sua audiência. Deve ter sido um recital bem preparado. – Estamos na parte do mundo onde vivem as serpentes mais mortais – falou baixinho. – Não é uma naja o símbolo do Egito? A cobra sagrada, cujo pescoço dilatado cobre a testa de cada faraó, para lhe dar proteção? Sua mordida faz do faraó um imortal, se ele escolher esta forma de morte, e lhe dá as bênçãos de Amon-Re. A Naja!

Sua voz agora soava quase como um ruído de folhas secas sobre um sepulcro.

– Leva ao sono com seu veneno concentrado. A morte é instantânea. Na escuridão súbita, sua vítima parte para o mundo dos mortos, quando picada por essa serpente do Nilo.

De repente, deu um rodopio e apontou seu dedo esquelético numa outra direção.

– Mas a serpente Sépsis! O horror de sua picada! O veneno dissolve todos os ossos do corpo. A pessoa derrete! E quando o corpo é queimado na pira funerária, não se acha um osso sequer! Outros venenos tiram a vida, mas o veneno da Sépsis leva embora o corpo também.

Olímpio revirou os olhos, desacreditando no que ouvia, mas os de Mardian cresciam, cheios de fascinação. Eu não sabia o que pensar. Será que tudo isso era verdade?

– Há também a serpente de Préster – o ancião continuou, baixando a voz para quase um murmúrio. Todo mundo fez um esforço para ouvi-lo. – Deixa um homem tão inchado que ele fica como um gigante, e seus traços ficam cobertos pela massa disforme. Não pode nem mesmo ser colocado numa tumba, porque o corpo não pára de crescer.

Olímpio deu uma gargalhada alta, e outros o seguiram. Mas era uma risada nervosa.

O orador levantou a mão e cravou os olhos neles.

– Vocês riem? É porque nunca viram uma vítima. Se tivessem visto, não estariam rindo, posso garantir. E imagino que também nunca viram um homem ser mordido por uma Hemorrois? Deixa a pessoa com um único ferimento, mas enorme. O sangue espirra por todo canto. As lágrimas são sangue! O suor é sangue! E a Dípsas? Seu veneno suga o líquido da vida e deixa os intestinos de um homem secos como um deserto! É um veneno sedento! Uma vítima tentará cortar a própria veia para beber seu sangue!

– Muito informativo – eu disse, cortando sua recitação – mas é um fato conhecido que o ser humano morre de mordidas de cobras venenosas. Na verdade, nem todas as serpentes que surgiram para comer os ratos são venenosas. De fato, elas nos farão um favor ao devorarem os ratos. São eles que causam a perda de nossos grãos e não as serpentes.

– Tem razão, as serpentes não são nossas inimigas – disse Mardian, recuperando sua voz finalmente. – Também raramente atacam, a não ser que sejam ameaçadas. Quando era criança, criei cobras, assim as conheço muito bem. Não acho que devamos nos preocupar com as cobras.

– Os ratos e os camundongos são um problema à parte – eu disse. – Mesmo assim, se a proliferação de pragas fizer as serpentes morderem o povo do campo, não há um grupo de encantadores de serpentes que possa ajudá-lo?

– Está se referindo aos Psylli de Marmárica – disse o ancião, altivo. Não gostou de ter seu recital interrompido, e agora queria mostrar que estava ofendido. – São imunes ao veneno das cobras. *Eu ia* dizer que eles podem deixar um local livre e seguro usando magia para mandar as serpentes embora e também com um fogo preventivo para guardar suas fronteiras. E, se alguém é picado, a saliva deles serve de antídoto contra o veneno, e podem sugá-lo da ferida. São tão habilidosos que podem distinguir pelo gosto do veneno que tipo de serpente mordeu a vítima! *Eu ia* dizer onde podemos encontrar os Psylli, mas, agora, já que vocês acham que não há perigo de serpentes...

Ele deu de ombros orgulhosamente e um passo para trás, reunindo-se aos outros cientistas.

– Agradeceríamos a informação – eu disse para abrandá-lo. – Por favor, diga-nos. No entanto, a meu ver, devemos primeiro tomar providências para proteger nossos alimentos. Os grãos que sobraram da colheita do ano passado devem ser transportados para novos armazéns, que terão de ser construídos imediatamente. Que dificuldade teríamos, e quanto tempo seria necessário? Alguém pode calcular?

– Antecipei essa pergunta, Alteza – uma voz no fundo da sala se fez ouvir. Um núbio deu um passo para a frente. – Já fiz os cálculos.

– Muito bem. Pode falar.

– Os armazéns estão menos de um quarto cheios nesta época do ano. A maioria do grão foi consumida ou exportada. Calculo que há perto de mil armazéns às margens do Nilo, mas só precisaríamos construir duzentos e cinqüenta armazéns de tamanho normal para acomodar todo o grão restante. E não precisam ser bem construídos. Qualquer estrutura, contanto que seja seca e fechada, servirá.

Sua voz era profunda e sonora e dava credibilidade a suas cifras.

– Quanto tempo levará?

– Não muito – respondeu. – É preciso apenas alguns dias para os tijolos de barro secarem. Logo, a construção pode prosseguir rapidamente.

– É possível saber antecipadamente a qual distância as águas da enchente se espalharão? Queremos construir os armazéns de emergência em lugares seguros, mas não mais longe do que for necessário. Transportar o grão será suficientemente difícil – eu disse.

– Vossa Alteza, sinto dizer que não há muito grão sobrando – afirmou. – Transportá-lo não levará muito tempo.

E se precisássemos comprar mais grãos, onde poderíamos adquiri-los? Era o Egito quem alimentava o mundo, e não o contrário. Um pouco poderia ser adquirido na Numídia ou na Sicília. Mas seria suficiente?

– Precisamos preparar centros de distribuição de alimentos e nomear supervisores – eu disse. – Temos de racionar os grãos que temos. Vou nomear oficiais para cada distrito. E eu mesma vou visitar cada um dos centros.

De repente, senti o cansaço me invadir. O trabalho à minha frente, e de todo o Egito, era de enormes proporções.

– Agradeço a todos pela ajuda. Fico também grata por terem preparado as informações tão meticulosa e cuidadosamente – eu disse. Olhei para a bacia. – Queira me mostrar, por favor, o que aconteceu com o tijolo – pedi.

Com um gesto teatral, Alcaio deu um passo à frente.

– Observem! – exclamou ele, arrastando uma bacia vazia. E então se agachou e pegou a outra bacia, derramando o seu conteúdo escuro dentro da vazia. Quando toda a água foi derramada, restou no fundo apenas uma camada grossa de lama marrom.

– Essas são as casas e os armazéns! – ele disse. – Veja a ruína!

18

O sol se afundava no horizonte. Eu estava sentada ao lado do lago sagrado num templo no Alto Egito – um lago que esta noite seria engolido pelo Nilo, uma oferta feita de má vontade a um deus irado. Talvez servisse para apaziguá-lo.

Abraçava minhas pernas, inclinada no banco de pedra que dava vista para o lago. A água chegava ao calcanhar na base do banco. Isso queria dizer que nenhum oficial, nem sacerdotes, nem criados ou conselheiros chegariam perto, me espiando pelas costas. Estava sozinha – abençoada e maravilhosamente sozinha. Era como um bálsamo puríssimo por todo o meu corpo, massageando minha pele. *Sozinha. Sozinha. Sozinha.*

Durante as últimas semanas, estivera rodeada de gente o tempo todo. Minhas visitas ao longo do rio significavam que eu era sempre a convidada da moradia de alguém, sempre sendo recebida cerimoniosamente, sempre tendo de fazer discursos ou ler relatórios ou oferecer presentes. Nunca deixando transparecer qualquer fraqueza, tédio ou cansaço. De certa maneira, era pior do que a guerra para me desgastar. A verdade é que achava um tormento ter de ser sempre agradável o tempo todo. Talvez eu não fosse uma pessoa agradável por natureza!

Não, era simplesmente porque eu precisava de um certo tempo de privacidade a cada dia – alguns minutos completamente sozinha –, da mesma maneira que necessito de alimento ou sono. Do mesmo jeito que a necessidade de alguém por comida ou sono varia, assim também é com a necessidade de privacidade. Notei que certas pessoas jamais ficam um instante sozinhas e que seu humor não muda por isso. Invejo essas pessoas. Infelizmente, não sou uma delas.

Hoje, eu nadaria no lago sagrado. Era algo que sempre quis fazer, mas nunca pensei ser possível, porque nadar nele profanaria suas águas. Mas, esta noite, o Nilo o mancharia e, antes que este lago possa ser usado de novo para propósitos religiosos, terá de ser reconsagrado.

A superfície plana e retangular do lago refletia as cores evanescentes do céu. O lago estendia-se tranqüilo no crepúsculo, esperando serenamente, nunca suspeitando sua violação iminente. Suas águas eram carregadas apenas em baldes pelos sacerdotes, para serem usadas na purificação do templo e dos próprios sacerdotes, e apenas uma barca dos deuses em miniatura tinha permissão para navegá-lo durante a época da encenação dos mistérios. Agora eu entraria e nadaria nas suas águas proibidas.

Tanto quanto ter privacidade, também desejara muito nadar durante toda a jornada. No palácio havia piscinas exclusivas para natação, mas, ao deixar Alexandria, não havia nada assim. Em cada distrito, eu era geralmente a convidada de um oficial maior. Sua residência era quase sempre uma estrutura sólida de tijolos caiados, com um jardim fechado e um laguinho ornamental para peixes, rodeado de palmeiras e acádias. Era um lugar fresco e agradável para se sentar no início da noite, mas os peixes ficariam assustados se alguém resolvesse de repente se juntar a eles.

As crianças nadavam para se divertir, mas isso não era comum entre adultos – talvez devido à falta de oportunidade. Disseram-me que – e mais tarde descobri por mim mesma –, em Roma, ir aos banhos era uma parte importante do dia. Mas o tipo de banhos que eles tinham não era apenas esporte, como era para os gregos, nem também puramente diversão, como com as crianças. Os romanos conseguiram transformar os banhos, como qualquer outra coisa, numa rede de intrigas políticas e pessoais.

Mas chega dos romanos. Por que estou deixando que se intrometam na minha lembrança de um crepúsculo no Alto Egito? Lembro-me que esperei pacientemente, em silêncio, até a primeira estrela aparecer no céu. Quando a avistei, levantei do banco e caminhei até a margem do lago. Meus pés descalços fizeram círculos na água e patinhei através da correnteza proibida. Faltavam apenas três metros para que o rio e o lago se encontrassem.

Aproximei-me da escada que descia para a água, onde os sacerdotes se agachavam para encher suas jarras sagradas. Parei e olhei para baixo, para a água tão escura e desconhecida. Não tinha idéia da profundidade do lago. Imaginei que cobriria minha cabeça, mas já fazia tanto tempo que eu havia perdido o meu medo de água.

Um pé, depois o outro. A água estava morna, porque foi inundada pelo sol o dia inteiro. Agora era difícil saber onde começava a água e terminava a atmosfera, porque a temperatura era quase a mesma. A barra de meu vestido flutuou ao redor das minhas pernas, branca e delicada, como um lírio sagrado. Dei mais um passo; agora a água chegava aos meus joelhos. Os círculos se espalharam até os cantos do lago. Não fizeram barulho.

Desci ainda mais na escada, até as águas mornas cobrirem meus ombros, tão suave como o toque de Charmian, quando me massageia. Era tão calmante. Fechei meus olhos e respirei fundo. Amanhã, amanhã pensarei sobre a enchente e as pessoas e os impostos e o auxílio aos oprimidos. Mas agora não queria pensar em nada, nada, nada …

Agora estava suspensa na superfície da água, tendo me afastado da escada. Era profunda; estiquei os dedos dos pés e ainda assim não consegui tocar no fundo, nem mesmo um vestígio. Devagar, comecei a mover meus braços e a nadar lentamente, mantendo-me na superfície. Não tinha outro desejo que não fosse boiar assim, ser carregada pela água, me entregar à serenidade do momento.

O céu escurecera; uma a uma as estrelas surgiam. Dali a um instante não poderia mais ver o fim do lago, ou ser capaz de saber a que distância estaria dos lados. Ainda via o branco pálido de meu vestido flutuando ao meu redor, mas logo isto também desapareceria na escuridão. Ninguém podia me alcançar, ninguém podia me ver e ninguém saberia que eu estava ali.

Devia voltar para um lugar seguro enquanto ainda podia ver o caminho, mas mesmo assim fiquei na água morna, virando-me devagar, sentindo-me leve. Leveza, era isso que queria sentir. Estava cansada do peso do meu reino, cansada de carregar o que parecia ser o fardo de dez homens. Imaginei uma vez ajudar César a carregar o mundo com ele. *É muito para um homem só*, eu disse a mim mesma. *Deixe-me ajudá-lo a carregar*. Que tola era eu! Se quase não conseguia carregar o Egito, como poderia me oferecer para carregar o mundo junto com César?

Mas você tem apenas vinte e dois anos, ouvi a voz dentro de mim. E o Egito não é qualquer país. É um dos maiores do mundo, e ainda o mais rico. E os deuses não têm sido bondosos com o Egito desde que você chegou ao trono; enviaram a fome e agora a inundação. Sem contar as conseqüências da guerra…

Cale-se, eu disse para a voz. O forte procura mais força, enquanto o fraco procura desculpas. A verdade é que qualquer país é mais difícil de governar do que se pensa no início. Até mesmo um vilarejo tem seus problemas. Nada é fácil.

Dentro do templo próximo, notei uma chama. As tochas estavam sendo acesas, e os reflexos dançavam na água. As colunas largas de arenito pareciam reluzir. Vi as silhuetas escuras se moverem entre as colunas e, até mesmo a distância, pude sentir o cheiro pungente do incenso de cânfora. Os sacerdotes preparavam para a noite a estátua do deus em seu santuário negro-brilhante.

Também ouvi um grunhido fraco e um chiado um pouco mais ao longe. Eram os crocodilos sagrados! O lago deles ficava do outro lado do templo, com um cercado forte – se não me falhava a memória. Mas quando o Nilo subir, será que os crocodilos não vão poder nadar livremente? Seria uma bênção para eles. Com certeza agradeceriam ao Nilo pela sua generosidade.

Nadei em silêncio para o canto mais distante do lago, para alcançar a escada do outro lado. Bati contra ela e sentei-me num degrau que me permitia ficar quase submersa. Agora que tinha achado o caminho para a segurança, não tinha pressa de deixar as águas. Poderia ficar aqui o tempo que quisesse.

Era escuridão completa quando finalmente subi as escadas, com água se derramando de meu corpo como se eu fosse a filha da deusa do mar. Agora o ar parecia frio e leve; a água tornara-se o meu meio natural.

Sim, estava frio. Tremi ao lembrar o longo caminho de volta ao vilarejo. Nem mesmo trouxera um manto. Durante o dia o Alto Egito é tão quente que não se imagina não se sentir confortável com o linho mais fino, e é muito fácil esquecer de trazer um manto.

Mesmo assim, gostei de sentir frio, aprender o que os meus súditos que não têm condições de possuir um manto devem sentir. Ouvi dizer que é comum para eles dividirem um manto, um ficando em casa, enquanto o outro sai. Como será? E isso no Egito, que é o país mais rico do mundo! Dizem que em Roma os pobres vivem numa miséria indescritível.

Mas não quero pensar em Roma agora, disse para mim mesma severamente. Não. Agora não. Roma está muito longe e pode ser que eu nunca chegue a visitá-la.

Havia agora apenas uma pequena faixa de terra seca entre o lago sagrado e o Nilo; enquanto eu nadava, o Nilo subira em silêncio. Caminhei no molhado, espalhando água ao pisar no chão. Senti-me uma criança de novo, brincando em lugares proibidos, pulando poças, sem pensar em Roma ou em despachos diplomáticos.

Quando cheguei à casa do administrador do vilarejo, minha diversão chegou ao fim. Estavam todos à minha espera: Senemuto, o secretário; Ipuy, o oficial do distrito; e até mesmo Mereruca, o governador da jurisdição burocrática. A casa murada, mesmo sendo a maior do vilarejo, era apenas de tamanho suficiente para tê-los com conforto, sentados no jardim, onde jogavam um jogo chamado "cobra" à luz de um lampião esfumaçado. Todos ficaram de pé quando entrei. Mereruca gritou solícito – Um manto! Um manto para a rainha! – Depois perguntou incrédulo – O que aconteceu? Caiu no Nilo? – Seu tom denunciava sua angústia caso eu perecesse dentro de sua jurisdição e da punição que se seguiria.

Neguei com a cabeça, os cabelos ainda molhados.

– Não.

Será que deveria contar a eles?

– Fui nadar um pouco. Foi delicioso... senti todas as minhas preocupações serem levadas com a corrente.

– Na escuridão? – gemeu Senemuto. – Com os crocodilos?

– Sem os crocodilos – dei minha palavra. – Os crocodilos ainda estão no cercado, embora tenha-os ouvido batendo nas grades.

– Onde, então? – indagou Mereruca.

– Num lugar secreto – respondi, com um tom imperioso. – E agora, meus bons ministros, o que estavam discutindo aqui na escuridão?

Era minha vez de interrogá-los.

– Isso e aquilo – Ipuy respondeu.

– Em outras palavras, uma mistura de intriga e negócios – eu disse. Mereruca sorriu.

– E existe um negócio que não tenha intriga?

Gostava dele, esse homem de rosto largo do Alto Egito. Não podia imaginar que fosse jamais tentado a deixar aquele lugar, sua terra natal; sua família talvez tenha vivido aqui desde os tempos de Ramsés II.

– Não – tive de admitir. – Os negócios são uma extensão da personalidade de um homem, e é sua personalidade que causa a intriga. Falamos do gosto exagerado de um homem pelo vinho, sobre sua briga com o irmão, e não sobre a maneira que ele mantém seus livros de contas.

– Falando em vinho... – Mereruca acenou para um criado para trazer uma taça para mim. Distingui o brilho verde-azulado da taça na luz tremulante das tochas e o rapaz alto que a segurava.

Tomei a taça de suas mãos. Senti o frio do material na minha palma. Os artistas desta área produziam objetos maravilhosos em argila. Como era incomum ver-me sentada entre pessoas com quem me sentia entre amigos e alguém dizer "Falando em vinho...", em vez das formalidades que usamos na corte. Graças aos deuses eles não tinham conhecimento dos rituais e das frases!

– Amanhã começaremos a evacuação – eu disse. Devo admitir que detestava estragar a atmosfera de despreocupação, com todos sentados ao redor do laguinho no jardim, as sombras dos peixes se movendo na água rasa. Sentia o perfume viçoso das flores de lótus na água e, sobre minha cabeça, as palmeiras se balançavam suavemente. Podia, porém, ouvir também o coro dos sapos, dizendo que o rio estava quase ali. – Todos os arranjos foram feitos?

– Todos – respondeu Ipuy. – E os tijolos de barro para construir as novas casas e os armazéns estão todos secos. Os animais de criação já foram removidos. Preparamos os planos para uma estrada que servirá muito bem para o transporte de bens e grãos. Infelizmente, o único lugar seguro é a própria areia.

– E o celeiro... – Mereruca fez uma pausa. – Quando o grão acabar...

– Temos, é claro, guardas para vigiar e prevenir o saque durante o transporte – disse Ipuy, rapidamente. – Mas, mesmo com o racionamento, não vai durar mais do que três meses.

– A coroa providenciará o abastecimento necessário – dei minha palavra. Importaria de onde quer que fosse encontrado, pagando um preço exorbitante, sem dúvida. Teria de tirar o dinheiro extra dos cinqüenta por cento de imposto de importação de azeite de oliva. E se não fosse suficiente, então usaria os trinta e cinco por cento de imposto que a coroa recebia pela importação de figos e vinho. Isso, é claro, provocaria um grande rombo no tesouro real. Mas não podia virar as costas para eles dizendo "morram de fome. Sei que estão fazendo isso para não precisar pagar impostos sobre o grão". Alguns faraós e outros Ptolomeu podem ter feito isso, mas eu não.

O que pensaria César da minha decisão? Em Roma estavam mais acostumados a sustentar os pobres; milhares de pessoas recebiam grãos de graça.

Que importa o que ele pensa ou deixa de pensar? Devo fazer o que é para ser feito.

No andar de cima, no que servia como dormitório real – cedido por Mereruca – preparei-me para dormir. Uma frieza tomava conta do quarto – um orifício no teto servia para capturar o vento norte e soprá-lo no quarto. A cama era baixa, feita de junco trançado. Deitaria de costas, descansando meu pescoço num encosto de madeira talhada. Não havia travesseiros por aqui. Talvez fossem um convite às pragas nesse tipo de vilarejo. Pelo menos o encosto era fresco e limpo.

No começo da viagem, fiquei imaginando se jamais conseguiria dormir assim, mas agora havia me acostumado. Parecia até induzir sonhos estranhos, como se os espíritos pudessem entrar com mais facilidade em minha cabeça suspensa sobre a superfície plana da cama.

Tirei o vestido molhado e pendurei num gancho na parede. Secaria durante a noite. Pus uma camisola do material mais fino que o Egito podia comprar – seda cujos fios haviam sido esticados. Era como vestir névoa. A senhora cega me dera de presente – seu trabalho mais delicado antes de perder a visão. Ela não voltara a enxergar, e eu encontrei um trabalho para os seus ouvidos e seu senso de prática: ela decidia disputas entre a criadagem no palácio, ouvindo os dois lados das questões. Queria ter podido fazer mais por ela, pensei, admirando sua habilidade em produzir tal vestimenta.

Deite-me e pus meu pescoço no encosto levemente curvado, esticando meus pés para o canto escuro do quarto. Senti como se estivesse deitada num divã de sacrifícios, esperando ser recebida ou rejeitada por... que deus? Um monstro raivoso, como o Molech dos Amonitas, ou um amante como Cupido? Senti um leve arrepio.

Amanhã este vilarejo começaria sua mudança para um local mais alto, e minha parte cerimonial chegaria ao fim. Então, iria para outro vilarejo, e depois mais outro... ao longo das margens do Nilo. Então, retornaria a Alexandria, para ficar a par do que se passava no mundo lá fora.

Aqui era fácil esquecer que aquele outro mundo existia, pensei. As famílias como as de Ipuy já haviam visto os faraós, os núbios e os persas chegarem e partirem, e provavelmente não fazia qualquer diferença para eles quem usava a coroa do Alto e Baixo Egito. O resto do mundo – Assíria, Babilônia, Grécia – era tão insignificante para eles como uma história contada por uma velha.

Senti uma onda de inveja se apossar de mim ao imaginar isso. Eles existem num colo verde e morno, protegidos de qualquer intromissão. Deve ter havido um tempo em que minha mãe também me dera um pequeno mundo protegido semelhante, onde tudo era plácido e previsível. O extraordinário era que eu não me lembrava de nada assim. Não tinha durado muito tempo.

Por mais estranho que possa parecer ao relembrar isso, senti uma enorme saudade dela naquele momento, queria falar com ela, acariciar suas mãos. Por quê? Não sei explicar; posso apenas supor que a vontade de tê-la perto de mim veio no momento em que eu estava sozinha, deitada num quarto, no meio da noite, num vilarejo remoto no coração do Egito, dezenove anos depois de ter sido abraçada por ela pela última vez.

Sob a difusa luz dourada da manhã, notamos que a linha de varas que colocamos na beira do rio quase não podia mais ser vista; o Nilo subira e se alargara quase dois metros a mais. Era hora de procurar terra mais alta. Tudo estava pronto. O passado se esvaneceu na luz matinal, e as lembranças e os anseios perdidos se dissolveram e foram engolidos pelas necessidades do presente.

Fiquei viajando pelo Nilo por quase dois meses. Fomos até Assuã, de certa maneira traçando o mesmo caminho de minha viagem com César. Do convés de meu barco pude ver o templo em que seus traços foram imortalizados numa estátua de Amon; e, quando alcançamos a Primeira Catarata, avistei o Templo de Ísis onde trocamos nossos votos – para que, não estou bem certa. Não entrei no templo. Perdoe-me, Ísis. Naquela época, tive o pressentimento de que nunca mais entraria nele de novo, nunca me prostraria em frente ao altar sem ele ao meu lado. Imaginei que ele voltaria muitas vezes ao Egito.

Sim, imaginei muitas coisas, sonhei muitas coisas – e tudo me foi negado. Mas naquela época acreditava que, se quiséssemos algo com muita vontade, poderíamos consegui-la – se os deuses permitissem.

Alexandria de novo. Como é branca vista de tão longe! Como é grande! E populosa! Resplandecente contra o mar água-marinha que é o Mediterrâneo – tão diferente do verde e marrom dos vilarejos no Nilo. Minha Alexandria!

O palácio. Ou melhor, a área do palácio, com seus vários palácios e templos e campos de desfile... parecia uma morada dos deuses, como se um simples mortal não tivesse o direito de viver ali. Vi como vivia a gente comum, nas suas casas de barro caiadas, seus jardins murados, seus pequenos lagos ornamentais. De repente, senti-me como uma exploradora num reino estranho ao entrar em meu próprio palácio, meus próprios aposentos. As salas, como eram longas e enceradas... as portas, tão altas que até uma girafa poderia passar por elas... mas logo, como sempre acontece, tudo se tornou familiar de novo, e não pude mais vê-lo com os olhos de um estranho. Porque havia a mesma mesa de maquiagem antiga de ébano, com os detalhes de gansos de marfim ao lado dos puxadores, e vê-la trazia à memória todas as outras vezes que a vi, e como fazia parte de meu ser...

Sacudi a cabeça para clarear os pensamentos. Estava novamente em casa, era apenas isso; minha casa pareceu estranha por um momento. Fiquei pensando quanto tempo eu teria de ficar longe antes que nunca mais a sentisse como minha casa. Dez? Vinte anos?

Havia uma carta de César, escrita enquanto estava em Roma. Levou quase dois meses para chegar. Era uma missiva curta e impessoal, como os seus *Comentários*. Dele, não esperava cartas de amor, nada no papel para remoer em pensamento ou guardar com carinho. "Saudações para Sua Majestade, Rainha Cleópatra do Egito", dizia. "Fico contente de receber notícias do nascimento de seu filho." Meu filho – e não *nosso* filho! "Que ele viva e prospere e que seu reino seja lembrado e abençoado." Será que ele queria me garantir a continuação do trono do Egito? Que Roma estivesse garantindo nossa independência? "Que seu nome seja grande nos anais da História." Seu nome! Será que César sabia do nome que eu dera? Esta carta talvez tenha sido escrita antes da minha, informando e explicando, tivesse chegado em Roma. "Estou cercado de problemas para solucionar em Roma. Permito-me apenas alguns dias para resolvê-los, porque estou planejando embarcar para Cártago para engajar minha última batalha contra as forças rebeldes de Pompeu. Eles se agruparam na África do Norte, e devo persegui-los." Muito típico dele não ter revelado nada de sua estratégia. Só os deuses sabiam quantos olhos leram essas palavras antes de chegarem a mim. "Quando tudo for resolvido, mando buscá-la. Rezo para que suas obrigações no Egito permitam que viaje por um tempo e venha até Roma. Seu – Caio Júlio César."

Minhas obrigações! Se ele soubesse como exigem de mim e parecem não ter fim. Ele me mandará buscar para Roma – "por um tempo". Será que disse isso para me assegurar de que não exigirá que deixe minhas obrigações por ele? Reconhecia que eu não era uma simples mulher livre para ir embora. Ou seria um aviso de que sua vida em Roma exigia tanto dele que tinha muito pouco tempo para relaxar e que seu comportamento no Egito jamais seria repetido? E acabou assinando "seu" César. Que os espiões vejam e comentem!

Fiquei contente. Tudo estava bem. Não teria sido sensato para ele dizer mais, e, neste momento, não havia mais para ser dito. Nós dois tínhamos nossas batalhas para lutar e muito a reparar em nossos domínios.

.

Estava num dos grandes armazéns do governo nas docas. Era um prédio enorme, quase do tamanho de um templo. Fileiras e mais fileiras de ânforas – ânforas redondas e gordas, contendo azeite de oliva – nas suas camas de palha. Pareciam cidadãos afluentes, embora muito baixos em estatura. E era o que eram. Cada jarra, importada da Itália, Grécia ou Bitínia, enchia os cofres do tesouro do Estado. Os mercadores deviam pagar cinqüenta por cento de imposto para a importação de azeite de oliva. Já que no Egito não havia muitas oliveiras, isto significava que muito era importado. E o Egito não vivia sem o azeite de oliva. Era o que todo mundo usava para combustível nos lampiões e para cozinhar. Haviam outros óleos – óleo de rícino, de sésamo, de cróton, de açafrão, de linhaça e o óleo da maçã azeda. Eram, porém, óleos de uso limitado, e nenhum se comparava ao azeite de oliva.

Esta coleção de ânforas representava dinheiro suficiente para financiar o auxílio de dez vilarejos inundados. Eu precisava multiplicá-la por centenas. Mas assim tinha de ser.

– Majestade – disse o oficial encarregado do armazém. – Acredito que possa ver como estamos providenciando bem o armazenamento. Está sempre frio aqui, graças ao teto alto e aos respiradouros, que permitem a brisa do mar circular o tempo todo. Nunca tive uma ânfora sequer rância! A não ser que já fosse mal selada, é claro. Nunca gostei daquelas que são seladas com gordura de ovelhas e barro.

– Quero ver os livros de contas das taxas de importação coletadas sobre estas mercadorias – eu disse. – Estou admirada com a ordem e a limpeza deste lugar.

– O dono é quem toma conta disto – ele disse. – É muito diligente. Acho que se um camundongo sequer fosse encontrado aqui ... – ele piscou. – É por isso que temos tantos gatos.

Indicou os sacos de grãos armazenados do outro lado. Foi então que vi todos os gatos, empoleirados como estátuas de Bast por todo o lugar.

Camundongo. O despacho de ontem tinha informado do início de uma praga de ratos no Alto Egito. Sim, o auxílio era necessário. O dinheiro do imposto precisava ser recolhido.

Detestava a contabilidade. Tenho uma boa cabeça para números e gosto de jogar com cifras – até um certo ponto. O fato é que eu necessitava desesperadamente de um ministro de finanças. Mardian não tinha condições de ser o ministro chefe e um oficial de finanças ao mesmo tempo.

– Quem é o dono? – perguntei. Pelo jeito era um obcecado por organização.

– Epafrodito, da parte Delta da cidade – respondeu ele.

– O Delta? Ele é judeu, então?

– Sim. Seu nome hebreu é Ezequiel.

– Como lida com números e contas?

– Extraordinariamente, Majestade. Sabe como botar em ordem as contas mais desordenadas. E nunca o vi cometer um erro nas suas adições e subtrações. É de uma honestidade escrupulosa. Faz com que cada um de seus mercadores esfreguem suas balanças no começo e no fim de cada dia. E ele mesmo providencia os pesos, assim não há como serem trocados. Uma vez, quando descobriu um mestre de navio adulterando seu inventário de barras de estanho, entregou-o para os presbíteros para ser julgado. O deus deles, Josué, prega que enganar com pesos e medidas é uma coisa abominável. Dá para se ter uma idéia do que aconteceu com o mestre de navio. Desde então, não houve um falso inventário.

– Se eu desejasse falar com esse tal de... Ezequiel...?

– Em primeiro lugar, não vai poder chamá-lo de Ezequiel. Os gentis devem usar o seu nome grego.

Saí determinada a entrevistar o tal de Epafrodito. Talvez seu Josué tenha me dado exatamente a pessoa que estava à procura para preencher o posto de ministro de finanças. Quando estamos preparados, os deuses nos mandam o que precisamos.

Ezequiel – quero dizer, Epafrodito – anunciou que estaria disposto a se encontrar comigo. Era um homem muito ocupado, ele disse, mas talvez pudesse tirar uma hora no meio do dia, antes da celebração da morte de Adônis.

Será que estava brincando? Os judeus consideravam tais festivais com um horror pudico ou uma ridicularização sofisticada, dependendo de sua natureza: pudica ou sofisticada. Sua resposta insolente indicava que ele devia ser um dos judeus que desprezava o domínio ptolemaico, mesmo que o povo judeu tivesse ajudado César na recente Guerra Alexandrina. Fiz questão de não me exasperar com tal atitude. Era no *homem* que eu estava interessada, e queria entrevistar, e não nas suas crenças e preconceitos.

Quando chegou – pontualmente – na hora marcada, fiquei chocada ao me deparar com o homem mais belo que já tinha visto, a não ser pelas estátuas e obras de arte. O que esperava? Talvez um homem franzino que passava todas as suas horas verificando os pesos, inspecionando os pratos de balanças e examinando livros contábeis. Talvez fizesse todas essas coisas. Mesmo assim, tinha olhos azuis cativantes, tão azuis quanto as águas na enseada, tão nítidos como as partes mais rasas iluminadas pelo sol. Seus cabelos eram como uma juba de leão, pretos e brilhantes, emoldurando seu rosto como um retrato clássico de Alexandre. O traje vermelho-rubi dava o toque final à sua aparência requintada.

Não conseguia tirar os olhos dele.

– Pensei que fosse mais velho! – deixei escapar.

– Tenho quarenta e cinco anos – ele respondeu, um sotaque grego perfeito, com certeza da própria Atenas. – Talvez seja muito velho para você, com seus vinte e dois anos... Graciosa Majestade – ele disse intrépido.

Ele não aparentava quarenta e cinco anos.

– Epafrodito – eu disse. – É seu nome? Como recebeu tal nome?

Ele fez ar de surpresa.

– Minha mãe me deu este nome, Majestade. Creio que ela deve ter lido poemas e livros demais. Quer dizer "encantador".

Certamente eu não faria o comentário óbvio. Ele provavelmente devia estar acostumado a aturá-lo por toda a vida.

– E o que quer dizer Ezequiel? Deve saber que falo hebreu.

– Ah, então prefere que conduzamos nossa conversa em hebreu? – ele perguntou. Notei no seu olhar que estava apenas brincando; sua voz, porém, não o traiu. – Ezequiel quer dizer "o presente de Deus".

– Não, não precisamos falar hebreu – eu disse. – Meu conhecimento da língua é suficiente para me engajar em conversas diplomáticas e seguir fórmulas de discursos, mas, como você sabe muito bem, o seu grego é perfeito.

– Disseram que você sabia hebreu – ele disse. – Fiquei surpreso. Por que aprendeu?

– Gosto de estudar línguas. Parece que tenho o dom de aprendê-las. E, como rainha, vejo que é uma grande vantagem não precisar de intérpretes o tempo todo.

– Uma decisão sensata. Intérpretes acabam sempre colocando sua própria ênfase e escolhem palavras que possam refletir suas convicções – fez uma pausa. – Por exemplo, se tivesse dito "trair suas convicções", em vez de "refletir", daria uma nuança diferente às palavras.

– Exatamente. Agora, Epafrodito…

E expliquei do que necessitava. Precisava de ajuda imediata; antes que as medidas de auxílio pudessem ser colocadas em andamento, os registros tinham de estar em ordem.

– Esse é um trabalho de tempo integral, Vossa Majestade – ele respondeu sem hesitar. – E isso eu já tenho. Na verdade, tenho vários.

– Não poderia aceitá-lo temporariamente? Trata-se de uma emergência.

– O quê? Com uma hora de aviso? A senhora faz idéia das responsabilidades que tenho? O porto fecharia se eu de repente abandonasse meu cargo. E então, o que aconteceria com sua receita? Procure outra pessoa.

– Peço-lhe! Sua ajuda, mesmo que seja apenas para examinar os livros. Procuro alguém que faça o resto. – Durante toda nossa conversa, ele continuou de pé. Seu traje caía em pregas bem feitas até seus pés, cobertos com sapatos caros de couro de gazela. Sua postura era tão contida, tão calma. – E não, também não esperava que você aceitasse o encargo deste momento em diante. Mas quero a melhor pessoa neste reino para dirigir uma de suas tarefas mais importantes. Nunca deixa de me entristecer… diria "divertir" se não fosse tão essencial… que os súditos queiram sempre que seus governantes sejam sábios, humanos e honestos, somente para desejar os mais incompetentes e estúpidos como ministros deles! Reclamam o tempo todo que seus governantes se rodeiam com gente de segunda categoria, mas, se uma pessoa de primeira categoria é solicitada, imediatamente acha uma desculpa e corre de volta para os negócios de família. Não têm ninguém para culpar a não ser vocês mesmos se seu governante conta com ministros inferiores.

– Não sou o único no reino que sabe conduzir negócios com eficiência – ele retrucou, teimoso. – Além disso, talvez não seja para um alexandrino conduzir os negócios do Egito inteiro.

– Dinheiro é dinheiro! – eu disse. – Uma dracma é uma dracma, tanto em Alexandria como em Assuã!

A verdade era que ele não queria se envolver com meu governo.

– A razão não é por você ser alexandrino. O fato é que você e seu povo não aprova o meu governo. E sei que você não gosta de mim!

Pela primeira vez sua expressão traiu uma emoção que não fosse indiferença.

– Não, não é que não gosto de você. É verdade que alguns judeus ficaram ofendidos porque foram excluídos de certos decretos que favoreceram os gregos. Mas certamente *César*... – fez uma pausa para enfatizar o nome – foi generoso com aqueles que sabia serem seus amigos na sua hora de necessidade.

– E eu também fui! E esta é uma hora de necessidade. A necessidade aparece não apenas em batalhas entre os homens, mas também entre os homens e a natureza.

– Ficamos felizes de ajudar César.

Por que continuava repetindo isso? Por que não perguntava logo a verdadeira questão, *Quem será nosso verdadeiro governante, você ou César?* Pelo jeito preferia César.

– Ao me dar auxílio, estará mostrando seu respeito por ele.

Ele deu uma leve sacudida de cabeça, quase imperceptível.

– Como?

– Porque o próprio César lutou numa guerra para me manter no trono! Foi seu desejo que eu fosse rainha!

– E você também é a mãe de seu filho.

Que atrevimento o dele dizer isso tão diretamente.

– Sim. E este filho me seguirá como o rei do Egito. Claro que César ficará satisfeito se você me ajudar... e ao seu filho.

– Mande os livros para o meu armazém – ele disse, de súbito, como um mercador cujo preço foi alcançado e não deseja mais prolongar a barganha no caso de você mudar de idéia. – Darei uma olhada neles. Não posso prometer que os entrego de volta amanhã.

Tentei não mostrar minha surpresa. Amanhã! Tinha esperanças de tê-los de volta entre sete e dez dias. Ninguém teria imaginado que amanhã seria possível! A não ser César... e este Epafrodito, a-beleza-de-Afrodite-num-homem... Eu *seria* servida pelo melhor, afinal. Não precisaria achar um meio-termo. O único problema era que gente assim acabava por nos fazer exigir mais de pessoas cujos talentos são meramente humanos.

— Muito obrigada — eu disse. — Os livros estarão lá na hora que indicar.

Ele se retirou, seu robe vermelho reluzindo ao sol do meio-dia. Imaginei como ele e Mardian se entrosariam trabalhando juntos.

O inverno chegou, com seus fustigantes ventos e tempestades de água salgada. Celebrei o meu vigésimo terceiro aniversário sem muito alarde; muito mais importante para mim foram os seis meses que Cesarion completou no mesmo dia. Senti tanto a sua falta quando nos separamos; agora deleitava-me ao vê-lo engatinhar lentamente pelo chão de mármore do meu quarto. Fiquei imaginando o que era tão fascinante sobre o próprio filho que uma mãe podia ficar horas olhando-o dormir e ainda gostar da experiência. Mas é verdade.

A cheia do Nilo começava a baixar, mas o dano foi ainda maior do que previmos. Graças às nossas preparações e à maneira organizada com que efetuamos nossos planos, as pessoas sobreviveram tão bem quanto se podia esperar. O braço canópico do Nilo alagou a cidade de prazeres de Canopo, levando com ele os famosos jardins dos prazeres e seus pavilhões de diversão, talvez até mesmo com seus clientes dentro. Não precisavam de ajuda para reconstruir seus salões de indulgências; é um fato estranho que esses são sempre os últimos a ser abandonados e os primeiros a ser reconstruídos.

Tudo estava calmo. Tudo estava em ordem.

Foi então que recebi o relatório. Mardian trouxe-o para mim, numa manhã de fim de inverno, enquanto eu admirava Cesarion desenrolando um rolo gordo de lã, empurrando o fio pelo chão, engatinhando atrás dele e examinando-o cuidadosamente a cada desenrolada.

Como sempre, fiquei contente de ver Mardian. Há pessoas cuja natureza exerce um efeito misterioso em nossa própria natureza, e na presença delas nosso humor sempre se eleva. Assim era Mardian, com seu rosto largo e quadrado, seus gestos rápidos e seus comentários penetrantes.

— Um relatório — ele disse me entregando. Depois foi se sentar numa almofada grande e fez questão de se concentrar inteiramente no que Cesarion estava fazendo.

Era exatamente o que eu aguardava tão ansiosamente. Meus espiões em Roma conseguiram juntar informações sobre a campanha de César na África do Norte, onde ele ainda se encontrava.

César fizera a travessia sem transtornos, levando apenas seis legiões – cinco delas compostas de novos recrutas – e dois mil cavalos. E então – mau agouro! – foi forçado na direção Norte por uma tempestade e acabou não desembarcando onde desejava, e sem a maioria de seus homens. E quando chegaram à costa, ele caiu de rosto na areia.

Ouvi meu próprio grito. Mardian olhou para mim assustado.

Mas então, o relatório continuava, ele tomou um punhado de areia na mão e gritou "Serás minha, Ó África!". Ele não era um que fosse levado por superstições, mas sabia muito bem que outros eram.

As forças inimigas – dez legiões, não menos! – eram comandadas por Metelo Cipião, e as pessoas acreditavam que Cipião nunca poderia sofrer infortúnio na África, porque Cipião Africano tinha acabado com as forças de Aníbal lá mesmo. Mais uma coisa contra César. Mas ele contra-atacou ao nomear um Cipião no seu próprio exército, um homem sem distinção da mesma linhagem.

Todos os partidários de Pompeu se agruparam no mesmo lugar para uma última confrontação: os dois filhos de Pompeu, Cneu e Sexto, como também o severo e fanático republicano Catão. Cipião tinha dado o passo chocante de aliar-se – na verdade ficar sob o comando de – Juba, o rei da Numídia. Um romano servindo sob um rei estrangeiro era considerado além dos limites. Juba contribuiu com elefantes de guerra para a disputa, como também uma cavalaria e quatro legiões. O total de cavalaria sob o comando dos rebeldes era quinze mil.

Porque sua travessia no inverno foi inesperada, o inimigo não interferiu no desembarque de César. Porém, ele logo se encontrou numa posição em que conseguir o fornecimento de alimento era um problema. Apesar de estar em números muito menores, seus instintos ditavam que forçasse a batalha o mais rápido possível.

De novo respirei fundo, e Mardian olhou para mim. Por que ficava olhando para mim assim, como esperando que eu chegasse na pior parte?

– Ele morreu? – gritei por fim. – Não suporto continuar lendo tudo isso, e você aí, esperando pela minha reação quando eu chegar lá.

– Não, minha senhora, ele não morreu – Mardian me asseverou. – Nem mesmo foi ferido.

– Então, pelos deuses, pare de me olhar desse jeito! – voltei a ler.

Catão avisou ao exército de Pompeu para não se engajar em batalha imediatamente, já que eles só podiam ficar mais fortes com o passar do tempo, com os armazéns de alimento à disposição e as rotas de comércio sob controle. Os cavalos de César já estavam sendo alimentados de alga marinha, lavada em água doce. César lançou expedições de caça a alimentos que acabaram sendo emboscadas pelo inimigo. E somente ao usar uma tática militar clássica, fazendo filas de soldados em todas as direções, assim tendo todos os lados cobertos, conseguiram escapar na calada da noite de volta ao acampamento. A emboscada foi um revés – o primeiro de César desde Diráquio com Pompeu.

E ali ficaram, esperando que as outras legiões de César se unissem a ele, acampados em trincheiras em Ruspina, no platô com vista para o mar.

– Então – eu disse. – Ele espera. Nada foi decidido.

– Não, nada foi decidido – repetiu Mardian.

Havia apenas mais algumas linhas. Diziam que César tinha conseguido o apoio de Boco e Bogud, os dois reis da Mauritânia, como aliados para contrabalançar Juba. Dizia também que estava castigando Cipião publicamente por se rebaixar e acatar ordens de um rei africano, Juba, e de ter medo de usar o manto púrpura de general romano na presença de Juba. Cipião contra-atacou dizendo que César tinha ido para a cama com Êunoe, a mulher de Bogud, botando chifres no seu próprio aliado de campo.

– O quê? – gritei. De novo. Mardian levantou a cabeça. Agora sabia pelo que ele estava esperando.

– É verdade? É verdade sobre César e Êunoe? – minha voz começou a subir. Tem de se controlar, eu disse a mim mesma.

– Eu… eu… – ele gaguejou.

– Sei que você pode descobrir! Você e sua irmandade de espiões!

– Eu… Não sei ao certo, mas a informação inicial que tenho é de que sim, é verdade.

Naquele exato momento, Cesarion jogou o rolo de lã, que foi parar embaixo de uma mesa. Cesarion engatinhou determinado para pegá-lo. A dor que senti ao vê-lo naquele momento foi indescritível.

– Uma outra rainha – eu disse finalmente. – Vejo que ele adquiriu um gosto pelas camas de rainhas – minha voz era quase inaudível. Mal consegui respirar. Mas respirei. E não levantei a voz, ou deixei-a tremer.

– Pode ir, Mardian – eu disse finalmente. – Fico grata se você descobrir exatamente o que está se passando. Sei que posso contar com você.

Ele se levantou rapidamente e saiu da sala.

Precisava ficar sozinha. Senti como se tivesse sido atingida por uma tora de pau no meio do estômago. Lá fora, as nuvens passavam, perseguindo uma à outra no céu, dando cambalhotas como demônios saindo de um túnel. Se pelo menos fosse noite agora, para eu poder fechar as cortinas e não ser perturbada por horas. Maldito dia, com suas idas e vindas e afazeres! Caminhei ereta para meu quarto mais íntimo. Charmian estava lá. Dei um aceno para que ela saísse, tentando não olhar para ela, porque no momento em que ela visse meu rosto ou me ouvisse falar, saberia que havia algo errado. E teria de conversar sobre isso. Eu não queria falar; queria apenas sentir.

Este foi o quarto onde passamos tantas horas juntos. Todos os móveis traziam a lembrança ou a essência dele. Agora cada um deles machucava. É assim quando algo morre; os objetos inanimados que o amado tocou servem para nos machucar. O que deveria servir de conforto nos causa ainda mais dor. As mesmas cortinas que ele abrira para fitar a enseada – a mesinha em que ele sempre descansava a mão – o mosaico que ele admirara – a lâmpada que ele acendia para ler seus papéis – todos agora avançavam para mim como um bando de malfeitores, apenas para me ferir.

Não havia necessidade de iludir-me pensando que era apenas um rumor. Sabia no fundo do coração que era verdade. Ele não havia mudado. Não mudara nada.

A tola era eu por ter esperado que ele mudaria. De alguma maneira pensei que o Egito o tivesse transformado. Mas não tinha.

Êunoe. Que tipo de nome era este? Parecia grego. Mas era a mulher de um mauritano. Uma moura? Uma berbere? Era velha? Nova? E o que estava fazendo com o marido no campo de batalha?

O que importava? E o que importava mesmo se fosse verdade? Perguntei a mim mesma de súbito. O mais triste é que me peguei acreditando ser verdade. Desta maneira, eu também o traí.

Fiquei parada diante da janela, observando o temporal atravessar o mar. Agarrei a cortina e amassei o tecido na minha mão. Minhas mãos ansiavam que fosse sua carne em vez das cortinas finas. Não sabia se queria arranhá-lo ou acariciá-lo. Deixei a janela e me afundei num divã. Estava exausta. Uma escuridão densa parecia ter me coberto como um manto, pesando nos meus ombros. Fiquei quieta e fechei os olhos. Desejei que fosse embora. Passaram-se o que podia ter sido minutos ou horas. Quando abri meus olhos de novo, a informação odiosa ainda estava comigo.

No fim de março, um mensageiro empoeirado chegou no palácio, anunciando que viera da distante Méroe, além da Quinta Catarata em Núbia, trazendo uma mensagem urgente somente para os meus ouvidos. Os guardas do palácio suspeitaram dele e insistiram em acorrentá-lo antes de trazê-lo à minha presença. Eu estava sentada em frente de uma grande mesa de mármore que (mais lembranças, apesar de já haver passado semanas desde o relatório da África) César usava para abrir seus mapas. Agora, usava esta mesa sempre que tinha um número grande de livros para examinar; esta manhã, estava justamente verificando a lista de cifras que Epafrodito elaborara para mim. Pouco a pouco ele assumia os deveres de ministro de finanças, protestando o tempo todo que não tinha interesse nenhum em fazê-lo. Homens! Como poderia acreditar em tudo o que diziam?

Logo botei de lado as cifras. A vida tinha se tornado monótona e sempre no meio da monotonia, como uma ferida que se recusa a cicatrizar, havia o receio das más notícias da linha de frente na África, quebrando a monotonia com tragédia.

Sim, tragédia. Porque a morte de César não seria nada menos para mim. Ainda o amava e sempre o amaria. Agora sabia disso. E aceitava isso, assim como aceitava minha altura e a cor dos meus olhos. Foram-me dados, para nunca mais serem mudados. Uma fonte de prazer e imensa dor.

– Deixem o homem se aproximar do trono e dar sua mensagem – eu disse, embora não estivesse sentada num trono.

As portas altas com as dobradiças azeitadas se abriram para deixar o núbio alto entrar na sala. Ele caminhou reto e com longas passadas, apesar das correntes o oprimirem. Era escoltado por dois oficiais da Guarda Real.

– Vossa tão graciosa majestade, Rainha Cleópatra, sou um emissário da exaltada e poderosa *Kandake* Amanishakheto do Reino de Méroe. Saudações!

A voz do homem soou como a de um guerreiro.

– Tirem-lhe as correntes! – ordenei. – Não ficaria contente de saber que meus mensageiros são acorrentados! E, com certeza, a *Kandake* também não.

Sabia que *Kandake* queria dizer rainha na língua deles. O meroítico era de certa maneira similar ao egípcio e ao etíope, que eu falava. Sempre tive curiosidade de saber mais sobre Méroe, nosso reino irmão ao sul.

Com destreza, os guardas desataram as correntes. O mensageiro tirou-as e jogou-as para um lado como um grou sacudindo a água de suas costas. E parecia ter aumentado de tamanho.

– Viajei, Vossa Majestade, muitos, muitos dias pelo Nilo. Atravessei as cinco cataratas e passei pela terra das avestruzes, dos hipopótamos e dos leões para chegar a esta cidade à beira do mar – ele recitou. Seu egípcio carregava um sotaque pesado. – Trago presentes de ouro, marfim e peles de leopardo.

– Pelas quais suas terras são famosas – eu disse.

– A caixa foi levada para investigação – ele disse. – Posso presenteá-la depois que seus soldados a inspecionarem. Mas tenho uma mensagem que é apenas para os seus ouvidos. Estes atendentes devem sair.

Isso não era sensato. Não devia ficar sozinha com aquele desconhecido com um pretexto tão ordinário.

– Um dos meus guardas precisa ficar – insisti. – E vou chamar meu ministro maior, Mardian.

– Não, a *Kandake* disse que nenhuma pessoa deve estar presente.

– Então não vou poder ouvir a mensagem. Atravessou toda esta distância por nada. Meu ministro é de alta confiança. E um guarda deve estar sempre presente.

Ele ficou em pé em silêncio por um momento, tentando decidir o que fazer. Era claro que venerava cada palavra pronunciada por sua rainha, e sua obediência resistira às milhas e era como se ainda estivesse na sua presença – o tipo de criado a que devemos dar o maior valor.

– Fale em etíope – eu disse. – Você sabe falar a língua? O guarda e o ministro não compreendem.

O homem sorriu abertamente. E afirmou entusiasmado.

– Muito bem, Vossa Majestade – ele disse.

Tive um pouco de dificuldade em seguir suas palavras, mas compreendi a idéia geral.

– Qual é a mensagem urgente? – perguntei.

– É esta: um rapaz se dizendo ser Ptolomeu XIII foi capturado em Méroe. Fiquei atordoada.

– O quê? – foi o que consegui dizer.

– Ele tem mais ou menos dezessete anos de idade, quase um homem. Estava recrutando um exército quando os soldados da *Kandake* o captura-ram. Ele pediu para ter uma audiência com ela e, na sua presença, jurou ser seu irmão, o verdadeiro herdeiro do trono do Egito, que escapou depois da batalha contra as forças de César e partiu para a Núbia. Tem um poder de persuasão enorme. Minha *Kandake* quer saber que instruções Vossa Majestade dará. Ele está na prisão.

Um impostor! Vi meu irmão morto, vi seu corpo caído ainda na sua armadura de ouro, com a água do pântano escorrendo de seu nariz. Estava sepultado aqui mesmo em Alexandria, no mausoléu dos Ptolomeu.

– Que seja executado! – eu disse. Que outra instrução poderia haver?

– Sinto muito, mas não podemos fazer isso até que ele seja identificado.

– Quem sabe? E tem importância? Não é meu irmão, disso tenho certeza. E merece a sentença de morte por fingir ser.

– Então precisa vir e olhá-lo nos olhos e dizer que ele é um impostor.

– O quê? Eu viajar até a Núbia? Que ele faça a viagem! Que venha para cá e aqui lido com ele – eu disse.

– Não podemos – ele replicou. – Certamente compreende por quê. É muito perigoso; pode escapar ao longo do caminho. Não importa o quanto o vigiarmos, haverá sem dúvida oportunidades na jornada. No momento em que a notícia se espalhar, ou até mesmo apenas um rumor, seguidores começarão a aparecer. É sempre assim. As pessoas apóiam qualquer causa, apenas para se manter ocupadas. Por isso não quis que ninguém em Alexandria ouvisse isso. Um sussurro que seja não deve alcançar os ouvidos de ninguém. Tem certeza de que não entendem etíope?

Olhou nervosamente para o guarda e Mardian, que tinha chegado e estava encostado num canto da mesa, olhando-nos fixamente.

– Juro que não – dei minha palavra.

– Você me acompanhará de volta? – ele queria saber. – Estou preparado a esperar. Mas a aconselho a vir o mais cedo possível. Quanto menos tempo entre a captura dele e a sua... decisão... melhor.

Ele tinha razão. Cada dia que passava, com o suposto Ptolomeu XIII conversando – com seus vigilantes, seus companheiros de cela – mais perigoso ele se tornava.

– Muito bem – concedi, irritada. – Estou vendo que não tenho escolha. Mas preciso pensar numa razão para, repentinamente, fazer uma viagem dessas, que nenhum faraó ou Ptolomeu jamais fez. Não é como se decidisse ir a Canopo.

Sabia que precisava pensar logo, antes da entrevista acabar, assim podia fingir que era parte da mensagem do homem. Mardian olhava para mim, claramente tentando descobrir o que se passava.

Por que ir até Méroe? Que razão convincente havia? Pense! Eu disse a mim mesma. Para ver alguma coisa por mim mesma... o que poderia ser? As rotas de comércio para a Índia? Uma cidade perdida? Uma expedição científica? Poderia levar geógrafos e matemáticos do Museion, aqueles que sempre estavam fazendo experimentos para medir a curvatura da terra. Mas por que eu precisaria ir também? Certamente os cientistas podiam ir sozinhos. Como também os mercadores interessados nas rotas de comércio. E os caçadores de elefantes e leopardos. Nenhuma dessas desculpas era boa.

Mardian olhava para mim enquanto os momentos de silêncio passavam. Quando falasse, precisava dar uma razão para a visita – uma razão pública. Em privado, contaria a Mardian a razão verdadeira. Mas agora, poderia haver espiões na sala exterior.

– Minha irmã rainha, a renomada *Kandake* Amanishakheto, estendeu sua mão de amizade para mim – eu disse, afinal. – Desejo ir pessoalmente à sua fabulosa corte em Núbia, ver o que nenhum dos meus ancestrais jamais tiveram a chance de ver. No caminho, farei tratados e acordos comerciais com as tribos ao longo do Nilo. Vamos abrir uma nova fronteira, numa nova direção, para o Egito Ptolemaico. Talvez nosso futuro esteja na direção do Sul, na África, em vez de ao Leste, para a Ásia, ou ao Oeste, para a Gália. Roma tomou a maioria da Ásia e toda a Gália. Nosso caminho está bloqueado. O que meus ancestrais dominavam nessas regiões não tenho esperança de retomar. Mas outras terras, outros horizontes me chamam. Não é o mínimo que posso fazer, pelo menos, ver por mim mesma o que oferecem?

Disse isso primeiro em etíope, depois em grego. Registrei a expressão no rosto de Mardian. Sei que soava implausível. Mas o que mais podia dizer?

19

A ampla estrada de água me levava cada vez mais para o Sul, deixando para trás os monumentos e lugares no Egito que agora eram velhos amigos: as pirâmides, Tebas com seus templos dourados, a vida agitada às margens do rio. Moinhos de água rodavam constantemente, trazendo a água em baldes; crianças brincavam nos caminhos empoeirados; mulas e camelos piscavam para nós enquanto deslizávamos na corrente, cachorros latiam, e as donzelas dos vilarejos, que vinham encher suas jarras de água, paravam e olhavam com curiosidade para a minha barca real com sua flor de lótus curvada à frente e o pavilhão com toldos de franjas, enquanto nossas velas se enchiam dos ventos do norte, levando-nos adiante.

Podia ver os danos causados pela enchente, mas tudo era passado agora, e os campos eram verdes como os brotos de feijão, émero e cevada que cresciam. O Egito sobrevivera.

Filas de novo – a Ilha Sacra, com o colégio sagrado de sacerdotes. Novamente não fui até lá visitar o pequeno santuário onde estive com César. Meu coração sentiu como se fosse parar de bater quando velejamos lentamente, passando pelos prédios brancos, que se tornavam dourados com o pôr-do-sol. Para César o lugar não era sagrado, ou era?

– Continue velejando – eu disse. – Vamos ancorar além de Filas.

Estávamos nos aproximando da Primeira Catarata. Eu podia ouvir o barulho – no começo, quase um murmúrio, como o sussurro de um amante, depois mais alto, como uma criança choramingando. Finalmente, como um touro raivoso. E, de repente, avistei-a. O Nilo se estirou como um lago, com mil ilhas pequenas reluzindo, algumas com palmeiras, e outras, apenas rochas pontiagudas e nuas. Aqui, o rio era plácido, refletindo as ilhas e as árvores, dobrando tudo o que se via. Virei o rosto para o lado do barco e vi minha imagem refletida na água. Com meus dedos toquei a água; apenas as ondulações que causei indicavam ser um reflexo. Quando a noite caiu, a superfície mudou de bronze para prata, mas ainda continuou a brilhar como metal polido.

Ancoramos para a noite. Na manhã seguinte, para passar a catarata, seríamos erguidos por um time de homens que, por cinco meses do ano, quando o rio baixa e as pedras ficam expostas, ganham a vida carregando os barcos.

O sol explodiu no horizonte, levantando-se já quente naquela manhã. O trabalho dos homens que arrastavam o barco era intenso; eram amarrados uns aos outros por cordas, alguns guiando, outros puxando, sob o comando de um chefe que sabia exatamente onde estavam as pedras que poderiam causar um rombo mortal no casco do barco. Foram muitos sacolejos e batidas e, depois de dois dias, finalmente flutuamos livres de pedras traiçoeiras.

Além da catarata, o rio muda quando se entra em Núbia. De um lado são despenhadeiros de granito negro e, do outro, areia dourada. Não há muita vida; o Nilo flui silenciosamente passando por vales muito estreitos para o cultivo. Os cachorros, os vilarejos, os campos do Egito sumiram e, em seu lugar, havia a quietude do abandono. No céu brilhante e límpido, de vez em quando voava um falcão. Além disso, nada se movia.

No entanto, os faraós se ocuparam muito aqui. Havia ouro para ser extraído no leito dos rios intermitentes e nas ravinas, e fortes construídos para derretê-lo e refiná-lo – estruturas enormes de tijolos de barro em Kuban, que marcava a extensão de meu reino. Flutuamos ainda além na superfície calma do Nilo, o sol inclemente cintilando na água. Agora eu tinha entrado em território estrangeiro, era hóspede de um outro soberano.

De repente, os vales do rio se alargaram, e uma enorme plantação de tamareiras nos chamou a atenção. Eram os campos famosos de Derr; então mandamos buscar o vinho de tâmaras produzido no local.

Mais um pôr-do-sol, mais um dia. Os dias fluíam como numa jornada sem fim, embora estivéssemos fazendo progresso com o vento constante. Abu Simbel no desfiladeiro à frente. A distância, víamos as figuras gigantes, mas escureceu antes que chegássemos até lá. Ancoramos e sentamos no convés, bebendo o vinho de tâmara, forte e amarelado, enquanto as figuras se dissolviam na escuridão. Acendemos as lanternas e continuamos bebendo o vinho; tudo parecia palpitar numa incandescência dourada. Que país estranho este.

Naquela noite, notei pela primeira vez que a temperatura não baixou. Não era necessário um manto ou qualquer coisa para cobrir os ombros. E de manhã, não havia frieza. Apenas duas temperaturas: morno e quente.

No primeiro clarão matinal, levantamos âncora, para podermos admirar os grandes monumentos banhados pela luz da aurora. As estátuas de Ramsés, o Grande, sentavam em contemplação serena enquanto passávamos. Observamos a luz rosada cobri-las lentamente. O faraó guardava a fronteira, a areia chegando aos joelhos, como fazia por milhares de anos, ainda avisando os núbios de seu grande poder. Ele nos olhou como se perguntando porque nos apressávamos e o que procurávamos. Seu sorriso enigmático parecia dizer que não adiantava procurar, que não nos faria bem e não duraria. Mesmo estátuas são insignificantes e se esfarelam como ossos velhos. Uma de suas cabeças estava caída aos seus pés, de olhos fixos no céu vazio.

Aproximamo-nos da Segunda Catarata, que era como um obstáculo nesta terra de sol abrasador. O terreno vazio e duro não mostrava piedade para criaturas vivas. Vários fortes gigantes de barro, construídos para guardar os dois lados do Nilo, nos vigiavam do topo da Garganta do Semna.

Nesta catarata, conhecida como a Grande Catarata, abandonaríamos nossa barca; era muito perigosa para um barco atravessar. Fomos transferidos para um outro barco que esperava depois dos vinte e cinco quilômetros de pedras e túneis.

Nosso barco novo não tinha adornos. Era um barco de construção forte, com madeira grossa, que serviria até o fim da viagem. Imediatamente embarcamos num trecho de cem quilômetros chamado "a barriga das pedras", devido à sua natureza inóspita. O Nilo continuava por um canal de pedras, margeado em cada lado por rochas, despenhadeiros e chapadas de granito. O sol penetrava as rochas como mil dardos, transfixando e cegando os olhos. A luz vinha do céu, das pedras, da água. Não havia uma criatura se movendo, nem havia nuvens. O calor irradiava como um forno; as rochas eram brasas incandescentes.

Chegamos à Terceira Catarata, uma cascata comparada às outras. A paisagem mudou bruscamente, o vale se alargara e surgiram os campos verdes. O rio se espalhara com um suspiro e abraçara a terra. Animais de criação e vilarejos começaram a aparecer. Logo passamos Kerma, antes uma importante cidade no reino núbio, agora encolhendo-se de volta a um vilarejo. Vi as ruínas de uma grande estrutura no horizonte – um templo de tijolos de barro? Ramsés tinha razão; nada dura. Umas poucas esfinges com cabeça de carneiro, lascadas e enterradas pela metade na areia, eram visíveis do barco. Fitavam-nos, os restos de uma avenida abandonada que levava para... o quê?

Agora passávamos a Extensão de Dongola, e o panorama continuou agradável – verde, repleto de palmeiras. O Nilo fez uma curva enorme e mudou o curso para o Norte ao nos aproximarmos da Quarta Catarata, onde terminava o antigo domínio dos faraós. Havia a montanha sagrada de Jebel Barkal em Napata, que ainda atraía peregrinos; pirâmides estranhas de lados pontudos mal podiam ser vistas do barco.

O Nilo continuou no seu curso para o Norte, como um filho que se desgarrou do caminho; finalmente, voltou a fluir para o Sul depois de uma curva, e o sol ficou uma vez mais nos nossos rostos em vez de nossas costas – apesar de, na maioria do tempo, ficar mesmo diretamente sobre nossas cabeças. Notei os últimos traços do domínio egípcio: um texto sobre a fronteira, escrito por um faraó numa pedra alta. Mas ficou apenas na vontade, pois o Egito nunca realmente controlou essa parte do vale do Nilo, embora tenha reivindicado orgulhosamente que sim.

O rio se estreitou novamente ao nos aproximarmos da Quinta Catarata, onde seríamos levantados e guiados para atravessá-la. E então surgiu o primeiro tributário do Nilo, o Atbara, trazendo água da Etiópia. À nossa frente, aparecia nosso destino: Méroe, a rica cidade do lendário Kush, quer dizer, Núbia.

Ficava numa planície fértil, repleta de milhete e cevada, permeada de gado. Uma brisa, trazendo o frescor de plantas verdes, soprava, atravessando a proa do nosso barco. De imediato compreendi por que os núbios se retraíram para esta área e aqui se fixaram. Não eram facilmente alcançados, e o lugar era um paraíso.

À nossa frente vi uma rampa de desembarque longa e impressionante, tomando uma grande parte das águas rasas. Os pilares de tronco de palmeira eram talhados e pintados de ouro, com bandeirolas azuis e douradas nas pontas. Eram realmente as boas-vindas reais.

Tinham visto o barco, identificado minha insígnia e, antes de chegarmos, a multidão tomou conta da doca. Enquanto atracávamos, vi tantos robes luxuosos ao redor que parecia mais um desfile de jóias.

Um homem alto, ainda mais enfeitado do que seus companheiros, aproximou-se e falou conosco, mas não entendi o que disse; era evidente que falava em meroítico.

– Você fala grego? – perguntei.

Ele deu de ombros, porque não entendeu. Alguém sussurrou no seu ouvido e então ele negou com a cabeça.

– Egípcio, então?

Ele sorriu.

– Sim, Alteza.

– Ou etíope?

– Também. Qual prefere?

Parecia egoísta da minha parte escolher egípcio, mas podia falar muito melhor do que etiópico.

– Egípcio, a não ser que haja uma outra língua que deseje usar – sugeri.

– Egípcio é tão bom como qualquer outra – ele disse.

Acenou para o mensageiro, que estava ao meu lado.

– *Kandake* Amanishakheto o recompensará por sua diligência e seu poder de persuasão – virou-se para mim. – Venha, Grande Rainha. Queira acompanhar-me ao palácio.

Ao passarmos pela multidão curiosa, fiquei impressionada com duas coisas: algumas das pessoas eram tão altas e magras, enquanto outras eram como elefantes da cintura para baixo, com quadris volumosos e pernas grossas como troncos de árvore.

Foram providenciadas liteiras para mim e minha comitiva até o palácio real; o resto iria a pé. Trouxe Iras comigo, pensando que ela gostaria de ver sua terra natal de novo. Mas enquanto éramos transportados por seis homens fortes, ela se inclinou e sussurrou:

– Nunca vi nada assim. Minha família era da Baixa Núbia, perto da fronteira com o Egito. Este lugar é diferente... tão diferente!

Estava perplexa.

– Você entende a língua deles? – perguntei.

– Não. Apenas algumas palavras soam familiar, mas falam muito rápido, e o sotaque é difícil de acompanhar.

Observei seus traços: a pele escura e brilhante, o nariz largo, os lábios curvos. No rosto ela era semelhante, mas seu corpo não se parecia com nenhum dos dois tipos predominantes aqui.

A cidade tinha ruas largas e casas redondas feitas de lama e junco que pareciam africanas; certamente nada que se assemelhasse ao Egito. Entretanto, logo nos aproximamos de um muro de pedra com um portão enorme que dava acesso ao recinto palaciano, talhado com gravuras faraônicas. Os guardas uniformizados com saias protegiam o portão; usavam capacetes de prata adornados com plumas coloridas e tinham arcos enormes pendurados nos ombros; a Núbia era conhecida como a "terra dos arcos" desde tempos antigos, e a habilidade dos núbios com essa arma era impressionante e aterrorizadora. Quando nos aproximamos, eles levantaram o ferrolho do portão; as portas pesadas se abriram com um gemido profundo, revelando uma paisagem suavemente verde.

Estirado à nossa frente, um tapete de pequenas flores do campo, enquadradas por arbustos de cores preciosas; pavilhões cobertos com vinhas pesadas de uvas e roseiras com uma quantidade de folhas pontudas e botões de flores na brisa suave nos convidando a entrar e partilhar de sua sombra de prazer perfumado. Notei um movimento nas sombras; alguém estava deitado num banco, uma mão caída de um lado, repousando. A distância vi um pomar, com os galhos carregados de botões brancos.

Espalhados por esse jardim sensual havia muitos prédios. Pareciam ser templos, palácios, casas de banho, tudo construído de arenito dourado.

Trilhas ladrilhadas com pedras largas se curvavam pelo recinto, e os criados, trajando túnicas vermelhas e verdes, passavam de um prédio a outro.

Árvores enormes e palmeiras graciosas os protegiam do sol inclemente do meio-dia.

Nossas liteiras foram abaixadas em frente a um prédio quadrado com os degraus de entrada em mármore.

– Este é o palácio dos convidados, Alteza – disse nosso anfitrião. – Recebemos muitos mensageiros, mercadores e negociantes da Arábia, da Índia e da África, e os tratamos como reis. Não é nosso desejo desonrá-la ao oferecer esses aposentos, mas honrá-los ao permitir que experimentem acomodações reais – ele se curvou cerimoniosamente para mim. – Além disso, eles se tornam mais maleáveis aos acordos de comércio – acrescentou.

– É verdade, a adulação produz tais resultados – eu disse, descendo da liteira. Como governante da cidade de maior comércio do mundo, compreendia todos os truques. Quando voltasse, iria considerar a construção de acomodações de nível palaciano para os visitantes.

Iras e eu fomos levadas por uma escadaria de pórfiro azul e negro até um conjunto de aposentos. O teto era adornado de cedro – obviamente importado do Líbano. A questão era: como conseguiram trazê-lo até aqui? Com certeza as toras de cinqüenta pés não sobreviveriam ao passar por uma catarata – que dirá cinco. Devem ter vindo através do Mar Vermelho. Mas como foram transportadas até lá? Mais uma pergunta para fazer a *Kandake*.

Sou acusada de ser uma mulher sem coração, calculista, ambiciosa, avara (naturalmente são coisas espalhadas pelos porta-vozes de Otávio). Mas toda calúnia tem base numa faísca de verdade. Assim, parada no meio de uma sala tão magnífica e pensando nas rotas de comércio, mostro a mim mesma a origem dessa futura difamação. De fato penso em dinheiro e comércio; quando vejo ouro, penso em minas, e quando vejo seda, penso na Índia e nas rotas de comércio e quando… – por que tentar explicar? É minha força e minha fraqueza ao mesmo tempo. E sei da lascívia desregrada de Otávio por meus tesouros. Mas não vamos nos adiantar na história.

Uma das coisas que notei imediatamente foi um conjunto de vasos e utensílios de prata sobre a mesa – uma jarra alta com bico, taças delgadas, uma bandeja oval. A prata não é muito usada no Egito porque é naturalmente menos abundante do que o ouro; chamara minha atenção por isso.

Levantei a jarra, apreciando sua textura, e derramei um pouco do líquido marrom em uma das taças; era suco de tamarindo.

– Da Índia, Alteza – disse alguém à porta. Coloquei a jarra de volta com um susto.

Um menina fantasmagórica, trajando o que parecia ao mesmo tempo estranho e familiar, estava parada na porta.

— Fui enviada para servi-la — ela disse, fazendo um gesto de submissão com as mãos. — Minha *Kandake* deseja que você experimente a sua bebida favorita e que eu explique sobre ela.

A menina atravessou o quarto graciosamente, pegou a jarra pela alça e encheu duas taças, com um movimento único, sinuoso e delicado. Entregou uma para mim e outra para Iras.

— Bebam e sejam bem-vindas.

O líquido ácido e denso ardeu nos meus lábios. Quando viu minha expressão, a menina disse:

— Temos mel para adoçá-lo — e indicou um pote brilhante com tampa preta. Percebi agora que a graciosidade nos gestos de Iras era parte de sua hereditariedade. Essa menina possuía os mesmos movimentos suaves e fluidos.

— Grandes carregamentos de tamarindo chegam até nós através dos ventos de monção — ela disse. — Pela distinção de sabor sabemos de que parte da Índia eles vêm.

— É delicioso e refrescante — elogiei. O sabor era forte, tonificante: uma bebida para soldados, marinheiros, comerciantes e... rainhas.

— Pode dizer à sua *Kandake* que gostei. E quando vamos conhecê-la?

— Na frescura do entardecer é quando ela gostaria de recebê-la, no pavilhão ao lado do santuário de água.

Quando ela se virou para partir percebi o que havia de peculiar sobre suas roupas: estava vestida no estilo do antigo Egito, um estilo que não vestíamos havia mil anos. Reconheci as vestimentas apenas pelas gravuras nas paredes dos templos.

Ao entardecer fui levada por um caminho largo margeado com flores até o santuário de água. Era o que chamaríamos de piscina de relaxamento, pois existia apenas para o prazer sensual e passivo da soberana. Os olhos eram deleitados com o azul-celeste dos azulejos no fundo da piscina, o que dava uma tonalidade de azul mágico à água; nossas narinas se deliciavam com o perfume dos lírios; a pele, com o ar fresco que soprava sobre a água; os ouvidos, pelo coro discreto de pequenas rãs e o canto dos pássaros entre os lírios. Algumas borboletas voavam sobre as plantas desse jardim aquático.

Estava sozinha no ocaso. Os criados acenderam os lampiões e, às minhas costas, eu ouvia o burburinho da fonte. Logo uma enorme liteira coberta com uma sombrinha de franjas surgiu na minha linha de visão, as franjas se balançando freneticamente. Notei uma mão coberta de jóias de um lado.

O aparato curioso, carregado por homens suados e de ombros largos, aproximou-se do pavilhão. Em frente aos degraus, pararam a liteira e ficaram de pé, retos. As cortinas se abriram, puxadas por uma mão também coberta de jóias. Uma cabeça saiu para fora, depois uma perna, coberta com um robe de pregas volumosas. Com um arfado, o resto do corpo saiu, seus ombros enormes sacudindo as medalhas penduradas numa faixa. Era como um elefante se atropelando num arbusto. Esperei ver sua pele cinza e enrugada. Mas era de um negro rico e tão lisa como metal polido.

Ela se endireitou com uma dignidade silenciosa e, com uma mão desproporcionalmente pequena, arrumou sua peruca e seu adorno em forma da deusa-abutre.

– Vossa majestade, honrada *Kandake* Amanishakheto – eu disse. – É um prazer contemplar seu nobre rosto.

Ela suspirou, e as medalhas no seu peito reluziram.

– Rainha Cleópatra – ela disse. – Você é tão bela como dizem ser. Bem-vinda a Méroe. Também é inteligente como dizem ser, já que compreendeu a necessidade da viagem. E determinada como dizem ser, já que fez a viagem em menos de cinqüenta dias. É, portanto, uma surpresa imensa e um prazer ainda maior estar diante de alguém que é exatamente como dizem ser. Pouquíssimas coisas são.

– Agradeço, Vossa Majestade. Pelo que vi, Méroe ultrapassa as lendas. É um tesouro desconhecido.

– Tanto melhor. Não queremos ser inundados com o tipo errado de exploradores. Quando um lugar se torna muito popular, é o fim de seu charme... não concorda?

Ela fez um gesto, e um criado apareceu das sombras e começou a abaná-la com um enorme abano de penas de avestruz tingidas de escarlate, dourado e azul. O abano fazia um arco-íris no ar.

– Vamos nos sentar – ela caminhou com passos lentos e deliberados para um trono de pedra, o único de construção forte o suficiente para sustentar seu peso. Vi as formas de suas pernas através das pregas do tecido fino de seu vestido. Eram maiores em diâmetro do que as vigas de cedro do Líbano no meu quarto. Seus pés – como suas mãos, muito pequenos – calçavam sandálias douradas.

Sentou-se com um suspiro, e suas roupas pareciam suspirar com ela. Borlas grossas, penduradas em cordões de seda, batiam-se e balançavam-se nas barras de sua roupa como cevada numa tempestade de vento.

– Sei que o menino não é seu irmão – ela disse calmamente. – Mas há aqueles que estão prontos a acreditar no contrário. Por que é que o impostor sempre atrai seguidores? É melhor que lidemos com ele entre nós. Detesto mentiras e fraudes. Repugno especialmente aqueles que viram as costas à verdade somente para abraçar a falsidade!

Seus olhos – castanhos, suaves, cativantes – piscavam, escuros como lavas obsidianas.

– Faz parte da condição humana, infelizmente – eu disse. Não queria irritá-la. Já parecia agitada o bastante.

Será que queria dizer que eu vivia sem ideais ou honra, como meus inimigos me tachavam? Não. Porém, quem fora criada numa família como a minha não poderia ter ilusões sobre o que as pessoas eram capazes de fazer. E ainda havia César… Desde que foi embora, César destruiu o pouco de crença no ser humano que existia em mim. Era tocante que Amanishakheto ainda possuísse muito de sua confiança original. Obviamente não havia sido traída por ninguém que não fosse um inimigo – nunca um amigo ou amante. É quando um desses nos trai que nosso mundo se desmorona.

– Deve ser punido sempre que acontece, para talvez não mostrar mais suas garras tão rapidamente! – ela disse. – Até mesmo um comportamento nato pode ser corrigido a chicotadas – sacudiu a cabeça para enfatizar. – Sim, uma boa chicotada pode curar o intrometido, o ladrão, o metido e o brigão.

– Mas não cura o que odeia, o ingrato ou o conspirador – retruquei.

– De fato. Não pode curar o coração, apenas as mãos – concordou. – Mas são as mãos que arruínam um reino. Pode deixar as pessoas pensar o que quiserem, contanto que mantenham as mãos serenamente cruzadas no colo.

Eu ri. Ela não deixava de ter razão.

– Acho que o povo de Méroe tem muita sorte por ter uma soberana tão sábia – eu disse.

– E os egípcios têm sorte de ter uma tão talentosa – concluiu ela, ligeiro. – Acho que devemos considerar uma aliança.

Olhei para ela cuidadosamente. Na luz moribunda do crepúsculo, era difícil estudar seus traços sem aparentar rudeza. Não tive oportunidade de olhar para ela de verdade e, antes de entrar em conversa séria com alguém, gosto de analisá-los profundamente. Acredito ser capaz de ler muito num rosto.

Voltei toda a minha atenção para Amanishakheto.

Ela me olhava com a mesma intensidade, estudando meu rosto abertamente.

– Tão jovem uma rainha – ela disse por fim. – E já com tantos anos de governo... anos não tão tranqüilos, devo dizer. Difíceis de conduzir. Deixa a imaginação voar. Quero dizer, pelo menos a minha imaginação. Você tem intenções verdadeiras de dividir o poder com seu irmão... quero dizer, seu irmão de verdade? – Sorria serenamente, aquela montanha sólida.

Perguntas penetrantes, feitas como se esperassem respostas diretas.

– Não – respondi. – Não, meus planos são de dividir o trono com meu filho e, eventualmente, passá-lo para ele.

Fez um gesto de cabeça em aprovação.

– É como fazemos aqui em Méroe. O filho da *Kandake* reinará. Chamamos de Qore, mas sua mulher se tornará a próxima *Kandake*. A verdade é que o poder fica nas mãos da *Kandake*.

– Seu filho? Onde está ele? Você tem um filho?

– Sim, sim, meu filho. É um menino travesso, não presta atenção aos seus deveres. Mas é coisa típica de um homem, não é mesmo?

– Agora estou confusa. Ele é um menino ou um homem?

– Um homem na idade. Eu mesma já tenho mais de quarenta. Meu filho travesso, Natakamani, já tem quase vinte. Mas tem uma boa esposa, Amanitore, que, graças aos deuses, será uma boa *Kandake* depois de mim.

– E o pai ... o pai de Nata... Natakam...?

Ela virou os olhos, depois fechou-os numa expressão de alívio.

– Ah, ele já foi para sua pirâmide.

Parecia feliz por ele estar em sua pirâmide, e não no palácio.

– Que resida em paz – eu disse, cheia de respeito.

– Até agora não ouvi qualquer movimento – ela respondeu. – Nenhum sussurro de seu *ba*.

Achei melhor deixar seu consorte sem nome virar pó e voltar nosso interesse para os que vivem. Enquanto ela falava, meus olhos foram atraídos pelos largos braceletes de ouro intrincados que ela usava por todo o braço. Os desenhos e o estilo eram bem diferentes daqueles que tínhamos no Egito; as duas partes eram presas com um alfinete grosso.

– Aqui – ela parecia ter lido meus pensamentos, porque de repente estendeu seu braço para mim. – Pode olhar – tirou um bracelete e me entregou.

Era pesado; quase como um grilhão. Mas o trabalho era delicado: uma figura em relevo da deusa Muta com quatro asas abertas, cada pena brilhando com os detalhes de lápis-lazuli, margeando uma fileira de pedras de lápis em formato geométrico.

– É seu. Pode colocá-lo.

Fiquei ofendida.

– Não. Queria apenas olhar. Não tive a intenção nenhuma de indicar que queria recebê-lo de presente – disse e devolvi o bracelete.

Ela o empurrou de volta nas minhas mãos.

– Se tivesse pensado que era isso, pode ter certeza de que não o daria nunca. Não acabei de dizer que detesto falsidade? Queria dar-lhe algo que eu visse por mim mesma que você apreciaria e com que se encantaria, em vez de uma bugiganga que meus ministros achassem apropriado. Além disso, temos ouro demais aqui.

Era o que sempre costumavam dizer. Até mesmo países pobres, quando dão um presente. Ou quando querem seduzir alguém a entrar numa aliança. Mas a Núbia realmente abundava em minas de ouro.

– Agradeço, então.

Usá-lo exigiria um braço muito musculoso.

– Notei uma grande variedade de prata – eu disse. – Agora, não precisa me dar nenhuma! Chamou minha atenção porque é raramente usada no Egito. Tem uma beleza cativa própria, como a luz da lua.

– Sempre imaginei que Ísis deve amar a prata – disse Amanishakheto. – A prata combina com ela. Já estive em Filas banhada no luar e, se ela já esteve lá, deve ter sido assim.

Filas. Forcei um sorriso.

– Sim. Ísis parece ser uma criatura da prata – disse por fim. – Notei que sua roupa fora tecida com fios de prata. É bem diferente da nossa no Egito... nem egípcio, nem grego.

Esperei que ela comentasse sobre suas vestimentas – sobre as borlas e as medalhas –, mas não disse nada.

– Notei também quando cheguei no seu palácio que os criados se vestem num estilo muito antigo. A moça que veio para os meus aposentos estava vestida num estilo de roupa da corte de Ramsés.

— Ramsés uma vez reinou na Núbia. Ficamos com o que gostamos do seu reino, e o resto, descartamos.

— Então foi preservado aqui muito depois de ter desaparecido na sua terra natal.

— Acontece geralmente assim — ela disse. — São os deuses que preservam ou destroem, ao esconder coisas em lugares estranhos — ela se mexeu no seu trono de pedra. — É hora de comer de novo — ela disse de súbito. — Tenho de manter o peso.

— Sinto muito, mas não compreendo — a escuridão tinha caído rapidamente e logo quase não via mais seu rosto. Um vento alegre soprava a chama das tochas e balançava as borlas ao redor da barra de seu vestido.

— O que quero dizer é que é trabalho me manter tão grande! Se me deixasse ficar magra como você, estaria fora do trono num instante! Meu tamanho denota o meu poder, como posso esmagar meus inimigos.

Tirou uma das sandálias e sacudiu em frente ao meu rosto. Podia apenas distinguir as gravuras estilizadas do povo inimigo na sua sola. Isto queria dizer que, a cada passo, ela pisava pesadamente em seus inimigos. Coitados dos inimigos.

— Quem tremeria em frente de uma mulher como você? Aqui em Méroe, ninguém, isso eu lhe digo!

Não conseguia ver seu rosto tão bem para saber se estava brincando.

— E os homens? Eles também precisam ser pesados? E o seu filho? Ou o seu... o falecido...?

— Não, mas é claro que não! Os homens têm de ser altos e carregados de músculos, capazes de sair atrás do inimigo no deserto. Mas as mulheres precisam se assemelhar a elefantes, severas, imponentes... e irrefreáveis.

Elefantes. De repente lembrei-me de Juba e seus elefantes contra César. *Não, não vou pensar em César agora.* César lidaria com os elefantes, como lidou com tudo o mais — Pompeu, Ptolomeu, Potino, Farnaces.** Infelizmente, os nomes Juba e Cipião não começavam com P.

— Mas faço qualquer coisa necessária para ser a *Kandake*, mesmo que tenha de comer dez refeições por dia — ela disse alegremente. — Agora, adoro os bolinhos gordurosos de avestruz e o leite de camelo com mel, doces feitos com nozes enrolados na manteiga e cobertos de mel. Rabo de carnei-

---

** Nota do tradutor: Farnaces se escreve Pharnaces em inglês.

ro gordo... é, tem sido uma batalha árdua e constante, mas acabei conquistando vencendo minhas aversões, eu lhe digo. Posso até mesmo degustar um prato de lingüiça de pavão frita nadando em azeite de oliva, coberta de queijo derretido. Hmmm...

Ela bateu palmas e, da escuridão, surgiu sua liteira.

— Vou voltar ao palácio para tomar minha refeição do começo da noite. Amanhã nos encontraremos na sala do trono, e trarei o impostor à sua presença. Então pode dar o seu veredicto.

Com a ajuda de dois carregadores, ela se levantou do trono.

— Creio que seus aposentos são adequados. Designei uma criada para lhe assistir.

— Não é necessário — eu disse. — Trouxe minha camareira; na verdade, ela é núbia.

— Não, eu insisto que você permita que esta escrava lhe sirva — ela disse.

— Não uso escravos. Não tenho nenhum no palácio; todos os meus criados são livres.

— Esta é uma escrava muito diferente de qualquer criado que você já tenha tido. Totalmente discreta, trabalhadora, engraçada, leal... e verde.

— Verde? — agora isso era brincadeira.

— Sim. Verde. Seu nome é Kasu e ela é uma macaca verde africana. Sua única desvantagem é que tem tendência a roubar. Por outro lado, pode alcançar coisas em lugares altos.

— Uma macaca! Você tem macacos como criados?

— Certamente — ela disse, enquanto descia majestosamente — e arduamente — os degraus até sua liteira.

— O rei de Punto mandou uma família inteira para mim há muito tempo, junto com um carregamento de animais destinados a Roma. Gostei e fiquei com eles. Então, eu também tenho tendência a roubar. Tal dono, tal servo.

Com capricho, levantou o pé para entrar na liteira.

— Hoje, depois de se multiplicarem, estão por toda parte no palácio. São criaturas muito hábeis. Experimente Kasu só por uma noite.

Acenou para mim e desapareceu na escuridão.

Minha liteira de repente se materializou, mas mandei-os embora porque queria caminhar um pouco. Minha cabeça rodava. Amanishakheto não era uma monarca comum, nem também uma mulher comum. Talvez as duas coisas nunca caminhassem juntas.

*　　*　　*

O luxo dos meus aposentos ficou mais aparente quando voltei. Talvez Amanishakheto realmente tivesse ouro demais. Iras estava tentando ler uma inscrição na parede. E sacudiu a cabeça.

– Esta inscrição não quer dizer nada para mim.

– Pode entender melhor as conversas que ouviu?

– Não, tenho de pedir para que falem o dialeto da Baixa Núbia. Como eu lhe disse, minha família veio da fronteira com o Egito e era ligada aos sacerdotes; foi por isso que acabei servindo no templo em Hermontis. Adotamos de muitas maneiras o comportamento egípcio. Por exemplo, nunca adoramos este deus com a cabeça de leão que eles têm aqui, o *Apedemak*.

De repente, senti o cansaço me invadir. Deitei-me na cama.

– Tive uma noite... muito extraordinária... com a *Kandake*.

Levantei meu braço e mostrei o bracelete pesado.

– Ela distribui ouro como uma criança oferecendo flores do campo. E parece nutrir um profundo desrespeito por homens.

Iras riu.

– Não disse "antipatia", disse "desrespeito". Coisa muito incomum num mundo em que controlam e governam quase tudo... a não ser aqui em Méroe, ao que parece.

Fiquei deitada, a fraqueza tomando conta do meu corpo. E então me lembrei.

– A macaca! A *Kandake* disse que tem uma macaca para nos servir!

– Vi uma, andando furtivamente – disse Iras. – Estava sentada num dos baús e depois fugiu. Pedi para ser removida, mas acho que ninguém me compreendeu.

– Seu nome é Kasu – eu disse. – Ela deve nos servir em tudo que precisarmos.

– Então, onde é que ela está? Estamos prontas para dormir e não tem macaca nenhuma por aqui.

– Kasu! – chamei. – Venha, Kasu! Queremos deitar!

Nunca pensei que a criatura iria aparecer ao lado da cama como se por mágica; devia estar escondida atrás das cortinas da janela. Ela se aproximou com dignidade, inclinando a cabeça. Era *mesmo* verde. Seus pêlos duros como uma escova, ao redor de seu rosto negro, pareciam ter sido tingidos. O resto de seus pêlos, a não ser pela ponta de sua longa cauda, tinham a mesma tonalidade. Era do tamanho de uma criança de dois anos. Mas, pelo que ouvi dizer de macacos e símios, sabia que, proporcionalmente, são muito mais fortes do que um ser humano. Alguém no Museion me disse uma vez que um símio é oito vezes mais forte do que um homem – como chegou a tal conclusão, não explicou. Então Kasu seria uma macaca a se dar o devido respeito.

– Cama, Kasu! – eu disse, afagando sua cabeça.

A macaca me olhou com desprezo, como se estivesse ofendida. Obviamente, sabia o que era uma cama, e que era onde eu queria dormir, seus olhos pareciam dizer. Caminhou até um baú e tirou as roupas de cama e as colchas, colocando-as cuidadosamente na cama. Alisou a cabeceira da cama com sua palma rija, depois empinou a cabeça como para dizer, *Está bem, a cama está pronta para você, sua tola.*

Tirei minhas roupas e vesti a camisola; Kasu imediatamente pegou as roupas largadas e levou-as para algum lugar. Depois, preparou a cama de Iras e levou suas roupas também, voltando solícita com uma lamparina, que colocou ao lado de nossa cama.

– Espero que não tenha acendido a lamparina ela mesma – disse Iras.

– Já devia estar acesa – eu disse, desejando ser verdade.

– Pelo jeito, devemos cair no sono imediatamente, nossa guardiã decidiu. Eu bocejei.

– Não acho ruim. Estou exausta; sem essa macaca maternal, talvez ficássemos acordadas até tarde.

Observei Kasu caminhar até o canto mais distante do quarto; agora percebi a cesta que devia servir-lhe de cama. Ela também estava pronta para dormir. Deitou-se e se espreguiçou uma vez. Depois suspirou e ficou quieta.

Fechei os olhos. Tinha sido um dia e tanto; que reino mágico era este! Tirei o bracelete e deixei cair no chão ao meu lado. Fez um *claque* que soava mais como chumbo do que ouro.

Dormi; sonhei; acordei num sobressalto. A luz da lua, tão prateada como os trajes de Ísis, banhava o chão, dando a impressão de ser um xale jogado. Não era de um branco brilhante. Era difusa; abraçava a parte inferior dos pés da mesa e das cadeiras, deixando o resto em sombras. Eu via o bracelete de ouro no chão ao lado da cama, com seus detalhes se tornando vivos na luz estranha e inclinada.

Foi então que vi a naja. Pensei que ainda estava sonhando, ou que fosse uma estátua de madeira que de alguma maneira escapara de minha observação. Uma estátua de madeira escura na parede mais distante. Estava quieta. Sim, era uma estátua. Senti meu medo esvanecer.

Mas então se moveu. Lentamente deslizou e levantou a cabeça. Meu coração parou de bater.

Não era muito grande. Mas todas as najas são venenosas, até mesmo os filhotes; disso eu sabia. Fiquei tão inerte como pude e tentei me lembrar de tudo o que aprendera sobre elas. Mardian e suas cobras foram parte de minha infância; ele até teve uma naja que guardava numa jaula sozinha, com barras bem juntas. Ele gostava dela, mas certamente nunca deve tê-la manuseado.

— É uma mentira o que dizem sobre uma pessoa se tornar imune à picada de cobra — ele me dissera quando indaguei-lhe sobre a tribo dos encantadores de serpentes. — Este nosso amigo aqui tem veneno suficiente para matar cinco homens com apenas uma picada.

Ao recordar suas palavras, e o tom de sua voz, senti o suor escorrer pelo corpo. Cinco homens. Esta serpente — a naja real do Egito — tinha o poder de despachar cinco homens, com apenas uma picada. Um boa noite de trabalho.

— E quanto tempo leva para se morrer de uma mordida de naja? — perguntara a Mardian.

— Alguns homens não resistiram depois de apenas um quarto de hora — ele respondera. — Outros levam cerca de uma hora. Depende de que lugar foi a picada e se a serpente mordeu uma outra pessoa antes. Não parece ser especialmente dolorido. Muitos prisioneiros pedem para ser executados pela picada de uma cobra. É claro que seria inadequado, já que a naja é um animal real e divino — dissera no seu tom cerimonioso.

— É claro — eu concordara.

A naja se moveu de novo, deslizando da parede. Chegou até o meio do quarto, mas evitou a parte iluminada pela lua. Ficou parada, olhando para a luz com curiosidade. Pude ver seus olhos de contas, com uma pequena luz refletida neles. Mostrou a língua rapidamente, como se estivesse testando o ar.

Será que se daria conta do meu pavor? Sentiria a presença de criaturas vivas? Escorregaria até minha cama, abriria a garganta e me atacaria?

Fiquei como uma estátua. Não me atrevia a falar, ou avisar Iras, para que ela não fizesse um movimento brusco.

A naja entrou na parte iluminada pela lua, movendo-se muito lentamente. Seu corpo era listrado, e a pele escura e clara era maravilhosa. Era de fato um instrumento divino da morte — liso e fino e de coloração delicada.

Não gostou da luz. Voltou a cabeça e deslizou para um lado, chegando ainda mais perto da cama. Segurei firme na madeira, preparada para pular na direção oposta, rezando para que meus braços fossem fortes o suficiente para me permitir pular. Mesmo assim, sabia que talvez não pulasse longe o bastante para me safar; najas têm a reputação de serem rápidas como relâmpago. Nunca testemunhei uma naja dando o bote, porque à naja de estimação de Mardian nunca foi dada a oportunidade.

Um movimento do outro lado do quarto. Será que eram duas? Não, era a macaca, movendo-se no seu sono. A cobra se virou de repente e deslizou na direção dela, tão ligeira que não vi que caminho tomou. Um instante, ela estava ao meu lado da cama, no próximo, do outro lado do quarto. Uma sombra escura surgiu; ela tinha aberto sua garganta. Ouvi os ruídos, uma luta, um silvo, gemidos altos e roucos, primeiro de medo e raiva, depois de dor e choque. Um outro silvo. Depois alguma coisa caindo no chão.

Tremendo, levantei e peguei a lamparina. Sua flama fraca não revelava muito, mas vi de relance a silhueta escura da cobra deslizando pela janela aberta. Ao pé da janela, a lâmpada de chão que ela derrubara. Tinha ido embora!

Kasu uivava, segurando a cauda. Corri para ela, seguida de Iras, assustada de seu sono.

– Acenda uma outra lâmpada! – gritei para ela. – Uma serpente nos atacou! Precisamos de mais luz.

Iras gritou.

– A serpente já se foi, não precisa temer! – eu disse. – Mas precisamos de mais luz.

A macaca tremia de terror. Teria sido picada? Era difícil saber. Não vi nada de início. Mas ela agarrava sua cauda e, entre seus dedos, vi que começava a inchar.

– Ela mordeu sua cauda – eu disse. – Vamos, Kasu, solte a cauda para que eu veja!

Mas a força da macaca era tanta que eu não conseguia desvencilhar os seus dedos do ferimento.

– Um torniquete – eu disse. – É só a ponta da cauda. Podemos amarrá-la.

Com as mãos trêmulas, arranquei a tira de couro que fora usada para firmar seu cobertor na cesta. Amarrei-a na cauda, apertando-a o quanto pude.

– Chame os guardas – eu disse. – precisamos de alguém forte para arrancar os seus dedos do ferimento, para podermos sugar o veneno, antes que se espalhe.

De repente, Kasu ficou mole; o medo e o choque a fizeram desmaiar. Os dedos se afrouxaram e caíram para um lado, assim pude ver a mordida. Apenas um arranhão; era evidente que a serpente não acertara e apenas conseguira arranhá-la.

— Graças a Tot! — eu arfei. O deus-babuíno da sabedoria protegeu sua espécie, mesmo contra a naja real.

Depois de uma noite como aquela, não era de se admirar que eu me encontrasse nervosa ao me sentar ao lado de Amanishakheto na sala do trono para esperar o prisioneiro. Do lado de fora estava um dia limpo e glorioso; a noite fugira como a naja, e ambas pareciam irreais agora.

Amanishakheto vestia um robe vermelho-fogo coberto com uma faixa azul de contas e estava coberta de jóias de ouro. Na sua cabeça, estava a coroa núbia, formada por duas najas. A coroa egípcia tinha uma única naja. Só de ver a criatura de ouro enrolada na cabeça dela pensei que meu encontro com a serpente na noite anterior tinha sido um pesadelo.

As portas no fundo da sala se abriram, e um jovem, acorrentado e encangado, foi trazido. Dois guardas enormes ficavam de cada lado.

Fiquei chocada com a semelhança com meu irmão morto. O rapaz tinha quase a mesma altura e corpo, e seus traços eram tão parecidos que poderiam convencer qualquer um que não tivesse conhecido o verdadeiro Ptolomeu. Quando falou, eu sabia que era com sua voz e palavras que esperava juntar seguidores. Tinha certamente estudado o jeito de meu irmão falar, aprendido as inflexões e a escolha de palavras. Devia ter tido muitas oportunidades durante a vida; esse menino devia ter morado no palácio como criado.

Ficou reto, com os pés nos grilhões e a cabeça empinada.

— Saudações, minha nobre irmã – ele disse.

Como era atrevido. E sabido. Não pude deixar de admirá-lo por isto.

— Não sou sua irmã – disse friamente. – Seu sangue não faz parte do meu.

— Seria conveniente para você convencer os outros de que não. Mas você e eu sabemos a verdade. Pensou que tinha se livrado de mim naquela batalha no Nilo, mas eu escapei. Deixei você e César pensarem que tinham vencido. Mas agora César se foi, e você está sozinha.

— A não ser por minhas três legiões romanas – eu disse, ainda friamente.

— Ora! O que são eles? Tropas estrangeiras. Vão fugir quando você precisar deles. Agora você deve admitir a verdade e me devolver o trono. Como

César mesmo proclamou, sou o co-regente junto com você. Como nosso pai desejou.

– Já basta. É muito divertido, e devo admitir que você é sabido. Estudou muito bem o sotaque e as expressões do meu irmão. Mas é um mentiroso. Meu irmão está morto. Eu mesmo vi; e agora está enterrado junto com seus ancestrais no mausoléu. Agora seria melhor que você nomeasse seus ancestrais de verdade, para que seja permitido jazer com eles.

Seu rosto perdeu a cor. Estava esperando mais desta audiência. Será que esperava me enganar? Talvez tenha imaginado que eu tivesse passado tão pouco tempo com meu irmão que minha lembrança dele seria muito fraca. Mas não havia se passado muito tempo. Fazia apenas um ano desde a morte de Ptolomeu.

Virei-me para Amanishakheto.

– Esta pessoa não é parente meu, nem irmão, nem consorte, nem co-regente. É um impostor ordinário. Deixe que morra a morte de um usurpador. Aquele que tenta usar a coroa da naja real na testa deve ser de sangue real. E o sangue dele não é real... embora deva admitir que coragem ele tem.

Seus olhos procuraram os meus, implorando, desafiando. *Deixe-me viver*, eles pediam. *Deixe-me viver.*

Hoje, esta noite, eles me perseguem. Não porque minha decisão estivesse errada, mas porque tive de tomá-la. Talvez logo meu filho, meu querido Cesarion, tenha de olhar nos olhos de Otávio do mesmo jeito e com o mesmo apelo silencioso. E Otávio era muito mais cruel do que eu. Assim, os olhos do menino me perseguiam, porque eram agora como os de meu próprio filho. Nossas ações têm o hábito de nos revisitar, só que de um ponto de vista favorável diferente. Uma taça que é pura doçura quando bebemos sentados pode ter o gosto amargo de fel quando a bebemos em pé.

– Levem-no – ordenou a *Kandake*. – Preparem o local de execução.

Enquanto o jovem era levado, ela se virou para mim e disse:

– São levados para além dos portões da cidade e lá são executados. A não ser que ele revele quem é sua família verdadeira, será enterrado numa cova no deserto.

O menino virou-se para nós com um último olhar meio desafiador, meio implorante, antes de ser empurrado pela porta.

– Depois que o calor do dia ficar mais ameno, quero mostrar-lhe a minha pirâmide – ela disse. – Sempre gosto de uma cavalgada no deserto – sorriu. – Você, não?

*   *   *

As sombras rastejavam das rochas e das árvores quando iniciamos nossa jornada. Era a hora do dia quando a luz mudava e o deserto se transformava de um branco-brasa num vermelho-brando. O céu continuava azul de cegar, e o calor ainda subia do chão. Mas, montadas nos camelos, balançando e ondulando, estávamos protegidas do pior.

A sela de Amanishakheto tinha um toldo, e ela se sentava contente, protegida do sol, enquanto o animal fazia seu caminho como um navio navegando na areia.

Ela se mostrara ansiosa para que eu visse sua pirâmide. Será que achava que eu nunca tinha visto uma? Agora eu compreendia, é claro, como alguém pode ter tanto orgulho de seu lugar projetado para o descanso final. Eu estou em vias de completar o meu; de fato, acho estranhamente gratificante desenhar minha própria tumba. Mas na época considerei mórbido e anormal o desejo da *Kandake* de visitar sua tumba com um hóspede.

Quando alcançamos o topo de uma elevação, subitamente vi um campo de pirâmides, centenas delas, como brinquedos. Eram menores do que as nossas e com os lados muito mais pontudos. Também não terminavam numa agulha, tinham uma plataforma no topo. Ao me aproximar, vi que tinham portais e pequenas estruturas ligadas à elas na fachada leste.

— Aqui! — ela apontou para uma pirâmide inacabada, maior do que o resto. Ela incitou o camelo para frente, e ele saiu em disparada pela areia luminosa. Na base da pirâmide, parou e esperou que eu me juntasse a ela.

— Decerto é uma pirâmide espetacular — eu disse. O que mais poderia dizer?

— Vamos ver a capela de orações — ela disse. — Encomendei certas gravuras...

Depois da luminosidade do deserto, fiquei cega quando entramos no edifício. Não via nada. Era como estar morta, como se jazesse num altar dentro da pirâmide.

Ela tirou um pedaço de metal refletor de sua bolsa enorme e usou-o para refletir a luz de fora para dentro.

— Tsc, tsc! — ela se agachou para examinar a gravura mostrando ela mesma — pelo menos era isso que eu acreditava ser — segurando um bando de inimigos pelos cabelos, pronta para enfiar um dardo nos ombros deles. — O artista arruinou o meu adorno de cabeça!

— Tenho certeza que pode ser reparado — eu disse.

– Por que será que nunca acertam nada? – ela disse irritada.

– Porque artistas são seres humanos, e seres humanos cometem erros – eu disse.

– Você não acha que cometeu um erro hoje de manhã, ou acha?

Virei-me para olhá-la.

– Não. Por que pergunta?

– Estou apenas lhe testando.

Virou-se e caminhou com passos medidos para fora da capela. Mais gravuras dela mesma punindo seus inimigos resplandeciam em cada lado da porta.

– Mandei construir um pavilhão no lado norte – ela disse. – Vamos nos sentar lá e contemplar a pirâmide.

Uma armação de junco trançado com firmeza para sustentar os ventos nos esperava com, é claro, os bancos discretos de pedra para acomodar sua ampla majestade. Ela se afundou num deles. Sentei-me ao seu lado.

– Minha querida, você passou no teste – ela disse. – Agora posso pedir que juntemos nossas forças numa jornada gloriosa. Um império, uma aliança de mulheres! – antes que eu pudesse falar, ela continuou sem trégua. – Estou vendo que você é uma mulher acima das outras mulheres. Esqueça sua aliança com os homens, com Roma. Vamos fundar uma nova aliança. Juntas podemos construir uma nação que terá os olhos para o Sul, para a África e para o Leste, a Arábia e a Índia. Uma grande nação, uma que pode dar as costas à Roma e seus restos. O que sabem os romanos sobre nós? Sobre nossa arte, nossa poesia, os mistérios de Osíris e Ísis? Não compreendem nada além do que ocorre na luz do dia. Da aurora, do crepúsculo, da sombra da lua, disso não sabem nada. Mesmo assim, querem destruir.

– Não acredito que se importem tanto assim para querer destruir – eu disse, quando tive a chance.

– Querem apenas esmagar sob as rodas de suas bigas, rodas que não param de rolar nos constantes Triunfos que celebram em Roma. Esmagar e depois varrer os destroços para longe.

Ela se aproximou de mim.

– Você é a nossa única esperança. Talvez até seja a salvadora pressagiada no oráculo. A mulher que cortará os cabelos de Roma. Aquela que irá redimir o Oriente.

Aos poucos comecei a compreender tudo.

— Por que… foi por isso que você me fez vir a Méroe. Para podermos sentar sozinhas assim e você fazer esta proposta. Ptolomeu, o impostor, foi apenas um engodo.

Ela era astuta e inteligente como Odisseu, o rei dos Ítaca. E uma jogadora – como o próprio César.

— Você sabe que não tem nada a ver com eles – ela disse, ignorando minha pergunta. – Nunca vão lhe compreender, nunca vão compreender o significado do Egito. Para eles, o Egito é apenas um grande produtor de grãos, existindo apenas para aplacar a fome na barriga dos soldados e do povo romanos. Separadamente, seremos dominadas por eles. Juntas, podemos resistir. Imagine a nação que criaríamos! A glória da Grécia, o esplendor da África, a riqueza da Índia! E tudo governado com um espírito de sofisticação, tolerância e experimentação! Um estilo de vida, de júbilo!

— Soa como um mercador apregoando sua mercancia – eu disse. – Não se iluda em fazer predições tão extravagantes para sua nova nação. Ela seria composta de homens, e não deuses.

— Uma nação que seguirá a tradição de Alexandre. Não foi ele quem fixou os olhos para o Oriente? Não era seu desejo conquistar essa parte do mundo? Teria chegado à Índia se seus soldados covardes não tivessem vacilado.

— Não temos um exército como o de Alexandre – retruquei.

— Ninguém tem. Nem mesmo César, já que fica gastando suas energias lutando contra seus compatriotas romanos. Mas a Núbia tem um exército de porte, com os melhores flecheiros do mundo. Contra qualquer um, com exceção de Roma, não teríamos problema.

— Mas Roma jamais nos deixaria em paz.

— Arrá! Será que percebo uma consideração séria da minha proposta? – ela farejou como um cão sentindo o cheiro de sangue. – Pense em Roma! O que pode esperar dela? Sei de seus sentimentos por César, mas César é apenas um homem, não é imortal. O que seria Roma para você sem ele? Não lhe teria significado nenhum. Nossa aliança é uma coisa mais natural. Não se baseia de pessoa para pessoa, e sim nas necessidades de nossos reinos.

— Diz que não se baseia em pessoas, mas antes enfatizou que deve ser uma aliança de mulheres. Meu filho será meu sucessor; e então?

Ela era convincente; tinha juntado razões inteligentes para o seu plano. Mas no fim das contas não era sensato. Roma era a dona do mundo. Era melhor ficar do lado dela, em vez de tentar tomar um caminho solitário. Mesmo assim, a imagem daquele reino mágico que Amanishakheto me deixou contemplar ficou na minha mente por muito tempo...

– Você viverá longos anos – ela disse. – Você é a responsável pelo tipo de reino que será o seu. Seu filho herdará a sua criação.

Sucessores muitas vezes respeitam as tradições, mas às vezes não. Não era uma coisa certa.

– Não vou viver muito com najas me visitando durante a noite – eu disse. – Informaram a você sobre o que se passou ontem à noite? A pobre Kasu recebeu o que acredito era para ser meu. Mas acredito que sobreviverá. Foi uma naja desastrada.

– Fui informada, sim. Infelizmente isso acontece mais vezes do que quero admitir. Os encantadores e os caçadores de serpente parecem não estar fazendo um bom trabalho. Fiquei extremamente grata por você ter escapado ilesa do incidente. Os deuses lhe protegeram e *fizeram* a cobra se atrapalhar. Mas, e nossa aliança? Considere. Lembre-se de como nossos ancestrais, o nobre Ptolomeu IV e Arqamani, trabalharam juntos para construir os templos em Filas e Dakka. Foi apenas o começo. É nosso destino, pode acreditar.

– Por enquanto, não – eu disse baixinho, mas tão definitivo quanto pude. – Você me seduz. Sua proposta é interessante. Sempre me lembrarei dela. É uma honra ter sido escolhida por você. Não creio, porém, que seja viável. E quando algo não é viável, é melhor deixá-lo de lado com o respeito merecido. Agradeço sua oferta de aliança e confio que, mesmo sem um acordo formal, sempre seremos amigas e aliadas.

Sua expressão mostrou a decepção, mas aceitou minha resposta.

– Está bem. E quando os romanos lhe decepcionarem, saiba que será vingada!

Respirou fundo.

– Não farei esta oferta uma segunda vez. Se desejar, a proposta deve vir de você.

– Muito bem. Não terei orgulho, se a ocasião surgir. E agradeço uma vez mais. Foi uma viagem que valeu a pena, se consegui uma amiga tão valorosa.

No caminho de volta para Méroe, vi uma cova nova coberta de pedras. O sol poente fazia as pedras formarem sombras pontudas.

– A cova do impostor – disse a *Kandake*. – Aqui ele jaz.

Os camelos passaram ao lado do monte de pedras, e deixamos a cova para a noite do deserto e seus predadores noturnos. Rezei para que houvesse pedras suficientes para protegê-lo.

20

Meio-dia no Nilo, a Núbia passando pelas margens. Deixamos Méroe ao amanhecer, e agora as costas dos meus remadores brilhavam de suor. Para dobrar nossa velocidade, remávamos com a corrente. As velas fechadas, inúteis na viagem de volta. Sentei no convés coberto, Kasu aos meus pés. Recuperou-se depois de um período de fraqueza; Iras e eu tratamos dela no nosso quarto, o que aguçou a curiosidade dos meroítas. Uma rainha cuidando de uma macaca, eles riam; um mundo de cabeça para baixo. Mas nosso cuidado foi recompensado. Sua única cicatriz foi a ponta da cauda sem pêlos; o resíduo do veneno matou seus pêlos. E eu, que no começo até quis recusar o seu presente, agora não queria me ver livre da criatura.

Senti um enjôo e massageei minha barriga. O banquete de ovos de avestruz que Amanishakheto serviu como despedida não tinha sido bem digerido. Ela se esmerou em mandar preparar os ovos de avestruz de toda maneira normal possível, como também de maneiras mais impressionantes. Havia claras de ovos de avestruz batidas em neve com sabor de canela, ovos assados servidos com caudas de lagartos secas e lesmas do mar salgadas, ovos de avestruz em camadas de queijo de camelo, braços de estrela-do-mar e focinho de filhote de crocodilo (finamente picado, é claro), ovos cozidos para serem degustados na sua casca dourada e temperados com condimento de peixe fermentado ou mel apimentado. Avestruz cozida no molho de tâmaras foi a única carne. Já que um ovo de avestruz é o equivalente a vinte ou trinta ovos de pata, a quantidade de comida servida foi tremenda.

A *Kandake* conseguiu experimentar pelos menos três ou quatro deles, com várias porções da carne de avestruz. Ela se embelezou com tantas penas de avestruz que deu a impressão de flutuar. Notei que desempenhava com diligência a obrigação de manter suas vastas proporções.

Eu apenas consegui experimentar pedacinhos de cada um. Os velozes dançarinos núbios e os acrobatas que nos divertiram na festa não ajudaram em nada na minha digestão. Os gostos brigavam entre si – tanto na noite passada como agora. Hoje vou jejuar; hoje *tenho* de jejuar.

Iras estava de pé ao meu lado. Como sempre, estava quieta. Sua presença era sentida, em vez de ouvida.

— Estou contente que você pôde vir comigo — eu disse. — Acho que compreendo você melhor agora que estive na sua terra natal.

— Para mim também foi estranha — ela admitiu. — Mas foi bom vê-la de novo.

E assim continuamos pelo rio, deixando os campos verdes para trás, penetrando o deserto inóspito e cálido.

O tempo parecia perder o sentido, dissolvendo-se com os dias no rio; dava a impressão de que o barco estava parado, e o resto da paisagem mudava ao nosso redor. Verde, marrom, cinza, dourado; árvores, campos cultivados, moinhos de água, despenhadeiros, templos, monumentos; auroras reluzentes e crepúsculos ardentes que tingiam a água de vermelho; atravessamos uma tempestade de areia que deixou as águas do Nilo amareladas e espumantes e cobriu o sol, dobrando as palmeiras às margens do rio; em algum ponto, penetramos uma área de penhascos de um lado e areia fina do outro. Chamei este lugar de o Vale Amarelo, porque tudo era amarelo em todas as tonalidades: castanho, ouro, laranja, topázio, âmbar.

Estava profundamente satisfeita de ter vindo; não me arrependi do tempo que passei lá. A *Kandake* e sua proposta me deram imenso conforto; de certa maneira, era a única proposta honorável que já tinha recebido.

Alexandria, cintilando à luz do sol, ativa e fortificante com sua brisa do mar. Perfeita, no início de junho; e como era bom estar de volta.

A reconstrução estava indo de acordo com os planos e muito dos danos da guerra tinha sido reparado. Mardian e Epafrodito lidavam bem com todos os aspectos, embora houvesse um certo atrito quanto ao — o que mais? — poder. Mardian ficara ressentido com a intromissão de um elemento novo, e Epafrodito não gostava de ficar em segunda posição. Cada um deles me esperava para reclamar sobre o outro.

Falei com Mardian primeiro e ouvi pacientemente o seu recital dos agravos de trabalhar com Epafrodito: sua arrogância, sua insistência em usar seus próprios métodos, sua indisponibilidade em certas ocasiões devido aos seus outros compromissos de negócios. Tentei apaziguá-lo. Epafrodito estava ali para aliviar o seu fardo, para deixá-lo livre para tomar conta de negócios de Estado mais importantes.

– Deixar-me livre! – Mardian fungou. – Como posso estar livre quando ele impõe o seu próprio horário para o resto de nós?

Suspirei. Sabia que levaria algum tempo para que Epafrodito fosse aos poucos tirado de seus outros assuntos. E se Mardian tornasse sua vida miserável, o trabalho no palácio não seria atraente nunca.

– Dê-lhe tempo – eu disse. – Ele é um homem teimoso.

– E você é quem me diz! Não sei por que escolheu-o tão peremptoriamente!

– É para o nosso próprio bem – insisti. – Você não deve gastar mais do que um quarto de seu tempo com assuntos financeiros. Fez maravilhas com a reconstrução – eu disse. – Fiquei admirada. Logo a guerra será para sempre apagada.

– Não inteiramente – ele disse. – Sempre haverá Cesarion para nos lembrar dela.

Cesarion. Voltei para encontrá-lo quase andando. No fim do mês completaria um ano de idade.

Concordei.

– É verdade. Embora às vezes pareça irreal.

Notei que ele trazia vários pergaminhos.

– Você tem notícias. Notícias de César.

Estendi a mão para receber as cartas e os relatórios. O que quer que trouxessem, estava pronta para enfrentar.

– Ele venceu, minha senhora – disse Mardian. – Ele venceu.

Os pergaminhos contavam a história. Li e reli por horas. César precisou de toda sua argúcia e destreza para o combate nesta guerra, porque um de seus melhores tenentes na Guerra da Gália, Labieno, estava na força inimiga. Foi ele quem dirigiu sua estratégia e táticas; era ele quem sabia como o seu comandante anterior pensava e como antecipar seus movimentos. Labieno sabia que César gostava de atacar rápido e lutar batalhas armadas. Ele conseguiu por quatro meses frustrar a tentativa de César de fazer exatamente aquilo. César não foi capaz de levar suas tropas ao campo de batalha e, enquanto isso, ficava mais e mais difícil conseguir alimentos e provisões para seus homens.

Finalmente, através de sua própria sabedoria, César conseguiu lograr o inimigo perto da cidade de Tapso. A cidade ficava num istmo, e César prosseguiu até lá com seu exército inteiro, como se pretendesse sitiá-la. Parecia dar uma vitória fácil ao inimigo, que acreditou tê-lo capturado. Na verdade foi César quem os capturou. Eles dividiram suas forças, pensando em cercá-lo. Na fronte oeste, Cipião, suas legiões e os elefantes cavaram trincheiras; na fronte leste, Juba e Afrânio. Como uma pepita no meio deles, estava César – seu exército num corpo só. O inimigo estava em terreno estreito, onde a disposição de tropas era difícil e a cavalaria não tinha como se movimentar. Não parece ter-lhes ocorrido que estavam expostos, divididos, e em um campo de batalha não designado para sua vantagem. Em vez disso, se gabaram de ter cercado César numa parte estreita da terra.

Enquanto Cipião estava entrincheirado e formando as linhas de frente, César deixou duas legiões para guardar Tapso (cujos habitantes estavam escondidos dentro dos muros da cidade) e, às suas costas, Juba e Afrânio. O resto ele levou para lutar com Cipião. Contra duas linhas de elefantes ele pôs suas quatro melhores legiões, protegidas pela quinta, especialmente treinada para aterrorizar os elefantes e virá-los contra seus donos. Da mesma forma, as quatro legiões foram treinadas para não se acovardar na frente dos elefantes.

As tropas estavam mais sedentas de batalha do que o próprio César; meses de inatividade humilhante e contratempos os tinham deixado quase loucos. Não havia muito que César podia fazer para detê-los; quase entraram em luta antes de César poder gritar seu grito de guerra *Felicitas*! E comandá-los. A Quinta Legião, junto com os lançadores e os arqueiros, dividiu a linha esquerda dos elefantes, e os animais se voltaram contra suas próprias linhas; o resto do exército inimigo virou de costas e fugiu. Ao ver as forças de Cipião sucumbindo, Juba e Afrânio fugiram também. Foram perseguidos pelas tropas iradas de César e, mesmo depois de se renderem e implorarem por piedade, foram assassinados de qualquer modo.

Muitos dos soldados inimigos já haviam sido perdoados uma vez por César por lutar contra ele em outra guerra. Seus soldados, entretanto, não queriam saber de clemência, mesmo que seu comandante ainda não estivesse convencido.

Imediatamente depois da batalha, César se dirigiu a Útica, onde estavam Catão e seus comparsas. Era onde se reuniam os senadores ricos e os donos de propriedades que apoiavam a causa de Pompeu. Sem dúvida era para lá que iriam os generais derrotados; César esperava poder apanhá-los e capturar Catão, seu inimigo mais vil.

Mas Catão roubou-lhe a oportunidade de mostrar clemência. "Não desejo ficar em débito com um tirano pelas suas ações ilegais" – ele disse. "Seus atos são contrários às leis quando perdoa homens como se fosse seus donos, quando na verdade não possui qualquer soberania sobre eles." Depois se suicidou de forma sangrenta e teimosa. Depois de um jantar com amigos e uma leitura privada do diálogo da alma de Platão, ele contrabandeou uma espada até seu quarto e, no meio da noite, feriu-se com ela. Sua família horrorizada e seu médico o descobriram antes que sangrasse até morrer. O ferimento foi costurado. Mas, então, na frente de todos, ele rasgou o curativo com suas próprias mãos. Suas entranhas caíram para fora, e ele acabou por morrer em seu divã.

O fim dos outros foi igualmente perturbador. Juba planejou ser imolado – como também sua família e seus súditos – numa pira gigante no meio de sua cidade capital; os cidadãos não quiseram oferecer a cidade para tal demonstração macabra, assim não o permitiram entrar. Juba e seu aliado, Petreio, então ofereceram um banquete funerário em que comeram como glutões e depois lutaram num duelo. Juba matou Petreio e depois foi morto por seu escravo. Cipião fugiu pelo mar e, quando foi capturado, esfaqueou-se no convés de seu navio. Mortalmente ferido, quando seus captores perguntaram onde estava o seu Imperador, ele disse *Imperator bene se habet"* – "O general está muito bem, obrigado" –, morrendo depois.

Labieno, Varo e os dois filhos de Pompeu, Cneu e Sexto, fugiram para a Espanha – sem dúvida para lutar de novo. Mas, com a morte de Catão, estava acabada a República.

Em três semanas – três semanas há muito esperadas e tão demoradas para chegar – todo o Norte da África caiu nas mãos de César. Ele fez do reino de Juba a província romana de Nova África e distribuiu terras aqui e ali para recompensar os reis da Mauritânia pelo apoio.

Livre agora, apenas o Egito. Todo o resto era agora parte de Roma, tomado por César.

Outras cartas continham anedotas sobre o comportamento de César. Uma relatava como, num ataque anterior, quando tudo era confusão e César estava quase perdido, ele pegou um dos seus portadores de estandarte fugindo, agarrou-o pelos ombros, virou-o para ele, e disse, firmemente, *"Aquela* é a direção do inimigo".

Depois de ser informado sobre o suicídio de Catão, disse, "Catão, entrego de má vontade a sua morte, do mesmo modo que você me entregou de má vontade a honra de salvar-lhe a vida". Pessoalmente, fiquei contente com a morte de Catão, porque ele causara a morte de meu tio dez anos antes, no Chipre. A morte correndo atrás da morte; o suicídio trazendo mais suicídio. Agora, certamente, deve ser o fim.

Também havia um relatório que contava como César tinha coberto Êunoe, a mulher do rei mouro Bogud, de presentes e recompensado seu marido generosamente por permitir que sua mulher fosse amante dele. Nada mais. Nenhum detalhe.

Esforcei-me para continuar a ler, embora meu coração estivesse pesado. Tive esperanças de não encontrar nenhuma menção, para poder rejeitar como um rumor e uma calúnia espalhada por Cipião sem fundamento.

Para fortificar seus soldados, César não diminuía o poder do inimigo, mas exagerava sua capacidade. Quando suas tropas entraram em pânico com o avanço das forças do rei Juba, advertiu-os dizendo: "Podem acreditar em mim quando digo que o rei estará aqui dentro de alguns dias, comandando dez legiões de infantaria, trinta mil cavalarias, cem mil tropas levemente armadas e trezentos elefantes. Assim, este sendo o caso, podem parar de fazer perguntas e tentar adivinhar. São os fatos que me foram dados conhecer". Ele elogiava e honrava o valor de suas tropas ao apresentar a desigualdade impressionante com que eles se confrontariam, como se fosse de nenhuma importância para soldados como eles.

Era liberal com o mau comportamento previsível de seus soldados e se orgulhava de dizer que "meus soldados lutam do mesmo jeito, malcheirosos ou perfumados". Mas era brutal ao punir deserção e motim – uma desonra para um soldado.

Sempre se dirigia aos seus soldados como "companheiros" e fornecia equipamentos de melhor qualidade – armas decoradas com ouro e prata, por exemplo. Era uma artimanha sua, porque deixava os soldados ainda mais determinados a não serem desarmados em batalha. Amava seus homens profundamente, e eles o amavam em retorno. Ganhou a devoção de seu exército e a devoção deles o infundia de imensa bravura. Soldados sem exército se ofereciam para servir sem pagamento ou ração, e durante todas as guerras civis quase não houve deserções, inclusive nesta última.

Era um costume seu poupar todos os soldados inimigos capturados pela primeira vez; apenas quando fossem capturados uma segunda vez César ordenava sua execução.

Outras cartas relatavam a situação em Roma, e César esperava retornar para lá em Quintilis. Mas agora não seria mais Quintilis. Seria chamado de Julho em sua honra, o mês em que Caio Júlio César havia nascido.

Mas entre todas as cartas, relatórios, despachos e pergaminhos sobre César, não havia nada diretamente de César. Não havia palavras suas para mim, ou para o Egito.

Mais notícias chegaram. As forças derrotadas dos seguidores de Pompeu, enlameadas e aturdidas, agrupavam-se na Espanha. A Espanha parecia ferver com descontentes e rebeldes, um depois de outro. César precisaria ir até lá para dar cabo deles de uma vez. Mas não por enquanto.

Finalmente chegou: uma carta de César; de Útica, não de Roma. Ainda estava na nossa costa. Peguei a carta e me fechei na parte mais íntima de meu terraço, segurando-a por um longo tempo antes de me atrever a abri-la, ainda hesitante em quebrar o suspense. Mas, finalmente, quebrei o selo e li.

Para a Mais Divina e Poderosa Rainha do Egito, Cleópatra, saudações,

A guerra acabou e fui vitorioso. Foi uma campanha árdua. Não posso dizer veni, vidi, vici – vim, vi, venci – desta vez. Teria de dizer, vim, esperei, planejei, superei – o oposto de sucinto, tanto em comentário, como na própria guerra. Mas é o resultado final, o vici, que importa. Sabendo que o Egito estava sempre ao Leste me deu coragem. Sabia que tinha um aliado completamente de confiança, uma coisa preciosa.

E agora volto para Roma, onde o Senado me outorgou o direito de celebrar quatro Triunfos em sucessão: um para celebrar minha vitória na Gália, depois no Egito, depois em Ponto, e, por fim, na África. Serão comemorados em setembro. Roma nunca viu coisa igual. Convido-a para vir e partilhar da celebração. É especialmente importante sua presença comigo durante o Triunfo do Egito, para mostrar que foram os seus inimigos que derrotei e para ficarem sabendo que você firmemente apóia Roma. Sua irmã Arsínoe será desfilada como cativa.

Traga a comitiva maior que quiser. Vou acomodá-la e a todos na minha vila particular do outro lado do Tibre, com amplos jardins. Creio que concordará plenamente que as acomodações serão adequadas para uma estada longa. Aguardo ansiosamente vê-la de novo, como também conhecer o seu nobre filho régio.

Seu amigo e aliado de sempre, Caio Júlio César.

* * *

A minha mão que segurava a carta debruçou para um lado. Ela dizia tanto; e tão pouco. Cada sentença podia ser interpretada de maneiras diferentes. *Sabia que tinha um aliado completamente de confiança, uma coisa preciosa...* Era o conhecimento que era precioso, ou o aliado? *Creio que concordará plenamente que as acomodações serão adequadas para uma estada longa...* Será que esperava que eu ficasse lá indefinidamente? Por quê? E como foi astuto na maneira de colocar que queria ver nosso filho, mas ao mesmo tempo evitando legitimar o seu nome ao escrevê-lo...!

Não! Não irei! César não tinha o direito de me ordenar desse jeito, como um vassalo ou um rei que tenha negócios com ele!

No entanto é isso que você é, uma vassala, uma monarca que retém o trono apenas porque Roma permite. Não há diferença entre você e Boco da Mauritânia ou Ariobárzanes da Capadócia. O reino orgulhoso dos Ptolomeu fora reduzido a isso. Mas pelo menos não chegou à humilhação de ser uma província romana – Nova África.

Havia uma ameaça nas suas palavras, e não era nada velada. Esteja lá para mostrar que não é inimiga de Roma ou, como um vigilante com seus cães de guarda, ele dizia, não sei se posso controlar o que *eles* farão. Assim, esteja lá.

Ele prometeu me levar a Roma. Mas nunca pensei que seria assim – para pagar tributo às suas conquistas.

Minha raiva passou. Sabia que tinha de ir. Não importava o que ele queria transmitir com suas palavras. O que importava era o que aconteceria quando estivesse lá.

Precisava aprender latim, isso era uma condição irrefutável. Se não compreendesse o que falavam ao meu redor, estaria numa desvantagem terrível. Nunca fiz questão de aprender, porque não era uma língua importante e, além disso, todos os romanos educados falavam grego. Mas, em Roma, é claro, falariam latim.

Pedi a Mardian para achar um ótimo tutor de latim e informei-lhe que partiria para Roma dentro de um mês e o deixaria encarregado do governo – com a ajuda de Epafrodito, é claro. Ele se mostrou preocupado.

– É a mesma situação como quando fui à Núbia – asseverei-lhe. – E aquela viagem não lhe preocupou.

– Isto é muito diferente – ele disse, franzindo a testa. – Pode acabar ficando em Roma indefinidamente!

– É ridículo. O que faria lá? Os Triunfos duram poucas semanas e pronto.

– E se César... se ele... quiser que você fique lá? E se ele se divorciar de Calpúrnia?

– Qual seria o problema? Ele já se divorciou antes.

– Sim. E se casou de novo. Você... será que existe a possibilidade...?

– Mesmo se eu me casasse com ele, não viveria em Roma como uma dona de casa.

– É isso que fazem as mulheres em Roma.

– Mas estão mudando. Tem uma, por exemplo, uma agitadora chamada Fúlvia, mulher de um político, que não fica em casa, mas vai às ruas lutar por suas causas. Servília, mãe de Bruto, tem muita influência no Senado. Mas isso não vem ao caso. São mulheres romanas, com preocupações romanas. Eu tenho um reino para governar. E é aqui.

– Temo que as preocupações romanas logo se tornem as suas preocupações. E você seria mergulhada nelas, como se caísse num poço de alcatrão.

– O Egito é minha maior e primeira preocupação.

– E César sabe disso?

– Deve saber! Viu por si mesmo.

– Em Roma, talvez você tenha um significado diferente para ele, como por exemplo um ornamento régio para enfeitar sua casa.

– Não tenho desejo nenhum de me tornar um enfeite para César, nem também ser um objeto de admiração na sua casa.

– O que deseja então?

– Governar de igual para igual, ou nada.

Eu dispunha de muito pouco tempo para me preparar. Precisava embarcar para a viagem em menos de um mês. Trinta dias para mergulhar no latim, selecionar minha comitiva, deduzir problemas futuros que pudessem surgir durante minha ausência do Egito, preparar-me como se fosse a uma campanha. Porque era uma campanha – uma campanha para garantir meu futuro e o de meu país em Roma. Era também minha obrigação observar os infames romanos em seu próprio território.

Dei início à preparação de maneira metódica. As aulas de latim começaram imediatamente. Eram uma tortura. Uma língua muito difícil, porque quase tudo era determinado por um caso ou tempo verbal de uma palavra; seu lugar numa sentença pode ser enganador. *Amicum puer videt* e *puer amicum videt* queriam dizer "o menino vê seu amigo". Assim, podia-se atirar as palavras em qualquer direção, como uma criança brincando com blocos, e não importava em que lugar caíssem, ainda era possível arranjá-las com o significado original apenas pela forma das palavras. Isso parece tranqüilizador, mas não é, porque queria dizer que é preciso memorizar uma quantia enorme de sufixos.

Pelo menos, meu tutor me garantiu, não havia significados duplos em latim. Uma palavra quer dizer apenas uma coisa. Ah! Mas o que era esta coisa – uma tarefa de proporções hercúleas.

Assim, batalhei duas vezes por dia com o emaranhado de *sum-esse-fui-futurus* e *duco-ducere-duxi-ductum*.

Era mais fácil escolher minha comitiva. Não sabendo quanto tempo ficaria fora, não tiraria Olímpio de seus pacientes, mas levaria um de seus colegas; deixaria Mardian e Epafrodito para liderar o governo; deixaria Iras e levaria Charmian, cujo conhecimento de guarda-roupa era uma necessidade vital. Durante todo o tempo, eu seria exibida, sabia muito bem disto. Até mesmo supostamente sozinha em meus aposentos – aposentos de César, quero dizer – haveria espiões. Devo mostrar com orgulho o Egito e fazer César compreender que sou uma pessoa para ser respeitada, mesmo distante da minha base de poder. E não queria vê-lo tendo de se defender pelo seu gosto em se envolver comigo; isso apenas aumentaria meu fardo. E, é claro, havia a vaidade – por que negar? Queria que toda Roma ficasse estupefata quando me visse, queria ouvi-los dizer *Então, este é o Egito!* Queria apagar todas as lembranças de meu pai como um representante pedinte, humilhado, do Egito. Queria ofuscar os olhos de Roma com ouro e o que era belo.

Mas que tipo de roupas atingiria esse objetivo? Charmian, com seu gosto refinado e elegante, ajudou-me a escolher uma variedade de trajes, do quase berrante – fios dourados e bordados com contas e pedras no estilo persa – ao mais simples e maravilhoso vestido grego, com mantos de seda simples e leves.

– Porque enquanto você não chegar lá, vai ser difícil saber o que será adequado – ela disse. – O que parece perfeito aqui em Alexandria, com suas salas altas e abertas, pode ser completamente errado para a vila de César. Dizem que Roma nesta época do ano é de um calor opressor... e que os romanos venderiam a alma por uma brisa fresca no verão. E o inverno é muito frio... mas você não passará o inverno lá – ela disse rapidamente –, então não precisa se preocupar com isso. Mas, para o verão, precisa de tecidos finos e leves. E para os Triunfos... é quando tem de se mostrar uma rainha com todo o esplendor. Para os adornos de cabeça: a coroa dupla do Egito ou o diadema dos Ptolomeu. E precisa estar carregada de jóias, até o ponto de vulgaridade. Deixá-los babarem, desejarem e invejarem César!

— Devo usar as pérolas do Mar Vermelho, todas as cinco correntes delas?

— Certamente. E a corrente de esmeraldas entrelaçada entre elas.

— Não sou bela — eu disse. — E se todas essas jóias apenas chamarem a atenção para o fato de que não sou?

Charmian parecia surpresa.

— Quem disse que você não é bela?

— Quando era pequena, minha irmã Arsínoe. E depois, meus amigos nunca me disseram que eu era bonita. — Mas César disse. Ele disse: *Filha de Vênus, você é bela.* Ficou gravado na minha memória para sempre.

— Mardian e Olímpio não diriam nem mesmo a Afrodite e, quanto aos outros, talvez pensassem que você já soubesse, ou que dizer isso não seria lisonjeiro para uma rainha. Sendo ou não clássica a sua beleza, uma coisa é certa: você dá a impressão de ser bela, o que é tudo o que se pode desejar. As jóias lhe complementam e não lhe desvalorizam de forma alguma.

Segurei suas mãos.

— Charmian, você me dá coragem. Juntas conquistaremos Roma!

O pequeno Cesarion também precisava ser preparado. Como eu disse, ele já caminhava — passos incertos. E embora pudesse compreender muitas palavras, havia poucas que falava. Tentei ensiná-lo a dizer *César* e *papai*, mas eram difíceis de pronunciar. Ele ria e saía com todo tipo de sons. Observei seus rosto demoradamente, tentando imaginar que reação causaria em alguém que o visse pela primeira vez. Mas era impossível, porque já era tão parte de mim. Eu não conseguia dar o pulo de imaginação para vê-lo com os olhos de um estranho.

Fiquei parada no embarcadouro do porto real. O vento batia no manto de viagem que cobria meus ombros, e as ondas dançavam na enseada, mostrando cabeças espumantes. As nuvens passavam ligeiras; era um dia bom para embarcar.

O navio — uma galera veloz — atravessava as ondas, puxando suas cordas como uma criança impaciente para ir embora. Cesarion apontava seu dedinho para as gaivotas que voavam sobre nossas cabeças, gritando excitado. Chegou a hora de partir.

Subi na plataforma e entrei no navio. Toda Alexandria espalhada à minha frente, estendendo-se para a esquerda e para a direita, com seus prédios brancos mais belos e preciosos do que marfim. Minha cidade! Minha nação! Nunca me senti tão orgulhosa ou tão protetora como agora.

Tenho de assegurar seu futuro, pensei. Alexandria, vou para garantir sua liberdade para sempre.

Virei para o capitão, que estava parado atrás de mim no convés.

– Levante âncora – ordenei. – Estou pronta. Para Roma.

AQUI TERMINA O SEGUNDO PERGAMINHO

O mar se movia diante de mim, e o horizonte se abria em direção a terras desconhecidas. Atrás, eu via, pela primeira vez, o que os marinheiros que chegavam à Alexandria contemplavam: na plana e monótona costa, o grande farol atraía a atenção; e atrás dele, os edifícios brancos e reluzentes das cidades, marcados em alguns pontos pelas cores vivas das videiras nas paredes. Eu nunca deixara aquela costa. Agora, podia vê-la com os olhos de um estranho.

A cor da água em alto mar era mais escura e sólida do que no porto ou no rio. Senti um arrepio de emoção com a perspectiva da viagem, da possibilidade de me aventurar por essa água profunda e agitada. Iríamos seguir a mesma rota dos grandes mercadores de grãos, em vez de costear o litoral como um tímido barco pesqueiro. Era bem mais rápido, mas também mais arriscado. Se voássemos como uma cegonha, a rota de Alexandria a Roma seria como uma gigantesca diagonal a Noroeste de quase dois mil quilômetros de extensão. Se não fosse possível atravessar o Estreito de Messina – o trecho entre a Sicília e a Itália, que em um ponto traiçoeiro chega a ter pouco mais de três quilômetros de largura, limitado por correntes marítimas, pedras e redemoinhos –, era-se forçado a contornar a Sicília, o que tornava a viagem ainda maior. O menor tempo no qual jamais havia sido feita a viagem do Estreito de Messina a Alexandria fora de seis dias, mas o caminho inverso era mais lento, em razão dos ventos freqüentes e das correntes. Eu rezava para que não demorássemos muito para alcançar nosso destino; ainda que estivesse apreensiva quanto ao que encontraria quando chegasse a Roma, não tinha intenção de adiar a chegada. Minha coragem é imensa quando posso agir; a inércia abate minha determinação.

Minha embarcação era uma galé, de modo algum um navio de guerra, mas armado com um pequeno número de soldados. Para essa viagem, desejara velocidade, mas também tamanho suficiente para permitir a navegação em águas violentas ou mar aberto. Não achara necessária a proteção de um navio de guerra. Afinal, Pompeu havia acabado com os piratas.

Cerca de vinte anos antes, Pompeu fora incumbido pelo Senado Romano de livrar o Mediterrâneo dos piratas, que infestavam o mar de uma ponta à outra. Muitos oficiais – inclusive o próprio César – foram tomados como reféns por eles, e navegar não era seguro. Pompeu cumpriu sua missão e varreu os piratas para fora dos mares, montando uma armada especialmente para enfrentá-los. Desde então, as cargas têm trafegado livremente, e os marinheiros estão mais tranqüilos. Sem dúvida, ainda havia lugares onde os piratas se escondiam, pois jamais uma peste é completamente eliminada – ratos voltam correndo à mais limpa das despensas. Mas eles eram poucos agora, e suas presas favoritas, os Sicilianos e os Dalmatenses, estavam bem a Leste. Até então, eu não sabia que a Sardenha e a Sicília ainda eram seus parques de diversões.

A embarcação submergia e emergia, como um enorme monstro do mar. O longo balanço dava uma sensação boa, como se estivéssemos cavalgando toda a Terra. Neste momento, no convés, sentindo a primeira borrifada salgada em meu rosto, comecei a pensar seriamente na reorganização da frota egípcia.

A frota diminuíra muito desde que a maior parte dela fora perdida na Guerra Alexandrina. Muitos dos navios haviam sido queimados no porto porque meu irmão o tinha sob controle. Eu teria de importar madeira da Síria, mas isso não deveria ser difícil. A Síria era uma província romana e teria de obedecer a César. Sim, era hora de a marinha egípcia ser ressuscitada.

Já a caminho, o capitão venho postar-se ao meu lado no convés. Rumávamos a Oeste e nos movíamos vagarosamente. Nossa grande vela quadrada não nos adiantava muito, e o vento vinha predominantemente do Oeste; os remadores trabalhavam duro, com seus remos mergulhando e emergindo ritmicamente da água azul cristalina. Sobre nossas cabeças, o céu estava claro, e as nuvem se moviam para Leste.

– Esta é a rota mais rápida, não é? – Perguntei.

– Sim, é reta como uma estrada romana – ele disse. – O problema são os ventos dessa época do ano. Sopram exatamente na direção errada. E a vastidão da água é tão imensa que há uma limitação natural na velocidade dos remadores. Esta galé tem quatro homens em cada remo, mas eles não podem remar sem descanso por dias a fio.

Como eu decidira chegar a Roma com discrição e me dirigir tranqüilamente à minha pousada, escolhera uma embarcação simples. Agora me perguntava se havia sido um erro.

— Um navio maior não é necessariamente mais rápido – disse o capitão, como se tivesse lido meus pensamentos. – Sua estrutura pesada exige muito mais vento e músculos para movê-lo. É por isso que os piratas, os melhores marinheiros do mundo, mantêm seus barcos relativamente leves e pequenos. Não, minha senhora, esta é a melhor velocidade que podemos desejar.

Fora tomada por decepção e ansiedade. Viajar era tão lento!

Uma cabina privativa havia sido equipada para mim e meus acompanhantes dentro da guarita onde o capitão e os oficiais dormiriam. Embora as paredes tivessem sido pintada em cores claras, eu podia ver pela tinta já descascando que seria uma jornada úmida. Havia uma cama presa ao chão e uma menor, para Cesarion, com grades. Charmian dormiria em uma esteira no chão, que seria enrolada durante o dia. Nossos baús de pertences ficavam acorrentados a anéis no chão e nas paredes.

O pequeno Ptolomeu XIV, meu consorte, tinha um quarto separado. Ele se mostrara tão curioso sobre Roma que resolvi trazê-lo junto. Além disso, ver o que havia acontecido com Arsínoe serviria de aviso, apesar de ele ter se mostrado uma criança muito doce até então. Deixá-lo também poderia tentar os inimigos a usá-lo como um fantoche e dar início a um novo episódio sombrio de guerra civil – a última coisa de que eu precisava.

Fui ver o que Cesarion estava fazendo; ele brincava com um saco cheio de lentilhas, que ganhara de um dos marinheiros. Enquanto o observava, seus dedos soltaram o saco, e ele caiu no sono.

Pobre criança! Pensei. Será uma longa viagem.

Na manhã seguinte, eu podia identificar com dificuldade uma mancha dourada no horizonte; era a costa do Norte da África, o deserto que ficava ao Oeste do Egito. Gradualmente, ela desapareceu da vista, e estávamos sozinhos em mar aberto, com as águas se estendendo infinitamente por todos os lados.

No oitavo dia, uma tempestade; os céus escureceram e desabaram torrentes de chuva. Mas na sua seqüência veio uma agradável mudança na direção do vento, que deu uma guinada e se transformou em um Levante oriental, soprando-nos na direção que queríamos seguir. Para aproveitá-lo, a vela foi içada.

Agora parecíamos voar – enquanto o vento continuasse soprando. Chegamos ao ponto do mar onde estávamos diante de Creta, depois, da Grécia; e então entramos no maior trecho de mar aberto de toda a nossa viagem.

Charmian não estava se alimentando bem; durante os primeiros dias sentiu-se seriamente enjoada. Agora, pálida e trêmula, deixou a cabina e ficou de pé ao meu lado.

– Quanto tempo mais teremos de ficar neste mar miserável? – gemeu.

– Vou botá-la em um camelo para a viagem de volta – eu disse. – Você pode fazer o caminho longo, quando chegar à Alexandria, nós duas estaremos velhas. Cesarion terá me transformado em uma avó.

– Eu não me importo de desperdiçar minha juventude em uma caravana – ela disse. – Mas sinto como se esta viagem já tivesse me envelhecido.

Estranho, mas a viagem tivera o efeito contrário em mim: achei o ar marítimo renovador, e os sons e cheiros desconhecidos que descobria a cada dia me fascinavam. Havia, antes de mais nada, o penetrante odor de sal, e o cheiro do vento, trazendo consigo resquícios do amargor da terra por que passara. Havia o cheiro forte do peixe recém-pescado – tão diferente daquele vendido em mercados – e o mofo úmido das cordas ensopadas. O alcatrão e a resina que estavam por todo o navio soltavam um aroma quente de passas, que aumentava conforme o sol se erguia.

Ah, os barulhos do alto mar! Como adorava o *slap-slap-slap* contra o corpo do navio! Era uma canção de ninar para mim. O ranger do cordame e o barulho da vela quando inflava e esvaziava eram deleites. Comparados a eles, como eram normais os sons das ruas e dos mercados.

Eu havia perdido o terror pelas águas, e era profundamente grata por isso. Primeiro me aventurara pelo porto, então pelo Nilo, agora o mar aberto – estava curada do meu medo, graças a todos os deuses!

– Você sequer se lembrará de todo o sofrimento assim que puser os pés em Roma – assegurei-lhe. – Você se recuperará na vila agradável de César.

E esperava que fosse verdade. Começava a perder a conta de quantos dias estávamos viajando. Toda noite eu movia uma conta de um bracelete para acompanhar a passagem do tempo. Navegávamos inclusive à noite, já que era impossível ancorar nas águas profundas. Por alguns dias, a lua esteve escura, facilitando a visão das estrelas, mas nada mais.

Para minha decepção, o capitão decidiu tomar o caminho longo, contornando a Sicília.

– Se este Levante continuar soprando, será muito mais seguro, apesar de mais longo – ele disse. – O acesso ao Estreito de Messina é mais fácil pelo lado oposto, com um vento Norte às suas costas. Desse modo, pega-se os redemoinhos e as pedras no princípio, quando se tem mais espaço para manobras.

– Cila e Caribde são tão apavorantes quanto diz a lenda? – perguntei.

– Realmente são – ele respondeu. – A pedra, Cila, é quase impossível de ser evitada quando se está tentado escapar do redemoinho, Caribde. É claro que o redemoinho não está lá todo o tempo, somente quando a água borbulha violentamente na mudança das marés, cerca de quatro vezes por dia.

– Você já viu um navio ser arrebatado?

– Sim. Assisti de terra a um navio pesqueiro ser sugado para seu interior. A água faz redemoinhos – um círculo grande, de aparência oleosa –, e tudo o que está por perto é atraído para dentro do círculo. Uma vez lá dentro, o barco gira mais e mais rapidamente. Vi o barco quebrar e sua estrutura se desmontar onde havia sido pregada, e o pescador foi jogado para fora. Ele se agarrou a um pedaço de madeira, mas desapareceu bem no centro do funil – que tem uma entrada escura, que suga tudo o que estiver por perto. Os pedaços do barco seguiram-no. No centro, giravam em uma velocidade tão grande que eu enxergava apenas um borrão; e então desapareceram.

Senti um calafrio.

– O Caribde devolve coisas, mas não o que engole – continuou. – O pescador nunca retornou. Mas o monstro vomitou peixes deformados – sem olhos e com prolongamentos grotescos em suas cabeças. Cordas enormes de algas irrompiam daquele centro perverso, como enormes serpentes marinhas – Ele fez uma pausa. – Então, iremos pelo outro caminho, com sua permissão.

– Minha permissão? Eu não sou navegadora nem marinheira.

– Mas tem um sentimento especial pelo mar, eu posso perceber. Surpreendente, mas verdadeiro.

– Deixarei o comando do navio com você – assegurei-lhe.

Terra à vista! As montanhas da Sicília ficaram visíveis, com seus cumes irregulares cintilando como uma miragem. Conforme íamos em direção a elas, as montanhas ficavam lentamente mais claras. Senti uma inundação de alívio. Havíamos alcançado o outro lado do Mediterrâneo.

Então, de modo tão inesperado quanto um dos deuses de Homero, o vento deslocou-se rapidamente para o Sul – um vento quente e úmido, opressivo e pesado. Ao mesmo tempo, a Sicília tornou-se envolta em nevoeiro. O vento nos levava em direção à margem, e não conseguíamos ver nem pedras nem outros elementos naturais.

– Baixar a vela! – ordenou o capitão. Os marujos se apressaram para soltar a agora perigosa vela. – Remadores! Remadores! Remem para o Oeste!

Eu estava parada, assistindo a tudo com vívido interesse, quando vi os pequenos barcos emergindo da praia enevoada. Eles se moviam em uma velocidade assustadora – como podiam ir tão rápido? Devem ser unicamente remadores, sem qualquer carga.

– Olhe! – apontei-os para o capitão. Eu esperava que ele dissesse "barcos pesqueiros sicilianos" ou "barcos de corrida, – e me desse uma explicação.

Em vez disso, ele empalideceu e gritou: – Piratas! Piratas!

Eles vinham em nossa direção – três barcos.

– Hemiólias – disse o capitão. – Do tipo mais veloz.

– Pensei que Pompeu tivesse destruído os piratas – gritei, como se, ao dizer isso, eles desapareceriam. Eu ainda era tão ignorante, confiava em tantas coisas.

– A maioria, sim. Mas alguns resistem – como leões nas montanhas distantes da Síria – Ele reencontrou sua voz e sua coragem. – Içar as velas novamente! Içar as velas! – gritou. – Virar de bordo! Para o estreito!

O navio girou loucamente quando a vela foi solta e enchida pelo vento violento, arrastando o barco para o Norte.

Íamos em direção à praia, onde pedras se escondiam sob a névoa. Atrás de nós, os piratas haviam virado seus barcos e vinham em nosso encalço. Eles também suspendiam suas velas agora.

Podia ouvir o choque das ondas contra as pedras adiante, apesar de não conseguir enxergá-las através da neblina.

– Virem! Virem! Com força, a estibordo!

O navio se arremeteu para a direita, passando pelo cume de uma onda. Repentinamente, estávamos no canal, na abertura do estreito. A corrente era Norte ou Sul? A nosso favor ou contra nós?

Apavorei-me ao ver o fluxo das ondas. A corrente vinha em nossa direção; os ventos e as ondas entrariam em choque, e não iríamos muito além. Os piratas nos alcançariam com facilidade – caso se arriscassem a nos seguir pelo estreito.

Saltávamos, com o barco afundando e corcoveando. O vento nos empurrava para a frente, mas as ondas nos levavam aos trancos para a direção oposta, batendo contra nossa proa e tentando nos virar para os lados, levando-nos para a margem rochosa.

– Remadores a bombordo, remem com todas as suas forças! – gritou o capitão. Apenas isso nos livraria de sermos arrastados pela corrente para o lado.

O canal ficou mais estreito, tornando-se mais perigoso a cada minuto. Em um trecho de águas relativamente calmas, um navio pirata nos alcançou, e uma pequena âncora foi jogada a bordo. Eles tentaram embarcar, mas nossos soldados arrebentaram suas cordas, fazendo-as cair no mar. Todos os piratas decidiram nos seguir; os outros barcos estavam se aproximando no nosso rastro.

Agora o canal se estreitara ainda mais, e o mar começara a se agitar. À nossa frente, na névoa branca e densa, eu via apenas escuridão. O canal estava desviando para Leste, à direita.

Um barulho aflitivo encheu meus ouvidos, um som que vinha debaixo da correnteza.

– O redemoinho! Está girando! O capitão apontava – Remem com toda a força para Leste! Fiquem fora de seu alcance!

Agora, abrindo-se diante de mim, eu podia ver a agitada superfície da água, parecendo inofensiva, apenas uma série de ondas se curvando na mesma direção.

– Fiquem longe daquelas margens – gritou o capitão.

Cesarion estava em meus braços, e eu o agarrei com força. As águas perigosas não nos fariam perder um ao outro; não, eu jamais o soltaria, como minha mãe fizera comigo. O vento açoitava meu rosto, mandando respingos de água para cima do convés. O barulho do redemoinho estava aumentando; agora era tão barulhento quanto uma biga passando com estrondo por uma estrada de pedras.

À nossa esquerda – pelo lado do redemoinho – surgia outro barco pirata. Eu vi os homens de pé no convés, e um deles atirou uma corda diretamente para o nosso convés, descendo com a flexibilidade de um macaco. Ele se equilibrou e olhou ao redor, puxando uma adaga de seu cinto. Atrás dele, com um firme *tum-tum-tum*, vieram seus companheiros, chegando com cuidado, um a um.

Meus soldados se viraram para confrontá-los com o navio se balançando perigosamente. Diante de nós, o redemoinho se aproximava mais e mais.

Todas as mãos eram necessárias para salvar o navio; apenas meus guardas podiam ser poupados para lutar contra os piratas – Insígnia! – Gritou um deles. Um homem alto e descabelado, com a alegria de uma criança que encontrou uma pilha de brinquedos. – Insígnia real!

– É o navio da Rainha, por certo – berrou o outro. Ele gritava e tinha o rosto vermelho. – Estávamos certos. O primeiro a capturá-la fica com metade do resgate!

Eles avançaram e se agacharam. Novamente pensei em macacos.

Como eles sabiam que eu estava fazendo esse caminho? A notícia deve ter se espalhado rapidamente, porque não fazia muito tempo que eu deixara o Egito.

Um de meus guarda-costas puxou sua pesada espada, e os outros ao meu redor puseram-se em ação. A luta começara. Agarrei Cesarion. Eles jamais o pegariam. Nem que eu tivesse de matar a todos eu mesma. Eu estava tão cega de fúria que tinha vontade de matar, e jamais duvidei que o faria.

Um dos soldados mais fortes conseguiu atirar para fora do navio um pirata de cabelos escuros, que caiu no mar como uma pedra, levantando uma enorme coluna de água. Ele era um excelente nadador e logo voltou à tona. No entanto, caíra na extremidade do redemoinho, e assisti com um misto de fascínio e terror quando foi tragado com força em direção ao centro, onde desapareceu.

Um dos piratas que estavam no convés, que parecia mais velho do que os outros, deu um grito horrível e saltou sobre mim, como um grande gato. Derrubou-me no chão, mas não larguei Cesarion.

– Você matou meu irmão! – Berrou. – Agora tenho dois para vingar!

Ele deu um golpe com sua adaga, mas sua mão tremia tanto que errou.

– Seu idiota! Matar nosso resgate? – Um outro pirata, postando-se repugnantemente perto, prendeu seu braço. – Deixe César pagar por ela! Como pagou por si próprio! – Seu tom de voz era alto e autoritário.

Dei meia volta e me levantei. Um de meus soldados atacou os dois homens, e outro se juntou a ele.

Os piratas sabiam exatamente quem eu era e tinham desavenças com César. Tudo havia sido cuidadosamente planejado.

Os soldados haviam imobilizado os piratas e estavam prestes a cortar suas gargantas. – Parem! – Gritei. – Isso é um ataque contra César. Deixem-no vê-los e puni-los!

Decepcionados, os soldados não tinham outra opção se não obedecer. Golpearam os piratas com força na cabeça para deixá-los inconscientes e jogaram-nos para baixo, junto dos remadores.

O combate corpo a corpo continuou no convés, mas os piratas recuavam, desmoralizados pela captura de seus líderes. Um deles pulou do navio, mergulhando diretamente no centro do redemoinho, em um espetacular salto suicida.

Agora passávamos exatamente ao lado do monstro, e seu grito se transformara em um urro. Percebi que o navio sofria para vencer a força quase irresistível imposta pela sucção à sua estrutura. Podia sentir o cheiro nojento do que quer que fosse que o redemoinho expelia de suas profundezas, talvez os restos das vítimas que digeria.

– Segurem firme! Segurem firme! – gritou o capitão. O navio estremeceu e gemeu; o redemoinho nos alcançou, e passamos por ele em disparada.

À nossa frente agigantava-se o rochedo feio, alto e irregular.

– Rápido! Virem para o outro lado, o outro lado! – bradou o capitão. A espuma branca que rodeava como uma saia o rochedo assustador tocou nossos flancos. Não havia saída. Rumávamos diretamente contra ele. Iríamos ficar partidos em pedaços!

Com um golpe violento, o barco atirou-se contra uma cama de algas que fora devolvida pelo redemoinho e agora se enroscavam em algumas pedras. O casco do navio bateu contra as rochas, mas as algas amorteceram o impacto e escapamos pela tangente. A força do choque virou o barco de tal modo que mudou seu curso e o fez deslizar rapidamente pela base da grande rocha de Cila. O monstro dos mares, aquele das seis cabeças que devorara seis dos homens de Odisseu, perdeu sua refeição conosco. O barco emergiu do outro lado e, repentinamente, estávamos totalmente fora do estreito, sendo soprados para longe pelo nosso velho companheiro, o vento Sul.

Atrás de nós perdiam-se dois dos barcos piratas. Um afundou no redemoinho, sob o lamento apavorante de sua tripulação. O outro escapou da destruição, mas desistiu da perseguição uma vez que deixamos o estreito.

Eu tremia dos pés à cabeça, como se meus membros tivessem incorporado as ondas. Segurei-me na guarda do barco e fiquei olhando para trás para ver o rochedo dentado de Cila diminuindo, recuando em nossa trilha. Os remadores ainda remavam freneticamente, e, no pânico, começaram a perder o ritmo de seus golpes. Os remos começaram a bater uns nos outros em vez de entrar e sair da água em sincronia. O cronometrista, o *keleustes*, acalmou-os, dizendo para diminuírem o ritmo.

Nesse ínterim, os dois piratas capturados estavam sendo acorrentados antes de retomarem a consciência. Eles foram arrastados dos bancos dos remadores, onde não eram bem-vindos, e amarrados ao mastro. Ambos desabaram, com as cabeças caindo para o lado.

Observei-os cuidadosamente. Um deles era careca e bastante musculoso; seu parceiro era um homenzinho mirrado. O careca foi o que tentou me apunhalar, e que berrou sobre seu irmão. O magricela falara sobre um resgate de César. Ambos pareciam velhos para ser piratas; imaginei que tivessem em torno de cinqüenta anos, a menos que o sol tivesse envelhecido demais suas peles.

– Eles falarão logo – disse o capitão. – Mas por que a senhora não deixou que eles fossem mortos?

– Desejo entregá-los de presente a César – eu disse. – Eles invocaram seu nome; isso tem algo a ver com ele.

Embora tivesse trazido presentes – uma cara estátua Faraônica que sabia ser desejada por César, além do ouro e das pérolas de sempre – sabia que os piratas o agradariam mais do que tudo.

A vela foi afrouxada para dar um descanso aos remadores. Estávamos agora começando a deslizar pela costa da própria Itália – finalmente a Itália! À nossa frente no mar, como um gigante farol natural, ficava o grande vulcão de Estrôngile, soltando vapor e nuvens de fumaça pelo topo.

– Ainda falta muito? – perguntei ao capitão, sabendo que parecia uma criança.

Ele olhou para as nuvens sendo empurradas conosco.

– Se este vento sul continuar, apenas uns poucos dias – disse. – Uns poucos dias até aportarmos.

Foram 10 dias – o vento diminuiu – até que nos aproximamos do porto de Óstia, na boca do Tibre, o famoso Tibre. Desci no ancoradouro e pisei em terra firme pela primeira vez em semanas. Havíamos feito a viagem em um tempo surpreendentemente bom, considerando as correntes e os ventos freqüentes, mas ainda assim levamos mais de quarenta dias.

Olhei para a correnteza diante de mim com espanto. O Tibre era um rio pequeno, nada parecido com o meu Nilo. Parecia tão inofensivo, tão absolutamente insignificante, um rio de brinquedo. Que tipo de gente vivia em suas margens, na cidade que tentava dominar o mundo inteiro?

 22

O sol havia se posto; o céu ficou de um azul intenso e suave, com nuanças douradas. Lentamente virei-me para estudar os arredores, o primeiro pedaço de solo italiano sobre o qual pisei. A minha descoberta mais imediata foram as árvores – altos pinheiros produzindo sombras com seus galhos abundantes. Eu jamais vira qualquer coisa remotamente parecida com aquilo. Seus troncos eram desfolhados até uma certa altura, como uma palmeira, mas seus membros torcidos e suas folhas irregulares, de um verde escuro e profundo, pareciam saídos de uma fantástica história de viajante. No mesmo instante, uma suave brisa balançou o topo das árvores, e elas soltaram um perfume extraordinário: doce, penetrante, aparentemente a verdadeira essência do verdor.

Sob meus pés havia um gramado denso, mais do que qualquer outro que jamais vira. Ele estava coberto de frágeis agulhas marrons – folhas mortas de pinheiro, concluí – que meus pés esmagavam, liberando ainda mais perfume de pinho. A própria grama parecia úmida e estranhamente flexível e elástica; viva, não morta como um tapete liso.

Havíamos enviado mensagens para avisar César de nossa chegada, mas antes de elas o alcançarem, um contingente de oficiais veio ao nosso encontro. Eles traziam cavalos garbosos e várias liteiras e eram conduzidos por um magistrado montado em um cavalo branco. Era evidente que nos procurava, girando a cabeça para os dois lados. Atrás dele cavalgava um outro homem com aparência de oficial.

Quando nos avistou, ele puxou as rédeas, apeou do cavalo e caminhou na nossa direção. Vi que era um homem de meia idade com um daqueles rostos redondos que são difíceis de guardar, por serem tão comuns. Ele vestia uma túnica branca com estreitas listras verticais e um manto claro. Em uma das mãos, carregava um pergaminho.

– Rainha Cleópatra? – perguntou, antes de inclinar-se numa reverência. – Bem-vinda a Roma. Estou aqui em nome de César para recebê-la e escoltá-la ao seu alojamento. Sou Caio Ópio.

Então César não viera. Claro, não seria adequado ele aguardar por mim nas plataformas e sair correndo feito uma criança. Minha chegada não era previsível; poderia ocorrer a qualquer hora. Mesmo assim, estava decepcionada. Aquela ferroada de decepção me mostrou o quanto eu queria vê-lo. Forcei um sorriso.

– Agradeço-lhe, meu bom amigo – disse.

O segundo homem descera do cavalo e também vinha em nossa direção. Era alto, com esplêndidas sobrancelhas. Aproximou-se rapidamente, fez uma reverência e disse:

– Cornélio Balbo às suas ordens, Sua Majestade. Nas guerras, *praefectus fabrum* do exército de César – Seu grego tinha um forte sotaque espanhol.

– Somos os agentes e secretários da mais alta confiança do glorioso César – disse Ópio. – É nossa honra servi-lo dia e noite – Ele me entregou o pergaminho. – Uma mensagem do Grande.

Rompi o selo e desenrolei-o com cuidado. Ainda havia luz suficiente para ler – curioso, aliás, que ainda houvesse luz tanto tempo depois do pôr-do-sol – e fiquei contente com isso; não desejava um archoteiro espiando por sobre meu ombro.

Era muito curto, e não teria tido importância se um archoteiro o tivesse lido. Também não era datado; ele obviamente o preparara com antecedência.

Bem-vinda a Roma. É meu privilégio poder retribuir a generosa hospitalidade com que me recebeu em Alexandria. Não possuo um palácio para hospedá-la, mas ofereço minha melhor residência: minha vila e meus jardins no outro lado do Tibre. Sinta-se como se eles lhe pertencessem. Eu estarei em minha casa perto do Templo de Vesta, no Fórum. Mandarei chamá-la, com todo respeito, assim que for possível. Espero que sua viagem tenha transcorrido sem incidentes.

Com honra e estima,
Caio Júlio César, Cônsul, Imperador, Ditador do Povo Romano

– Ditador? – espantei-me em voz alta.

– Pelos próximos 10 anos. Uma honra recém-conferida – disse Balbo. – Uma honra sem precedentes – Exultava como ele próprio tivesse arquitetado tudo.

– O que isso quer dizer? – perguntei. – Achei que um ditador romano somente fosse nomeado para emergências, e por apenas seis meses.

Eles deram de ombros.

– César refaz tudo, reescreve as coisas à sua própria imagem.

Examinaram minha comitiva.

– Jovem rei Ptolomeu? – perguntaram em uníssono. Meu irmãozinho corou de prazer pela atenção. – E...? – inclinaram-se e examinaram Cesarion.

Agora era a hora de dizê-lo. – Este é o filho que o Ditador César me deu – Levantei-o nos meus braços para que todos pudessem vê-lo claramente.

Não tiveram qualquer reação, a não ser dizer:

– A liteira real é para a senhora e seu filho. Para os restantes, trouxemos cavalos e carruagens.

Escureceu antes de chegarmos ao nosso destino. Eu observava tudo da liteira conforme avançávamos ao longo do Tibre em direção a Roma sob a luz cada vez mais fraca. Passamos ao lado do muro da cidade, com suas pedras irregulares e chamas de tochas tremulando em suportes de ferro. Pelos estalos dos tirantes de couro da liteira e pelo ângulo por que os enxergava, percebi que subíamos uma ladeira. Quando chegamos a um ponto mais alto, pude ver a cidade no lado oposto do rio. Parecia pequena com seus edifícios escuros – a maioria de tijolos, imaginei. Não havia brilho de mármore branco e nenhuma construção alta. Aqui e ali eu tinha a impressão de ver um templo, mas não podia ter certeza.

Ouvi o farfalhar do que parecia ser uma floresta, e uma brisa fresca chegou ao interior da liteira. Cesarion caíra no sono em meu colo, apenas para ser despertado quando a liteira foi colocada no chão.

– Chegamos, Sua Majestade – O próprio Balbo abriu as cortinas e ofereceu a mão para me ajudar a sair.

Diante de mim vislumbrei uma casa grande, rodeada de árvores e terras cheias de – pelo que eu podia ver – cercas vivas, estátuas e fontes. O ar era mais do que fresco, era perfumado com fragrâncias suaves, alegres. Aqui as flores eram evidentemente mais delicadas, e seus perfumes mais sutis do que os das flores do Egito. As folhas de mil árvores sussurravam na noite para mim.

Criados apareceram na entrada do prédio, carregando tochas.

– Bem-vindos, bem-vindos – disseram em coro. Ao menos aquilo eu conseguia compreender em latim sem dificuldade.

Segui-os em direção à entrada, cercada por estátuas em pedestais dos dois lados. Em seguida, caminhei sobre um mosaico e, logo adiante, cheguei a uma enorme peça ao ar livre, uma espécie de pátio interno. Mais portas se abriram; os criados passaram por uma delas, e eu os segui.

Subimos uma escada, passamos por um novo corredor e, finalmente, chegamos a um aposento com piso de ladrilho. Mesmo com a luz fraca pude reparar que as paredes não eram brancas, mas de um verde escuro, com florões pintados por tudo.

– Este é o quarto do próprio César, agora seu – disse o criado. – Ele o oferece à senhora.

Havia uma mesa coberta com um tecido grosso vermelho e, sobre ela, uma bandeja com frutas, pão e uma jarra de vinho. Em um lado havia uma cama grande, com pés de madeira entalhada, protegida por uma colcha de lã fina. Vários sofás, mais mesas, suportes de lampiões enfeitados e notei também quantas estátuas haviam ali. Pelo menos agora sabia que César receberia de bom grado outra de presente, mas desejei que já não tivesse tantas.

Os criados acenderam os diversos pavios nos suportes fixos – seis ou sete lampiões pendiam de seus braços. O quarto ficou bem mais iluminado. De repente, senti-me muito cansada e tudo o que queria era tirar os criados do quarto e deitar-me.

Dormia. Não fazia idéia de quanto tempo estive adormecida – a estranha sensação de pisar em terra firme novamente depois de tantos dias no mar e o impacto repentino da língua, das cores e dos cheiros desconhecidos ao meu redor confundiram minha noção de tempo e espaço. Abri meus olhos e vi a luz fraca de um lampião sendo suspenso sobre minha cabeça. Alguém estava de pé ao lado da minha cama, observando-me. Sentei-me sobressaltada, mas, rapidamente, uma mão agarrou-me o ombro. A outra mão largou o lampião e me abraçou.

– Estou aqui, minha querida, minha amada – disse a voz de César, um suave sussurro na escuridão.

Ainda parecia um sonho, mas não havia outra voz como aquela em todo o mundo. No milagre de sua presença física, esqueci-me de seu longo silêncio, de Êunoe (mas se a esqueci, por que então a menciono?), esqueci-me de suas cartas formais, frias e pomposas. Atirei-me em seus braços com um grito de alegria.

– Perdoe-me, não pude ir ao seu encontro, nunca pude enviar-lhe uma carta particular. Eu sabia que tudo o que escrevesse se tornaria público. Felizmente você veio de qualquer maneira. Rezei para que você percebesse todas as coisas que eu não podia dizer abertamente.

Ele me beijou, e foi como se nunca tivéssemos ficado afastados por mais do que um instante. Mas tantas coisas haviam ocorrido desde então; tantas batalhas, tantos homens mortos, tantas vitórias para ele e derrota para outros. Ainda assim, ali estava ele, sentado em uma cama, no escuro, como outro qualquer, entrando furtivamente à noite, ansioso como um amante inseguro.

– Eu percebi. Eu compreendo – assegurei-lhe. Palavras tão simples, depois de tanto tempo. Toquei seu rosto. Pensei em tudo o que ele era aqui em Roma.

– Meu Ditador – sussurrei. – Devo obedecer a todas as suas ordens?

– Somente os cidadãos romanos têm essa obrigação – ele disse. – Você é livre das minhas exigências. Para tudo o que escolhermos fazer, precisamos seguir apenas os nossos próprios desejos.

Abaixei-me e beijei-o, sentindo mais uma vez sua boca firme, estreita, tão freqüentemente lembrada.

– Então quando a rainha do Egito beija o Ditador de Roma não é uma questão política?

– Não – ele disse. – O que quer que digam meus inimigos, juro a você que esta é uma paixão particular, e totalmente minha.

– Por nenhuma outra razão?

– Eu juro. Ao trazê-la a Roma, dei munição a meus inimigos. Não há qualquer propósito político; um político mais sábio do que eu jamais teria feito o mesmo. Isso atiçará a inveja de todos os que não têm a mesma sorte e ofenderá os mais moralistas – sacudiu a cabeça. – Mas eu não me importo. Isso me recompensa... simplesmente vê-la de novo.

E então ele me beijou, tão impetuosamente que eu não quis dizer mais nada, nem tentei resistir. Ele parecia ter a capacidade de acender em mim uma paixão tão avassaladora que faz todos os pensamentos se esvaírem diante dela. Tinha o dom de me fazer esquecer toda razão, toda precaução e entregar-me inteiramente a seu momento secreto.

Passei a mão sobre seus ombros, sentindo sua força por baixo da costura da túnica. Ele mal retornara da guerra, e sua vida de soldado havia claramente extinguido qualquer vestígio de ócio do seu corpo. Ele parecia um instrumento de guerra, polido e afiado como as espadas de seus legionários. Em seus braços não havia maciez nem suavidade. Mas suas palavras eram ternas, e sua voz, carinhosa.

Movendo minhas mãos sobre seu tórax, achei que se parecia mais com a armadura de couro usada pelos soldados do que com pele frágil e desprotegida. Mas eu podia sentir seu peito subindo e descendo com a respiração, provando que ele não era uma couraça ou uma estátua de bronze. Sua respiração era muito rápida para alguém que estivesse simplesmente descansando; era mais como se tivesse avistado algo do alto de uma colina, algo inesperado. Ele suspirou e foi tomado por um ar de tranqüilidade.

– Você está aqui, e tudo está bem – disse. Virou-se um pouco na beira da cama onde estava sentado e segurou meu rosto entre as mãos. Silenciosamente, examinou meus traços na luz fraca e tremulante por tanto tempo que cheguei a me perguntar por quê. Por que ele me observava tão atentamente? Seus olhos escuros pareciam procurar alguma coisa nos meus, algo fora do alcance de sua vista. – Sim, você realmente é ela – ele finalmente disse. Quem? Eu queria perguntar. Quem é ela?

Inclinou a cabeça para beijar meus ombros, beijando um e outro como um sacerdote concedendo um sacramento, e beijou toda a extensão das minhas clavículas, até que alcançou minha garganta. Seus lábios estavam leves, trêmulos contra a minha pele, parecendo o roçar das asas de uma borboleta, e faziam meu sangue ansiar por encontrá-los. Uma, duas, três vezes ele beijou o mesmo ponto do meu pescoço, cada vez mais lentamente, até que, finalmente, usou toda a força de sua boca, fazendo com que eu fosse dominada por um desejo desenfreado. Joguei minha cabeça para trás e senti meu corpo implorar por mais. Eu queria que ele continuasse a me beijar ali para sempre, mas, ao mesmo tempo, permanecer passiva e vacilante era muita tortura para mim.

Virei a cabeça e comecei a beijar o lado de seu pescoço até a orelha, e corri as mãos por suas costas. A túnica! Ele tinha de se livrar dela, que estava impedindo que minhas mãos tocassem sua pele, sua maravilhosa pele que eu ansiava sentir diretamente. Puxei suas mangas, tentando forçá-la a passar pelos braços. Ele parou o que estava fazendo e riu docemente.

– Fico feliz por estar agradando – ele disse. – Mas não gostaria de tê-la como meu general; você é evidentemente impaciente para batalhas. Esse tipo de general freqüentemente dá as ordens antes de suas tropas estarem prontas e, assim, perdem batalhas.

– Você não está pronto para a batalha? – perguntei. Ele havia me desconcertado. Soltei sua manga.

Beijou-me, desta vez na boca.

– Mas, minha doce criança, isto não é uma batalha, ó deuses, nada parecido com isso.

Ele se afastou um pouco e desamarrou com muito cuidado as alças do meu vestido, deixando a seda cair até a minha cintura. Então inclinou-se e beijou meus seios por um longo tempo, até eu pensar que não agüentaria mais. Levantei sua cabeça e puxei-o contra mim, caindo nos travesseiros e trazendo-o comigo. Ele deixou escapar um forte suspiro. Agora eu podia sentir seu coração batendo mais rapidamente, e sua respiração mais alta e em intervalos mais curtos.

Ainda vestia a túnica.

– A túnica – sussurrei. O tecido marcava suas costas.

Sentou-se e, com um movimento rápido dos braços, arrancou-a pela cabeça. Então despiu-me – eu estava impaciente para me livrar de tudo, para não ter nada entre o meu corpo e o dele.

Definitivamente, meu sangue parecia ferver, minhas veias explodiam. Para minha decepção, ele não caiu sobre mim cobrindo meu corpo com o seu, mas se curvou e beijou meus seios e minha barriga com uma lentidão programada que me fez querer gritar de loucura, especialmente quando se inclinou sobre meu umbigo, tratando-o com uma delicadeza infinita, mais apropriada a uma criança como Cesarion do que a mim, uma mulher com um desejo tão grande que parecia que ia sufocar, sentindo a garganta tão apertada que mal podia respirar. Eu estava ficando sem ar, e tudo por causa daquele desejo irresistível. Soltei um longo e forte grito de aflição.

Imediatamente ele deitou-se e escondeu seu rosto em meu pescoço. Eu podia sentir sua respiração em meu ouvido, mas mal podia compreender o que dizia. Ele estava falando? *Agora você é minha... agora, agora...*

Finalmente senti seu corpo contra o meu; levantei-me para encontrá-lo, erguendo-me para que nos aproximássemos ainda mais. Senti-me como se fosse morrer se aquilo não acontecesse naquele instante; havia esperado por um ano. Cada pedaço de mim ardia de desejo.

Fazia um longo tempo desde que estivemos juntos pela última vez, mas o corpo guarda suas memórias secretas e íntimas. Seu corpo se encaixava no meu, tornando-nos uma só pessoa. Eu havia me esquecido, apesar de não ter realmente esquecido, como era a sensação de ter uma parte dele dentro de mim. Mas todo o tempo também pensei nele como desligado de mim, uma doce diferença.

Agora eu sentia a urgência de fazer amor há tempos esquecida, aquela na qual se tem a impressão de que o lado humano é substituído por um animal faminto devorando sua comida. Saem de cena os seres civilizados que falam sobre delicadeza e viagens e cartas e entram dois corpos esforçando-se por obter uma explosão de prazer animalesco seguido por um enorme vácuo flutuante. Uma explosão de vida seguida de morte – assim vivemos e assim prenunciamos a doçura de nossa morte.

Senti minhas mãos em suas costas e tentei não arranhá-lo, mas sabia que estava arranhando. Deve haver algo mais que possamos fazer, mais, mais, mais – queria chegar mais alto, o mais alto possível.

Mais tarde me deitei a seu lado, ofegante e tossindo. Tentei concentrar-me e observar seu rosto. Estava mais jovem do que eu jamais havia visto.

– Minha amada – ele disse, finalmente. – Pensei que jamais me sentiria desse modo na minha vida.

Estávamos deitados em um emaranhado de lençóis, encharcados de suor. O tecido estava ficando gelado, apesar do calor de nossos corpos. A paixão se transforma tão rapidamente em algo à parte, fora dos nossos seres reais.

– Eu ainda te amo – ele disse como se estivesse espantado. – Eu te amo aqui como no Egito, neste quarto fechado em Roma como no palácio aberto em Alexandria.

Foi só então que percebi que ele pensava em mim como algo fixo no tempo e no espaço, imóvel, algo para ser descoberto, como as pirâmides – e deixado para trás. Em vez disso, eu o havia seguido.

– Sou uma pessoa de verdade – disse. – Posso viver e respirar em diferentes climas e diferentes terras. Mas tenho de confessar que não pensava em você dessa maneira. Pensava em você... como uma deusa local.

Dei uma risada.

– Daquelas que vivem em uma fonte ou uma pedra?

Ele parecia envergonhado.

– Isso mesmo. Quando fui a Alexandria – o que hoje parece um sonho – você era uma parte dela. É difícil harmonizar aquela lembrança com você aqui. Ora – ele riu de sua própria idéia. – Devo levá-la ao Fórum! E sim, você deve encontrar Cícero e Bruto e o jovem Otávio – e eu provarei a mim mesmo que você é real.

– Você me abraçou. Sabe que eu sou real.

– Não. Isso tudo ainda parece um sonho – ele disse baixinho. – Um quarto escuro. Uma visita furtiva. Fazendo amor com um lampião aceso e vozes abafadas. Amanhã, à luz do dia, pensarei nisso tudo como se fosse um sonho que tive em um acampamento.

– Eu o verei à luz do dia – eu disse. – Faltam apenas algumas horas.

– E eu lhe darei as boas-vindas formais a Roma – ele disse. – Estarei vestindo minha toga – que roupa insuportavelmente desconfortável! – e sem dúvida farei um discurso pomposo e tentarei não piscar para você.

– E tentarei ver se você está excitado por baixo da toga.

– Não estarei – ele disse objetivamente. – Meu eu formal terá me dominado – Fez uma pausa. – Você entende que é minha convidada pessoal, e não uma convidada do Estado de Roma? Pareceu-me mais simples desse modo. Você não precisa fazer uma entrada oficial, e evita que o Senado a use como substituta – insultando-a quando desejam me insultar, bajulando-a quando desejam me bajular. Eles são um tormento constante – disse com amargura. – Usarão qualquer coisa contra mim. Não queria que você se transformasse em um peão de xadrez nas suas mãos.

– Por que se incomoda com eles? – perguntei. – Parecem existir apenas para criar obstáculos.

Ele riu docemente.

– Eu 'me incomodo' com eles – charmoso modo de dizê-lo! – porque eles são os administradores legais de Roma, e assim têm sido desde que os reis foram depostos há mais de quinhentos anos. Supostamente, eles são os cães de guarda da nossa liberdade, e deleitam-se ao vigiarem tiranos como eu.

– Não passam de uma chateação – disse. Eles atrapalhavam César. Que utilidade tinham?

– Falou como um verdadeiro Ptolomeu! – ele se abaixou para pegar sua túnica, e na luz fraca pude ver as marcas que havia feito em suas costas. Não tivera a intenção de fazê-lo.

Lambi meu dedo e passei-o sobre elas.

Ele endireitou-se com o meu toque.

– Calpúrnia ficará curiosa para saber o que houve – ele disse.

Calpúrnia! Ele... pensei que estivessem separados, ou praticamente.

– Desculpe-me – disse, arrependida, e realmente estava. Presumi que ela fosse uma velha matrona romana, austera e calada.

– Pobre Calpúrnia – ele disse, surpreendendo-me. – Passa a maior parte de seu tempo esperando que eu volte para casa. Nos doze anos ou mais em que estamos casados, passei onze longe de Roma.

Ela era jovem? Era possível. E ele estivera tão pouco tempo com ela desde então. Ela ainda deve se sentir como uma recém-casada. Como uma mulher, senti pena dela. E então lembrei-me de Êunoe. Senti-me tensa.

– E a Rainha da Mauritânia? – perguntei severamente.

Negue! Implorei-lhe internamente. Diga que foi apenas mesquinharia de Cipião!

– Estava solitário – disse simplesmente. – E ela me confortou – Ele suspirou. Como um homem que comprara uma biga ruim, cujas rodas não giravam corretamente. – Houve uma noite, apenas uma – e foi suficiente! Se eu algum dia pensei que o que tornava você tão desejável era ser uma rainha, que o pensamento de levar uma rainha para a cama era o que deixava tudo tão mágico, Êunoe me provou o contrário. Por isso, você deveria ser grata a ela. E então Cipião, ávido por ferir-me, se não no campo de batalha na opinião do mundo inteiro, espalhou que estávamos juntos. Acredite-me, não estávamos. Serviu apenas para fazer com que eu sentisse ainda mais a sua falta, a exclusiva, a insubstituível, a única guardiã do meu desejo – a mulher que eu mais desejei manter ao meu lado, e não pude.

Meu amor por ele era tão imenso que acreditei, tendo consciência todo o tempo que ele era um grande amante, e que grandes amantes se destacam por dizer o que uma mulher mais precisa ouvir. Ainda assim, agora, eu acreditava nele. O que tivemos juntos foi extraordinário, mais do que mortal, e ambos sentíamos isso.

Fiquei traçando as linhas e os círculos em suas costas. Ele se contorceu um pouco – de frio, ou eu estava fazendo-lhe cócegas? Ele se virou para mim com um suspiro, e beijou-me. Estava pronto para ir, e agora...

Envolveu-me em seus braços novamente, e eles me apertaram com desejo.

Estava clareando antes de ele se vestir e se aprontar para sair.

– Está quase na hora de eu voltar aqui – ele disse. Curvou-se e calçou as sandálias. Agora havia luz suficiente para ver quantas tiras elas tinham, e discernir qual o tom do couro.

– Você pode vê-lo agora – eu disse. – Não precisará de um lampião – Peguei sua mão e guiei-o até a pequena cama no quarto ao lado, onde Cesarion dormia de costas.

Assustei-me ao ver uma expressão de dor cruzar o rosto de César, e sua voz emitir um gemido descuidado. Ele fitou o menino, e então se ajoelhou para vê-lo mais de perto. Sem dizer uma palavra pegou minha mão e apertou-a. Permaneceu ali, de joelhos, olhando, por um longo tempo. Então, abruptamente, levantou-se em direção à porta. À saída, hesitou, e olhou-me com tristeza. – É como se fosse eu mesmo – disse em um sussurro. E então se foi.

23

Fiquei no jardim, ao lado de uma fonte de pedra, e assisti ao nascer do sol. Havia esperado até ter certeza de que ele não estava mais por perto e então escapuli do quarto e corri para fora. Não suportava mais ficar lá dentro, deitada imóvel e fingir que dormia, esperando o movimento começar. Podia ouvir os pássaros, uma canção resultante de uma confusão de gritos, um coro que surgiu antes do amanhecer. Não era cedo demais para unir-me a eles lá fora.

O ar estava fresco, com um suave vento gelado. Uma leve névoa se retorcia ao redor das estátuas, das cercas vivas, dos canteiros de flores. Logo, o sol nasceria e a dissiparia, afugentando aquelas bordas nubladas. Senti-me zonza, com a cabeça leve. Estava sendo tomada pela exaustão depois da árdua viagem, culminando com essa longa e gloriosa noite sem dormir. Permaneci trêmula ao lado da fonte e mergulhei minhas mãos nela, e joguei porções de água no meu rosto. Sabia que estava lavando os beijos dele, mas não podia evitar.

Sentei-me no banco de pedra e levantei minhas pernas, abraçando-as. Adoraria jamais interromper qualquer relíquia daquela noite, nunca lavar meu rosto ou vestir qualquer outra roupa além deste vestido – novamente ajustado e discretamente coberto por um manto – ou mexer em qualquer coisa no quarto. Ri silenciosamente da idéia de manter a cama desarrumada para sempre, com os lençóis sagrados intocados. Era uma imagem absurda, um desejo absurdo, mas por alguns momentos pensei seriamente naquilo.

O dia estava clareando, e a cantoria dos pássaros, diminuindo. O que foi mesmo que ele disse? *Meu eu formal terá me dominado.* A próxima vez que o visse, ele pertenceria ao mundo diurno, ao mundo da política e da conveniência romanas. E daríamos nossos presentes um ao outro, e ele me convidaria para seu Triunfo, e falaríamos um de cada vez. Um chefe de Estado para outro.

* * *

Ele retornou na metade da manhã, subindo a ladeira irregular do terreno da casa acompanhado de uma grande comitiva. Com o sol, o branco de sua toga cintilava, fazendo-me piscar. Ele montava seu cavalo com a postura imponente que lhe era tão característica; jamais vira-o cabisbaixo ou mesmo com as costas curvadas. Era parte da razão pela qual ele sempre parecia mais alto do que realmente era.

Marchando à frente estavam seus lictores, carregando aqueles estranhos ramos de galhos com machados que denotavam poder em Roma. Parecia haver um número enorme deles. Logo atrás havia uma companhia de soldados – seus guarda-costas? Sua equipe?

De minha parte, aguardei-o na entrada da casa, sentada em um pequeno trono. (Havia-o trazido desde o Egito, sabendo que seria necessário para audiências formais e também sabendo que não seria politicamente prudente pedir aos Romanos que me emprestassem um!) Vestira-me com as roupas que costumava usar em audiências, nada muito elaborado, uma vez que essa era uma visita ostensivamente pessoal e, além disso, ainda era de manhã. Senti que minha aparência não era das melhores; a alegria da noite havia desaparecido, deixando apenas cansaço e nervosismo. Eu não desejava vê-lo. Não agora; não tão cedo. Um outro dia, quem sabe!

Ele se aproximou. Agarrei os braços do trono. Ele se destacou da comitiva. Eu podia ouvir o ruído das patas de cada um de seus cavalos nas pedras. Ele olhava para mim. Seu rosto não transparecia qualquer emoção, nenhum tipo de identificação. Estávamos no mesmo plano, ele em seu cavalo, eu no trono no topo da escadaria da entrada. Então ele apeou com um rápido movimento e subiu lentamente as escadas sem nunca tirar os olhos – seus olhos escuros e impessoais – de mim.

Era um estranho, um oficial estrangeiro de Roma, cercado por uma comitiva bizarra portando estranhos símbolos de autoridade. Eu detestei os machados. Estavam todos virados em minha direção. Ele era diferente aqui, afinal de contas. Repentinamente fiquei com medo dele. Por que eu viera e colocara-me à sua mercê – e à de Roma? Os machados reluziam sob a luz do sol, mostrando seus dentes para mim. Eu era uma prisioneira.

– Saudações, Louvada Majestade – ele disse em seu grego elegante. – Rainha Cleópatra, sua Majestade nos honra ao vir a Roma com o propósito específico de comparecer ao meu Triunfo. Sinto-me muito honrado de poder hospedá-la em minha casa de campo.

Ele ficou ali, ereto, com sua toga de caimento impecável. Havia uma nesga de sorriso em seu rosto, que ele daria a qualquer dignitário em visita.

– Agradeço-lhe – disse, alto o suficiente para que outros pudessem me ouvir. – Sinto-me satisfeita por ter vindo e poder agradecer ao maior general de Roma por preservar meu trono e fazer a vontade de meu pai em relação ao Egito quando usurpadores se recusavam a honrá-la.

– Trouxe-lhe um presente que espero ser de seu agrado – ele disse. Houve uma agitação na comitiva enquanto o objeto era trazido em nossa direção.

– Fico contente em recebê-lo – disse. – Mas o senhor pode falar em latim comigo, se desejar. Estudei a língua para esta viagem.

Agora, por um instante, seu rosto demonstrou surpresa. Por que não me contou na noite passada? dizia sua expressão.

– A senhora se supera, graciosa Rainha – ele finalmente disse em latim. Fiquei feliz por ter compreendido ao menos aquilo.

Seus assessores trouxeram uma grande caixa de madeira retangular, que tiraram de um carrinho. Puseram-na aos meus pés e removeram a tampa. César acompanhou tudo com ar de aprovação.

Era um mosaico dos mais belos, do tipo chamado *opus vermiculatum*, feito com pequenos pedaços de pedras coloridas, para ser transportado e colocado no piso, cercado por uma borda. O minúsculo tamanho das pedras pretendia fazer com que as variações de cores e nuanças pudessem descrever praticamente qualquer cena realisticamente. Esta mostrava Vênus emergindo da espuma do mar. As cores do mar eram exatamente como as das águas do porto do palácio em Alexandria. Era magnífico. Como ele tinha conseguido que fosse feito tão rapidamente? Então compreendi que ele não havia mandado fazer. Havia sido pilhado de algum lugar tomado por Roma. Devia fazer parte de sua própria coleção.

– Agradeço-lhe. É lindo – eu disse. Esperei que meu latim não soasse ridículo.

Ele inclinou a cabeça.

– Fico contente que tenha gostado.

– E eu trouxe-lhe um presente do Egito – disse, fazendo um sinal para meus auxiliares. Eles voltaram girando uma estátua do Faraó Quéops em pedra grauvaca negro-fosco, um tesouro do qual doía-me separar. Toda a sua superfície era perfeita, polido até alcançar uma suavidade impossível, mas sem brilho.

Agora, novamente, só por aquele instante, seu rosto mostrou emoção: surpresa e prazer. Seu olhos, cobiçosos de toda beleza, se arregalaram um pouco ao ver a estátua.

– A Rainha do Egito é muito generosa – disse. – Agradeço-lhe com todo o meu coração – Fez uma pausa. – O Ditador de Roma sentir-se-ia muito honrado e pessoalmente satisfeito se a Rainha do Egito viesse à sua casa para jantar em três dias. Assim dar-me-á tempo para preparar tudo. Confio que não será morada humilde demais para ela. É no Fórum, perto da Régia. Como Pontífice Máximo, é minha residência oficial.

Pontífice Máximo? O que era aquilo? Parecia sacerdotal, e ele desdenhava de todas as religiões, acreditando apenas na deusa da Fortuna, que havia feito dele seu filho favorito.

– O conselho de dezesseis sacerdotes, pontífices – ele explicou. – Uma ordem antiga e sagrada, a religião do Estado.

Como ele fora escolhido para aquilo?

– Adoraria – consegui dizer.

Ele acenou com a cabeça. A reunião acabara. De repente, lembrei que tinha outro presente para entregar-lhe.

– Grande César – eu disse. – Tenho mais dois presentes. Por favor, aguarde um momento até que sejam trazidos.

Então tivemos de nos manter como estávamos, imóveis, ele de pé, eu sentada, em silêncio. Afinal – parecia uma eternidade – meus soldados trouxeram os dois piratas, com as mãos acorrentadas e amarrados em uma canga.

– Olhe! – eu disse, e tive o prazer de ver César finalmente perder a compostura ao reconhecer um deles. O careca gordo chacoalhou suas correntes e desatou a praguejar.

– Que você apodreça debaixo da terra e cães devorem sua carne, seu monstro! Esta mulher é tão vil quanto você – ambos são assassinos! Se as coisas tivessem acontecido apenas um pouco diferentes, seria ela quem estaria acorrentada e você implorando por sua vida!

– O que é isso? – perguntou César. – Como você pegou estes homens?

– Quero primeiro saber – eu disse. – Quem são eles? Atacaram meu navio na viagem para cá e nos forçaram a entrar no Estreito de Messina.

– Este aqui – ele apontou com a cabeça para o grandalhão – foi um dos meus raptores na ilha há uns trinta anos, quando fui feito prisioneiro por piratas. Conseguiu escapar quando voltei para vingar-me.

– Ele ficava falando sobre seu irmão – Sem perceber eu voltara a falar grego.

– O irmão dele, aquele traste, era o líder do grupo. Cortei sua garganta eu mesmo enquanto ele era crucificado. Ele sempre foi divertido e cortês comigo, como apenas os vilões sabem ser. A crucificação era muita crueldade, então fui-lhe misericordioso.

– E ele? – apontei com a cabeça para o magricela com os olhos faiscantes. César se aproximou dele e o encarou, semicerrando os olhos.

– Sim... isso derrete os anos. Como está, Filetas?

– É só me libertar e ficará sabendo.

– Libertá-lo para que possa me matar? Acho que não – César falava em tom divertido e gentil. – Então continua no negócio. Você não está um pouco velho para ser um pirata? É uma profissão exigente.

– Você não está um pouco velho para ser um general? – zombou seu adversário. – Também é uma profissão exigente. Ouvi dizer que em sua última campanha já aparentou cansaço. Sem contar os inimigos que acaba fazendo – deve ser difícil dormir de noite, proteger-se contra todos aqueles que gostariam de enfiar uma adaga no seu peito.

– Como você? – Ele deu de ombros. – A gente se acostuma com isso. Agora, sério, Filetas, imaginei que se envergonhasse de ainda ser um pirata! E nem é um pirata muito bem-sucedido. Parece que o ponto alto de sua carreira foi quando você me manteve prisioneiro, e quando foi isso? Há mais de trinta anos? Agora está reduzido a atacar navios médios nos arredores da Sicília em – que tipo de barco era? – dirigiu a pergunta para mim.

– Havia três deles, hemiólias velozes – disse.

– Restos. Ultrapassados – ele disse, dispensando-os. – Além de toda a matança que vocês fazem, por um retorno tão pequeno.

– Você é o rei dos assassinos. Matou milhares e milhares em suas campanhas na Gália – um número infinito.

– Aquilo era guerra.

– Era pura ambição – cuspiu o grandalhão.

– Bem, então minha ambição foi mais bem recompensada do que a sua. Notei uma leve mudança em sua voz; ele ficou incomodado com o repentino aparecimento dos piratas e suas acusações.

– E agora você terá de escrever um epílogo para a sua vida, fechar suas contas.

– Ainda representando? – gritou o grandalhão. – Agora você é um filósofo? Você se fez de bom companheiro conosco e então voltou e nos matou.

– Eu não disse que era o que faria? – ele disse. – Sejam razoáveis, cavalheiros. Eu simplesmente mantive minha palavra.

– Anotem isso, todos vocês! – gritou Filetas, dirigindo-se à companhia. – Este homem é perigoso! Ele não é o que finge ser! Se vocês algum dia tiveram medo de alguém, tenham medo dele!

– Levem-nos – disse César, com a voz ríspida. – Levem-nos.

Então ele se virou para mim com um tom diferente.

– Obrigado por este presente inesperado. Faz com que eu acredite que de alguma maneira todos os caminhos da vida de uma pessoa são eventualmente reunidos, e surgem respostas – Sorriu, indeciso. – Aguardarei sua companhia em três dias. Até lá, por favor use esta vila e seus jardins como lhe apetecer, e não hesite em me avisar se algo estiver faltando.

Virou-se e desceu rapidamente as escadas até seu cavalo.

Os lictores se voltaram para precedê-lo, os machados reluziam. Logo toda a companhia havia partido, o rastro de suas botas desapareceram na distância.

Quando voltei ao quarto, vi que havia sido discretamente arrumado, os lençóis trocados por roupa de cama limpa, janelas abertas, piso varrido, e maços de ervas decorativos para perfumar o ar. Tudo acabado. A noite jamais havia acontecido. Perguntava-me se algum dos criados vira César entrar e sair; provavelmente não. Ele se asseguraria disso.

Charmian havia vestido Cesarion, que brincava no chão com Ptolomeu. Todos pareciam descansados e prontos para passear.

– Que companhia de soldados! – gritou Ptolomeu. – E o que era aquilo que eles carregavam? Aqueles maços esquisitos de galhos com fitas e machados?

– Acho que são chamados de fasces. Denotam um tipo de autoridade – eu disse.

Percebi que precisava urgentemente de um conselheiro sobre costumes e história romanos, e mal podia esperar para que o próprio César assumisse a tarefa. Quem eu poderia encontrar sem ficar constrangida?

– Tudo aqui é tão diferente! – gritou, contente com a descoberta. – As árvores são todas diferentes, a língua é feia e por que se vestem com aquelas togas volumosas? Não sentem calor com aquilo?

Naquele instante dois criados entraram no quarto, carregando bandejas de comida. Ptolomeu correu em direção a um deles com um grito de prazer.

– O que é isso? E isso? Ele enfiava o dedo em cada prato com aparência estrangeira.

Depois de comer, passeamos pela vila e seus arredores. Era estranho ter completo acesso ao refúgio particular de alguém em sua ausência. Sua presença se fazia sentir em cada decisão sobre os móveis, as plantas, a decoração, os confortos. Fisicamente, porém, ele não estava lá, permitindo-me apreciar e desfrutar de tudo sem constrangimento. Quando criança, eu sempre fui fascinada com Psique no palácio do invisível Cupido. Sabia a história de cor.

Quando ela passou pelos belos aposentos, uma voz doce e gentil disse-lhe:

– *Linda Princesa, tudo o que vê é seu. Somos seus criados.*

Maravilhada e encantada, Psique olhou para todos os lados, mas não viu ninguém. A voz prosseguiu:

– *Aqui é seu quarto, e sua cama; aqui está seu banho, e na alcova ao lado há comida.*

Psique banhou-se e vestiu as belas roupas preparadas para ela, e então sentou-se em uma cadeira de marfim entalhado. Naquele instante flutuou para diante dela uma mesa coberta com pratos dourados e excelente comida. Embora ela não enxergasse ninguém, mãos invisíveis serviram-na, e músicos ocultos tocavam alaúdes e cantavam para ela.

Por um longo tempo Psique não viu o senhor do palácio. Ele a visitava apenas à noite, saindo antes do amanhecer...

Psique implorou a seu marido que suas irmãs pudessem visitá-la. No começo elas ficaram felizes de ver a irmã mais nova e encontrá-la a salvo, mas, logo, vendo todo o esplendor do palácio de Psique, a inveja tomou conta de seus corações. Começaram a fazer perguntas rudes sobre seu marido.

– *Ele não é um monstro terrível – elas perguntavam. – um dragão, que vai devorá-la lentamente? Lembre-se do que disse o oráculo!*

Sorri, recordando meu conto favorito e admirando o fato de que ele parecia haver se tornado realidade. Agora eu mesma o representava, com a exceção de que conhecia César e sabia como ele se parecia.

Ele não é o que finge ser! Se vocês algum dia tiveram medo de alguém, tenham medo dele! Espontaneamente, as palavras do pirata soaram em minha mente. Aquele homem odioso – o que ele sabia?

A história tivera um final feliz, porque o marido invisível, Cupido, amava muito Psique e a protegeu da inveja de sua própria mãe, Vênus.

Vênus – ancestral de César.

Repentinamente, a vila começou a parecer sombria. Histórias humanas e histórias dos deuses não devem ser misturadas.

— Vê esta estátua? – eu disse brilhantemente. – Estou certa de que é uma réplica de um Praxíteles...

A vila e seus arredores ocuparam todo o nosso dia, e ao anoitecer estávamos prontos para um jantar tranqüilo e uma noite restauradora. O crepúsculo foi brando e prolongado, como se o dia não quisesse deixar Roma. No Egito, tão ao Sul, o período entre o dia e a noite era bem mais curto.

Deitei-me, grata por poder repousar a cabeça. Charmian entrou no quarto, sentou-se ao lado da minha cama em uma banqueta, e tocou flauta suavemente, como fazia em casa.

— Você está feliz de estar aqui? – perguntou-me.

— Acho que sim – disse. Num momento estava, no instante seguinte, não tinha certeza. Ficaria aliviada quando o segundo e o terceiro navios chegassem, trazendo mais dos meus auxiliares. No momento, sentia muita falta de Mardian. Mas sabia que ele não poderia vir.

— Queria logo ver Roma de verdade – ela disse. – Estou morrendo de curiosidade.

— Mas podemos – eu disse. – Amanhã mesmo.

— Quero ver Roma sem ser vista – ela disse. – Se você se aventurar a sair, uma multidão de curiosos vai cercá-la – todos ansiosos por ver a famosa Rainha do Egito. Você vai passar todo o seu tempo se defendendo deles e não verá absolutamente nada.

— Então teremos de ir como matronas romanas – eu disse.

— Que não falam latim? – ela riu. – Gostei de ver a cara de César hoje quando você disse que falava. Você exagerou mais do que um pouco.

— Sim, eu sei. Mas quando partirmos, estarei falando – Estava determinada a fazê-lo. – E posso compreender o suficiente para nos fazer entender. Afinal, tudo do que precisamos é fazer as perguntas mais rudimentares e as observações mais simples – 'bom dia', 'bom vinho', e assim por diante. Ah, vamos fazer isso! Iremos amanhã – ao Fórum! E ao Circo Máximo! Assim, quando for jantar lá, não estarei em desvantagem pela admiração. É sempre melhor espionar o desconhecido. Você nos consegue algumas roupas...

Na manhã seguinte, uma liteira bem enfeitada deixou a vila com duas calmas senhoras encostadas nas almofadas com os rostos cobertos com véus.

Charmian e eu lutamos com as roupas desconhecidas – a túnica de baixo, a estola completa com suas diversas dobras ao redor da bainha, o enorme pala que envolvia tudo e cobria nossas cabeças, escondendo nossos cabelos – por uma hora.

– A mim parece – ela disse. – que o propósito das roupas romanas é esconder o corpo.

Sorri.

– Sim, as únicas partes visíveis são o rosto, as mãos e os pés.

– Eles odeiam seus corpos? – perguntou.

– Evidentemente – eu disse, perguntando-me que tipo de sociedade teria inventado aquelas roupas. Elas não apenas eram incômodas, por causa de seu volume imenso e das camadas, como não eram nada atraentes. – Os romanos são conhecidos por se sentirem muito desconfortáveis em relação a todas as funções naturais do corpo.

Exceto César, que era diferente de diversas maneiras, pensei.

A liteira deixou os arredores da vila, e fomos carregadas ao longo do rio. O Tibre não era largo, mas era de um verde sereno e agradável. Eu podia ver as docas onde os navios comerciais atracavam, com seus galpões e empórios. Este não foi nosso porto de chegada, e fiquei feliz por isso, porque o cheiro não era dos mais atraentes. Mantivemo-nos no nosso lado do rio, onde havia apenas campos abertos, e observamos a cidade se estendendo do outro lado.

Era um amontoado, uma confusão de prédios de todos os tipos e tamanhos. Podia ver colinas se erguendo aqui e ali e tentava contá-las. Eram sete? Deveriam ser. Eu podia ver cinco ou seis. A cidade cintilava no calor úmido do dia de verão, e sua aparência não era particularmente convidativa.

Mas isso comparado com a Alexandria, lembrei a mim mesma, e Alexandria é supostamente a cidade mais bela do mundo. Meu julgamento e meus sentidos foram alterados por minha cidade natal.

Continuamos ao longo da margem, então aproximamo-nos de uma ponte que atravessava o rio até uma ilha em seu centro. Sabia que era a Ilha de Tibre, onde havia um famoso hospital dedicado a Asclépio. Cruzamos a ponte e então tomamos outra até o lado romano.

Imediatamente tudo mudou. Parecia haver um formigueiro de pessoas andando de um lado para o outro e se batendo nas ruas estreitas. Eram barulhentas e agressivas, se empurrando e berrando. Um espaço aberto com as fundações de uma nova estrutura surgiu diante de nós.

– O que é aquilo? – perguntei a um de nossos carregadores, que, por sorte, falava grego.

– Um teatro que César está construindo – ele disse. – É o segundo a ser feito de pedra. Ele está tentando superar Pompeu, que construiu um gigantesco não muito longe daqui.

Viramos abruptamente para a direita e, novamente, tudo mudou. Estávamos agora lutando para atravessar um mercado de frutas e flores que parecia imenso. Havia um barulho muito alto no local, penetrante como o cheiro que misturava rosas, papoulas do campo, cebolas e alho. Todos gesticulavam e gritavam. Vi um cesto com uma fruta desconhecida, de verde escuro e claro misturados.

– O que é aquilo? – perguntei, apontando para elas. – Gostaria de levar algumas.

Os carregadores puseram a liteira no chão. Agora eu estava realmente no meio da multidão. Instintivamente, fechei mais o pala sobre meu rosto.

Podia compreender um pouco das conversas ao meu redor, mas não o suficiente. A maior parte era o de sempre: barganhas, reclamações, comparações de mercadorias. Mas ocasionalmente eu podia ouvir as palavras César e Cleópatra. O que o povo diziam sobre nós?

O carregador voltou com um punhado das frutas. Eram azeitonas, mas maiores e de uma cor diferente de tudo o que eu já vira.

– Nós as chamamos de azeitonas negras e brancas, Sua Majestade – ele disse. – Elas são cultivadas aqui perto, na região picentina.

– Feliz Piceno – disse. – por possuir tamanho tesouro para o paladar.

Mordi uma delas, era repleta de suco, quase como uma uva. O óleo adocicado era sutil e levemente picante.

Finalmente conseguimos nos livrar do mercado e chegamos a uma estrada larga virando à esquerda. Vi que estávamos na base de uma colina e que ela era coroada por diversos templos. Seria o Capitólio? Se fosse, aqueles templos estariam entre os mais sagrados de Roma, abrigando estátuas de seus protetores ancestrais. Então, repentinamente, chegamos a um local plano e amplo, repleto de edifícios – e gente.

– O Fórum Romano – disse o carregador.

Então era isso – o coração de Roma. Parecia uma bagunça abarrotada e mal planejada – como algo que uma criança faz quando monta seus blocos em uma mesa pequena demais. Por toda parte, edifícios brigavam uns com os outros por espaço, alinhados em ângulos malucos para preencher o menor dos espaços. Templos, pórticos cobertos, plataformas, estátuas – não havia harmonia nem beleza no conjunto. Mas também, era assim que o mundo via os próprios romanos – como deselegantes, mal-educados, que atropelavam a beleza por não saber enxergá-la.

Imagino que eles considerem isso tudo atraente, pensei. Pobres romanos!

No meio de uma área relativamente aberta havia uma plataforma com degraus, com aríetes de navios feitos de bronze, chamados *rostra*, em sua parede dianteira, como uma fila de focinhos de javali. Deve ser aquele lugar famoso, chamado Rostro em razão daqueles aríetes, onde os políticos berravam discursos, respaldados pela lembrança do poder militar de Roma. Que sutil!

De um lado havia um prédio alto e quadrado que se parecia com uma caixa de pé.

– O que é aquilo? – perguntei ao carregador. A essa altura ele já devia estar cansado de minhas perguntas.

– A Cúria, minha senhora – ele respondeu. – Onde o Senado se reúne.

Então o poderoso Senado de Roma se reunia *aqui*? Neste caixão?

– No interior há bancadas especiais para as cadeiras dos senadores – ele disse, quase como se tivesse lido meus pensamentos. – As portas são de bronze – disse com orgulho.

E, realmente, elas eram a única coisa boa daquele edifício.

– César o reconstruiu – ele disse. – Teve de movê-lo para dar espaço para seu novo Fórum.

– Quê? – perguntei. – Que Fórum?

– César está construindo um novo, porque diz que este é muito movimentado e feio. E está pagando pelo outro inteiramente com recursos próprios. Dizem que custará mais de um milhão de sestércios. Mas ele pode se permitir isso.

– Deixe-me vê-lo – disse repentinamente.

Obedientemente, a liteira deu meia volta e cruzamos o centro pavimentado do Fórum, sobre uma ampla estrada também pavimentada, entre a Cúria e um enorme prédio coberto, e acabamos tendo uma vista panorâmica de um retângulo pequeno e perfeito cercado por colunatas. Um receptivo espaço verde cobria o centro. No final do caminho havia um templo finamente proporcional, cintilando em mármore branco.

– O templo ainda não foi consagrado – disse o carregador. – Ele o construiu para cumprir a promessa que fez antes do final da batalha contra

Pompeu. É para honrar sua linhagem, e a deusa Vênus – e, casualmente, para mostrar um pouco de suas obras de arte.

Fitei o templo. Era muito bonito, gracioso como qualquer outro na própria Grécia, tinha certeza.

– Espero estar aqui quando for consagrado – disse.

Retornamos ao velho Fórum, e seguimos pelo meio, cuidando para desviar dos pedestais e dos monumentos. Passamos por um templo, tinha de admitir, admirável, e então surgiu um agrupamento de edifícios: um grande e comprido, um redondo com colunas, e um quadrado e maciço, com outro ligado a ele.

O carregador tão paciente os apontou um por um.

– O edifício quadrado é a Régia, onde o Conselho de Pontífices se reúne e mantém seus arquivos. O templo redondo é o Templo de Vesta, onde a chama sagrada é mantida acesa – ele disse. – As sacerdotisas, as Virgens Vestais, vivem naquele longo prédio ao lado, para que possam supervisionar a chama, e...

– A casa ligada a ele é o Pontífice Máximo – eu disse. – César vive ali.

– Sim, minha senhora.

Sua casa! Era onde ele morava – bem no meio do Fórum! Como ele suportava? Avistei uma colina que parecia fresca, coberta de árvores, erguendo-se ao lado do Fórum, repleto de casas espaçosas.

– Um local de moradia popular entre os ricos – disse o carregador, apontando para lá. – O Monte Palatino. Cícero tem casa lá – comprou-a de Crasso – e a família de Marco Antônio também.

Escolheria o Palatino para viver se fosse romana. Agora compreendia por que César tinha uma vila fora da cidade. Compreendia muito mais agora do que nesta manhã. Nesse sentido, a visita disfarçada fora um sucesso, embora eu não tenha conseguido entender qualquer conversa. Ainda não tinha a menor noção sobre o que o povo romano pensava em termos de política. Mas agora ao menos o tinha visto com meus próprios olhos.

24

No dia do jantar, uma chuva fina me acordou. Podia ouvi-la caindo nas árvores lá fora, batendo nas folhas. Um ar úmido entrava pelas janelas. Era uma espécie de chuva que eu jamais vira – uma chuva de verão. Na Alexandria

– o único lugar do Egito onde chove – havia fortes tempestades de inverno, mas não chuvas suaves e mornas como esta.

Deitei-me na cama e suspirei. Não ouvi nenhuma outra notícia de César. Esta noite – quem ele planejara ter à sua mesa? Ele disse que era um jantar em sua casa. Seria um banquete? Na verdade, sua casa não parecia tão grandiosa para um. Esta vila era onde ele provavelmente costumava promover grandes banquetes. Imaginei que Ptolomeu estivesse convidado; afinal foi César quem insistiu para que nos "casássemos". Como ele era legalmente meu marido, dificilmente poderia ser excluído.

Ao meio-dia aproveitei-me dos banhos do local, maravilhada com o gênio da engenharia que permitiu aos romanos terem água corrente quente e fria, além de piso aquecido. Assim os romanos haviam conquistado a maior parte do mundo, com suas tropas de ávidos engenheiros ligados a cada legião, construindo pontes sobre rios caudalosos, assentando estradas sobre pântanos, copiando os projetos dos navios capturados. Agora a engenharia romana se dedicava a prover confortos como esses banhos, construindo aquedutos para trazer água fresca – e despejá-la em fontes e cavernas de lazer – e inventando o concreto, uma pedra líquida, que os deixa moldar os edifícios, com a riqueza que quiserem e imaginarem. Logo não restaria nada do famoso ascetismo romano. Aqueles que podiam se dar o luxo de se lambuzar de conforto e prazer normalmente acabavam se entregando a isso.

Pensei bastante sobre o que vestir para esse encontro, porque tudo era simbólico. Deveria vestir gala monárquica completa? Eu era, afinal de contas, uma rainha visitante. Mas era um pequeno jantar, não um banquete oficial – presumi. Por outro lado, comparecer em roupas simples poderia parecer ofensivo. A questão era: como César pretendia me apresentar. Ele não me dissera.

– Charmian, o que você realmente acha? – perguntei-lhe. – Sua opinião sobre essas coisas costuma ser correta. O que devo vestir?

Estava de pé diante de todos os meus baús, transbordando de roupas de todos os tipos. Toda aquela variedade tornava a escolha ainda mais difícil.

Charmian disse:

– Meu instinto é que você deve fazer de tudo para ficar o mais bonita possível. O que quer que você faça, a decisão é sua. O que quer que faça, não seja simples! Deixe isso para as matronas romanas.

– Mas pode ofendê-las.

– Eu disse bonita, não vulgar. O que é apropriado no oriente pode parecer escandaloso aqui. Então use apenas metade das jóias e cosméticos de costume.

Tive uma repentina suspeita.

– Você acha que Calpúrnia estará lá?

Certamente ele não faria isso!

– A menos que ela esteja convenientemente viajando, como não estaria? Meu coração entristeceu.

– Não conheço os costumes romanos. Maridos e mulheres comparecem a todos os mesmos eventos?

Talvez não. Talvez cada um fosse para um lado à mesa, como pareciam fazer na cama.

– Provavelmente – ela disse. – Onde mais as esposas conseguiriam planejar seus encontros secretos com os amigos dos maridos?

– As coisas são assim mesmo? – Aquilo soou-me tão sórdido.

– São esses os escândalos que chegam até nós – ela disse. – Ninguém jamais fala sobre alguém que se comporta corretamente – o que a maior parte das pessoas em Roma provavelmente faz.

Eu puxava um traje depois do outro. Não ajudou que houvesse três variedades: egípcios, gregos e o que eu classificava simplesmente como mediterrâneos. Finalmente decidi, num impulso, vestir-me ao estilo egípcio.

– É sobre isso que as pessoas mais têm curiosidade – eu disse. – É o que vêem com menos freqüência e chamará mais atenção.

Tinha um palpite de que agradaria a César, fazendo-o recordar aquelas longas noites quentes no Nilo.

Eu estava pronta. Fiquei diante do lago no átrio, onde podia ver meu reflexo: uma coluna branca delgada com uma larga gargantilha de ouro. Vestia um vestido justo de linho de mangas longas, amarrado com uma longa faixa de seda vermelha. O pesado bracelete de ouro que a *Kandake* me deu adornava um pulso, e em minha cabeça havia uma tiara de ouro enfeitada com a naja sagrada do Egito em miniatura. O efeito era régio, exótico e sutil.

Ptolomeu estava vestido de forma semelhante, com uma gargantilha de pedras preciosas, uma túnica pregueada e sandálias de ouro.

Fiquei parada por uns instantes e respirei fundo. A silhueta no lago fez o mesmo. Tinha de admitir que ela parecia muito imponente. Agora era partir – e acalmar meu coração palpitante. Senti como se estivesse novamente embrulhada no tapete, pronta para enfrentar uma platéia hostil.

A liteira balançava sensualmente de um lado para o outro conforme descíamos em direção ao crepúsculo romano. A chuva parara, deixando o ar fresco. Os pássaros cantavam loucamente, comemorando o fim da chuva. Sob a luz fraca, o Fórum era muito mais interessante; a chuva e o horário de ceia haviam levado a maioria das pessoas embora, deixando o lugar quase deserto. Agora eu podia ver até a área onde ficava a Régia, e o edifício redondo do templo de Vesta. Tochas ardiam do lado de fora e, conforme nos aproximamos, vi que havia criados diante da casa de César para guiar-nos.

A liteira foi colocada no chão. Eu e Ptolomeu recebemos ajuda de um criado para descer. Um outro nos fez uma reverência e nos conduziu para dentro da casa. De fora, ela era simples, embora fosse de dois andares, com as portas de madeira lisa, ornada com ferro.

Meu próprio criado, que viera em uma liteira separada, anunciou nossa entrada quando passamos pelo átrio. Vi diversas pessoas reunidas a um canto do salão, mas só tinha olhos para um: César.

Ele sorriu quando nos viu e imediatamente se aproximou. Sua satisfação era sincera, o que me deu uma alegria imensa. Tudo ficaria bem. Eu não precisava temer os outros; não podiam nos tocar.

– Bem-vindos à minha casa – ele disse. – Suas Majestades – Mas ele não fez reverência, já que não era nosso súdito. – Permitam-me apresentá-los. Reuni as pessoas mais próximas e mais queridas, a quem mais desejo que conheçam – Falava grego. Então aquela seria a língua nesta noite.

Havia um grupo de cinco ou seis pessoas no fundo da salão.

– Fico contente – eu disse.

Ele nos guiou até elas, até todos aqueles rostos com expressões que misturavam curiosidade, cautela e... aversão.

– Minha esposa, Calpúrnia.

Uma mulher alta com cabelos castanhos presos fechou seus olhos e baixou a cabeça. – Suas Majestades – ela disse com uma voz baixa e inexpressiva. Era mais bonita do que eu esperara.

– Meu sobrinho-neto, Caio Otávio.

Tentava agora lembrar-me exatamente de minha primeira impressão sobre ele, esse menino de apenas 16 anos à época. Para ser honesta, ele me lembrou uma estátua: belo, pálido e frágil. Seus traços eram delicados, os olhos de um tom frio de azul-claro, os cabelos dourado-escuro. Embora fosse baixo, suas proporções eram perfeitas. Ele se parecia com uma obra de arte que César teria levado de uma de suas conquistas.

— Sinto-me honrado — ele disse baixinho.

— E sua irmã, minha sobrinha neta, Otávia.

Otávia tinha mais vigor, era mais velha, mais alta, com os cabelos escuros abundantes. Ela inclinou a cabeça.

— Meu querido amigo Marco Bruto e sua mãe, Servília.

Um homem de meia-idade com uma expressão melancólica e lábios retos deu um passo à frente, e uma mulher mais velha, de seios grandes, com um vestido amarrado com uma faixa de linho em ziguezague inclinou a cabeça.

— Ele nos honra ao retornar de seu posto como governador da Gália Cisalpina para comparecer ao meu Triunfo — disse César.

Bruto e a mãe ficaram em silêncio. Finalmente Servília sorriu e disse:

— Bem-vindos a Roma, Suas Majestades — Sua voz era muito agradável. Bruto apenas fez um breve aceno de concordância com a cabeça.

— Agora, vejamos, isso é tudo — ah sim, por último está Marco Agripa.

Com um movimento do braço, César mostrou-me um jovem ao lado de Otávio. Ele era rudemente bonito, com traços simples e fortes — olhos fundos, sobrancelhas retas, lábios finos e bem desenhados. Seu cabelo era bem curto, crespo e escuro.

— Eles são inseparáveis, o que torna Agripa quase meu parente.

Agripa deu o único sorriso aberto que eu recebera até então, além do de César.

— O Rei e a Rainha do Egito viajaram um longo caminho para comparecer ao Triunfo — disse César. — Foi, na verdade, para devolvê-los ao trono que fui obrigado a lutar a Guerra Alexandrina. Então é mais do que adequado que venham e vejam seus inimigos vencidos.

— Incluindo sua própria irmã — Um homem falou, com voz baixa.

— Sim, Bruto — disse César. — Como sabemos, tristemente, laços de família não são sempre suficientes para evitar traições. Essa é a agonia da guerra civil — irmão contra irmão. É por isso que sou profundamente grato por ter acabado com as guerras civis que arrasavam a nós romanos.

O grupo foi tomado por um pesado silêncio. Com um começo desses, pensei, como agüentaríamos até o final da noite?

César fez um sinal com a mão, e de um vão da sala uma lira e uma flauta começaram a tocar melodias simples, que disfarçaram a tensão. Eu sequer vira os músicos quando entramos. Uma criada apareceu com os braços repletos de guirlandas de rosas que usaríamos como coroas na cabeça. Lembrei-me agora que os romanos gostavam de vestir flores para jantares, enrolando-as nos cabelos e colocando-as em volta do pescoço. Essas eram brancas, fartas e muito perfumadas. Logo atrás dela vinha o *cellarius*, o responsável pelo vinho, com taças de prata de *muslum*, uma divina mistura de vinho e mel. Agradecida peguei a minha, com a esperança de que a magia do vinho influenciasse o grupo para tornar a noite mais fácil.

– As mesas nos aguardam – disse César, indicando um aposento ao lado. Todos o seguimos, de dois em dois, apenas Agripa foi sozinho.

A sala era surpreendentemente grande, e vi que através das portas havia um jardim. Todo o centro da sala estava ocupado com os assentos e as mesas onde jantaríamos – três divãs, um emendado no outro, formando um retângulo com um lado aberto. Cada divã era para três pessoas, e um protocolo rígido determinava o lugar de cada um. Ninguém precisava ser informado sobre onde ir; todos sabiam. Eu estava no final do divã do meio, no lugar de honra, e César, como anfitrião, estava à minha direita, na cabeça do divã da família. Do meu outro lado estava Otávia e, ao seu lado, Ptolomeu.

Havia apoio para nossos cotovelos esquerdos, e os divãs eram forrados de tecido caro, sem enfeites mas luxuosos no esplendor da lã e da seda. Criados trouxeram-nos escabelos depois de tirarem nossas sandálias e de limpar nossos pés com água perfumada. O *cellarius* discretamente voltou a encher nossas taças de vinho.

Diante de cada divã havia uma longa mesa, ornada de prata, um pouco mais baixa do que os divãs. Ali estavam nossos pratos, facas e colheres, com grandes guardanapos de um material ainda mais precioso do que o das capas dos divãs. Apesar disso, pegamos os guardanapos e o estendemos à nossa frente, protegendo um material fino com outro ainda melhor.

César apoiou-se no cotovelo e ergueu sua taça. Mesmo nessa estranha posição, a força do braço dele era tanta que ele não tremeu; sua mão estava absolutamente firme.

– Bem-vindos, amigos e familiares, – ele disse. – Como disse Ésquilo, "o que é mais prazeroso do que a união entre anfitrião e convidado?".

Todo mundo murmurou educadamente consentindo e sorriu.

Era minha vez de erguer minha taça.

– Essa é uma das principais alegrias da vida. Como nosso Alexandrino Calímaco escreveu, "você está caminhando sobre a tumba de Batíade, que sabia bem como escrever poesia, e aproveitar o riso no momento certo, com o vinho". Aproveitemos o riso esta noite, com o vinho, meus amigos e companheiros.

Bebi da taça.

Todos acompanharam. Caro Dionísio! Pensei, observando-os beber. Não falhe comigo!

– A Rainha e o Rei tiveram uma viagem arriscadíssima até aqui – disse César. – Parece que preciso contar meus inimigos não apenas na terra, mas no mar também. Aqueles que eu acreditava estarem mortos havia tempos insurgiram-se contra mim. Buscando vingança, um grupo de piratas, liderados por dois que me haviam feito prisioneiro anos atrás, atacaram seu navio e levaram-no para o Estreito de Messina – Ele fez uma pausa, enquanto todos esperavam para ouvir o desfecho. – Os deuses estavam com eles, e, então, além de seus outros presentes, puderam oferecer-me esses inimigos como prisioneiros. Um presente muito bem-vindo! – deu uma forte gargalhada. – Então, para celebrar essa aventura, esta noite, no lugar do vinho falerno de sempre, sirvo mamertino, de Messina – Ele acenou para o *cellarius*, que apresentou uma nova ânfora e desapareceu para transferir o vinho para jarras menores.

Os serviçais começavam a trazer o primeiro prato, o *gustum*, que serviria para estimular nossos apetites. Havia bandejas de cavala com arruda e fatias de ovos; pasta de oliva com pão fino de Capéia; um rocambole de aspargos e papa-figos; e talos de alho-poró fatiados, em camas de alface crespa. Todos se ocuparam com a comida, e o constrangimento começou a se dissipar. Olhei furtivamente para César, e então para Calpúrnia, próxima a ele do outro lado. Ela olhava para ele possessivamente. Nossos olhos se encontraram por um instante antes de eu desviar o olhar.

Calpúrnia tinha em torno de trinta anos, eu diria. Deve ter se casado jovem. Não era bela o suficiente para César, mas ainda assim eu desejava que fosse mais sem graça. Queremos que o nosso amor seja amado por alguém que o mereça, mas nunca que o mereça mais do que nós mesmos.

– Fale-me sobre esta casa – eu disse. – Sei que é a casa oficial do Pontífice Máximo. Mas o que isso significa? Que cargo é esse? – Esperava que o meu tom parecesse extremamente interessado e que fosse um assunto inocente.

– Tio Júlio, posso responder?

Espantei-me ao ouvir Otávio, sentado à posição mais baixa da sala – o terceiro lugar no divã da família – falar alto e com a voz clara.

– Certamente – disse César, parecendo satisfeito. – Especialmente porque agora você é um pontífice no conselho.

Otávio se inclinou para a frente, com ar solene no rosto de traços finos.

– É a mais antiga e mais sagrada ordem de sacerdotes em Roma. Nossas origens estão na fundação de Roma. Guardamos os escudos e as lanças que profetizam a vitória, e mantemos os arquivos e os anais da cidade – Com sua seriedade jovial, ele ardia como uma chama diante do altar de Marte. – Meu tio é o Pontífice Máximo há quase vinte anos.

– Sim – disse César. – E o pontífice vai exercitar uma de suas prerrogativas e reformar o calendário.

Prendeu-se a respiração em todos às mesas.

– Está na hora! Nosso calendário não tem mais qualquer semelhança com o natural. Celebramos festivais de colheita quando ainda é verão, e estamos em pleno verão quando os dias são mais curtos do que as noites. Os sacerdotes que tinham o dever de regulá-lo falharam. Então eu deverei revisá-lo. Está no alcance das minhas funções.

– Mas, César – disse Bruto. – Não é tarefa para um homem comum, não importa quão bem-intencionado ele esteja. Isso requer conhecimentos de astronomia e matemática e de outros sistemas de calendários que foram testados e falharam.

Observei seu rosto; era difícil dizer se ele considerava César um tolo ou se estava apenas tentando preveni-lo.

– Em Alexandria temos um homem que se sobressai em tudo isso e é renomado mundialmente entre os sábios – eu disse. – Sosígenes. Ouviram falar nele?

Todos afirmaram que sim com a cabeça.

– Mandarei chamá-lo imediatamente, César – eu disse. – Ele ficará a seu dispor.

De repente lembrei-me o que ouvira sobre um mês ser batizado em sua homenagem.

– É verdade que o novo calendário terá um mês com um novo nome? – perguntei.

– Falou-se de talvez renomear o mês de meu aniversário, Quintilis, em minha homenagem, mas… – Ele encolheu os ombros.

– É apenas um boato! – disse Bruto, de cara feia. – Os meses são numerados corretamente, ou batizados com nomes de deuses, não de seres humanos. Roma não permitiria tal coisa.

– Apesar disso, ouvi falar nessa possibilidade – disse Otávio. Olhava fixamente e com idolatria para o tio. Ele desejava que fosse verdade? Ou isso ofenderia seu feroz senso de correção?

Aquela intensidade fez com que seus traços finamente esculpidos parecessem ficar ainda mais belos. Ouvi falar sobre a característica "beleza Juliana". Diziam que todos os rostos daquela família eram famosos por ser delicados, com uma estrutura óssea perfeita. Mesmo que Otávio não se parecesse com César, ambos tinham essa característica em comum. Olhei para Otávia. Igualmente, ela não guardava semelhança com os outros dois, mas seus traços também eram elegantes e bem formados. Notei que ela exibia uma aliança de casamento em uma das mãos graciosas e longilíneas. Perguntei-me quem seria seu marido.

– Ele tem honrarias suficientes – disse Bruto. – Foi proclamado um período de quarenta dias de graças por suas vitórias, haverá quatro Triunfos sucessivos, ele foi nomeado "Prefeito da Moral" e Ditador por dez anos, e sua biga triunfal será colocada no Monte Capitolino, diante da de Júpiter. Ele não precisa de um mês de "Julius". Já tem mais do que um mês, tudo é dele!

– Bruto, você me inveja por essas coisas?

Aquele terrível silêncio, que acabara de se dissipar, ressurgiu. E ouvi na voz de César uma mágoa e uma tristeza tão grandes que doeu-me ouvi-lo. O que Bruto significava para ele, para que sua desaprovação o afetasse tanto?

– Não, claro que não – Não foi Bruto quem falou, mas Servília, sua mãe.

– Bruto? – César perguntou novamente.

– Não. – ele resmungou, olhando para o lado e não para César.

– Meu César esteve distante de Roma onze dos últimos doze anos – disse Calpúrnia. – Se Roma deseja reverenciá-lo pelo que ele fez por ela, trabalhando tão longe de casa, por que deveríamos nos opor? – Ela tinha uma voz agradável, eu tinha de admitir. – Desde que nos casamos, há treze anos, ele esteve ao meu lado por apenas algumas semanas.

Enquanto ela falava, dei-me conta de que ele passara mais tempo comigo do que com ela.

Belisquei minha cavala e esperei que a observação se dissolvesse no ar.

– É difícil hoje saber o que é nobre em Roma e deve ser preservado, e o que já cumpriu seu tempo e deve ser substituído – disse Otávio de modo ponderado.

– O jovem Otávio é um feroz guardião de todas as tradições – disse César. – Se alguma coisa passa por seu crivo, certamente deve ser correto.

– No Egito tradição parece ser tudo o que temos – disse Ptolomeu repentinamente. – Estamos cercados por coisas feitas há tanto tempo que parecem divinas. Por todos os lugares há tumbas, estátuas... fantasmas.

– Mas Alexandria é uma cidade jovem – disse Otávia, ao seu lado. – Tudo novo e muito bonito, pelo que ouvi falar.

– Sim – eu disse com orgulho. – É a cidade mais moderna do mundo, e foi planejada por Alexandre, o Grande.

Os serviçais começaram a tirar o *gustum* e se aprontaram para trazer o prato principal, o *mensa prima*. O barulho dos talheres e a movimentação dos criados interromperam nossa conversa. Olhei para César e percebi que ele não tocara em seu vinho. Então lembrei-me de que ele me dissera que raramente bebia, para não provocar um ataque de seu mal. Também comeu muito pouco.

– Você gostou de Alexandria? – Calpúrnia perguntou a César em voz alta.

Ele teve um sobressalto, tomado por surpresa. Evidentemente tamanha aspereza não era própria de Calpúrnia; ela devia estar muito irritada. Ele pigarreou, pensando bastante.

– Gosto de todos os campos de batalha – disse, finalmente. – E Alexandria foi um campo de batalha; precisei utilizar todos os meus recursos para aprender a lutar nas ruas da cidade, com a população civil por todos os lados. Especialmente porque quaisquer erros poderiam custar caro a pessoas inocentes.

Calpúrnia abriu a boca para continuar a pressioná-lo, mas perdeu a coragem.

Apenas então os novos pratos foram trazidos, arrumados em bandejas de prata. Havia um suculento cozido de porco com maçãs. Eu estava curiosíssima para experimentá-lo, já que não se come porco no Egito. Havia também um cabrito, preparado à moda da Pártia, e uma travessa de tordos recheados que foram engordados com murtas. Então, arrancando suspiros dos convidados, veio uma bandeja com uma gigantesca tainha vermelha assada, acompanhada por molho azedo.

– Vocês estiveram no mercado para o leilão de tainha? – perguntou Agripa, rindo. Parecia que a tainha se tornara uma paixão entre os romanos, e casas conhecidas participavam de leilões para comprá-las no mercado de peixes. – Como conseguiram sobrepujar Marco Antônio? Todos os dias ele vai disposto a levar a melhor.

– O quê? Pessoalmente? – Otávio parecia escandalizado.

– Não é nada comparado às outras coisas que ele faz. Andar com aquela trupe de atores e atrizes, beber, viver na casa de Pompeu sem pagar nada – disse Bruto. – Mas falo do homem que você indicou para assumir Roma na sua ausência, César.

– Sua atuação não foi boa – disse César. – Decepcionei-me. Ele foi dispensado. Acabou. O que ele bebe e as atrizes com quem anda não me dizem respeito.

– Mas ele não é nosso parente? Não é um integrante da casa Juliana? – Otávio parecia angustiado.

– Distante – respondeu César.

– Não o suficiente – disse Otávia.

– Por que prosseguir falando nele? – disse César. – Ele tem seus méritos, que me serviram no passado. Falhou em sua última tarefa. Mas, apesar de tudo, é um grande general. Tem uma profunda noção intuitiva de tática. Não teria qualquer outro homem antes dele ao meu lado no campo de batalha.

– Estive com Marco Antônio uma vez – eu disse. – Quando ele foi ao Egito com Gabínio.

Recordei o sorridente jovem oficial da cavalaria que não se permitiu ridicularizar meu pai bêbado enquanto outros romanos olhavam-no com desconfiança. Ele fora gentil.

– Isso foi há dez anos ou mais – disse Bruto. – Ele mudou muito desde então – Ele cortou um grande pedaço de carne com sua faca e levou-o, pingando, ao prato. Respingos de molho caíram no guardanapo.

Seguiram-se mais pratos: pepino cozido e o que César anunciou como "abóbora, ao estilo Alexandrino". Era algo que eu jamais provara, mas obviamente estava de acordo com o que os romanos pensavam de nós. O recheio era de canela e mel.

– Isso é novo para mim – confessei. – Há muito que não sabemos sobre os costumes um do outro. Achei muitas coisas intrigantes em Roma. Por exemplo, os lictores e os ramos de galhos que carregam. O que aquilo quer dizer? E os níveis dos senadores, os *quaestors* e os *praetors* e as pessoas chamadas *curule aediles* – quais são suas responsabilidades?

– Você faz perguntas como uma criança – disse Bruto. – É desse modo que uma rainha adquire conhecimento?

– É como fazem as pessoas sábias, Bruto – César repreendeu-o. E então virou-se para mim. – Vejo que precisa de alguém para explicar-lhe o que lhe é diferente. Muito bem, quem melhor do que Otávio, um romano dos pés à cabeça?

Seu sobrinho, não! Seria cansativo ter aquele garoto no meu rastro, tinha certeza. Mesmo assim, sorri e disse:

– Não, Otávio não deve abandonar suas obrigações no Conselho de Pontífices.

– Ah, mas isso será uma excelente experiência para ele! Poderá clarificar seus próprios pensamentos ao explicá-los para você – disse César. – Ele deve sair em público. Afinal, desfilará em uma biga durante meu Triunfo.

Mesmo que ele não o tenha acompanhado no campo de batalha – disse Agripa. – Bem, da próxima vez, ambos estaremos lá! – ele mastigava com vontade um pedaço de cabrito.

Voltei a atenção para meu prato para experimentar o porco. Gostei da carne firme e muito saborosa. Esse animal em especial fora alimentado com bolotas da província de Bruto, conforme ele disse.

– Pode ser que Bruto se case novamente em breve – disse abruptamente Servília. – Talvez ele se case com minha sobrinha Pórcia, filha de Catão.

César pousou seu garfo e olhou firmemente para Bruto.

– Talvez fosse melhor repensar essa decisão – disse lentamente.

– Pelo que eu saiba não temos em Roma um rei a quem se deve pedir permissão – ele respondeu. – Ou o Prefeito da Moral controla todos os casamentos?

– Claro que não – disse César com calma. – Mas casar-se dentro da própria família pode ficar monótono. Ambos ouviram as mesmas histórias de família, conhecem todas as piadas e todas as mesmas receitas. Não há novidades.

– Bem, nós Ptolomeu gostamos assim! – disse meu irmão. – Temos feito casamentos entre irmãos há gerações, exatamente como os Faraós! Isso porque somos divinos!

Todos o encararam.

– Não acreditamos nisso em Roma – Servília disse baixinho.

– Em casamentos entre irmãos e irmãs? – Ptolomeu perguntou.

– Não. Em reis, e em pessoas dizendo-se divinas. Temos aqui uma república – todas as pessoas são iguais.

– Que idéia engraçada! – Ptolomeu riu.

– É uma idéia ocidental – eu disse rapidamente. – As pessoas no oriente pensam de maneira diferente. Na nossa parte do mundo, os reis são a tradição. E acreditamos que os deuses se misturam aos homens em vários níveis.

– Sim, particularmente na cama – disse Agripa. Mas não havia malícia em sua voz. – Zeus parece passar a maior parte do seu tempo atacando mulheres mortais de um modo ou de outro; primeiro como uma chuva dourada, depois como um cisne, e criando hordas de descendentes semidivinos. Bastardos.

– Os homens já fazem muito disso sozinhos – disse Calpúrnia. – Não precisam da ajuda dos deuses.

Ela estava claramente referindo-se a mim e a Cesarion. Toda Roma já sabia. Agora cabia a César dizer alguma coisa. Deixem-no falar!

Mas ele se negou a morder a isca. Aquele instante passou, e o serviçais começaram a retirar a mesa e arrumar tudo para o último prato, o *mensa secunda*, uma seleção de saborosos doces. Beberíamos *passum*, um forte vinho de passas.

Em pequenas bandejas eles trouxeram creme de mel, feito com mel puro, e uma compota de pêras. Por último, uma travessa com uma montanha de romãs. César pegou a que estava mais por cima e colocou-a diretamente em meu prato, olhando-me intencionalmente.

Finalmente encontrei alguém que é exatamente como eu. Somos duas metades de uma romã, e um pedaço se encaixa perfeitamente no outro. Lembrei-me dessas palavras que ele disse em Alexandria. Entretanto, aqui, em Roma, cercado por sua família... ele era mais parecido com eles ou comigo? Qual era realmente ele?

– O que vai acontecer? – perguntei, tão baixo, que apenas ele pôde ouvir. Agora eu via que nada estava certo, nada era seguro. O senhor do mundo, que espanara com um rápido movimento da mão todas as peças do jogo no Egito, era apenas um homem em um jantar em Roma, cercado por amigos frios e hostis. E além deles se escondia... uma genuína animosidade. Sentia isso. *Não acreditamos nisso em Roma.* Qual poderia ser o lugar definitivo de César aqui?

– Eu não sei – ele respondeu, também em voz baixa.

* * *

Pensei que o jantar estivesse encerrado, mas fui surpreendida pelos músicos, que começaram a tocar novamente, e César disse:

– Amigos, gostaria que vocês fossem os primeiros a ouvir o início de um texto sobre a Guerra Alexandrina. Meu bom amigo, o pretor Aulo Hírcio, começou a relatá-la, e convidei-o para se unir ao nosso grupo e trazer tanto sua narrativa quanto suas famosas amoras.

Todos cochicharam de expectativa, e mais tarde disseram-me que Hírcio era conhecido por seu refinado gosto gastronômico. E parecia que suas amoras seriam muito superiores às normais.

Um homem de aparência agradável entrou na sala, seguido por um escravo carregando uma travessa de prata. Dentro dela, eu podia ver as frutas de um vermelho profundo.

– É uma honra fazer meu humilde relato da guerra perante aqueles que a viveram – ele disse. – Suas Majestades, peço que corrijam qualquer coisa errada que eu disser. Como bem sabem, eu não estive lá – Ele nos fez uma reverência, olhou em volta e então deu um passo atrás e começou a recitar. – *"Bello Alexandrino conflato Caesar Rhodo atque ex Syria Ciliciaque omnem classem arecssit: Creta sagittarios, equitis ab rege..."*

César franziu o cenho, ele sabia que Ptolomeu e eu não podíamos acompanhar o que ele dizia. Ainda assim, desejava que apenas deixasse Hírcio prosseguir. Podia observar cuidadosamente os outros, estudando-os sem a necessidade constante de me controlar e responder aos comentários e às perguntas.

Meu desejo não se realizou. César ergueu a mão.

– Peço-lhe, nossos convidados reais não têm a fluência em latim do resto do grupo. Acredito que poderiam melhor apreciar seu relato em grego.

– Ah, sim. Claro – Hírcio fechou os olhos e voltou ao começo. – "Quando estourou a Guerra Alexandrina, César reuniu todas as frotas de guerra de Rodes, Síria e Cilícia; de Creta, destacou arqueiros, e cavalaria de..."

As amoras haviam sido distribuídas em pequenos pratos multicoloridos de vidro. Vidros multicoloridos eram uma especialidade Alexandrina. Quem pensara nesse toque – César ou Hírcio? Provei as amoras e achei-as ácidas e picantes.

– "Altamente produtiva e abundantemente desenvolvida como era, a cidade fornecia equipamentos de todos os tipos. As próprias pessoas eram inteligentes e perspicazes…" – A voz de Hírcio era monótona. Eu não conseguia acompanhá-lo; meu pensamento se desviava. Senti uma brisa vinda do jardim que se abria fora da sala de jantar; era pesada e perfumada por folhas desconhecidas, empoeirada e vagamente doce.

Otávio começou a tossir, uma tosse forte e nervosa. Foi quando percebi que sua beleza frágil poderia ser resultado de uma doença. Ele tinha a aparência transparente de um tuberculoso. Hírcio esperou até que o rapaz voltasse a respirar normalmente.

E continuou:

– "Entretanto, no que me diz respeito, tivesse eu hoje a tarefa de proteger os alexandrinos e prová-los que não era nem enganador nem um aventureiro, seria um caso de desperdício de muitas palavras: realmente, quando se conhece as castas e seus antecedentes, não podem restar quaisquer dúvidas de que a raça tem uma enorme tendência à traição."

– Eu protesto! – disse Ptolomeu, estridentemente. – Por que diz tais coisas?

– Acredito que o que Hírcio *quis* dizer foi... – começou César.

– Não, deixe o próprio Hírcio responder! – insistiu Ptolomeu.

Hírcio olhou ao redor em busca de socorro.

– É um fato conhecido o de que a população de Alexandria é volátil, violenta e instável – ele disse. – Mesmo em tempos de paz, realizam tumultos! Não é verdade? – voltou-se para mim.

– Sim – tive de admitir. – São difíceis de governar. Desde que de um certo modo depuseram – como eu detestava aquela palavra! – Ptolomeu X, ficaram ainda mais estridentes. Quando eu era criança, protestaram porque um romano, inadvertidamente, matou um gato. Quando assumi o trono, estavam muito piores. Tiraram-me do trono. À época em que César lutou contra eles na Guerra Alexandrina, haviam-se tornado quase ingovernáveis. Agora encontraram seu senhor.

– Em outras palavras – disse Bruto. – César chegou para derrotar o povo, forçá-los a se submeter a algo que não desejavam?

– Fala como se eles fossem os heróis – eu disse. – O mesmo povo heróico que se virou contra seu próprio benfeitor Pompeu, assassinando-o quando ele buscou refúgio em nossa terra. Não são nobres, são apenas traidores que ignoram todas as leis morais.

– Não foi o povo que matou Pompeu – ele insistiu. – mas uma facção corrupta do palácio.

– Apoiada pelo povo – retruquei. Era preciso ter crescido em Alexandria para compreender isso. Esse Bruto tinha uma impressão equivocada sobre muitas coisas que jamais vira.

– E essa facção corrupta incluía alguns membros da família real; um deles pagará o preço de ser mantido preso no Triunfo, e o outro pagou com sua vida – disse Servília. Ao falar, ela movia vigorosamente a cabeça, fazendo seus enormes brincos de pérolas balançar.

Os olhos de César estavam fixos neles, e sua voz ficou mais suave.

– Vejo que ainda aprecia os tesouros da Bretanha – ele disse.

Bruto baixou os olhos para suas amoras e ficou em silêncio.

– É verdade que você invadiu a Bretanha apenas para satisfazer o amor de Servília por pérolas? – perguntou Otávia. Sua pergunta foi direta e aparentemente sem malícia, mas, mesmo assim, surpreendente.

– Quem deu origem a uma calúnia dessas? – disse César. – As pessoas nunca desistirão de espalhar as histórias mais ofensivas e idiotas sobre mim!

– Eu... não fui eu que comecei – disse Otávia, com tensão em sua voz baixa e agradável.

– Então não a repita! – ele gritou. – Eu jamais conduziria uma campanha militar apenas para agradar a vaidade de alguém, nem mesmo a minha própria. Pelos deuses! Pelo que me toma? – Lutava para controlar sua raiva. – Explorei e conquistei a Bretanha em nome de Roma porque tive de fazê-lo. Pela glória de Roma.

Bruto abriu a boca para dizer algo, mas fechou-a em seguida, apertando os lábios.

Uma rajada de vento quente entrou pela porta, seguida por um estrondo distante. Os papéis de Hírcio se agitaram. Corajosamente ele tentou continuar sua leitura, mas um forte trovão abafou sua voz. De repente, o trovão soou como se estivesse ali mesmo, no jardim.

– Meus amigos – disse César. – talvez devêssemos interromper a declamação e permitir que retornem às suas casas antes de a chuva começar. Essas tempestades de verão podem ser muito fortes.

Todos se levantaram apressadamente. Agradecendo muito a César, ninguém permaneceu. Um a um, todos despediram-se também de mim – Servília e Otávia gentilmente, Bruto e Calpúrnia secamente. Otávio disse que adoraria ser meu cicerone, ou responder às minhas perguntas, quando eu desejasse. Assegurei-lhe que mandaria chamá-lo mais tarde, e agradeci. Saiu tossindo pela porta, acompanhado por Agripa.

Restamos apenas Ptolomeu, Hírcio, César e eu. César disse:

– Caro Hírcio, obrigado pela declamação. Mandarei você e Ptolomeu para casa na liteira; eu próprio cuidarei para que a Rainha retorne sem contratempos.

– Mas... – começou Ptolomeu.

– Vá com ele – eu disse. – A chuva começará a qualquer momento – Enquanto falava, ouviu-se um fortíssimo estouro de trovão.

Estávamos sozinhos na sala; Calpúrnia devia ter ido para o andar superior. Um golpe de vento, carregando folhas, fez as portas baterem contra a parede. O golpe foi tão forte que provocou rachaduras nos afrescos verde e azul-escuro, revelando uma paisagem marítima, atrás deles. Do lado de fora, viam-se fortes relâmpagos, rasgando o céu e iluminando o jardim e suas estátuas com uma luz azulada.

Senti um arrepio. As rajadas de vento quente traziam junto um ar frio. Jamais vira relâmpagos antes, embora nossas moedas Ptolemaicas todas tivessem a imagem de uma águia com raios em suas garras. Eu não estava preparada para sua demonstração de força impressionante.

César ficou ao meu lado, assistindo.

– Obrigada pelo jantar – eu disse. – Foi...

– Desagradável – ele terminou por mim. – Mas necessário. Agora todos vocês viram uns aos outros, e a curiosidade foi satisfeita.

– Por que você convidou Bruto? Ele não é da sua família.

– Não. Apesar dos rumores idiotas de que ele é meu filho! – Ele parecia enojado. – Ainda assim, de alguma maneira, sinto como se ele fosse... como se, tivesse eu um filho adulto, gostaria que ele fosse como Bruto.

– Por quê?

Bruto me pareceu alguém amargo e tão carente de vivacidade humana.

– Ele tem uma pureza que é rara. Seu exterior é igual ao seu interior.

– Seu exterior é tão aberto que não dá vontade de se conhecer o seu interior – eu disse.

– Ele consegue ser encantador quando quer – disse César.

– Obviamente esta noite não foi o seu desejo – eu disse. – E o que significa, as pessoas dizem que ele é seu filho?

– Muitos anos atrás, Servília foi apaixonada por mim – ele disse. – E eu gostava muito dela.

– Então é por isso que Bruto o reprova.

— Não, é mais do que isso. Seus princípios são tão altos que ele jamais permitiria que uma razão tão vil alterasse seu comportamento. Acho que é... que ele não consegue perdoar o fato de que o perdoei por se unir às forças de Pompeu. E ele se uniu a Pompeu apenas em razão de motivos relacionados à República, porque, pessoalmente, ele detestava Pompeu por ter assassinado seu pai.

— Que homem complexo, confuso! – eu disse. – Jamais desejaria tal filho para você. Reze a todos os deuses para que Cesarion não se pareça em nada com Bruto.

— Eu rezo, Cleópatra, para que nosso filho não seja parecido com ninguém que já tenha vivido – ele disse. – Não gostaria que ele fosse a cópia de qualquer outro.

— Ainda assim, você disse, ao vê-lo, que ele era como se fosse você mesmo – disse. – O que quis dizer com isso?

— Não tenho certeza – ele disse lentamente. – Só sei que, ao vê-lo pela primeira vez, senti-me dominado: uma parte de mim dormia, inadvertidamente, enquanto eu zelava por ele. Temo que... ter um filho seja tornar-se refém do destino.

— Todos somos assim.

— É mais fácil sermos responsáveis apenas por nós mesmos do que por outros.

25

Eu teria respondido, mas um trovão estrondoso interrompeu a conversa. A casa tremeu. Ficamos assistindo às árvores se entortando lá fora, com os troncos pesados movendo-se para cima e para baixo, e ouvimos o dilúvio atingindo o chão como lanças. Cresci ouvindo que o clima no Egito era tranqüilo, e que isso era uma bênção, mas eu nunca tive noção do que aquilo significava até que vi a fúria desta tempestade romana.

César abraçou-me, e eu deitei em seu ombro em silêncio. Não percebera quanto estava esgotada até aquele momento; o jantar havia sido muito tenso. Agora estávamos sozinhos, mas não completamente; Calpúrnia estava no andar de cima, certamente espichando os ouvidos para escutar-nos. Em seu lugar, *eu* faria o mesmo.

Finalmente a chuva diminuiu, parando aos poucos. Partes do jardim ficaram alagadas, e o forte cheiro de terra molhada entrava pelas portas. Os trovões se afastavam, deixando um rastro de relâmpagos para trás e nuvens irregulares rasgavam o céu. Uma lua quase cheia saiu de seu esconderijo escuro e brilhou com uma luz lúgubre sobre as folhas espalhadas pelo chão, os bancos encharcados e as poças lamacentas.

– Peça sua capa – ele disse. – e cubra-se. Quero mostrar-lhe uma coisa.

Um criado trouxe-lhe uma capa junto com a minha e com elas cobrimos nossas cabeças. Ele pegou minha mão e guiou-me para fora, para a sombra do Templo de Vesta.

– Olhe, – ele disse, apontando ao longo do Fórum. Estava completamente em branco e preto, com as sombras definidas e profundas.

É quase deserto. O horário avançado e a violência da tempestade levaram todos embora. Agora, sem a multidão e o barulho, impunha a dignidade e a grandeza que lhe faltara durante a tarde movimentada. Os templos e os pórticos cobertos, as estátuas e as colunas comemorativas evidenciavam um esplendor que eu não enxergara mais cedo.

– Esta é a Via Sacra – ele disse, batendo no chão sob nossos pés. – É por onde devo passar em minha biga nos Triunfos, a caminho do Templo de Júpiter Capitolino. E lá – apontou para uma área diante de um auditório coberto – é onde serão colocadas as tribunas para os dignitários e cidadãos da elite. Você sentará à frente, junto com o resto da minha família – ele pareceu ansiosíssimo por mostrar-me o local preciso. – Providenciarei uma cobertura de seda para protegê-los do sol. *Eles* dirão que é extravagante. Ao diabo com ele! Apesar dos presentes que serão distribuídos, e de todos os jogos para diverti-los, cães ingratos, não há como agradá-los...

– Pare! – eu disse. – Você está se agitando sem motivo – Sua mão que segurava o lampião tremia. Temia que estivesse prestes a sofrer um ataque da doença. – Você está bem?

– Sim, claro – Ele parecia nervoso. – Não fui mais importunado com... com *aquilo* desde pouco antes da batalha de Tapso. Quase impediu-me de lutar, mas o superei – Ele fez uma pausa. – Superei com força de vontade.

Não via como aquilo podia ser possível, mas fiquei quieta.

– Milhares de pessoas estarão nos desfiles: magistrados, senadores, prisioneiros e as minhas tropas. E os tesouros! Você não acreditará! Carroças e carroças, montanhas de ouro, armas e jóias! E os bois para sacrifício...

– Temos tudo isso no Egito – eu disse. Realmente, os egípcios tinham sido os responsáveis pelo aperfeiçoamento desse tipo de desfiles e demonstrações. Já havia me acostumado com eles havia muito tempo.

Andávamos pela Via Sacra, cuidando para evitar as grandes poças espalhadas por tudo. O luar ia e vinha, movimentando rapidamente sombras de nuvens por cima dos edifícios. O Templo de Castor e Pólux, com suas altas colunas brancas, parecia-se com uma fila de árvores sobrenaturais, reveladas e encobertas novamente pelas sombras que passavam.

– Você parece cansada – ele disse. – Mas até você ficará impressionada – Parou um pouco. – Esperei por um longo tempo pelo reconhecimento de meus feitos na Gália.

– Rezo para que saia tudo conforme o seu desejo – eu disse.

Passamos por três homens que também tinham saído para uma caminhada. Nenhum sequer olhou para nós; nenhum deles pensou que aqueles dois com capas ordinárias poderiam ser algo mais do que simples cidadãos. Falavam sobre a tempestade e algo a ver com um pavilhão de compras: era o tipo de conversa que se poderia ouvir em qualquer cidade de qualquer país.

– Venha – disse César, guiando-me para a direita. Passamos próximo à Cúria e por um robusto prédio que havia sido construído no Monte Capitolino. Havia notado aquela construção anteriormente – embora jamais fosse dizer a César que estivera aqui antes para ver o Fórum sozinha.

– O que é aquilo? – perguntei, apontando para o edifício.

– A Prisão Tuliano – ele disse. – O local onde são mantidos os prisioneiros do Estado.

– A... a minha irmã está lá? – Não conseguia imaginar a orgulhosa Arsínoe em uma prisão.

– Sim, junto com todos os outros que serão exibidos nos Triunfos. Há o líder gaulês Vercingétorix, e o pequeno Juba, filho do rei númida, e Ganimedes, cúmplice de Arsínoe.

– O que acontece com eles... depois?

– São executados – ele disse. – Na pequena câmara debaixo da cela.

– Sempre?

– Claro. Lideraram exércitos contra Roma. Agora devem pagar o preço. Mas são mortos reservadamente. Não é parte do espetáculo – Fez uma pausa. – Não é triste. O que é triste é sua falta de respeito próprio. Se o tivessem, teriam cometido suicídio em vez de terminar desse modo!

– Certamente a criança é inocente dos feitos de seu pai – eu disse.

– Mas Juba não será executado. Será criado por uma família Romana.

– Arsínoe é uma mulher. Você executa mulheres também?

– Ela liderou um exército! – Ele fez com que parecesse tão simples. – Se lutou como um homem, deve morrer como um.

Vi minha outra irmã ser executada por ordem de meu pai; deveria aceitar isso. Arsínoe tentou matar a mim e a César. Em meu lugar, mandaria matar-me sem pensar duas vezes. Ainda assim, a derrota e o exílio já eram, por si, uma grande punição.

– Você não parece muito misericordioso – eu disse. – E ainda assim é conhecido por sua clemência.

– Isso depende com quem eu sou comparado. Mas ninguém poupa inimigos estrangeiros. Quanto aos compatriotas... bem, isso é uma questão pessoal. De minha parte, acredito que, se alguém deseja se unir a mim, tendo anteriormente lutado contra mim, deve ser bem-vindo. Queimei os papéis que encontrei na barraca de Pompeu; não queria saber quem se correspondera com ele.

– É muito magnânimo de sua parte – eu disse. – Mas não é um tanto ousado?

Atravessávamos uma pequena rua que estava completamente escura, e tive de segurar a mão de César, pois não conhecia o caminho.

– Talvez – ele disse. – Mas acredito que qualquer outro caminho leva à tirania, e provoca tamanho ódio que não se consegue sobreviver.

– Mas se você perdoa seus oponentes, como Bruto, parece-me que precisa fazer mais para agradá-los e ganhá-los de volta. Apenas perdoá-los sem fazer qualquer tentativa de conquistá-los não tem propósito. Não serve para nada.

– Deveriam me agradecer!

– Apenas se gostam de você.

Para mim era óbvio. Se alguém a quem odiamos nos faz um favor, desprezamos tanto o favor quanto a pessoa.

– Jamais os bajularia ou me aproveitaria deles – ele disse. – Deixo isso para Cícero e seus semelhantes. Cícero quer tanto ser *amado* e *apreciado*, que é como uma menina se transformando em mulher que se espia constantemente no espelho para conferir sua aparência e analisa todas as observações que qualquer um faz!

Era impossível discutir com ele. Talvez tivesse razão. Tropeçávamos na escuridão da rua pavimentada; aonde estávamos indo?

– O cargo de Pontífice Máximo... como você foi nomeado para ele? – Estava curiosa, e parecia um assunto seguro.

– Comprei a eleição – ele disse. – Em Roma, tudo está à venda.

Viramos uma esquina abruptamente, e vi diante de mim o novo Fórum de César. As nuvens tinham ido embora, e o luar resplandecia cheio e brilhante em sua perfeição branca.

Embora já o tivesse visto, sob essa luz era supremamente lindo, tirou-me o fôlego.

– Este é meu presente para Roma – ele disse. – Um novo Fórum.

Ele caminhou através do pátio de ladrilho inacabado, segurando minha mão. Subimos os degraus do lado do templo, e então ele se abaixou para acender seu lampião.

– E este é meu presente para a deusa Vênus Genetriz, que fundou o clã Juliano através de meu ancestral Enéias, este templo, que prometi construir se ela me concedesse a vitória em Farsália.

Ele falava baixo em reverência à própria criação. O pórtico abrigava inúmeras pinturas – aparentemente gregas – e havia uma antiga armadura em uma das paredes.

O retiro interior do templo era escuro e silencioso, e cheirava a pedra nova, um cheiro empoeirado e picante. Nossos movimentos ecoavam, e o lugar *parecia* cavernoso, embora eu não tivesse certeza como podia sentir aquilo, já que não conseguia enxergar nada.

César elevou o lampião acima de sua cabeça, iluminando um pequeno círculo ao nosso redor. Os cantos e os fundos do salão permaneciam invisível para mim. Ele caminhou para trás silenciosamente como um sacerdote. Diante de mim, consegui distinguir três estátuas em pedestais – estátuas grandes.

– Aqui está a deusa – ele disse, segurando o lampião para que iluminasse o rosto da estátua do meio. Ela tinha uma expressão de extrema satisfação, com um sorriso misterioso, e seu colo de mármore estava carregado de pérolas.

– Ela foi esculpida por Arcesilau da Grécia – ele disse.

– Então você realmente a homenageou – eu disse. – Ele está entre os maiores escultores vivos.

Ele levou o lampião para a direita, iluminando outra estátua, esta dele próprio. Então disse – E este é meu presente para você – e moveu o lampião para a esquerda, para a última estátua.

Ela saltou da escuridão. Era eu mesma.

— Arcesilau quer apenas vê-la pessoalmente para refinar os detalhes — disse César.

— O que você fez? — Minha voz tremia. Estava atordoada.

— Encomendei uma estátua sua com o manto de Vênus para colocar no templo — disse, simplesmente.

— No templo de sua família — eu disse. — Onde está com a cabeça?

— É o meu desejo.

— Que mensagem quer passar? — Continuava fitando a enorme estátua; eu mesma vestindo o manto de uma deusa, ao lado dele e de sua deusa protetora. — O que as pessoas irão pensar? O que Calpúrnia vai pensar?

— Não está contente? — Ele pareceu decepcionado, como uma criança. — A afronta à opinião pública é parte do presente. Qualquer um pode cometer gestos que lhe dêem crédito junto às massas, e oferecê-los para seus amigos. Mas arriscar o desprazer... ah, este é um presente mais raro.

— O que significam essas estátuas? — perguntei. — O que pretende dizer com elas?

— O que elas significariam para você se as visse como uma cidadã comum?

— Significariam... que você é descendente de Vênus, que sua casa é semidivina, e que eu, em minha encarnação de Vênus e Ísis, sou sua consorte. O que mais poderia pensar?

— Isso mesmo — ele disse. — É exatamente o que quero dizer — Ele ficou parado e fitou-as. — Senti-me compelido a fazê-lo. Não sei quais serão as repercussões, mas não poderia desobedecer. Agora acredita que amo você?

— Sim — Realmente acreditava. Mas havia mais do que amor aqui. Parecia loucura provocar tamanha desaprovação pública.

— Vou consagrar o templo entre os Triunfos — ele disse. — Haverá jogos e banquetes.

— Sei — Não conseguia pensar em mais nada para dizer.

— Temos de ser ousados — ele disse. — Temos de ser o que somos e não recuarmos disso.

— Você acredita que suas vitórias lhe deram o direito de fazer o que desejar? — perguntei. — É por isso que você não se contém?

— Apenas sei que devo seguir meu próprio instinto — ele disse. — Ainda não me falhou uma vez sequer. Minha deusa da Fortuna me guia; tudo o que pede é que eu agarre avidamente tudo o que me oferece.

– Isso não foi oferecido por Fortuna, mas concebido e construído por você. Você não tropeçou neste templo. Você o criou.

– Também criei as vitórias na Gália, na Alexandria, na Farsália, na África. Fortuna oferece oportunidades para criar; ela não entrega presentes.

Eu não podia responder. Não havia resposta, pelo menos nenhuma que o satisfizesse. Ele estava determinado nesse caminho, assim como esteve determinado a cruzar o Rubicon e entrar na Itália. Mas enquanto outros lhe deram razões para aquelas ações, neste caso, apenas ele estava envolvido.

– Eles culparão a mim – eu disse, finalmente. – Dirão que eu o obriguei a fazê-lo.

– Não me importo com o que dizem.

– Claro que se importa. Não creio que seja tão presunçoso assim. Não é um deus, para menosprezar as opiniões humanas.

– Respeitá-las em tudo é ser menos do que um homem, é acovardar-se e humilhar-se e...

– Você está descrevendo um monstro, não um homem. *Há* um meio-termo entre a arrogância e a prostração.

Ele pousou o lampião no reluzente piso de mármore, mergulhando as partes superiores das estátuas na escuridão. Segurou meus ombros delicadamente.

– Mostre-me esse meio-termo – ele disse. – Você lida tão bem com isso; mas também você teve muito mais anos de prática do que eu. Já nasceu real, nasceu para governar, reconhecida como uma deusa desde a infância. Desse modo é capaz de misturar o humano e o divino com tanta facilidade.

– Apenas seja César – eu disse. – É suficiente – e acrescentei: – E não fira os inimigos que não tem coragem de matar.

Ele ficou em silêncio pelo que me pareceu um longo tempo. Eu podia ouvir a água pingando nos frontões do templo, lá fora, respingando no calçamento: resquícios da tempestade.

Ele se curvou e me beijou, me abraçando apertado.

– Faria uma oferenda à Vênus aqui mesmo – ele disse suavemente.

Pequenos raios de luar formavam faixas na entrada do templo, e eu sabia que estávamos sozinhos. A deusa estava nos observando, assim como as nossas próprias imagens, esperando para ver o que faríamos.

– Quando for feita a consagração do templo, nós já teremos feitos nossas ofertas a ele – ele disse. Abraçou-me ainda mais forte aguçando meu desejo. A educada distância forçada entre nós durante o jantar estimulou a ânsia por proximidade.

Mas houvera muita conversa sobre inimigos, execuções, destino; muito da companhia de Bruto, Calpúrnia e Otávio. Não era uma noite promissora para se render aos prazeres de Vênus.

– Aqueles que adoram Vênus devem se entregar a ela completamente – Eu finalmente disse, afastando-me um pouco dele. – Minha cabeça está cheia com tudo o que se passou esta noite antes de entrarmos em seu templo.

– Peça à deusa para fazer com que se esqueça de tudo – ele disse. Sua voz estava baixa e persuasiva. – Ela pode fazer isso.

Fiquei maravilhada com o fato de ele conseguir abstrair os pensamentos preocupantes e estar apenas aqui. O espaço ecoante do templo intacto realmente parecia implorar por algum calor, algum movimento, para quebrar o feitiço do que faltava para torná-lo completo.

Deixei-o guiar-me de volta à total escuridão da abside, atrás da base da estátua de Vênus. Ele deixou o lampião no chão à frente da imagem, e uma luz suave e difusa brilhou pelos lados.

– Você não tem uma vila para isso? – protestei baixinho. – Uma vila com um quarto com divãs e cobertas, e janelas se abrindo para um jardim que exala os perfumes do paraíso?

– Você bem sabe que tenho – ele disse. – Mas ela não tem uma coisa desejada por todos os amantes e que nós dois jamais provamos: privacidade. Observe um paradoxo: quanto mais rico se é, menos privacidade se tem. Agora a teremos, pelos céus. Teremos.

Sua voz em meus ouvidos era terna, e sentia-me derretendo com ela. Ele estava certo; estávamos sozinhos como raramente estivemos antes, e talvez jamais ficássemos novamente.

Ele deslizou a manga de meu vestido pelo meu braço e beijou demoradamente meu ombro. Eu podia sentir meus ossos debaixo de seus lábios, e tornei-me imediatamente ciente de meu corpo; os pensamentos confusos começaram a desaparecer.

– Eu te amo – eu disse. – Morreria por você.

– Pssss... – ele disse. – Não fale de morte. Isso cabe a poetas, não a rainhas – Ele então me beijou com força, e eu correspondi, unindo-me a ele na escuridão. Estávamos sozinhos. Ele era meu, e eu, dele.

A deusa acima de nós olhou-nos com satisfação.

Sol brilhante. Céu azul profundo. Uma brisa leve neste dia, o primeiro Triunfo. Sentei-me na tribuna especial de assentos, construída ao longo da

Via Sacra para permitir que os convidados exaltados observassem a última e mais importante parte da parada triunfal que segue seu caminho através do Fórum e até chegar ao Templo do Júpiter Capitolino. Esperaríamos um longo tempo sob o sol, o que levou César a pedir que fossem erguidas coberturas de seda sobre nós. Elas se moviam agora, ondulando a cada brisa que as atravessava, diluindo a luz e deixando-a azul.

Ptolomeu estava ao meu lado, e nos outros assentos de honra estavam Calpúrnia, Otávia, o sobrinho de César Quinto Pédio, e seu sobrinho-neto Lúcio Pinário. Ele tinha uma família bastante pequena.

As pessoas começaram a aguardar bem antes do alvorecer ao longo do caminho que ele iria percorrer: do Campo de Marte e através do Circo Máximo antes de circundar o Monte Palatino até entrar no Fórum. Eu podia ouvir os urros e os gritos a distância conforme ele aparecia em cada estação, e imaginava o que viam; estava impaciente para contemplar aquilo.

Ao meio-dia, vi um pequeno movimento no final do Fórum e, breve, apareceu uma companhia de homens. Lentamente, muito lentamente, eles seguiam o caminho pela Via Sacra, passando pelo Templo de Vesta, o Templo de Castor e Pólux, os pórticos semi-acabados da Basílica Júlia, e então ao nosso lado. Os fracos acordes das músicas ficaram mais altos, e os condutores da procissão, os músicos com suas trombetas e flautas, passaram por nós. Atrás deles, uma companhia de sacerdotes, balançando-se conforme erguiam seus turíbulos de incenso, cujo perfume doce queimava no ar de verão.

Então veio uma vasta companhia de dignitários, os oficiais da cidade de Roma, e atrás deles os senadores, caminhando orgulhosamente em suas togas magistrais; devia haver mais de quinhentos deles.

Então um grito foi ouvido a distância do lado do Fórum, e quando as carroças cuidadosamente decoradas surgiram à vista, entendi por quê. Eram os tesouros, empilhados em carruagens feitas de madeira gaulesa e trabalhadas com madeira cítrica. Lanças apontavam das carroças, escudos se batiam, os carros cediam sob o peso do ouro e da prata. Às vezes uma taça ou uma bandeja caía, e as pessoas se apressavam para pegá-las, como cães lambendo restos de uma mesa.

As carroças gemiam uma após a outra, entortando-se sob as montanhas de ouro. As rodas de uma emperraram entre os paralelepípedos, e tiveram de ser empurradas. César deve ter invadido cada vilarejo e esvaziado seus altares rurais. Não deve haver mais nada de valor na Gália.

Uma companhia de homens desfilou empunhando placas com os nomes das batalhas: Alésia, Agédinca, Bibrate, Lugduno, Gregovia, Avárico – os nomes estranhos dos lugares selvagens e desconhecidos que haviam sido conquistados por César.

Um carro decorado com uma efígie do oceano acorrentada passou com uma placa denotando a invasão da Bretanha.

Logo surgiu um pelotão de prisioneiros, líderes de cabelos longos, vestidos de peles e couro. Atrás deles, caminhando sozinho, vinha uma pessoa alta acorrentada. Era Vercingétorix, o líder gaulês que comandara um grande levante da tribo Arverni contra César e fora finalmente derrotado na Alésia, de onde César saíra vitorioso contra um inimigo cinco vezes mais numeroso. Vercingétorix não perdera nem um pouco de seu orgulho nos seis anos que passara aguardando sua marcha através do Fórum a caminho da morte, e a multidão, que zombava livremente dos outros prisioneiros, silenciou ao vê-lo passar.

Estremeci. No próximo Triunfo, Arsínoe seguiria seus passos, passando diante de nós, derrotada. A vergonha, a insuportável vergonha!

Seguindo Vercingétorix desfilavam os animais que seriam sacrificados no templo, filas de bois brancos escovados, com os chifres dourados e guirlandas de flores, a oferta de agradecimento que César faria por suas vitórias.

Do ponto mais afastado do Fórum ouviu-se um enorme tumulto, e concluí que César finalmente surgira. Ele vinha precedido pelos lictores – todos os setenta e dois permitidos porque César havia sido três vezes ditador. Eles carregavam aqueles horríveis ramos de galhos e os machados reluzentes, e eu continuei detestando-os dessa vez. Suas cerimoniais capas vermelhas formavam manchas vermelhas como sangue quando passavam.

Então apareceu o próprio César, alto em uma biga dourada puxada por quatro cavalos. Sua postura era a de um deus, vestido de púrpura e dourado, olhando para o povo. Na mão esquerda ele segurava um cetro de marfim encimado por uma águia, e, na direita, um ramo de louros. Atrás dele estava um escravo, segurando a pesada coroa de ouro de Júpiter sobre sua cabeça, uma coroa pesada demais para uma fronte mortal.

Um grito frenético surgiu das gargantas de todos os que o viam. Jogaram-lhe flores, com lembranças e tesouros pessoais, braceletes e brincos.

Atrás dele, frágil e ereto, vinha Otávio em sua própria biga, como o único outro homem adulto da família.

A biga triunfal passou por nós, movendo-se como a biga de Febo passando pelo céu, e vi ondas e mais ondas de pessoas erguendo-se nas pontas dos pés e gritando.

Então, repentinamente, a procissão parou. A biga triunfal cedeu e caiu para o lado. Ouvi um zumbido de confusão. César desceu.

O eixo da biga se quebrara justamente quando ele se aproximava do Templo da Fortuna. Ele apeou e ficou de pé no calçamento e, imediatamente, caminhou até os degraus que levavam ao topo do Monte Capitolino e ao Templo de Júpiter Óptimo Máximo, onde deveria subir para consagrar sua coroa e seu cetro.

Caiu de joelhos no primeiro degrau e gritou com uma voz ressonante:

– Observem! Subirei ao Templo de joelhos, como sinal de minha submissão à vontade da Sorte!

E assim fez, percorrendo o longo caminho inclinado com dificuldade, arrastando sua toga púrpura atrás dele.

As pessoas urravam de aprovação; ao raciocinar com rapidez, César transformou um mau presságio em uma ocasião de honra. Mas o incidente me assustara. Foi muito ruim.

Atrás de César vinham suas tropas, os homens que fizeram suas vitórias possíveis. Estavam felizes, gritando *Io triumphe* – Ave, Deus do Triunfo! – e cantando com todas as forças de seus pulmões. Mas não gostei quando ouvi o que diziam seus versos:

> *Trazemos nosso libertino calvo*
> *Romanos, cuidado com suas mulheres*
> *Os sacos de ouro que o emprestaram*
> *As prostitutas gaulesas pagaram*

A multidão vibrou com aquilo, encorajando-os. Então seguiram-se mais versos:

> *A Gália por César foi humilhada;*
> *Por ele, rei Nicomedes*
> *Lá vem César, coroado em triunfo*
> *Por sua vitória gaulesa!*
> *Não há louros para Nicomedes*
> *Embora o maior dos três ele seja*

Nicomedes – aquele rei da Bitínia cujos inimigos afirmaram ser amante de César! Pensei que era uma mentira. Alguém me mostrara o libelo que Cícero escrevera em cartas particulares: "César foi levado por criados de Nicomedes ao quarto real, onde deitou-se em um divã dourado, vestindo púrpura... Então este descendente de Vênus perdeu sua virgindade em Bitínia".

Evidentemente os soldados preferiam manter viva a mentira.

Agora a multidão gargalhava. E o pior ainda estava por vir.

> *César demorou-se no Egito,*
> *Tomando o que era valoroso,*
> *O Farol, a Biblioteca,*
> *A Rainha Cleópatra*
> *E seus ungüentos olorosos*

Mais rugidos de gargalhadas. Observei Calpúrnia; ela sorria bravamente, e tentei fazer o mesmo, mas estava furiosa.

Mais versos se seguiram:

Se você se comportar,

Punido será,

Fazendo maldades,

Rei se tornará.

Prendi a respiração quando ouvi a palavra *rei*. Por que esta palavra estava na boca de todos ligados a César? Por que ele era suspeito disso? Sabia que sua união comigo devia ser parte disso. Quem além de um rei faz companhia a uma rainha? E quando vissem o que ele havia colocado no Templo de Vênus Genetriz...

Uma fila aparentemente infinita de soldados marchou adiante, seguindo César. Adiante deles ouvi gritos loucos de alegria, e mais tarde soube que estavam recebendo presentes por sua coragem e lealdade: dez mil denários para cada centurião, cinco mil para cada legionário. As pessoas se agitavam; outros soldados tinham de mantê-los afastados. Os pobres, também, esperavam receber presentes.

Depois que passou o mar de soldados, estava encerrado o desfile. O sol se virara até quase ofuscar nossos olhos, apesar da cobertura de seda. Vi uma procissão de liteiras percorrendo a Via Sacra, balançando-se ao ritmo de seus carregadores. Todos os espectadores de honra desse setor seriam levados para o Circo Máximo, onde seriam realizadas as corridas de bigas comemorativas, parte dos Jogos Triunfais. César daria início a eles; como governantes estrangeiros, Ptolomeu e eu estaríamos sentados por perto. Mas eu não estaria ao lado de César; Calpúrnia e Otávio teriam essa honra.

Embora fosse o caminho mais longo, fomos levados ao Monte Capitolino para que pudéssemos honrar Júpiter ao passar por seu templo. Diante dele agora estava a biga de César, e nos pátios internos do templo eu podia ver a estátua de Júpiter sentado, majestosa na obscuridade. Ao seu lado estava uma nova estátua de bronze de César com o pé sobre uma representação de todo o mundo. Mais tarde me disseram que uma inscrição dizia que César era um semideus e que, havia pouco, César mandara retirar a inscrição.

Os bois condenados esperavam placidamente seu fim sacrifical, que ocorreria assim que a última liteira saísse. Sacerdotes estavam ao redor, sorrindo com bondade e até mesmo acariciando os animais.

Descemos do monte e entramos em uma área repleta de lojas, mercados e apartamentos, e então chegamos ao Circo Máximo, a enorme pista de corrida que ficava em um vale entre os montes Palatino e Aventino. Muros imensos cercavam-na como uma moldura, dentro da qual se erguiam fileiras e mais fileiras de assentos. Fomos levados para o interior pelo arco de entrada enquanto soldados continham uma enorme multidão que esperava para correr para dentro quando todos os dignitários estivessem sentados. Podia ver que já havia pessoas na seção especial, sob seu teto arqueado. Vi a toga púrpura – César já estava lá! Aproximamo-nos lentamente, e observei-o, buscando ver como ele estava, como se comportava.

Parecia muito cansado, e seus olhos não paravam de percorrer a arena, como se esperasse uma emboscada. O dia se fizera notar nele, e agora, em um momento no qual acreditava não estar sendo observado, baixara a guarda. Aparentava cada dia de seus cinqüenta e quatro anos; rugas marcavam seu rosto, entre o nariz e a boca, e seu pescoço parecia frágil. Seus olhos estavam desconfiados, e não felizes, neste dia que esperou com tanta ansiedade. Respeitoso, agradável, ele deu sua atenção a Calpúrnia inclinando a cabeça. Então avistou-nos chegando e instantaneamente mudou a expressão. Qualquer dúvida que ainda tinha sobre seus sentimentos por mim foram varridos da minha mente: seu rosto se iluminou de verdade, e ele rejuvenesceu.

Ficou de pé, com a toga púrpura ornada de ouro cintilando como um tesouro antigo. Vestia a grinalda de louros de ouro, cujas folhas circundavam sua cabeça como uma coroa.

– Ave, grande *Triumphator*! – Eu disse. – O maior do mundo.

– Ave, grande Rainha do Egito – ele disse. – E Rei do Egito – Apontou Ptolomeu. – Peço-lhes, tomem seus lugares de honra.

Todos os membros de sua família, pequena como era, estavam sentados ao seu redor. Onde deveria estar seu filho, estava Otávio, que era apenas um sobrinho-neto. Mas César *tinha* um filho, Cesarion, e um dia ele se sentaria ao seu lado.

Ptolomeu e eu estávamos sentados junto a diversos visitantes estrangeiros ilustres e enviados que viajaram especialmente para a ocasião. Os reinos da Galácia e da Capadócia, as cidades de Lícia, Laodicéia, Tarso e Xanto enviaram embaixadores – o oriente, que tanto fascinava e empolgava os romanos.

A platéia encheu-se rapidamente quando os espectadores entraram como uma inundação. Estavam animados; uma excitação selvagem dominava o ambiente, palpável como o ar pesado que precedia uma tempestade.

César conversava com Calpúrnia e Otávio, inclinando-se atentamente. Vi que ele estava sentado em uma cadeira especial; era dourada e tinha o encosto entalhado. Sem dúvida, tinha algum significado; em Roma, tudo tinha um significado.

Finalmente a arena estava cheia. Todos os lugares estavam ocupados, e as arquibancadas eram um mar de cores. Os trombeteiros, uma companhia de pelo menos cinqüenta homens, levantaram-se de seus assentos e tocaram seus clarins. As notas tocaram alegres e ressonantes. O barulho da multidão se acalmou.

Um anunciador profissional, um homem com a voz mais forte e alta que eu jamais vira, postou-se à grade diante de César.

– Romanos! Nobres convidados! – ele berrou. Havia mais de cem mil espectadores – todos conseguiriam ouvi-lo? Sua voz soou e ecoou ao nosso redor. – Estamos aqui para honrar nosso *Triumphator* do modo antigo, herdado de nossos ancestrais, com competições de coragem e habilidade. Aqui diante de vós os jovens cavaleiros correrão com seus cavalos, para a glória de Júpiter e de César.

A multidão rugiu. Ele ergueu a mão pedindo silêncio para prosseguir.

– Começaremos com a *ars desultoria*. Aceite suas oferendas!

César então levantou-se. Ergueu o braço direito e gritou:

– Que comecem os jogos!

Imediatamente, dos portões da extremidade oposta do Circo, surgiram parelhas de dois cavalos, trotando agitadamente. Os cavalos, os mais belos que já havia visto, resplandeciam sob o sol da tarde. Em suas garupas estavam jovens que saudaram e acenaram para a platéia antes de vir ao nosso setor e fazer reverência.

Havia cerca de vinte pares deles, e os cavalos pareciam estar combinados por tamanho e velocidade. Inicialmente, todos trotaram lado a lado, dando uma volta na pista, mas então a primeira parelha deixou os outros para trás, galopando a toda velocidade, os pescoços esticados e os pés voando. Seus cavaleiros estavam abaixados, agarrados às rédeas soltas. Repentinamente, um deles se levantou e saltou para a garupa do cavalo vizinho, enquanto o outro cavaleiro fazia o mesmo. Por um instante, cruzaram um pelo outro no ar, mantendo-se lá em uma imobilidade aflitiva, enquanto os cavalos seguiam trovejando. Então caíram nas garupas dos cavalos, levando a multidão ao delírio. Eles viraram para trás e deram saltos mortais, como acrobatas, e, durante todo o tempo, os cavalos continuavam galopando. Em intervalos da pista haviam sido colocados xales e lenços, que os cavaleiros se abaixavam tanto para pegar que suas cabeças ficavam exatamente ao lado dos cascos dos animais. A cada feito vitorioso, a multidão ficava mais e mais emocionada. Atrás da primeira parelha havia agora muitos outros, todos realizando perigosas proezas sobre os cavalos ariscos a galope.

Ao tentar agarrar um xale perto da curva fechada de um dos pontos do Circo, um dos cavaleiros caiu e foi pisoteado por seu cavalo. A platéia deixou escapar uma exclamação, mas uma exclamação que beirava a avidez. Um grupo de homens saltou das laterais para retirar a vítima em uma liteira, mas quase foram atropelados pelos outros cavalos e tiveram de deixar o homem ser pisado novamente.

Ptolomeu estava inclinado para a frente, tremendo de medo e excitação.

– Ele está morto? – perguntava.

Ele certamente parecia morto. Antes que eu pudesse responder, outro cavaleiro caiu; sua cabeça explodiu em um jato vermelho quando a pata de seu cavalo atingiu-a em cheio. Este estava realmente morto.

A areia estava começando a ficar marcada de vermelho. Olhei em volta para os romanos ao meu redor. Seus olhos estavam fixos na arena, e eles pareciam sentir náuseas pelo que viam. O barulho nas arquibancadas crescia de forma constante, alimentando a violência como a palha alimenta o fogo.

Os homens tentavam feitos cada vez mais difíceis, até que os vencedores deram dois saltos mortais entre os cavalos a galope, pousando precariamente nas garupas escorregadias e suadas. César entregou-lhes o prêmio, e as quatorze ou quinze parelhas de cavalos malhados restantes foram retiradas da pista.

Um grupo de trabalhadores correu e começou a limpar a areia, aprontando-a para a próxima atração. Soprava uma brisa de fim de tarde; normalmente essa parte do dia era reservada para o relaxamento. Mas a tensão crescia cada vez mais.

— Por que querem matar as pessoas? — Ptolomeu me perguntava. — Por que alguém desejaria estar no lugar de um daqueles cavaleiros?

— Os homens sempre se sentem atraídos pelo que é perigoso — eu disse. — Não importa o perigo de uma missão, alguém sempre se oferece a tomar parte dela.

É um fato que sempre me intrigou.

Naquele exato momento houve uma agitação na seção de César. Otávio se levantou e caminhou em nossa direção.

— O nobilíssimo *Triumphator* pediu-me que sentasse ao seu lado e explicasse o procedimento — ele disse. O embaixador de Tarso rapidamente deixou o assento que ocupava ao meu lado.

— Quanta consideração da parte do *Triumphator* — eu disse. E acenei para César com a cabeça.

— A senhora gostou da apresentação? — Otávio perguntou.

— Para uma apresentação, alguns homens pagaram um preço muito alto. Suas próprias vidas — eu disse. — Mas suas habilidades me impressionaram. Qual é a próxima atração?

Otávio sorriu.

— O esporte favorito aqui em Roma: corridas de bigas. Originalmente, eram um ritual religioso. Hoje haverá dez equipes de quatro cavalos, e os vencedores ganharão grandes sacolas de ouro.

— Ah, isso deve ser emocionante! — disse Ptolomeu. — E mais seguro.

Otávio sacudiu a jovem e bela cabeça.

— Nem tanto. Alguém sempre morre. Algumas vezes três ou quatro bigas se chocam e ficam completamente destruídas. As curvas acentuadas a cada ponta do Circo invariavelmente fazem com que algumas tombem, mesmo se nada mais dá errado.

– É por isso que todo mundo gosta tanto das corridas? – perguntou Ptolomeu.

– Não diria isso – disse Otávio.

– Então por que não fazem com que elas sejam mais seguras? – Ptolomeu insistiu.

– Isso acabaria com o divertimento.

Ouviu-se um tumulto, e avistei as bigas surgindo dos arcos da entrada. Cada equipe irrompia através do arco estreito com os cavalos com as rédeas esticadas, ansiosos por correr. Atrás deles estavam as bigas leves, seus condutores de pé nas minúsculas plataformas, com as rodas girando e brilhando sob a dourada luz do final da tarde. Os cavalos eram muito grandes, enquanto as bigas eram pequenas e leves como penas – o que significava que eram instáveis e viravam e capotavam com facilidade. Os capacetes dos homens cintilavam, alguns com cravos de ferro, alguns com penas, outros com lenços coloridos.

Otávio levantara-se e gritava. Suas bochechas estavam vermelhas, e os olhos, fixados em uma biga específica guiada por um homem moreno e puxada por quatro cavalos baios com pernas extraordinariamente longas e esguias.

– Aqueles são meus – ele disse com voz rouca. – Do estábulo de Árrio – Jamais suspeitara que ele pudesse demonstrar tamanho entusiasmo. – Escolha um – ele disse. Havia uma outra equipe de cavalos particularmente bem-favorecido, de cor creme, com crinas e rabos cinzas. Eu sabia bem que uma bela configuração nem sempre significava velocidade e vigor, assim como um comportamento agradável nos homens não denotavam necessariamente honestidade, mas ainda assim sentia-me atraída por eles.

– A equipe com o condutor baixo – eu disse.

– De Campânia – ele disse. – São conhecidos por serem bem alimentados e treinados.

– Quais são os favoritos de César? – Ptolomeu perguntou.

– Ele torce para os negros – disse Otávio. – porque aquele estábulo criou seu próprio cavalo de montaria preferido. Mas eles são mais fortes do que velozes.

As equipes trotaram uma vez ao redor da pista, quarenta cavalos par a par, percorrendo a volta como uma asa gigante. Os condutores deviam ter uma habilidade extraordinária para mantê-los todos alinhados daquele modo. Finalmente, pararam exatamente diante de nós, esperando pelo sinal para começar.

César levantou-se segurando um grande tecido branco. Levantou o braço e soltou o pano, deixando-o flutuar até a arena. Quando tocou no chão, os sinaleiros abaixaram suas bandeiras e os cavalos foram liberados.

Instantaneamente, duas ou três equipes saltaram à frente e começaram imediatamente a brigar pela melhor posição na pista. A largura dos quatro cavalos emparelhados paralelamente impediam que os competidores andassem muito perto uns dos outros, mas também obrigava-os a fazer as curvas fechadas se não quisessem ficar para trás. A equipe que corria por dentro corria o risco de ser atirada contra o eixo central do Circo e destruída; a do meio, de ser espremida e sofrer um acidente; e a que corria pelo lado de fora, de perder sua posição por precisar percorrer uma distância maior.

Os líderes eram os baios de Otávio e duas outras equipes; ainda na primeira volta, uma se inclinou, fora de controle, e bateu contra o muro da arquibancada. Imediatamente, uma das outras equipes que vinham logo atrás moveu-se para a posição vaga na parte externa da pista. Outra equipe bateu no que restara da primeira e também ficou destruída; a biga pareceu explodir, e seu condutor foi atirado longe, enquanto seus cavalos seguiram galopando desgovernadamente.

Agora os espectadores estavam em pé, gritando. Ao meu lado, Otávio respirava ofegante, sussurrando "Sim! Sim!" conforme sua equipe mantinha a liderança, e pulava. Apenas César mantinha-se sentado, assistindo com atenção, mas calmamente.

Mais uma curva, mais uma biga destruída; essa tombou em direção ao eixo central e foi empalada em uma estátua de Júpiter, patrono da competição. Os cavalos gritaram de medo e dor quando caíram numa confusão de arreios.

Agora, inesperadamente, a equipe de César começou a alcançar os outros, surgindo pelo lado de fora em uma explosão de velocidade. Restavam apenas sete equipes, havendo, portanto, mais espaço para manobras. O cocheiro de Otávio e o outro chicotearam seus cavalos quando viram, pelo canto dos olhos, os intrusos se aproximando. Mas a equipe de César, mais descansada do que as outras porque conservara suas energias, acompanhou o ritmo delas. Entretanto, não conseguiu ultrapassá-las porque tinha de percorrer uma distância muito maior usando a pista de fora.

Minha equipe mantinha-se atrás, numa distância considerável, no amontoado de corredores do meio. Uma única equipe de cavalos de cores diferentes vinha isolada, em último lugar.

Na penúltima volta, a biga do meio das que lideravam a corrida pareceu tropeçar; repentinamente, caiu em direção a outras três. Não havia espaço para aquilo; as bigas dos dois lados não conseguiam encontrar um lugar seguro. As três colidiram, inclusive a que liderava a corrida anteriormente, e o ranger das rodas e a madeira se estilhaçando foram chocantes. Elas ficaram tão amontoadas umas nas outras, os arreios se cruzando, as parelhas se batendo, membros emaranhados, que caíram como uma massa única, com os cavalos e os homens emitindo um longo e angustiado grito. Minha equipe passou derrapando por eles, sendo salva apenas pelo fato de que vinha retardada pelo lado de fora.

A multidão soltou um urro, quase uma arfada de prazer ao ver as ruínas, rodas girando sozinhas, suportes de bigas voando pelos ares, braços e pernas se movendo na confusão e os gritos interrompidos pelos cavalos assustados que esmagavam os corredores, indefesos no chão, com seus cascos fatais.

As bigas que lideravam a corrida prosseguiam, indiferentes, e a multidão sedenta de sangue e estímulo podia escolher entre duas coisas igualmente excitantes com que se saciarem: a passagem veloz dos corredores da frente e a carnificina dos perdedores, gemendo sem forças no chão atrás deles. Logo os líderes passaram por aquele setor novamente manobrando ferozmente para evitar a confusão, dando origem a uma aclamação gigantesca.

A biga de Otávio venceu, seguida pelos cavalos negros de César. A minha terminou em um distante terceiro lugar, e a última recebeu uma saudação carinhosa, provavelmente pela sua lentidão cômica que acabou por preservar sua própria vida.

– Parabéns – eu disse a Otávio. – Você escolhe bem. Como sabia?

Ele se virou para me olhar e vi como eram azuis e claros seus olhos, com uma borda um pouco mais escura ao redor das íris. Ele parecia totalmente objetivo, mas não pude deixar de notar como sua respiração ainda estava ofegante, enquanto ele lutava para controlar sua emoção.

– Um palpite de sorte – ele respondeu. – Olhei para as pernas e ignorei todo o resto.

César estava em pé, pronto para receber o cocheiro vencedor. Tremendo e coberto de suor, o jovem foi levado até ele. César colocou a coroa de louros em sua cabeça.

– Triunfamos juntos neste dia – ele disse.

O cocheiro olhou para ele com adoração.

– Guardarei isso para sempre – disse, tocando a coroa de louros. – Mostrarei aos meus filhos, e os filhos de meus filhos, e direi "Isso eu ganhei no dia do Triunfo do Grande César".

– Se ele continuar correndo, não terá filho algum – disse Ptolomeu em meu ouvido. – É melhor que se aposente imediatamente.

Houve diversas outras corridas de bigas, mas nenhuma tão emocionante quanto a primeira. Houve mais corridas de quatro cavalos e várias outras de dois cavalos. Elas continuaram até que quase não se enxergava mais nada, e então cavaleiros ingressaram no Circo com tochas e anunciaram que havia chegado o fim. Atrás deles eu podia ver um desfile de elefantes, cada um com uma tocha na garupa. Eles entraram em fila na arena e deram uma volta majestosa, com o círculo de fogo pontuando o crepusculo. Um elefante, que carregava uma enorme plataforma em seu dorso, aproximou-se de onde estávamos e ajoelhou-se.

– César será agora levado de volta até sua casa, no Fórum. Todos os amados cidadãos estão convidados a acompanhá-lo – gritou o anunciador.

César levantou-se e descendeu até o animal ajoelhado, e então subiu em seu dorso. O obediente elefante ergueu-se, e César, com os ornamentos de ouro de sua toga cerimonial cintilando à luz das tochas, virou-se e acenou para o povo. Depois saiu lentamente.

O resto de nós montou em outros elefantes, dividindo-os. Ptolomeu e eu estávamos num, Otávio e Calpúrnia em outro, os outros sobrinhos em um terceiro. Entre a fila dos restantes caminhavam os dignitários, e correndo atrás deles, até onde a vista alcançava, vinha o povo. As luzes das tochas faziam longas e saltitantes sombras sobre eles, transformando-os em uma única grande criatura, em vez de milhares separadas. A nossa frente, uma chuva de flores e lembranças sendo jogadas a César.

César! César! César! Nossa alegria, nosso salvador, nossa vida!

Gritava o povo quando ele passava perto. E suspiravam como alguém que acabou de ver a luz do dia depois de um longo período preso em um calabouço. O desfile seguiu pelo Fórum, a multidão de adoradores satisfeitos reconstituindo com alegria o caminho do Triunfo. Foram alimentados, divertidos e cuidados com carinho por César; nada lhes faltava.

Acompanharam-no até sua casa. Ele desceu do elefante e ficou por um instante na entrada.

– Boa noite, meus amigos – ele disse. – Agradeço-lhes por este dia.

Virou-se e entrou. A porta fechou-se lentamente.

Esperei um instante e então vi Calpúrnia e Otávio entrando atrás dele. Quis muito segui-lo, estar com ele na seqüência deste dia extraordinário – normalmente a parte mais preciosa de todas, quando poderia ser saboreado com privacidade, mas com o sangue ainda fluindo com o sentimento de vitória.

– Voltemos à vila – dei a ordem para o homem que guiava o elefante.

Virei-me para Ptolomeu:

– Não podemos entrar. Não devemos ficar esta noite – expliquei. – É o momento deles.

Passaria a noite sozinha, excluída da comemoração privada de César. Como também seu único filho.

26

O sol apontou num céu limpo, sem nuvens, na manhã seguinte, como por ordem de César. O tempo perfeito significava que a extensiva – e cara – exibição pública e as celebrações que acompanhavam cada Triunfo poderiam ser realizadas sem empecilhos. Hoje haveria as peças teatrais pela manhã e, à tarde, os desafios atléticos no estilo grego num estádio temporário no Campo de Marte, enquanto meninos da nobreza imitariam uma batalha simulada chamada o Jogo de Tróia numa outra área dos campos.

No Circo Máximo, centenas de prisioneiros condenados e prisioneiros de guerra lutariam uma espetacular disputa gladiatória nas mesmas areias onde se deram as corridas de bigas. Disseram-me que eles lutaram em companhias, oficiais de cavalaria contra oficiais de cavalaria, soldados contra soldados, com uma companhia de quarenta guerreiros montados em elefantes contra eles mesmos. A areia ficou ensopada de sangue. Mas não vi nada disso, nem tive qualquer desejo de ver. O apetite dos romanos por sangue me desconcertava. Durante todo o dia, pude ouvir das janelas de cima do meu quarto os gritos excitados da multidão se embriagando com a violência enquanto a areia se manchava de sangue.

Um mar de gente inundou Roma sôfrego pela excitação, pelo sangue derramado e pela comida de graça. Uma cidade de tendas foi levantada, fazendo da Roma que eu testemunhava do topo do monte duas vezes maior do que a Roma da minha chegada. Muita gente foi pisoteada; alguns que vieram apenas para apreciar a morte e a violência dos outros, acabaram partilhando dela, esmagados no amontoado de corpos. Dois senadores morreram assim, como também muitos outros desconhecidos.

Eu sentia uma agonia terrível ao imaginar o próximo Triunfo, aquele celebrando a vitória de César no Egito. Teria de assistir enquanto as representações de meu país desfilassem à minha frente e teria de sorrir sancionando a subjugação demonstrada. Todos os olhos se voltariam para mim, e eu não poderia vacilar. Era a única maneira de mostrar que o meu regime era diferente, o *verdadeiro* governo do Egito, aquele aliado à Roma. Quase odiei César por me impor tal experiência penosa; não sabia se resistiria. No entanto, resistir era o que eu tinha de fazer. Seu julgamento político estava correto, não importava o quanto doesse ter de obedecê-lo.

O Segundo Triunfo, sobre o *Aegyptus*: dia frio, brisa forte, nuvens ligeiras – um dia bem diferente dos que se tem no Egito. De novo, sentamo-nos nas arquibancadas no fim da Via Sacra; desta vez, o toldo de seda que nos protegia contra o sol se debatia com o vento. Meus trajes, e os de Ptolomeu, para a ocasião eram de estilo grego. Que todos se lembrassem que éramos descendentes do grande general de Alexandre! Não optei por adornos de cabeça com najas brilhantes, nem correntes grossas de jóias faraônicas, nem plumas de avestruz. Em mim hoje não haveria nada estrangeiro ou exótico. Um diadema simples na minha testa era melhor do que qualquer coroa... para este dia.

De novo houve gritos quando César passou pelas estações diferentes da cidade no seu caminho para o Fórum – aumentando de volume conforme ele se aproximava de nós. Houve um movimento no canto mais distante do Fórum quando passaram os músicos que lideravam a procissão. Primeiro veio uma companhia de egípcios nativos tocando trombetas, outros batendo em tambores longos, batendo pratos e agitando badalos de marfim, seguidos de um grupo de dançarinos untados com óleos, pulando. Atrás deles, um grupo de mulheres trajando vestidos finos de linho agitando seus sestros e cantando. A multidão suspirou; estavam sendo apresentados ao Oriente misterioso, trazido para o Fórum. Então foi a vez das sacerdotisas de Ísis, de cabeças raspadas e carregando incenso, entoando hinos para a deusa.

Contrastando com tudo isso, seguiam os magistrados de Roma, arrastando o peso de suas togas e mostrando desprezo pelo disparate do Egito.

Os vagões estavam a caminho! Esperei resignada para enfrentar a triste realidade de ver os tesouros do Egito que na verdade não haviam sido tomados por César. Eu os dera de presente. Mas quem sabia desse fato? Até porque agora não pertenciam mais ao Egito de qualquer maneira, não importava como tinham chegado até aqui. O primeiro vagão apontou – um vagão de madeira pesada de acanto, madeira preciosa da nossa região. Dentro dele, uma pilha de estátuas banhadas a ouro e sarcófagos de múmias, pequenos obeliscos e lenços bordados com pedras preciosas. O vagão seguinte, de rodas enormes, continha a estátua de grauvaca que eu acabara de presentear a César! Nossa sorte era que nossos tesouros de arte eram tão pesados que nenhum conquistador poderia colocá-los numa carroça. Pelo menos as pirâmides e a Esfinge estavam seguras! E os grandes templos às margens do Nilo, o farol…

Mas eu me precipitara. Logo apareceu nosso farol – um modelo gigante do mesmo –, num vagão especialmente construído para carregá-lo. Tinha cume incandescente e vermelho e uma luz piscando de dentro. Foi seguido por uma representação do Rio Nilo, um exuberante homem de barbas de ampla estatura, reclinado e rodeado por crocodilos e cornucópias.

Depois passaram os espólios vivos. Os animais do Egito e da África. Crocodilos, grunhindo dentro de suas jaulas de madeira, panteras e avestruzes, e finalmente a criatura que excitava a curiosidade de todos: uma girafa. Roma nunca vira uma girafa antes, e as pessoas ficaram encantadas com ela. Gritavam que era metade camelo e metade leopardo e perguntavam como fora possível o acasalamento desses dois animais.

Os primeiros prisioneiros começaram a desfilar: uma figura em cera de Potino, desagradavelmente precisa, passou numa biga. Imaginei que jamais veria seu rosto fino de novo. Mas sua cabeça estava de volta no topo de seu pescoço – algo que só pode acontecer em arte e na imaginação.

Seu comparsa conspirador, Aquilas, apareceu em efígie num vagão.

Senti um calafrio. Esses dois homens chegaram a ter tanto poder sobre mim. E agora estavam reduzidos a figuras de cera desfilando para uma multidão debochada. Comecei aos poucos a compreender a necessidade que os Triunfos satisfaziam.

– Vil eunuco! – cuspiam a multidão para Potino.

– Assassino! Assassino! Assassino! – gritou um grupo correndo para perto da efígie de Aquilas. Atiraram excremento e vísceras.

– Você assassinou Pompeu!

Estavam prontos a arrancar a efígie do vagão quando os soldados os detiveram.

– Não! – gritaram os soldados. – Não devem roubar dos outros a oportunidade de cuspir na cara dele!

Os mortos foram substituídos pelos vivos. Arrastando-se em correntes vinha Ganimedes. Tinha os cabelos longos e opacos e o rosto pálido devido ao seu longo encarceramento. Não se via vestígios do elegante tutor do palácio.

Ele tentou se safar dos projéteis atirados. Por sorte não devia compreender muito as maldições e os insultos que lhe gritavam. Seus olhos estavam apagados; seu espírito, com certeza, há muito tempo havia partido.

E então – pelos deuses! Era Arsínoe! Ela caminhava a uns cinqüenta passos atrás de Ganimedes, amarrada com correntes prateadas. Mas sua cabeça estava erguida; precisava de todo o seu esforço para não se curvar com o peso das correntes, mas estava ereta e caminhava com passadas firmes. Tinha emagrecido; suas faces estavam sugadas, e via-se os ossos das clavículas sob a pele. A orgulhosa Arsínoe, uma cativa num Triunfo romano, sendo desfilada como um espólio pelo Fórum e a caminho de sua morte.

Poderia ter sido eu! Fechei os olhos e tentei apagar a imagem, mas me via tomando o seu lugar, a derrotada. Se não tivesse tomado o partido de Roma... se meu destino não tivesse me favorecido...

Ao meu lado, Ptolomeu chorava. Segurei firme na sua mão.

– Não olhe – eu pedi.

Mas, naquele momento, Arsínoe virou-se e olhou para nós, um olhar direto, excruciante. Não tirava os olhos dos meus. O ódio fervilhava, e a raiva se transferia pelo espaço que nos separava. Eu era a cativa. Prisioneira de seu olhar.

Ela passou, com o espírito em outro lugar, pelo jeito. A multidão continuou olhando para ela, e comecei a ouvir os suspiros de compaixão se espalhando como ondas. Olhos hostis se viraram para mim. De repente, eu me transformara na vilã, e ela era a vítima.

Como podiam esquecer tão facilmente? Arsínoe lutara numa guerra contra Roma. Mas os romanos tinham simpatia pelos oprimidos. Viram a bela princesa em correntes e esqueceram César. Não gritaram insultos ou atiraram coisas no seu caminho; um silêncio respeitoso se apossou da multidão.

Depois dela, fileiras de touros para o sacrifício foram desfilados, o que deixou a multidão ainda mais excitada. Eles gemiam cheios de piedade.

Coitadinha da princesa, sendo levada para a morte como um touro branco para o sacrifício!

E então César apareceu, resplandecente. Mas apareceu para uma arena tristonha, cheia de murmúrios baixos. A chegada de seus lictores e da biga dourada não serviu para agitar a multidão como acontecera da primeira vez. Uns poucos gritos e vivas ecoavam no vasto espaço. Algumas pessoas jogaram frascos de óleo perfumado, e um atingiu o corrimão de sua biga, quebrando-se. Ele pegou o frasco quebrado e levantou-o no ar.

– Muito bem! – ele gritou. – Sempre digo que meus soldados lutam da mesma maneira se estão cheirando a perfume!

Isso mudou o humor da multidão. Eles começaram a gritar e a bater os pés.

– É perfume egípcio? – ele perguntou, aproveitando-se do momento.

Berraram excitados.

– Digo uma coisa, os perfumes do Egito vão além da imaginação! E eu trouxe todos eles para vocês! – ele disse, acenando para todos. – Vou distribui-los junto com seus presentes! Óleo de cássia, cânfora e lírio!

Onde ele conseguiria tais perfumes em tempo tão curto? Sabia que não os tinha comprado no Egito!

Otávio, atrás dele, também se esquivava dos frascos de perfume.

– Cleópatra e seus mil óleos perfumados! – a multidão berrava.

Por um momento, César ficou tenso. Depois, virou-se e me apresentou para a multidão com o braço estendido. Mais gritos e batidas de pés.

Rápido, ele continuou desfilando. Meu rosto ardia. Senti com intensidade a presença de Calpúrnia, mesmo que não conseguisse vê-la. Otávio sacudiu a cabeça para trás e continuou olhando para frente.

O ruído dos soldados marchando afogou qualquer outro barulho. Eles também gritavam e cantavam em coro a canção da Cleópatra de novo, agora com a multidão acompanhando também. Novos versos foram acrescentados:

> *Enquanto o farol ardia*
> *E os soldados esperavam*
> *Suas noites e seus dias*
> *César com Cleópatra gastava*

Era odioso! Odioso! Como César aceitava tão casualmente aquilo? Era como se também estivesse em exposição no Triunfo.

Dia e noite era tudo igual
Neste divertimento ele não era mal
Era um jogo que sabia como ninguém
E até a rainha para culpar ele tem!

Chega! Não agüentava mais aquilo! Como poderia rir como César fazia? Estavam me chamando de puta!

Finalmente, a horrível procissão passou e o Triunfo acabou. Por fim acabou.

O espetáculo que se seguiria ao Triunfo era uma batalha naval – em Roma. César mandou um recado dizendo que nos seria enviada a liteira usual e que nossa presença era indispensável. Como tinha sido para o Triunfo do Egito?

Desta vez as liteiras estavam esperando longe do Circo Máximo, e fomos transportados em direção ao rio; a multidão era absurda, e eu podia ver os lugares onde haviam acampado durante a noite. Haviam poucos prédios aqui, mesmo assim notei vários templos pequenos confinados num complexo de colunas enormes que acabavam num teatro.

– Olhe! É quase do tamanho de um dos nossos templos! – disse Ptolomeu, com a voz alterada.

O que seria aquilo? Devo perguntar a César.

Ah, se pelo menos aquele edifício não existisse! Tremo só de lembrar; mas naquela hora, à luz do sol, parecia tão inocente. E devemos culpar um edifício pelos atos de homens malignos dentro dele?

– Onde fica aquele templo com o território inimigo ao redor? – queria saber Ptolomeu. – Aquele onde os romanos jogam dardos com sangue na ponta para começar uma guerra?

Confessei que não sabia a que ele se referia. Uma outra coisa para perguntar a César.

De súbito, as liteiras foram estacionadas, e nossos criados nos ajudaram a descer. Quando descemos, olhei ao redor e pensei que estava imaginando coisas. Diante de nós havia um lago e, dentro dele, navios de verdade – birremes, trirremes, quadrirremes, divididos em duas linhas, com as bandeiras içadas. Uma multidão interminável rodeava a beira do lago, movimentando-se e gritando.

Uma plataforma fora erguida em estacas na margem do lago, e pude ver César e sua família já acomodados nela.

Subimos na plataforma e fomos guiados aos nossos lugares. A essa altura, o espetáculo era ainda mais incrível. O lago artificial que fora escavado no Campus Martius – o Campo de Marte – devia ter pelo menos oitocentos metros de comprimento e sabe-se lá que profundidade! Obviamente, com profundidade suficiente para acomodar os navios de guerra.

Vi César me observando, como se tivesse escavado a coisa toda só para ver minha reação. Eu estava espantada e não tinha como esconder.

Sabia que enviaria Otávio até mim, e estava certa. Ele se aproximou de nós, com os olhos vigilantes.

– Saudações, Vossas Majestades – ele disse. – Estamos honrados que tenham vindo para este Triunfo e sua celebração.

Eu imaginei ou ele enfatizou a palavra *este* enquanto fixava os olhos atentamente em nós?

– Foi necessário presenciar o espetáculo – eu disse, tentando ser o mais honesta possível. – Mas não posso fingir que não foi doloroso. Trouxe à tona muitas lembranças amargas.

– César ficará aflito ao ouvir isso. No seu entender, você considera aqueles que foram exibidos os seus inimigos, tanto quanto de César. E ver um inimigo em correntes normalmente dá prazer.

– Talvez quando você tiver realmente lutado numa guerra, então compreenderá melhor – eu disse.

Era apenas um menino e ainda não tinha presenciado uma batalha. Além do mais, sua atitude presunçosa me irritou naquele momento. No entanto, eu deveria ter escondido minha reação melhor.

– Conte-me sobre este espetáculo – eu disse, mudando de tom. – Será que existe algum milagre de engenharia que os romanos não saibam?

– Nenhum que eu esteja a par – ele respondeu, com seu sorriso frio, perfeito.

Essa exibição consistia de uma batalha naval entre as frotas de Tire e do Egito. Dois mil remadores e mil guerreiros de cada nação ocupavam os navios e, ao som das trombetas, levantariam âncora nas águas reluzentes do lago. Imaginei que seria apenas uma exibição, mas quando a fumaça começou a subir de um dos navios, e os homens mergulharam na água, seguindo-se gritos e gemidos, percebi de repente que era de verdade.

Virei para Otávio acusadoramente.

– O que é isso? Aqueles homens foram chamados para fingir uma batalha ou para lutar de verdade?

– Numa *naumachia* grandes batalhas são relutadas. Com todos os detalhes – ele disse. – Já fizemos a batalha de Salamina, com os atenienses derrotando os persas, e assistimos à frota cartaginesa ser destruída mais de uma vez do conforto de nossos assentos.

– Se uma guerra foi lutada uma vez, e a questão decidida, não é uma coisa acabada, final? – perguntei. – Que valor há em repetir a luta? Será que o veredicto da História pode ser revertido?

Os navios se batiam contra os outros; as fateixas eram jogadas, e os soldados nadavam para o navio inimigo, com as espadas à mão. Tochas eram lançadas, incendiando os cordames. Alguns desses projéteis acabavam entre os espectadores, causando gritos e pânico.

Os navios se balançavam enquanto os homens lutavam pelo domínio. Vi corpos serem jogados dos navios e as manchas escuras de sangue turvarem as águas. O primeiro navio afundou, gemidos e gritos escaparam e depois afogaram em silêncio.

– Os homens morrem para nos entreter? – eu gritei. Olhei para os outros espectadores na plataforma, assistindo excitados, com sorrisos estampados na cara. Dois homens debatiam sobre as táticas e vi Agripa discutindo uma manobra. César parecia se divertir.

Sangue, sangue por tudo! Por que o sol não brilhava vermelho em Roma, irradiando sobre uma névoa sangrenta? Por que nascia da mesma cor que em outros lugares?

– Será que não se pode ter uma corrida de bigas sem morte, uma exibição naval sem morte, uma demonstração de esgrima sem morte? – toquei no ombro de Otávio onde a toga se juntava. – Por que a morte tem de ser o molho que acompanha tudo o que Roma devora?

Devorar. Esta era a palavra para o que faziam. Devoravam tudo... e precisavam de um condimento quente para ajudar na digestão.

– Porque sem a morte tudo é muito insípido – ele respondeu. – Sem o preço maior, tudo é imaginação.

Enquanto ouvia sua voz suave e razoável contra o fundo de gritos e gemidos dos homens feridos e as batidas de madeira contra madeira dos navios, pensei em Arsínoe sendo estrangulada na escuridão de sua cela sufocante. A morte à luz do dia e a morte no escuro – os dois tipos de mortes romanas.

Bruscamente abandonei a "diversão".

A *naumachia* deve ter varado a noite. Quando escureceu, pude ver do cume do monte onde se encontrava a vila as tochas brilhando no Campo de Marte. Também notei o que pareciam fogueiras, mas pelo tamanho sabia que eram os navios em chamas. O espetáculo se autoconsumiu.

Senti-me enojada e exausta. Queria tomar um banho, relaxar na minha cama e expurgar da minha mente as imagens medonhas que não paravam de me assaltar. Mas antes que pudesse fazê-lo, a porta da casa foi escancarada, e César entrou abruptamente. Seu rosto era uma máscara colérica.

— Como se atreveu a ir embora? — ele gritou assim que me viu, não ofereceu qualquer outra saudação. — Você me causou vergonha, me insultou, deve ter deixado as línguas de toda Roma cansadas de tanto falar!

Como ele conseguira se desvencilhar de todo mundo? Onde estavam seus guardas, seus criados, o adulador Otávio?

— Não suportei mais — eu disse. — A matança ...

— Então tem um estômago fraco para matança? Talvez no fim das contas não seja uma Ptolomeu de verdade!

Encarei-o. Ele parecia possesso, com o rosto vermelho, como um mercador desmentido.

— Acho que a matança deve ser reservada para o perigo, e não para o esporte — eu disse por fim. — Vocês desvalorizam a morte ao tratá-la tão casualmente. Morte é o último grande ato e não deve ser depreciada.

— Os egípcios veneram demais a morte — ele grunhiu.

— E os romanos muito pouco — retruquei.

— No entanto, ambos fazemos dela uma arte. Vocês com suas tumbas, gravuras, múmias, e nós, com nossas diversões.

Seu temperamento parecia ter esfriado, mas eu não seria enganada. Sua raiva era maior quando ele menos mostrava.

— Vamos deixar esta conversa sobre a morte de lado. Ao sair de lá daquela maneira, você desatou tudo o que fez antes, ao participar do Triunfo.

— Foi horrível. Mas não cobri os meus olhos. Odiei cada minuto. Odiei ver os tesouros do Egito nos vagões, odiei os versos que cantaram sobre você... e os frascos de perfume! É isso o que pensam de mim?

— Devia ficar grata de ser isso o que pensam. É bastante inofensivo.

– Arsínoe. Foi horrendo. E as pessoas começaram a simpatizar com ela.

– É verdade – aproximou-se de um banco e sentou-se. Seus ombros caíram. – Arsínoe foi perdoada.

Senti uma onda de alívio primeiro. Mas, depois, preocupação. Arsínoe, a orgulhosa, não se afastaria calmamente.

– Para onde irá?

– Ela pediu para ser levada para o santuário no grande templo de Diana em Éfeso – ele disse. – E vou conceder, se você estiver de acordo.

Éfeso! Tão perto do Egito! Melhor enviá-la para a Bretanha! No entanto... arriscaria e seria misericordiosa. Talvez não fosse mesmo uma Ptolomeu completa. Arsínoe não teria feito isso.

– Sim, permito.

– Ganimedes foi morto.

Ganimedes já estava morto havia muito tempo, já era a criatura sem espírito que eu tinha visto no Fórum. Para ele não havia atenuação.

– Devemos fazer alguma coisa para tirar a má impressão que sua brusca saída provocou hoje – César insistiu. – A multidão está com os ânimos perigosamente exaltados. Você sentiu. Os frascos de perfume pelo menos nos permitiram mudá-los de direção. Mas não se empenharam com seus vivas. E pode ser pior nos próximos Triunfos, especialmente aqueles sobre a África, porque Catão morreu naquela guerra. Acho que, para dar cabo de qualquer rumor de que você possa ser uma inimiga de Roma, precisamos oferecer um banquete luxuoso para celebrar o Triunfo do Egito. Amanhã. E vai ser a ocasião então que eu os proclamarei, você e Ptolomeu, Amigos e Aliados do Povo Romano. Convidarei meus inimigos para calar-lhes a boca.

– Não! Não quero dar uma festa! Todos eles me odeiam!

– Está agindo como uma criança.

Sua voz começou a levantar, e foi então que percebi que sua raiva desaparecera.

– Claro que detestam você. Devia se orgulhar disso. Se detestam você, então lembre-se de que me detestam primeiro. Deve se acostumar a ser detestada se quiser governar com sucesso. A fraqueza maior que um governante pode ter é o anseio de ser amado. É por isso que Cícero, que eu convidarei, é claro!, seria um desastre como governante, mesmo querendo tão desesperadamente como ele quer.

– Cícero não!

– Minha querida, se você puder agüentar os olhares maléficos e os insultos eloqüentes de Cícero, pode agüentar qualquer coisa. Considere isso como treinamento.

César tomaria todas as providências, por essa ser efetivamente sua festa – na verdade, mais um de seus divertimentos Triunfantes. Ptolomeu e eu deveríamos sair da casa e nos distrair em outro lugar. Pedi para sermos levados para fora de Roma para ver o que havia nos campos ao redor.

E foi uma escolha sensata. Os campos de grãos maduros, verde-dourados contra os aquedutos que traziam a água de lugares distantes, e os rebanhos de ovelhas eram um antídoto refrescante para a insanidade febril da cidade empilhada de gente. Os campos tinham uma beleza sonolenta, morna e lânguida. Até mesmo as nuvens eram redondas e suaves. Era um tônico restaurador.

Mas o sol começou a jogar sombras inclinadas enquanto anunciava o fim da tarde, e o dia acabou tão cedo. Precisávamos voltar… para o quê?

As tochas já tinham sido acesas na estrada quando chegamos à cidade. A multidão não parava de se movimentar; mesmo nesse dia sem muitos eventos, havia teatro de rua e disputas atléticas, como também lutas de gladiadores entre os romanos de classe alta no Fórum para manter a populaça divertida.

Comecei a desconfiar do que me esperava quando entrei nos jardins da vila e o encontrei transformado no que um homem vestido de Osíris anunciou como os "jardins canópicos do prazer". Lanternas coloridas foram penduradas nas árvores, e os pavilhões de bebida foram armados debaixo dos galhos, cheios de "clientes" rudes. Quando subimos o monte, o panorama continuou ficando cada vez mais fantástico: era como se estivéssemos passando por um pantanal de papiros – completo com estátuas de hipopótamos e crocodilos – e nos aproximamos da casa, cuja fachada de frente fora transformada para dar a idéia de um templo no Nilo. O próprio Nilo foi recriado na forma de um fosso enorme ao redor da entrada. Uma pirâmide, de uns quatro metros de altura, tomava a vista ao lado dos degraus de entrada onde o Nilo "beijava" as pedras.

– Bem-vinda ao Egito! – gritou um enorme núbio, vestido com apenas um pano escondendo sua virilha, parado na porta. Dentro do átrio, um grupo de músicos tocava lira, flauta e sinos. Um música sobrenatural e leve flutuava.

Esse era o Egito sonhado por um soldado febril; não tinha nada a ver com Alexandria ou os vilarejos às margens do Nilo. Existia apenas na imaginação inebriante de alguém à procura de uma terra de prazer; era o produto de uma Roma lasciva.

E não parou por aí. Ficou ainda pior. Frascos de perfume e essências perfumadas foram empilhados em forma de pirâmides ao redor do átrio, e havia uma Esfinge adivinhadora do futuro ao lado da piscina. Se você batesse três vezes nas suas patas, uma voz ecoante pronunciava a sua sina. Dançarinos seminus se sacudiam e rebolavam no ritmo da música.

Um sarcófago gigante, dourado e engrinaldado, estava em pé na parede mais longe, com sua tampa aberta, revelando uma múmia. Mas a múmia tinha olhos alertas, e percebi seu peito se movendo para cima e para baixo. Ao seu lado, um Anúbis mascarado ficava vigiando, com as orelhas de chacal esticadas para cima.

Comecei a gelar. Que loucura tomara conta de César para fazê-lo criar um panorama tão grotesco?

Quando entrei em meu quarto, encontrei um recado dele. Seguindo o espírito do banquete, ele enfiara a mensagem num obelisco em miniatura.

Minha querida, perdoe-me por esta paródia do Egito. A política nos obriga a fazer coisas impensáveis. Lembre-se de que as pessoas que riem de uma coisa não a temem. Se usar uma Esfinge que diz o futuro e uma múmia dançarina faz os romanos esquecerem a riqueza do Egito e pensarem no país apenas como um jardim de prazeres, então ficarão contentes de deixá-lo em paz. Assim, será eternamente seu.

Faça-se tão bela como apenas você sabe ser, para que meus inimigos nunca digam que meus poderes de desejo estão enfraquecendo.

César tinha razão numa coisa: isso certamente era uma paródia do Egito. Então, muito bem, devo completar o disfarce? Devo ser a serpente do Nilo? Por que não?

Ataquei meus baús à procura de um traje adequado, que combinasse os elementos extremos. Pus um vestido quase transparente, com franjas douradas e contas de faiança; enfiei braceletes de serpentes na parte de cima dos braços e correntes tilintantes nos calcanhares. Adornei meu pescoço com um colar de ouro de quatro voltas e pus um adorno de abutre na cabeça. Nos pés, calcei sandálias com pedras brilhantes.

Para minha surpresa, o conjunto não era feio, mas deu um efeito estranhamente interessante. Eu parecia um ídolo de um santuário escuro num templo. A combinação do ouro pesado e o vestido de fino transparente me dava uma impressão de sobrenatural. Minha roupa era tão leve como um sopro, mas estava carregada de metal.

Encontrei trajes similares para Ptolomeu e mandei a ama vestir Cesarion. Esta noite atingiria meu objetivo; forçaria César a fazê-lo. Esta noite serviria tão bem a ele como a mim.

— Charmian, já viu coisa igual no Egito? — mostrei o meu redor, a pirâmide de perfume e os músicos balançantes.

— Nunca — ela disse, rindo baixinho. — Mas se uma terra assim existisse... a rainha seria como você está esta noite.

Os convidados começaram a chegar. Eu não tinha idéia quantos César havia convidado. Como se os deuses tivessem me ouvido, uma jovem dizendo-se ser sobrinha de César me procurou e disse que ele pediu-lhe para ficar ao meu lado a noite toda para me explicar quem era quem, para que eu não me confundisse.

— Meu nome é Valéria — ela disse. — Vou tentar dar uma explicação curta e honesta sobre cada um.

Olhou para mim, visivelmente admirada com o meu traje.

— Não me visto assim — falei — mesmo no Egito. *Principalmente* no Egito. Foi sugestão de César. Ele parecia determinado que essa noite excedesse qualquer outra paródia do Egito.

Ela riu, uma risada franca.

— Então conseguiu o que queria. Pode acreditar, Sua Majestade, que meu tio e eu sempre vemos as pessoas com os mesmos olhos. Foi por isso que ele me escolheu para ser seu porta-voz esta noite. Espero que não se ofenda se eu falar o que penso.

— Não, de jeito nenhum. Será um prazer.

— Ele previu que estará muito ocupado, mas há muitas coisas que deseja que você saiba.

Os convidados começaram a chegar, com os pés molhados em razão da travessia do "Nilo". Fiquei parada no canto mais distante do átrio, perto da múmia.

Um grupo de senadores e suas esposas foram os primeiros a ser apresentados, e nenhum deles era importante para merecer um comentário de Valéria. Eles rodearam a pirâmide e foram encorajados pelos dançarinos a se servir.

Um grupinho de pessoas que não reconheci entrou acompanhado por Bruto e sua mãe, Servília. Sorri quando se aproximaram. Com eles, havia vários homens, todos vestindo as togas do senado. Um deles era magro e escuro, com sobrancelhas retas e baixas; um outro era gordo e de rosto avermelhado; e um terceiro tinha uma expressão que combinava preocupação e autocontentamento.

– Caio Cássio Longino – murmurou o primeiro, quase cuspindo as palavras. Não precisei que Valéria me informasse que este homem não me tolerava. O que sentia por César, eu ainda não sabia.

– Públio Casca – disse o mais gordo. Fez um aceno grave de cabeça e caminhou.

– Marco Túlio Cícero – disse o terceiro, como se achasse divertido apresentar-se.

Cícero! Ele tinha a característica surpreendente de se assemelhar quase com exatidão aos seus bustos.

– Minha esposa, Publília – ele disse, apresentando a mulher que parecia mais como sua neta. Ela deu um risinho e se inclinou.

Cícero ficou perto de mim algum tempo.

– Os espólios do Egito – ele disse, indicando as decorações. Sua mão fez um círculo ao redor da sala, e depois casualmente me incluiu no seu gesto. – Como eu gostaria de viajar para lá e testemunhá-los.

– Então deve nos visitar – eu disse. – Mas ouvi dizer que você considera sair de Roma um exílio, até mesmo quando foi governador da Cilícia.

– É verdade que minha maior felicidade é estar em Roma. Tem tudo o que um ser humano precisa para sua plena satisfação.

Suspirou como um aluno novo encantado. Era sinceramente apaixonado por Roma.

– Sei que onde quer que esteja o governo, é lá que Cícero se considera contente – eu disse.

– E o governo do mundo fica em Roma – ele disse, peremptório.

– É verdade que Roma conquistou quase todo o mundo – respondi. – mas ainda não aperfeiçoou o meio de governá-lo bem, especialmente de Roma. As fronteiras do império se estiram muito longe ao Norte e ao Oeste, como também para o Sul.

Cícero endureceu.

– A República é o melhor sistema de governo que o mundo já criou.

– Até agora – eu insisti. – Mas a República talvez não seja adequada para governar vastas extensões de terra. Roma era uma cidade pequena, quando foi fundada.

Esperei que ele dissesse alguma coisa humorada, mas, em vez disso, juntou sua toga, como se tivesse medo de se contaminar, murmurou um "Venha" para Publília e seguiu com ela para a sala do banquete.

– Cícero cometeu o erro de casar com aquela moça – cochichou Valéria no meu ouvido. – Queria dinheiro, mas acabou com muito mais do que barganhou.

– Ela é muito bonita – admiti.

– Ele devia ter ficado com sua mulher velha e rabugenta – disse Valéria. – Eram um par perfeito.

Lembrei do homem de pele mais escura.

– Cássio… quem é? – perguntei.

– Foi um dos generais de Pompeu que depois passou para o lado de César. É parente de Bruto pelo casamento. Os dois se remoem juntos.

– Então é um dos perdoados por César. Passou para o lado dele de livre vontade? – perguntei.

– Não sei. Creio que os seguidores de Pompeu desistiram depois da sua morte. E mostram pouco interesse em apoiar os filhos dele.

– Mas apóiam *César*?

Ela pensou um momento antes de responder.

– Toleram-no – ela disse por fim.

Otávia chegou com seu marido Caio Cláudio Marcelo, um homem muito bonito.

– Ele também era do grupo de Pompeu e foi perdoado por César – Valéria me informou.

Comecei a ter a impressão de que toda a Roma fora perdoada por César. E isso queria dizer que ele tinha um séquito enorme de inimigos.

Mais gente foi entrando na sala. Chegavam em ondas, as barras das togas molhadas da travessia do "Nilo". Mas riam e pareciam se divertir, o que tornava o palco absurdo uma idéia de gênio de César. Nada mais teria deixado seus críticos tão bem humorados.

Um homem de meia-idade, acompanhado por duas mulheres, entrou hesitante, depois caminhou resoluto até nós. Parecia magro sob a toga volumosa, mas a vantagem da toga é que esconde tanto a gordura como a magreza, fazendo difícil adivinhar as verdadeiras dimensões daquele que a veste.

– Marco Emílio Lépido – apresentou-se – Tenho a honra de servir como Cônsul com César este ano.

Seu sorriso era genuíno.

– Minha esposa, Júnia.

– Ele é muito modesto – disse a mulher. – Foi o braço direito de César como governador na Espanha enquanto César lutava no Oriente. E tomou conta da Espanha para César.

Lépido mostrou-se constrangido.

– Minha esposa exagera meu valor – ele disse. – Ninguém pode ser chamado de braço direito de César. Diria que é suficiente servir como seu braço esquerdo, se não soasse tão ameaçador – ele riu.

– César lhe concedeu um Triunfo pelas suas ações na Espanha – sua mulher insistiu.

– Basta, Júnia – ele disse. – Ninguém gosta de um fanfarrão.

Agora a outra mulher também falou.

– Meu nome também é Júnia, sou irmã de Júnia e mulher de Cássio.

– Então… você também é irmã de Bruto?

Que confusão esses nomes geravam! Por que as filhas de um mesmo homem precisavam partilhar do mesmo nome em Roma?

– Sou – ela confirmou.

Dirigiram-se à outra sala. Virei-me para Valéria.

– Finalmente alguém que apóia César de coração!

– Sim. Mas ele é uma coluna rachada para servir de encosto – Sacudiu a cabeça. – Lépido quer dizer… flácido.

De que maneira? No campo de batalha ou na cama? Observei as costas de sua mulher enquanto ela desaparecia na massa de gente.

Uma mulher se aproximou com determinação. Não tinha um homem ao seu lado, mas se portava como um soldado. Era atraente, com uma profusão de cabelos loiros presos à altura do pescoço e o queixo largo.

– Fúlvia, Majestade – ela disse, olhando-me diretamente nos olhos. Esperou um momento antes de dizer – da família Fúlvia de Túsculo – como se isso significasse alguma coisa para mim.

Mas ouvi falar dela… o que mesmo? Não era a mulher do insurgente Clódio? Lembro que seu nome foi mencionado em ligação às lutas de rua em Roma.

– Bem-vinda – eu disse, analisando sua aparência destemida … como uma amazona.

— Ela não é a viúva de Clódio? – perguntei a Valéria um momento depois. Valéria ficou surpresa.

— Então a fama dela chegou a Alexandria? Realmente é. E também é viúva de Cúrio.

— Ela não me parece o tipo que precise de um outro marido – eu disse. – Teria de ser um Hércules.

— Dizem que é exatamente o tipo de homem que ela tem em mente – Valéria respondeu.

Como fosse uma apresentação teatral, mal Valéria havia dito essas palavras, um homem vestido de Hércules entrou pela porta.

Era grande e musculoso como um urso, uma pele de leão amarrada sobre o pescoço e um bastão pendurado no ombro. Sua aparência era olímpica. Pendurada no seu braço uma mulher de trajes tão aberrantes que ofuscou minha vista.

— Como se atreveu! Como se atreveu a trazê-la! – exclamou Valéria.

O homem se aproximou, com passos leves. Parou e encarou-me como se testemunhasse uma curiosidade da natureza. Seu rosto era largo e bem formado, com olhos escuros e inteligentes, e o pescoço grosso. O sorriso cegaria até um deus.

— Como a criança se transformou! – ele deixou escapar. – Princesa Cleópatra, você se lembra de mim? Sou Marcus Antonius – Marco Antônio. Fui a Alexandria com Gabínio. Salvei o seu trono, se não for rude dizer.

O jovem soldado. Sim, agora me lembrava. Ele mudara tanto quanto eu.

— Sim. Claro. Mas pensei que fosse Gabínio quem salvara o trono de meu pai, já que foi o único homem no mundo inteiro que se atreveu a fazê-lo, algo que foi proibido expressamente por Roma.

— Gabínio precisava de um oficial de cavalaria – ele disse. – E fui eu que invadi as fronteiras e o forte de Pelúsio, a parte mais difícil da campanha.

— Foi você – lembrei-me ao ouvi-lo contar, como ele tinha tomado o forte com tanta bravura e rapidez, forte que tinha a reputação de ser invencível. – Foi você.

— Sim, princesa, fui eu – ele disse sem orgulho, apenas comentando um fato.

— Agora sou rainha – eu disse também como se comentasse um fato.

— E a mulher de César – ele disse. – O sortudo César – levantou as mãos para cima. – O querido dos deuses, por ter ganho você como presente e tesouro! – com a voz alta, todo mundo ouviu.

– Você está vestido como Hércules? – perguntei para defletir os ouvidos curiosos.

– Por quê? Não é uma festa de fantasia? Você quer dizer que se veste assim todo dia? Vim como meu ancestral... porque sou descendente de Hércules, como todo mundo sabe.

– É, todo mundo sabe – repetiu como um papagaio a mulher.

– Deixe-me apresentá-la Citéride, a atriz mais famosa em Roma! – disse Marco Antônio com ares inocentes.

Fúlvia apareceu e disse: – Meu querido Antônio, queria muito falar com você... – e o puxou para seu lado com força.

Valéria não conseguiu esconder o riso.

– Então ele trouxe a tal atriz. Será que não tem pudor nenhum? Não é assim que vai recobrar os favores de César.

E onde estava César? Comecei a desejar sua presença. A festa estava crescendo sem ninguém para dirigi-la – embora Antônio e sua namorada atriz sem dúvida não se importariam de tentar.

Otávio se aproximou, com dois meninos da mesma idade de cada lado. Trazia um sorriso no rosto e parecia bem relaxado.

– Majestade – ele disse. – Você se lembra de Agripa?

Ao seu lado, Agripa inclinou a cabeça.

– E meus amigos Públio Virgílio Maro e Quinto Horácio Flaco.

Dois rostos pálidos olharam para mim, como se estivessem aturdidos pelo que viam.

– Pode me chamar de Horácio – disse o mais forte.

– E eu sou conhecido entre os meus amigos como Virgílio – disse o mais velho e mais magro. – Devo dizer, Majestade, que tenho uma grande paixão pelo modo poético alexandrino.

– Estão em Roma para estudar – disse Otávio. – Parece que todos nós, meninos do campo, somos atraídos para cá. Mas, depois, Horácio vai para Atenas, cursar a universidade de lá. Talvez eu faça a mesma coisa.

Pensei comigo que Otávio seria mais ajustado para uma vida acadêmica. Tive a impressão de que passaria seus anos adultos expondo um campo de Filosofia ou História e redigindo manuscritos que ninguém leria.

Os rapazes se foram e vi Otávia trazendo alguém para me apresentar. Era um homem alto e impressionante. Sua toga de fato caía-lhe muito bem.

– Quero apresentar Vitrúvio Polião – ela disse, excitada.

O homem se inclinou.

– Vossa Majestade, é uma honra – ele disse.

– É um conselheiro de armas muito querido de César – Otávia disse. – Mas é querido de Roma como arquiteto e engenheiro. Compreende os mistérios da água, da madeira, da pedra e os traduz para todos nós.

– Tive a honra de servir sob César em suas campanhas na Gália e na África.

África! Então esteve presente na última guerra castigadora. Era grata por tudo o que ele tivesse feito para torná-la vitoriosa. Certamente, César devia muito aos seus engenheiros militares.

– César é abençoado por ter homens como você ao seu lado – eu disse.

Uma outra mulher chegou sozinha. Vi quando entrou, procurando com os olhos alguém em particular na multidão. Algo nela chamou minha atenção e aguçou minha curiosidade. Perguntei sobre ela a Valéria.

– Ah, esta é Cláudia – ela disse. – Pensei que já tivesse morrido! – sacudiu a cabeça. – Cláudia foi amante de Catulo e Célio. Não ao mesmo tempo, é claro. Agora os dois estão mortos, e ela não é mais tão jovem. Deve estar à procura de um novo amante, e que lugar melhor para achá-lo do que numa festa?

Era intrigante para mim a liberdade – e a falta dela – que Roma oferecia às suas mulheres. Não tinham direito ao próprio nome. Em vez disso, recebiam versões do nome do pai. Eram obrigadas a se casar para satisfazer alianças políticas, e eram divorciadas com o mesmo menosprezo. Não podiam assumir cargos políticos, nem comandar tropas. No entanto, elas mesmas podiam instigar um divórcio e podiam possuir propriedades. Acompanhavam os maridos em reuniões sociais, ao contrário das mulheres gregas, e pareciam ter seus companheiros bem comportados.

Mulheres casadas também tinham casos, ao que parecia – a virtuosa e respeitada Servília; Múcia, a mulher de Pompeu – e mais outras? Mas os homens podiam ter seus casos em público, enquanto as mulheres, não. E mulheres como Cláudia e Citéride? E por que a mulher de César precisava ser "acima de qualquer suspeita", enquanto o próprio César saía por aí com amantes para todo mundo ver?

E eu, por ser uma rainha estrangeira, estaria isenta de seguir tais costumes?

As trombetas soaram, e todos ficaram em silêncio. César entrou na sala.

Mesmo não sendo o mais alto ou o maior homem na sala, sua figura impunha respeito. As pessoas se afastaram para lhe dar todo o espaço. Por um momento, um silêncio completo circulou, como se ele estivesse rodeado de estátuas.

– Bem-vindos, amigos! Sejam todos bem-vindos! – ele entoou e, de repente, o barulho reapareceu.

Estava sozinho. Calpúrnia não viera com ele. Seria por isso que chegara tão tarde?

– Música egípcia, por favor! – ele ordenou, e os músicos começaram a tocar de novo, as notas estranhas – para o romanos – flutuando no ar.

Ele se virou e olhou para mim, sem registrar qualquer emoção no rosto. Era um silêncio bom ou ruim? Com César, era difícil saber.

– A rainha do Egito preside – ele anunciou. – A rainha do Egito reina sobre este banquete.

Ele tomou seu lugar ao meu lado.

– Você parece uma puta – ele cochichou no meu ouvido.

– A vila parece um bordel – cochichei em retorno. – Apenas segui o seu exemplo.

Ele riu.

– Acho que é sua audácia que amo mais do que tudo – ele disse.

– Por que escolheu mostrar o Egito de tal maneira? – perguntei.

– Expliquei no meu recado – respondeu. – O que desprezamos, não desejamos.

– E prostitutas? – perguntei.

Ele ficou surpreso.

– Quero dizer, os homens no poder parecem associar-se a elas, mesmo que as desprezem em público. São extremamente desprezadas, embora altamente desejadas.

Cláudia passou, olhando para César de um jeito conspirador.

– Como Cláudia, por exemplo – eu disse. – E Marco Antônio trouxe sua atriz, que está causando os comentários de todo mundo.

– Antônio estaria nu sem uma atriz para o mundo comentar – virou-se para Valéria. – Obrigado por sua ajuda. Espero que tenha se divertido com o trabalho.

Ela sorriu.

– Bisbilhotar é sempre um prazer.

Ela se despediu e desapareceu entre as pessoas.

A mesa do banquete foi preparada com peles de crocodilos como terrinas para frutas – cerejas, pêras, maçãs, figos, tâmaras, romãs. Pratos enormes onde criaturas do mar nadavam – ouriços, lulas, ostras. Javalis recheados nos olhavam inexpressivamente, com suas cerdas douradas sem vigor. As pessoas se juntaram ao redor da mesa, empanturrando-se, bebendo uma taça de vinho após a outra. O ruído aumentou, dando-nos a sensação de estarmos nadando num mar de vozes.

No fim da refeição, o sarcófago foi trazido para o salão por "Anúbis".

– No meio de toda essa comilança, é bom lembrar do que é eterno – ele chiou. – Vamos ouvir o que os mortos nos dizem!

Deu um passo para trás e recitou.

– Siga o desejo de seu coração quando ainda o tem; jogue perfume na cabeça; que seus trajes sejam do linho mais fino, ungido com as substâncias mais maravilhosas entre as coisas divinas.

Deu uns passos de dança.

– Faça aquilo que lhe dá prazer mais do que tenha feito antes; não deixe seu coração enfraquecer. Siga o desejo de seu coração e o que é agradável aos seus olhos. Decida seus assuntos terrenos pelo desejo do coração, até que chegue o dia da lamentação, quando o deus cujo coração permanece parado não mais ouve seu lamento.

Inclinou-se para o sarcófago e falou com a múmia.

– O lamento não chega ao coração daquele que mora no túmulo. Vamos! Viva o dia de júbilo; não precisa mais descansar.

A múmia começou a gemer e se mexer; as ataduras começaram a se mover com a respiração. As pessoas ficaram perturbadas, mesmo sabendo perfeitamente que era uma encenação. Ver um morto se mexer é uma coisa penosa.

– Olhem! Não é permitido ao homem levar seus bens terrenos para o outro lado.

Atrás dele, a múmia tirou uma perna dura do sarcófago. Depois a outra. E ficou reta.

– Olhem! Não há nenhum que tenha ido e voltado.

Foi então que Anúbis virou-se, viu a múmia e urrou. Levantou as mãos e puxou uma tira do linho que estava solta no ombro da múmia. A múmia rodopiou, desenrolando-se.

– Livre! Livre! – a múmia gritou em júbilo. Depois começou a dar piruetas, ainda dura. Ela correu de volta para o sarcófago, agarrou um punhado de moedas e começou a jogá-las para as pessoas.

– Venham gastá-las comigo! Para lá não vou voltar tão cedo!

Agora, com os convidados bem humorados, César levou um grupo para perto da Esfinge.

– Pergunte a ela sobre suas preocupações mais profundas! – ele disse, batendo nas costas da estátua.

– Será que Cláudia vai achar um outro homem? – gritou alguém para a boca da Esfinge.

– Vejo muitas noites em claro para Cláudia – disse uma voz abafada de dentro da estátua.

– Assim não é justo! – disse César. – Você tem de fazer perguntas sobre você, e não sobre outra pessoa.

– Mas foi para mim que perguntei! – o homem gritou.

Lépido se aproximou e perguntou baixinho:

– Vou liderar tropas de novo?

– Sim, mais do que gostaria – foi a resposta imediata, assustando Lépido

– E a República vai ser restaurada? – perguntou Cícero com a voz sonora. Um silêncio tomou conta da sala.

– Como disse Heráclito, "Não se pode pisar duas vezes na mesma água, porque outras águas estão sempre passando sobre você".

– Sei disso! – Cícero disse irritado. – Haverá homens diferentes, mas, e a instituição?

– Uma pergunta apenas, Cícero – Antônio berrou.

– Agora, eu vou perguntar! – Continuou Antônio. – Minha fortuna já alcançou o cume mais alto?

– Sua fortuna está apenas aos pés do monte – veio a resposta. – Ainda não conhece sua fortuna.

– Venha e se mostre – eu ordenei. Quem era esse homem? Seria um verdadeiro adivinho ou apenas um ator?

Lentamente, a cabeça da Esfinge foi levantada, e um homem de pele escura se mostrou. Era medonho de se ver, de tão queimado de sol e enrugado.

– Majestade! – ele disse. – Que pergunta colocará para mim?

Agora sabia que ele não era um ator.

Como eu poderia formular a pergunta, cuja resposta eu ansiava, mas que não queria fazê-la em público.

– O Egito será abençoado pelos deuses na minha vida? – finalmente perguntei.

– Sim. Por diversos deuses – ele disse. – Sejam eles deuses do céu ou os deuses que estão nesta mesma sala.

Senti um grande tremor tomar conta de mim. Fiz tudo para esconder minha reação. Que deuses ele queria dizer? *Nesta mesma sala...*

Não, era uma resposta tola, que não significava nada. Como minha pergunta não foi direta, também a resposta não era. Nada vem de nada.

– Agora que tenho a atenção de todos – disse César, erguendo o braço – quero agradecer por sua presença para homenagear ao Egito e a mim. Ontem, celebramos o Triunfo sobre as forças rebeldes do Egito. Hoje estamos honrando sua Rainha e seu Rei, Cleópatra e Ptolomeu, e aqui, na presença de todos vocês, declaro-os solenemente como Amigos e Aliados do Povo Romano – *Socius Atque Amicus Populi Romani*.

Os presentes gritaram vivas com o gesto, para o qual a noite inteira fora preparada e desempenhada.

– Que não se questione sua lealdade! – gritou César. De novo, um grito de viva tomou os ares.

Agora era o momento. Agora! Acenei para Charmian, que acenou para a ama de Cesarion, e ela logo desapareceu da sala.

César, Ptolomeu e eu estávamos à frente de todos e, a fim de mantê-los ali, comecei a fazer um discurso, sem muita conexão, devo admitir. Mas logo o pequeno Cesarion, que tinha acabado de acordar, foi trazido para mim, vestido em robes de rei e esfregando os olhos.

– Este é o tesouro mais valioso do Egito – eu disse, com ele no colo. – E o ponho aos seus pés, César.

Pus a criança no chão, diante dos robes de César. Um silêncio imenso tomou conta da sala. Eu sabia que, se César o levantasse, estaria admitindo que era seu filho. Mas será que os outros saberiam? Ou pensavam que eu estava oferecendo um príncipe vassalo para César? Era a vez de César agir. Era o que ele faria que me interessava, e não o que os outros diriam.

César ficou muito quieto. Eu sabia que ele estava com raiva, com muita raiva. Meu truque pegou-o de surpresa, e isso era algo imperdoável. Mas, ao contrário de outros homens, César sempre foi capaz de pensar claramente mesmo fervendo de ódio. Era capaz de pôr a raiva de lado se fosse necessário, assim, suas ações nunca se baseavam em ódio.

Ele olhou para Cesarion, com os lábios cerrados.

– E que nome tem este tesouro?

– Seu nome é Ptolomeu César, César – eu disse alto.

Ouvi o murmúrio dos convidados como se gaguejassem. Os dois nomes eram os mesmos, pronunciados um depois do outro de propósito.

César ficou olhando quando Cesarion agarrou-se a uma de suas sandálias. Depois, abaixou-se e pegou o menino nos braços. Segurou a criança para o alto e, lentamente, virou de um lado para o outro para que todos o vissem.

— Ptolomeu César — ele disse com clareza. — Creio que o chamam de Cesarion... pequeno César. Que assim seja.

Entregou a criança para mim. Não olhou para mim, mas tocou no rostinho de Cesarion.

— Agradecemos, César — eu disse. — Somos para sempre seus.

— Como se atreveu a fazer isso? — os olhos de César fulminavam. Estávamos sozinhos no átrio vazio. Comida e lixo amontoados pelo chão.

— Não tive escolha — respondi. — Era aquele o momento. Todos estavam reunidos, era uma celebração para o Egito…

— Você armou a cena — ele disse. — Agiu como uma escrava.

— Se agi, então é porque você me tratou como uma — eu disse e, quando ele começou a discutir, cortei-o. — Não sou uma escrava qualquer, para gerar filhos bastardos para o seu dono! Sou uma rainha! Você fez de mim sua esposa na cerimônia em Filas! Como pode ignorar o seu próprio filho?

— Porque em Roma ele não tem nenhum direito legal — disse César. — Será que não compreende? Qual é a vantagem disso?

— Há uma linha onde termina o que é legal e começa o que é moral — eu disse. — Ao recusar reconhecê-lo em público, você me ofende e ofende a ele. Não tem nada a ver com o que é legal. Então está preocupado que eu tenha algum interesse que ele herde os seus bens? Ele, que herdará todos os tesouros dos Ptolomeu?

— Se eu permitir, você quer dizer — ele fez questão de me lembrar. — Se eu permitir que o Egito continue independente.

— Odeio você!

— Você não me odeia. Odeia a verdade da situação, que é exatamente como acabei de dizer. Agora abaixe a voz. Não posso mudar a situação. Não posso dar o Egito de volta aos seus faraós. Nem tenho o desejo de fazê-lo. As coisas são como são e talvez não possamos florir em qualquer outra época como fazemos agora.

— E você realmente está florindo — eu disse. Ele floria como um grande cedro, bem acima de todos os outros.

Mas fiquei satisfeita. Afora as palavras, atingi o meu objetivo. Diante de toda Roma, César reconhecera nosso filho. A viagem a Roma tinha valido a pena.

27

Um dia de pausa; depois o Triunfo Pôntico. A multidão aumentou, algo que imaginava ser impossível. Notícias das extravagâncias e dos espetáculos oferecidos se espalharam, trazendo espectadores de lugares afastados. A cada evento, esperava-se que César excedesse seu último esforço, e as pessoas faziam de tudo para ver o que viria a seguir.

Mais uma vez sentamo-nos em arquibancadas cobertas com toldos de seda. Esse dia não era ameno; a chuva ameaçava no céu. Trovejara a noite inteira, fazendo as pessoas correrem até a estátua de Júpiter para ver se o deus dava algum sinal; mas nada aconteceu. Nenhuma estátua caiu ou virou-se ou desmoronou. E o dia se passou sem qualquer interrupção de Júpiter.

Dessa vez os músicos tocaram instrumentos asiáticos – harpas curvadas, chocalhos, bumbos redondos, cítaras e tambores em forma de taças. Um grupo de dançarinos com espadas veio depois, pulando e se dobrando. De novo, os magistrados romanos desfilaram e depois os vagões de espólios passaram pelo Fórum. Eram decorados com cascos de tartarugas e exibiam pilhas de pratos de ouro, pequenos montes de âmbar crua, lápis-lazúli da região fronteiriça a Ponto, arcos e flechas de acabamento refinado, rédeas de cavalo com sinos, rodas de bigas com gadanhas reluzindo de seus eixos.

Um rugido de risada subiu do canto mais distante do Fórum, e logo vi o que o causara: nenhuma efígie de Farnaces, apenas um quadro com ele fugindo em pânico, em frente ao exército romano. Sua boca aberta num grito perpétuo e seus olhos, grandes e virados de maneira cômica, fizeram dele uma caricatura pura de covardia.

Um pausa longa, um espaço vazio. Depois, sozinho, apareceu um vagão com um letreiro gigante, as letras pintadas em vermelho escarlate: VENI VIDI VICI. Essas três palavras tomavam o lugar de toda Ponto, como se ela sequer merecesse uma representação de suas cidades, seu terreno, seus monumentos. Tudo fora reduzido num instante por César, que precisou de apenas quatro horas para derrotar o inimigo.

Esse estandarte servia de mensageiro para anunciar César, cuja biga agora surgia. Ele parecia de bom humor, como se essa batalha tivesse sido uma tarde de diversão para ele, e agora servia para divertir seus cidadãos. Os gritos de viva ressoaram pelo Fórum e César se banhou na sua glória.

Os soldados vieram em seguida, gritando versos obscenos, e a multidão rugia de satisfação.

As festas dadas para celebrar esta vitória foram um pouco menos suntuosas do que as dos outros Triunfos. Os filhos dos aliados em Bitínia e Ponto deram uma exibição de dança pírrica com espadas. Mágicos e acrobatas engoliam fogo e pulavam através das chamas. E, é claro, as apresentações teatrais e as disputas de gladiadores continuaram como de costume.

Agora era a hora do último triunfo, o Triunfo Africano. Como era a última celebração, o povo estava impaciente e crítico, saturado e esfalfado. Além disso, exigia uma postura política muito delicada, porque a Guerra Africana foi parte da guerra civil romana. A vitória foi obtida sobre outros romanos e não sobre inimigos estrangeiros.

César escolheu não celebrar sua vitória sobre Pompeu neste chão, porque fazê-lo seria ofender os muitos que apoiaram Pompeu e ainda o respeitavam. E não parecia de bom-tom jubilar-se sobre a morte de um compatriota. Mas, neste caso, sua cautela parecia tê-lo desertado. Ou talvez ele tivesse chegado ao fim de sua paciência com a guerra civil, ou, ainda, desejasse mandar um aviso àqueles que pudessem estar nutrindo idéias de rebelião. Resolveu prosseguir com o Triunfo Africano, usando o derrotado rei Juba da Numídia como um disfarce, como se a guerra tivesse sido contra um estrangeiro apenas. De fato, ele enfatizou o fato vergonhoso de romanos terem servido sob um rei estrangeiro, quando na verdade era uma aliança mútua.

Seguindo César na procissão, será que Otávio absorveu a idéia? Porque ele o imitaria mais tarde, colocando-me no papel de Juba e dizendo que todo romano que lutasse do meu lado estaria agindo de modo vergonhoso – de fato, inclusive deixaria de ser romano.

O dia do Triunfo Africano foi quente, não tão quente como a África, mas mais quente do que o normal para um verão romano – um calor úmido, enervante. O suor não evaporava da pele; misturava-se com o perfume e o óleo, deixando as roupas pegajosas e grudadas no corpo. Provocava um humor esquisito nas pessoas – um desconforto inquietante.

A multidão começou a se aglomerar antes do amanhecer, e quando chegou a hora do desfile, já estava andando e esperando por horas. O sol batia sem clemência, atravessando uma nimbo úmida.

Os músicos africanos marcharam com orgulho, cobertos em peles de leopardos, tocando suas trombetas e batendo nos tambores. Os vagões enormes, decorados com marfim, chiavam, pesados com os espólios da guerra. As pessoas ficaram boquiabertas ao ver tantas presas de elefantes; os semicírculos gigantes pareciam milhares de luas caídas do céu. As bestas enjauladas – panteras, leões, leopardos, pítons, hienas – foram apresentadas. Uma fileira de elefantes se seguiu, montados por gétulos, um povo nômade da Mauritânia.

Depois, veio o erro de César: enormes quadros retratando o fim ignóbil de seus inimigos. Catão foi mostrado abrindo seu ferimento, deixando os intestinos se espalharem; Cipião, esfaqueando-se; e Juba e Petreio foram mostrados lutando o horrendo duelo suicida.

Ouviu-se um gemido em uníssono da multidão ao longo da Via Sacra. A ofensa era profunda. A biga de César foi recebida com murmúrios em vez de vivas, e seu rosto mostrou, muito tarde, que ele compreendia o porquê. Ele tentou fazer o melhor possível considerando as circunstâncias, sorrindo e olhando para a direita e para a esquerda, mas o que recebeu em retorno foram rostos franzidos e cabeças acenando negativamente. Atrás dele vinha Otávio, atentando para tudo e parado ereto em sua biga, enquanto passava por eles.

Na trilha das bigas triunfais veio o único prisioneiro ilustre: o pequeno filho de Juba, também chamado Juba. Ao ver o menino de quatro anos, caminhando amarrado em correntes, o povo começou a vaiar. O pequeno menino olhou para eles, dando um sorriso cativante.

Depois vieram os rudes soldados, os guerreiros das Nona e Décima legiões. Tiveram o trabalho ingrato de enfrentar uma multidão indiferente, assim como tiveram a tarefa ingrata de lutar numa guerra prolongada e horrorosa. Mesmo assim, cantavam alto em honra do comandante que seguiam tão cegamente, sabendo que o povo de Roma jamais compreenderia o que realmente acontece num campo de batalha. De qualquer maneira, já viam os civis como idiotas, criaturas sem sentimento.

Em homenagem à África, houve uma caçada de animais selvagens no Circo logo depois do Triunfo. César sabia que essa diversão extravagante traria os desafetos para o seu lado; e, certamente, a populaça, não importava o quanto reverenciassem Catão, não dariam as costas a um espetáculo que tanto prometia. Havia dias circulavam rumores de que centenas de animais seriam caçados e colocados uns contra os outros, e as pessoas já estavam babando para vê-los.

Fomos levados numa magnífica liteira dourada até o Circo, acima de um mar de gente suada que tinha o mesmo destino. Podia sentir o cheiro; fediam com uma combinação de um animal enjaulado e um mercado repleto de alimentos maduros demais. O que fizeram com todos os frascos de perfume que receberam?

Uma vez dentro do Circo, quase não acreditei no que via: a parte central, a *spina*, que parecia tão permanente com as estátuas de Júpiter, as pedras polidas e os objetos de contagem de voltas, desaparecera. Sua extensão estava aberta, com apenas sombras marcando onde as estruturas ficavam. Uma fossa profunda foi cavada ao redor do perímetro, para nos proteger contra as bestas selvagens.

César e sua família já estavam sentados em seus lugares de honra. Partilhando dos bancos estavam os aliados que ajudaram a derrotar os inimigos: Boco e Bogud, os reis do Leste e do Oeste da Mauritânia. Pareciam estar satisfeitos, mesmo que ninguém mais estivesse. Talvez compreendessem os perigos da África melhor do que outros que jamais puseram os pés lá.

Um grupo de homens vestindo roupas coloridas entrou na arena. Alguns deles estavam protegidos ao máximo com escudos de couro, e outros vestiam roupas mais leves, como túnicas. Eram os *venatores*, os homens que lutavam com as bestas.

– Onde estão os animais? – perguntou Ptolomeu, impaciente. Como o resto de Roma, ele também começava a ficar entediado com os espetáculos intermináveis, assim, quando sua excitação deveria ter chegado ao seu auge, ele exigia ainda mais para ficar impressionado.

– Estão vindo – eu disse. – Aqueles são os homens que vão lutar com eles.

– Ah – ele escondeu um bocejo e se remexeu no banco. O sol quente ainda estava firme no céu.

– Essas bestas foram enviadas por Caio Salústio Crispo, o nobre governador da nova província da África, a província que ganhamos na guerra, para a glória de Roma e para maravilhar seus cidadãos – anunciou César no topo de sua voz.

Um viva subiu da multidão. A atenção das pessoas começava a voltar.

– Vamos lutar com as bestas de duas maneiras – um dos homens, o que vestia apenas uma túnica, gritou. – Fui treinado para lutar com uma longa lança de caça, mas não tenho qualquer proteção a não ser minha destreza. Meu companheiro – indicou o homem com o escudo de couro – deve se aproximar da besta a fim de atacá-la. Portanto, deve ser capaz de agüentar um ataque mais direto. E ele – indicou um outro homem sem arma nenhuma – bem, vamos ver que fará! Verão e ficarão maravilhados!

As trombetas soaram, e uma fileira de vagões com jaulas entrou na arena. Eu via apenas as sombras dentro das jaulas, mas não podia adivinhar o que eram.

Um grupo de ajudantes, de capacetes e usando proteção, aproximou-se das jaulas. A porta da primeira foi aberta e dela saltou um leão. Um grito de excitação tomou conta do lugar.

O leão pisou no chão em silêncio e sacudiu a juba, tentando se orientar. Apenas um homem, o porta-voz, ficou perto. O leão se agachou e encarou-o com precaução, cheirando o ar. O homem avançou para o leão, fazendo ruídos como zunidos com a garganta para deixar o animal excitado. O leão levantou a cabeça e ficou olhando por vários minutos.

Então, de súbito, levantou-se. E, no mesmo instante, pulou.

Mas o homem pulou para um lado e enfiou a lança no ombro do animal. Rapidamente, arrancou a lança, a ponta vermelha de sangue, e se retraiu. Se perdesse a lança, estaria completamente desarmado.

O leão parecia mais surpreso do que ferido. Caiu de patas e respirou fundo várias vezes. Depois levantou-se e pulou de novo.

Novamente o homem evitou sua mandíbula afiada e suas patas no ar; de novo, enfiou a lança no leão, dessa vez no peito. Com um rugido abafado, o leão rolou. O homem arrancou a lança e correu até um lugar seguro para ver se o leão se recuperaria.

O animal rugia; era evidente que não estava mortalmente ferido, mas agora estava furioso. Correu atrás do homem, que se virou ligeiro – nunca teria conseguido correr mais rápido e não havia um único lugar seguro para se esconder – e, com uma lançada precisa, atacou o leão de novo. Dessa vez não conseguiu tirar a lança e, na tentativa, deu a impressão de ter puxado o leão para si. A enorme pata arranhou seu ombro.

De repente, a lança ficou livre novamente, e ele se ajoelhou. Deixou o leão pular num grande arco na sua direção, expondo o peito e a barriga. Com precisão absoluta, afundou a lança no coração do leão.

O leão se enrijeceu no meio do ar e caiu de mau jeito para um lado. Ele se remexia e se virava, tentando arrancar a lança, mas o sangue jorrava de seu corpo, tirando suas forças. Logo, ficou inerte, fungando na areia, sem poder se mover.

Cuidadosamente, o homem se aproximou e arrancou a lança. Depois, como se quisesse aliviar seu sofrimento e sua humilhação, matou o animal.

Um grito exuberante subiu da multidão, quando o homem se virou e mostrou que não tinha sofrido nada além do arranhão no ombro. Um desempenho muito impressionante.

Depois uma pantera negra foi solta na arena, e o homem protegido com couro precisou lutar com ela várias vezes para poder se aproximar e enfiar sua espada. Com seus dentes brancos curvados e brilhantes contra os pêlos negros, a pantera abraçou várias vezes o homem como se fora um animal de estimação. Mas era essa aproximação que levava ao suspense. A pantera não estava abraçando o homem. Estava tentando devorá-lo.

O lutador conseguiu dar três golpes, mas não foram suficientes. Então perdeu a espada quando tentava puxá-la para desferir mais um golpe. A espada ficou na areia, longe do alcance de sua mão desesperada. A pantera conseguiu arrancar seu capacete de proteção e abocanhou sua cabeça com os dentes afiados. Um grito nos avisou que era o fim do homem e, um instante depois, a pantera sacudia um corpo inerte, como um gato com um rato.

Mas não foi permitido à pantera saborear sua vítima; não havia Triunfos para animais vitoriosos. Dois guardas armados se aproximaram; um lançou dardos na pantera, enquanto o outro deu cabo do animal com uma lança. E os corpos da pantera e do homem foram retirados.

O terceiro homem, aparentemente não abalado com o evento, acenou para uma jaula ser aberta. Um outro leão surgiu, saltando na areia à procura de uma vítima. O homem provocou-o de propósito, pulando e fazendo movimentos de ataque. O animal, cauteloso, ficou parado. O homem jogou uma maça no leão, forçando o ataque. Mesmo assim, foi um ataque improvisado, era uma reação, e não um ataque de caçador. O leão abriu a boca para rugir, como o homem sabia que ele faria.

Quando as mandíbulas do leão se abriram, o homem enfiou o braço dentro de sua boca, até sua garganta para engasgá-lo. Com a outra mão, agarrou a língua do leão e torceu-a como a um pedaço de corda.

O pesado animal caiu com falta de ar. Ainda assim, o homem – e agora eu via que ele usava proteção de couro nos braços – não soltou sua língua, mas continuou torcendo. O leão levantava as patas e lutava para respirar, mas aos poucos perdia as forças. Suas patas esmoreceram e podíamos ouvir o barulho horrível do animal tentando sugar o ar através do braço do homem, que estava preso na garganta como uma pedra. O animal começou a tremer, mexer e puxar. Seus olhos se petrificaram e sua cabeça enorme caiu na areia. A cauda tremeu e, depois, nada se moveu.

– Você viu? – Ptolomeu disse excitado. – Como conseguiu fazer isso? Como? Como?

– Com muita prática – eu disse. – E uma coragem inacreditável.

Fiquei admirada. Matar um leão de mãos vazias era uma tarefa reservada a Hércules.

Os vivas explodiram da galeria. O homem foi carregado da arena, seu novo herói.

Agora um grupo de homens marchou para o centro, com estranhos objetos: uma jaula esférica, feixes de junco e rolos. Um dos homens entrou na jaula redonda e fechou a portinhola atrás dele, e os outros ficaram nos seus postos. Vários ursos saíram de suas jaulas e foram provocados e insultados pelos homens. Os ursos rolaram a jaula como se fosse uma bola gigante, mas não conseguiam descobrir como tirar o homem de dentro; outros ursos subiram nas rodas e outros brincavam com os feixes de junco. Os homens se safavam dos ursos em cada volta, e os espectadores se divertiam. Isso era apenas diversão. No fim, os ursos foram atraídos de volta às jaulas, e os homens agradeceram ao público.

Alguns minutos de pausa, e o próximo programa começou – lutas entre animais de espécies diferentes. Touros contra crocodilos, ursos com pítons e panteras com leopardos. Para variar um pouco, alguns animais eram presos uns aos outros, assim não fugiriam da luta. Os leões foram colocados contra vários outros animais, porque a audiência adorava vê-los lutar. Fizeram parceria com tigres, touros e javalis. Geralmente o leão ganhava.

Mas os corpos de animais, arrastados em pilha, estavam formando uma pequena montanha. A tarde não parecia chegar ao fim, com a morte estirando-a. As maravilhosas peles dos animais brilhavam ao sol.

De repente, uma quantidade enorme de leões foi solta na arena para caçarem uns aos outros, enquanto também eram caçados por homens armados. Numa confusão de rugidos, gritos e urros, as bestas douradas se enlouqueciam.

– Nunca vi tantos leões – gritou Ptolomeu. – Nem mesmo em sonho.

E era isso mesmo que parecia, um sonho, tal agrupamento de leões enchendo o Circo. Mais tarde, contaram que havia mais de quatrocentos leões. Nenhum pôde sobreviver.

Finalmente, a caçada mais extravagante foi encenada: uma manada de elefantes foi açoitada em pandemônio e ataque. Os elefantes corriam espezinhando pela arena. Apenas a fossa evitava que subissem nas arquibancadas e ferissem o público. Agora compreendia por que César mandara cavá-la.

Que desperdício, que desperdício, que carnificina! Quase não agüentei assistir aos elefantes sendo destruídos. E para quê? Diversão? Para Roma? Que nação é esta que destrói sua própria riqueza? Toda essa matança – de animais valiosos, de homens – tirava a vitalidade de um país, além de ser cruel.

Mas os romanos se orgulhavam de sua racionalidade, eu pensei, olhando para o campo coberto de corpos. Isso não era racional; não fazia sentido. Era sua loucura peculiar, matar em números enormes, apenas por esporte.

Comecei a tremer de frio, mesmo naquele calor opressivo.

Com o crepúsculo, veio o fim da chacina. A multidão, fervilhando depois do espetáculo, estava tão selvagem quanto os elefantes endoidecidos. O enorme banquete que César promovia para a cidade inteira recebeu o povo às suas mesas em clima de festa e folguedo.

O banquete era o evento final nas celebrações de dez dias; César convidou Roma inteira a partilhar de um banquete servido em vinte e duas mil mesas separadas espalhadas pela cidade. Vinte e duas mil – todas repletas com iguarias tais como enguias do mar e vinho de Falerno. Ele imaginara uma cena em que os guerreiros, cansados da batalha, comeriam e beberiam juntos para celebrar sua volta, sãos e salvos. Era uma cena tirada da mitologia; e provavelmente ele era o único a acreditar nela. Mas ninguém se recusaria a comer e beber à sua custa.

Dentro do Fórum, as mesas foram colocadas onde as pessoas caminhavam e os mercadores montavam suas bancas. As mesas mais exclusivas foram restritas a área da Régia, perto da residência de César, mas outras milhares foram colocadas ao redor da inacabada Basílica Juliana, ao redor do Templo de Castor e Pólux, o Rostro e a Cúria. A Via Sacra, por onde passara os vagões dos Triunfos, agora era uma avenida de festeiros e serviçais, dançarinos e criados servindo o vinho. Tochas queimavam em todo lugar e os músicos tocavam no Rostro.

César e sua família ocupavam a mesa ao lado de sua casa. Os senadores mais proeminentes e os magistrados ficaram numa mesa próxima: Cícero, Lépido, Bruto e outros que eu não reconheci. Todos os amigos e aliados oficiais do povo romano estavam na minha mesa: Boco e Bogud, os reis mouros, como também os regentes da Galácia e da Capadócia e os representantes das cidades da Ásia. Não pude deixar de observar Bogud, um homem bonito com nariz de falcão, enquanto tentava imaginar como seria sua mulher, Êunoe. Fiquei imaginando por que ela não viera a Roma. Teria sido proibida de vir pelo marido? Ou por César? Fiquei ardendo de curiosidade.

Por todaa área ao redor do Fórum, a festa de rua foi celebrada com muito barulho; o vinho de Falerno não decepcionou. Como era um vinho raro e caro, todo mundo concluiu que era sua obrigação não desperdiçar uma gota. O barulho aumentou de volume, ecoando das pedras. Vi vários homens se levantarem e dançarem ao redor das colunas do Templo de Saturno e um outro grupo cruzar os braços para formar um time e derrubar os bancos na Via Sacra. Um estridente concurso de canções foi iniciado nos degraus da Cúria. Um homem se arremessou de cabeça pelos degraus, rolando como um barril, às gargalhadas.

As mulheres, também, participavam – colocando flores nos cabelos, subindo nos bancos. O calor da noite aumentava a intensidade e o fervor. Senti o suor correndo por meu rosto e minhas costas, grudando o vestido no corpo. As jóias que usava pesavam agora como grilhões. Não era uma noite para se carregar metal sobre a pele.

Quando o jantar chegou ao fim, mas a festança chegava ao seu auge, César levantou-se repentinamente. As trombetas soaram, ele pegou uma tocha e subiu na mesa.

– Amigos! Não desejo adiar mais a dedicação de meus presentes para o povo romano. Por que esperar pela luz do dia quando temos a luz de mil tochas ao nosso dispor? Por que esperar mais um dia, quando todo mundo já está aqui agora? – ele gritou.

Do outro lado do Fórum, ninguém escutou; as pessoas continuaram se embebedando, se empanturrando e dançando. Mas, ao nosso redor, todos ficaram em silêncio para ouvi-lo.

– Quero que Roma seja a cidade mais bela do mundo. E, para isso, mandei construir um novo edifício.

Dois de seus soldados ficaram de cada lado seu e os sacerdotes, vestidos com togas listradas, o rodearam.

– Deixem-me mostrá-lo. Venham comigo!

Pegou a mão de Calpúrnia e, obediente, o resto da família o acompanhou; ele os levou para os degraus da quase acabada Basílica Júlia. Agora havia uma multidão, seguindo seus passos.

– Ofereço este mercado coberto e prédio público aos cidadãos de Roma – ele disse. – Os antigos não mais servem às nossas necessidades; não são grandes o suficiente ou modernos. Assim, nomeio este lugar Basílica Juliana, em honra ao meu nome de família, o clã Júlio. Que ela sirva eternamente a vocês!

Um grande viva, embora um pouco turvo, foi dado pela populaça.

Depois, César se virou e começou a caminhar na direção norte entre os prédios, levando o povo até um novo Fórum, branco brilhante, e a um templo dentro dele. Parou à entrada e levantou a tocha.

– Um novo Fórum para um novo dia! – ele gritou. – A cidade de Roma precisava de um novo Fórum!

Todo mundo assistira à sua construção, mesmo assim, quando foi presenteado, houve surpresa. Um novo Fórum. Mas o antigo era sagrado – continha muitos prédios históricos, todos muito ligados à história de Roma. Foi ali que Júpiter deu cabo ao assalto dos Sabinos, ali Cúrcio desapareceu dentro do misterioso Lago Curtin. Tantas histórias, veneradas no coração de todos eles. Um novo Fórum? O que significava? Não poderia ser tão simples como César estava apresentando, apenas um lugar novo, com mais espaço limpo para se conduzir negócios. Não, César devia ter outros motivos, eu podia ouvi-los pensar. Estavam sempre prontos a acreditar no pior no que dizia respeito a César.

– Venham! Pisem na grama, observem os pórticos, sintam-se em casa! – César pedia. Mas o povo ficou atrás, como criança assustada.

César caminhou pela grama e subiu os degraus do templo. Ficou parado alguns minutos, um pé num degrau e o outro no degrau mais baixo, voltado de lado. Seu robe de *Triumphator* parecia mais escuro do que qualquer vinho, uma mancha no branco do mármore.

– E aqui, solenemente dedico este templo que prometi a Vênus de minha linhagem, aquela que originou minha família, *Vênus Genetriz*. Homenageio a deusa neste lugar, em todas as suas manifestações. Venham, entrem e vejam!

Uma companhia de guardas, segurando tochas, subiu os degraus e se posicionou dentro do templo. Assim, todo o interior reluzia, e a luz brilhante amarelada refletia no mármore. Lentamente, as pessoas se aproxima-ram, entrando no templo.

Eu também devia entrar? Porque já sabia o que encontrariam lá dentro. Se não entrasse, as pessoas considerariam minha atitude calculada. Assim, entrei no templo e vi as três estátuas – a própria deusa Vênus, César e eu.

As pessoas encaravam. Calpúrnia ainda segurava a mão de César, mas sua expressão era abatida. Não se ouvia mais as vozes altas.

César não disse nada, mas forçou-os a ver – a ver que ele me considerava parte de sua família, não num sentido terreno, mas num grau divino. Senti vergonha agora por não ter confiado nele e o forçado ao humilhante reco-nhecimento de Cesarion.

As pessoas pareciam em choque diante das estátuas; viraram estátuas também. Depois de um tempo, começaram a sair do templo em silêncio. Era difícil adivinhar o que pensavam.

– Foi Vênus que me favoreceu como a um filho e me levou às vitórias que hoje celebramos! – disse César. – Vênus, a você, minha homenagem, minha veneração! Abençoe seus descendentes, os Julianos, cada um deles, e permita-nos trazer honra e glória para Roma!

Os sacerdotes se ajoelharam e fizeram as oferendas ante a estátua central.

César estava rodeado por sua família, como se eles quisessem protegê-lo de qualquer pensamento desfavorável. Faziam um círculo diante das três estátuas reluzentes, que não pareciam nem um pouco benevolentes.

Do lado de fora, a multidão fragmentara-se em milhares de grupos; a comi-da estava sendo levada, e montes de ânforas de vinho vazias – um verdadei-ro amontoado – foram carregados em vagões pesados. Os cidadãos mais decentes estavam a caminho de casa, deixando para trás os bêbados, os jovens e os indecorosos que continuavam a festança.

Calpúrnia, Otávio e Otávia também tinham desaparecido; mas não me surpreendeu ver que César viera se juntar a Bogud, Boco e eu.

– Perdoem-me se não pude cumprimentá-los antes – ele disse. – Espero que o jantar tenha sido saboroso.

– Nunca vi coisa igual! – Boco exclamou. – Entrará para a história!

– É meu desejo – disse César. – Senão terei gasto uma fortuna para nada – Ele riu. – Mas acredito que será para sempre lembrado. A primeira vez sempre fica marcada. Mais tarde, outros virão e farão banquetes maiores, com pratos mais extravagantes. A primeira tentativa, no entanto, é a que fica na memória do povo. Vamos caminhar pelas ruas e ver como o resto de Roma está celebrando. O ar aqui no Fórum é um pouco rarefeito.

Juntos, deixamos o Fórum e imediatamente entramos em áreas em que o ar não era nada delicado. Era denso e pesado. As ruas estreitas estavam cheias de festeiros, e senti o cheiro de vinho derramado, o precioso vinho falerno, pingando entre as pedras da calçada, descendo como água de chuva. Todo mundo, pelo que parecia, estava bêbado, de barriga cheia e fogoso. Tão grande era o aperto, e tão pobre a luz, que não era necessário que César tirasse seu manto distinto; ninguém se importava conosco. Para eles era como se fôssemos invisíveis.

Era um paraíso para um abelhudo. Os comentários voavam livres e desimpedidos.

— Ele deve ter roubado dinheiro do Templo do Tesouro... de novo!... para pagar tudo isso!

— Então, está dizendo que ele pôs sua puta no templo, mesmo? Uma estátua enorme. Aposto que não mostra a parte dela que mais lhe atrai!

— Ele deve querer uma rainha porque tem planos de ser rei.

— Ele está mandando construir todos esses templos e fóruns porque foi o que viu em Alexandria. Acha que Roma não é suficientemente boa para ele, por isso precisa de um monte do mais fino e branco mármore!

Não conseguia respirar direito com o aperto da multidão. O calor irradiando dos corpos tão próximos era como fumaça grossa de um fogo de carvão, e a mão pesada da noite pressionava nossas cabeças. As palavras que eu ouvia eram tão alarmantes que senti meu coração bater apressado.

As pessoas estavam determinadas a interpretar tudo da pior maneira possível. Por que estavam se virando contra César? César se importava muito mais com o povo do que aqueles bem-nascidos e bem-alimentados senadores que eles pareciam favorecer.

Uma voz se destacou das demais:

— Eu acho que ele é um grande homem, o melhor general desde Alexandre.

Mas seu companheiro retrucou:

— Dizem que ele vai mudar o calendário! Agora pensa até que é um deus, podendo alterar os dias e as estações!

Um homem tropeçou e derrubou sua taça de vinho, que tocou no ombro de César ao cair. Tomei a mão dele e disse:

– Vamos. Não consigo me mover, além do mais, não tenho vontade nenhuma de ouvir nem mais uma infâmia dessas.

– Infâmia? – ele disse. – Tem razão. Ouvi o suficiente. Agora sei muito bem o que pensam.

Ele fez um aceno, nosso pequeno grupo se voltou e ele nos guiou de volta através das vielas e ruas. César sabia tão bem onde estava; e eu, completamente perdida.

– De fato, acabou por ser um gasto em vão – ele disse, com uma certa dureza na voz.

– Um homem lhe homenageou – fiz questão de lembrá-lo.

– Um homem – ele concluiu. Sua voz soava cansada e envolta em amargura. – Mas eu servi duzentos mil.

28

No dia seguinte, o sol brilhou sobre um exército de homens limpando o Fórum e as ruas de Roma, varrendo as pedras do calçamento das provas dos Triunfos. As comemorações duraram dez dias, oferecendo uma erupção de música, soldados, animais, troféus, combates, comida e presentes. Nunca se vira tal manifestação em Roma e isso ficaria para sempre ligado ao nome de Caio Júlio César, Imperador, Ditador, Cônsul. Pertenciam, porém, ao passado; o sol nasceu para mais um dia. Agora as pessoas, entediadas, ficariam esperando e imaginando o que viria a seguir para acalmá-los e diverti-los.

César estava ansioso para passar suas reformas, e um Senado obediente as endossou. A maioria delas era instrumentos para remediar os abusos do Estado. Dariam cidadania aos gauleses cisalpinos – residentes da parte norte da Itália que já se considerava romana havia anos. Baniria todas as associações religiosas (na realidade, eram clubes políticos que promoviam a insurreição e a violência contra a ordem eleita), com exceção dos judeus, que não se intrometiam em assuntos políticos. Cortaria pela metade o número de pessoas que recebiam a ajuda de grãos e daria ao resto colônias fora de Roma. Deu ordens para ter a lei civil codificada, porque à época ela existia em centenas de documentos diferentes. Havia também várias leis que se referiam a assuntos romanos que eram sem dúvida muito importantes para os próprios romanos, mas esotéricos para o resto do mundo – como toda lei local acaba sendo. E ele tinha em mente esquemas muito mais grandiosos para o seu país.

– Você sabe – ele comentou numa noite, quando veio para a Vila direto do Senado – que mandei meus engenheiros traçarem planos para três projetos que mudarão o mundo?

Ao ver minha expressão de ceticismo, ele corrigiu:

– Bom, *uma* delas mudará o mundo.

Ajoelhou-se no chão e traçou uma linha com sua adaga.

– O Peloponeso na Grécia é quase uma ilha.

O metal fez um ruído de arrepiar na pedra.

– Quase não se liga ao continente no Istmo de Corinto. Agora, se um canal fosse cavado através dele, cortando-se completamente sua ligação... imagine que vantagem teria para a navegação! Os mares ali são agitados, tanto que os navios são empurrados por terra atravessando o Istmo, em vez de arriscarem as águas. Mas se o Mar Egeu e o Mar Jônico pudessem ser ligados...

– Não é possível cavar naquele lugar. É pura rocha, como o resto da Grécia – retruquei.

– Os canais mudaram a face do Egito – ele insistiu. – Se não houvesse os canais ligando Alexandria ao Nilo, imagine em que desvantagem você estaria.

– O Egito é feito de areia – eu disse. – A Grécia é feita de pedra. Mas, quais são seus outros projetos?

Ele riu.

– Sua teimosia é sempre severa com meus sonhos – ele disse. – Muito bem, então, o outro é que quero drenar os pântanos de Pontine e transformá-los em terras aráveis. É um pântano vasto e repleto de mosquitos.

– E os seus engenheiros disseram que pode ser feito?

– Dizem que há possibilidades – ele disse.

– E o outro projeto?

– Quero cavar um novo canal para o Tibre. Dois canais, na verdade. Um que o ligará com o Rio Ânio, permitindo que os barcos naveguem até Tarracina. Em Roma mesmo, quero desviar o leito do rio mais para o Oeste, para fazê-lo correr pela planície do Vaticano. Assim, todas as atividades que hoje são realizadas no Campo de Marte poderão ser transferidas para o Vaticano, e o Campo de Marte pode ser usado para construção. Quero dedicar um templo gigante ao deus Marte, que tem sido tão generoso com

Roma. E quero que seja o maior templo de Roma... não, o maior templo do mundo!

Seus olhos faiscaram de excitação, de um jeito que eu nunca vira no Egito. Tinha planos grandes, enormes e impossíveis, que o deixavam mais alerta do que qualquer discussão política que Roma pudesse oferecer.

Roma era necessária como sua base, o núcleo de seu poder. Mesmo assim, era curioso como Roma sugava-lhe as mesmas energias e forças que faziam dele seu dominador. Sempre que estava longe de Roma, ele vicejava; aqui, minguava.

— Conte-me mais de seus projetos — pedi. — Sei que deve ter outros. Apenas os mostra pouco a pouco, como os vagões de animais que entraram no Circo.

Notei sua expressão, embora quase perfeitamente disfarçada, que dizia "Será que me atrevo a contar para ela?". Mas ele confiava em mim, assim, começou a contar. Gostava de ouvir sua própria voz falando de seus projetos, para torná-los mais concretos. Estirou-se no chão e virou-se de costas, cruzando os braços atrás da cabeça, como se estivesse deitado sobre um campo de relva, em vez de um chão duro de pedra.

— Tudo é possível em tempos de paz — ele disse. — Creio que o maior prêmio de uma guerra é o que ela nos permite fazer com a paz que vem depois.

— Sei que há aqueles que temem sua paz e o que planeja fazer com ela — eu disse, não conseguindo esquecer os franzidos de testa e os comentários sarcásticos que ouvi sobre ele.

— Temem a mim porque não confiam num general vitorioso — ele disse. — Sempre depois de uma batalha, os vitoriosos arrancaram suas máscaras de clemência e mergulharam num turbilhão de vingança e crueldade. Não acreditam que não farei o mesmo. Mas não vou fazer, e o tempo será minha testemunha.

— E se o tempo for algo de que você não possa dispor?

Antes que pudesse me refrear, as palavras saíram da minha boca — meus temores pelo futuro, seu futuro, o futuro de qualquer um. Minha fraqueza.

— Ninguém me assassinará — ele respondeu, articulando a palavra proibida. — Se eu for assassinado, o caos reinará, e sabem disso. Não há ninguém para tomar meu lugar, para estancar o dilúvio de mais uma guerra civil.

Tinha razão, é claro. Mas será que é um dom humano ser tão sensato a respeito do futuro? Se fosse, todo mundo agiria com sabedoria, e não haveria um homem arruinado.

— Conte-me sobre seus planos — pedi de novo. — Quero ouvir sobre todos.

Deitado no chão frio, ele me falou de suas idéias de transformar Roma numa grande cidade: construiria uma biblioteca nacional contendo toda a obra de literatura grega e romana; construiria um prédio de eleição fechado no Campo de Marte para manter os eleitores protegidos contra as intempéries; criaria uma extensão para o porto de Óstia para dar a Roma um porto de navegação como o que existia em Atenas; mandaria abrir uma estrada nova atravessando as montanhas até o Mar Adriático; reconstruiria as cidades arruinadas de Corinto e Cártago.

— Os antigos inimigos de Roma? — perguntei. — E o grito de guerra "Cártago tem de ser destruída"?

Ele riu.

— Cártago foi destruída. Mas ali a terra é boa, e está na hora de fundá-la novamente, como uma cidade romana.

— Roma na África. Roma em todo lugar — eu disse.

— Creio que chegou a hora de termos uma nação que é mais do que uma nação; uma nação que incorpore todas as nações. Não será inteiramente romana.

Fez uma pausa.

— É nisso, no fundo, que consiste minha luta com a aristocracia em Roma. É a classe em que eu nasci, mas eles não conseguem ver além da própria cidade. Temem o mundo lá fora, mesmo que agora o possuam. Assim, tentam fingir que as coisas são exatamente como eram, como se as outras terras e os outros povos simplesmente desaparecerão. Eu trouxe o mundo numa cesta e pus aos seus pés, e eles se voltaram para o lado oposto, horrorizados. — Virou-se e olhou direto nos meus olhos. — É por isso que se esquivam de você. Para eles, você é estrangeira, e tudo o que é estrangeiro é uma ameaça — suspirou. — Roma é como uma criança para mim, uma criança que amo e quero ajudar... mas ela se afasta de mim!

— Talvez estejam apenas confusos — eu disse, tentando encontrar uma justificativa. — Tudo aconteceu muito rápido para eles. Menos de vinte anos atrás, não havia a Gália para causar-lhes preocupação. Levou mais de duzentos anos para Roma chegar a um tamanho e, de repente, esse tamanho foi dobrado. E seu general entrou numa aliança amorosa com uma rainha estrangeira. O que podem pensar? Seja tolerante com eles.

— Já disse que serei. E sou. — Pressenti a irritação na sua voz, comigo e com eles também. Seu humor andava muito instável nos últimos dias. Sentou-se com um grunhido.

— Este chão é muito duro. Sei do que precisamos aqui em Roma... um lugar macio para nos deitarmos e relaxar. Temos camas só para dormir e divãs para tomarmos refeições. E quando queremos conversar e ler?

— No Oriente, temos assentos para tais prazeres. Farei aqui uma sala assim para nós – eu disse. – Vai ser mais uma coisa estrangeira que você pode introduzir em Roma!

Ele se levantou e esfregou as costas.

— Uma nova invenção está pronta a ser revelada – ele disse. – Peça a Sosígenes que nos encontre amanhã, e vou revelá-la para você.

Sosígenes, meu astrônomo e matemático valioso do Museion viera a Roma por insistência de César. Mas eu quase não o vira durante os Triunfos.

— É porque ele está trabalhando – disse César – dei-lhe muito com o que se ocupar.

— Enquanto o resto da cidade se divertia? Muito mesquinho da sua parte – De repente, um pensamento me veio à mente. – Esses planos que você tem para Roma... os grandes templos, a biblioteca, o teatro... está querendo recriar uma Alexandria no Tibre?

— Talvez. E vou construir um palácio de mármore para você, uma reprodução exata do que existe em Alexandria, assim não poderemos diferenciar onde estamos. Será tudo igual para nós, Roma ou Alexandria. Não haverá limite de tempo ou espaço para nós.

Cumpri minha palavra. Transformei uma das salas da vila numa essência do prazer de relaxar, tirando um pouco de muitas culturas. Dos nômades do deserto, emprestei a idéia dos tapetes e estendi muitos no chão para criar a imitação de um gramado interior macio e colorido. Alguns eram de seda, outros de lã, mas todos acariciavam os pés e convidavam a estirar-se no chão, confiante de que nem serpentes, nem escorpiões ou insetos estariam escondidos dentro de suas dobras – ao contrário de um gramado verdadeiro. Almofadas bordadas da Pártia foram espalhadas sobre os tapetes, e cortinas de seda árabes penduradas nas janelas para difundir e colorir a luz direta do sol, enquanto deixavam a brisa penetrar. Mesas baixas feitas de madeira de sândalo da Índia exalavam um doce perfume, e havia velas dentro de lanternas de vidro colorido – lanternas alexandrinas. Dei um jeito até mesmo de contratar um agente que conseguiu comprar neve – trazida das montanhas no inverno – do armazém de um rico mercador, assim, podíamos beber vinho gelado sempre que quiséssemos. O quadro era o oposto exato das linhas retas e dos estrados favorecidos pelos romanos.

Sosígenes chegou alguns minutos adiantado, e fiquei feliz pela oportunidade de conversar com ele. Ele era de uma família de astrônomos e matemáticos que estava no Museion havia várias gerações; eram homens como ele que faziam a fama e a liderança de Alexandria no mundo científico.

– Então, seu trabalho com César está terminado – eu disse, fazendo uma pergunta num comentário.

– Tanto quanto me é possível, está – Deu-me um sorriso genuíno. Sosígenes era de meia-idade; lembro dele desde muito pequena, e fora encarregado de tentar ensinar às crianças reais assuntos estelares. – Agora fica ao encargo de César introduzi-lo. E isso será mais difícil do que o trabalho de planejá-lo. De qualquer maneira, estarei a caminho de casa antes que seja implementado.

Senti uma ponta de saudade e também de inveja dele. Sentia falta da minha cidade, da minha corte, de Mardian e Olímpio, de Epafrodito e Iras, e até mesmo de minha macaca de estimação. Agora seria a época de tempo bom em Alexandria, quando os dias eram azuis e refrescantes, e as nuvens passavam rapidamente. O Nilo começaria a subir; todos os relatórios diziam que estava normal este ano, e que não haveria fome ou desastre.

Mas, acima de tudo, sentia falta de ser a rainha em meu próprio país, em vez de uma convidada estrangeira num outro. No sonho de César, os dois seriam o mesmo mundo. Mas agora não eram.

César chegou logo, e parecia perturbado. Mas não demorou muito a deixar suas preocupações de lado e dedicar-se inteiramente a Sosígenes, mandando que eu fizesse o mesmo.

– Conte à sua rainha, Sosígenes – ele disse com orgulho e impaciência. – Conte a ela o que acabamos de criar – voltou-se para mim. – Este será o presente de Alexandria para o mundo – solene, desenrolou um diagrama.

– Amanhã, dois meses extras começarão. Sim, teremos novembro três vezes e dias extras também! – disse Sosígenes. Ele se divertia, porque sabia como soava confuso. – Acabei de modificar o calendário romano – continuou. – Foi baseado na lua, e a lua é um guia precário. Ela muda o tempo todo! E vinte e nove dias e meio é um ciclo difícil de manejar. O ano lunar tem apenas trezentos e cinqüenta e cinco dias, enquanto um ano real tem dez dias a mais. Agora, os romanos não são idiotas e permitiram um mês a mais de vez em quando para compensar. Mas isso fez um ano ter um dia a mais, assim, a cada vinte anos ou em torno disso o mês a mais devia ser subtraído. O problema é que não há um tempo específico para esse mês ser subtraído, o que fazia com que as pessoas acabassem por esquecê-lo durante uma guerra ou alguma outra distração qualquer. Assim, no momento, o ano está sessenta e cinco dias à frente do calendário natural. É por isso que os Triunfos, no mês de setembro, foram tão quentes. Porque ainda era pleno verão!

— Foi como se estivesse desfilando dentro de um forno – disse César. – Então Sosígenes e eu trabalhamos no planejamento de um novo calendário. É baseado no sol. Chega de calendários lunares! Cada ano tem trezentos e sessenta e cinco dias; a cada quatro anos terá trezentos e sessenta e seis dias para corrigir uma pequena discrepância. E este ano vai começar no dia primeiro de janeiro, quando os cônsules tomam posse, e não em março. Este ano vamos adicionar os sessenta e cinco dias a mais de uma vez só, para que o sol possa finalmente se alinhar com o nosso calendário.

— Com todos esses dias a mais, este será um ano longo – eu disse. Para mim já estava sendo muito longo. Já começava a imaginar se chegaria ao fim.

Agora, é claro, fico triste de lembrar disso; porque, no fim, acabou muito cedo, mesmo tendo centenas de dias adicionados a ele. Na época, entretanto, tudo parecia tão ordinário, como se fosse continuar do mesmo modo para sempre. O que está acontecendo, na hora em que acontece, sempre parece ser assim. Até mesmo minha vida enquanto escrevo isso.

— É verdade. Espero que as pessoas façam bom uso dele – disse Sosígenes.

— E o povo aceitará isso? O que você vai dizer? – perguntei. Apenas aqueles com alguma coisa desagradável a esperá-los no futuro acolheriam bem a novidade. O resto com certeza se ressentiria.

— Vou dizer que é necessário – César respondeu.

— Como vai chamar este novo sistema?

— O Calendário Juliano, é claro – ele disse, como se não houvesse outro nome possível.

— É sensato? Não vão pensar que você está fazendo isso arbitrariamente, como um monumento a si mesmo?

— Se pensarem assim, ficarei muito triste. Mas como sou eu que estou fazendo, por que não me atribuiria o mérito? Ainda existirá quando todos os edifícios se desmoronarem e os gauleses forem livres de novo.

Sosígenes se retirou, contente porque sua criação logo seria apresentada aos romanos – e sem dúvida ansioso para que não contivesse nenhuma imperfeição embutida. César sorriu enquanto acompanhava a figura esbelta do matemático desaparecer pela porta.

– Tanto conhecimento num corpo tão frágil! – comentou. – Foi um prazer trabalhar com ele; sinto pena de ver o projeto chegar ao fim.

– Talvez descubra um erro e o mande chamar de volta – eu disse, mas a expressão no rosto de César me disse que aquilo não tinha graça nenhuma.

– Qualquer erro será contado contra mim – ele disse – é essa a disposição de meus inimigos. Nunca colocariam a culpa num cálculo matemático errôneo.

– Você parece achar que tem muitos inimigos… talvez demais para merecer sua política de clemência. Você deve tê-los completamente ao seu lado, ao adulá-los mais do que está preparado a fazer, ou do contrário deve eliminá-los – eu disse.

– Não posso fazer nem uma coisa nem outra. É contra minha natureza. Eles devem ser verdadeiros ao que são, e eu, ao que sou.

Sacudi a cabeça.

– É muito altruísta para mim – eu disse. – Compreendo e venero um traço acima de qualquer outro: lealdade. Todo o resto é leviano e se desmorona diante dela.

– É um pouco mais complexo do que isso – ele disse, condescendente.

– Não sei se é mesmo – retruquei. Mas, ao notar que ele se recusava a ouvir, resolvi que precisava de uma distração, e não de um sermão. Talvez estivesse muito cansado para pensar claramente. Era certo que estava acumulando preocupações e trabalho havia meses. Será que um descanso prolongado seria possível agora?

– Venha, completei meu projeto e quero mostrá-lo.

Ele deu de ombros impaciente.

– Não, agora não tenho tempo.

– Não precisa sair da vila – dei minha palavra.

Agora seu interesse se manifestou, embora ainda não estivesse satisfeito.

– É um relatório? Não vou poder ler aqui, mas posso levar comigo…

– Não, não é um relatório! Nem poesia que você deva ler e fingir que gosta, ou mapas que deva estudar, nem nenhum exercício para a mente. É uma coisa que você disse desejar.

– Então vou ver – ele disse resoluto, um homem que sabe quando deve carregar um fardo.

– Venha, então – eu disse, segurando sua mão. – Siga-me e feche os olhos.

Tomei sua mão; a mão que tanto se erguera em batalhas agora rendia-se à minha palma. Levei-o até minha sala "oriental" e, somente quando estávamos parados no centro dela, deixei que abrisse os olhos.

Olhou ao redor, batendo as pestanas.

– Eu... o que é isso? – perguntou por fim.

– Você pediu um lugar em Roma onde se pudesse relaxar e sonhar durante o dia – eu disse. – O pedido do Ditador é lei.

Deitei numa das almofadas e puxei sua mão. Relutante, ele se permitiu ser puxado para baixo.

– Agora, tire sua toga – eu disse. – Não foi feita para relaxar.

Comecei a desatá-la.

– Não! Isso é trabalho para um criado – ele disse.

– Por quê? Gosto muito de fazê-lo.

Era um prazer desmontar as dobras do tecido que o cobria com austeridade constrangedora. Talvez quando se desvencilhasse dela, seria uma criatura livre.

– Não é de se admirar que os romanos não tenham um lugar confortável para sentar; suas roupas não lhes permitem! – com um puxão, as últimas dobras se desfizeram e o tecido se libertou. – Pronto!

Agora ele ria, talvez pela primeira vez naquele dia.

– Minhas sandálias, eu mesmo posso tirar – ele disse, enquanto eu tentava desatá-las. E colocou-as arrumadas na ponta do tapete. Embaixo da toga elaborada, vestia uma túnica simples, amarrada folgadamente.

Toquei no cinto como se fosse a corda de uma lira.

– Ouvi dizer que esta é sua marca registrada – eu disse. – Agora, por quê?

– Quem lhe disse isso? – Perguntou, inclinando-se contra as almofadas e pousando os pés sobre um escabelo sírio. Seu rosto estava suave agora, e seus olhos escuros, antes cansados, estavam alertas.

– Li – confessei. – À época não vi o significado real. – Atribuem a Sula, o Ditador, ter avisado o povo a "ter cuidado com aquele menino com o cinto folgado nas roupas".

Ele fungou.

– Ah, isso. Foi apenas um de seus ataques à minha pessoa. Túnicas com o cinto menos restrito pode denotar moral também menos restrita. Mas na época que ele fez este comentário, eu era um modelo de decoro, quase virgem. Como nosso caro Cícero, Sula gostava de massacrar o caráter de um homem através da insinuação – a sala dos prazeres do oriente derretia aos poucos seu mau humor. – Cícero uma vez disse quase exatamente o contrário sobre mim, para me machucar, usando meu comportamento metódico como arma, em vez do meu desleixo. Suas palavras: "Quando vejo seus cabelos tão bem penteados e ainda o vejo arrumar uma mecha com um dedo, não imagino como poderia entrar no pensamento de um homem assim subverter o Estado romano".

– Ele é obcecado com o Estado romano – eu disse. – Mas podemos deixá-lo para trás, porque aqui não tem lugar para ele. Cícero, Sula, o Senado – coloque-os de lado com a mesma convicção com que colocou suas sandálias. Pelo menos por enquanto.

Toquei em seus ombros e, ao sentir a tensão em seus músculos, fiz massagem até que amaciaram um pouco.

– Não há necessidade de você fazer essas coisas – ele protestou. – Tenho criados em casa...

– Que talvez nunca tenham sido permitidos tocá-lo – eu disse. – Não é verdade?

– Quando tenho tempo...

– Tempo, você nunca tem – eu cortei. – Mas esta é uma hora mágica, destinada ao descanso. Como os dias a mais no seu calendário – continuei a massagear seus ombros com toda a força das minhas mãos. – Agora, deixe-se levar.

Com um suspiro profundo, ele se deitou de barriga, virou a cabeça na almofada e me deixou esfregar seus ombros. Seus olhos se fecharam de contentamento.

Deixou-me tirar a túnica de seu braço, assim não precisava esfregar o linho contra sua pele. Com uma luz vespertina amarelada brilhando da janela, e ele meio dormindo e despreocupado com o tempo, pela primeira vez fui capaz de observar sua pele e suas costas largas e ver cada linha, cada tendão, cada cicatriz. Para um soldado, ele tinha poucas cicatrizes, embora, é claro, as costas fossem a parte do corpo em que um sobrevivente de batalhas teria menos marcas.

Cutuquei seu ombro e o convenci a virar-se. Cobriu os olhos com um braço para proteger-se da luz do sol e continuou a cochilar. No seu peito, vi mais cicatrizes, algumas não muito mais do que resultados de acidentes de criança, outras, de batalhas ferozes. Agora eram indistinguíveis; pareciam todas iguais depois de se tornarem brancas e se incorporarem à pele. O corte provocado por uma brincadeira de menino e o golpe dado por um inimigo gaulês haviam sido reduzidos à equanimidade do tempo e da cicatriz. Creio que cada uma delas continha sua própria história; ouvi dizer que soldados comparam ferimentos.

Amava-o tanto, até mesmo seu passado era precioso para mim. Acabei beijando cada marca, pensando, *Queria que nunca tivesse acontecido, se pudesse faria desaparecer,* levando cada vez mais para o passado até o ponto em que ele ainda não sabia de decepções, batalhas, ferimentos, porque eu os apagava, um a um. Para deixá-lo novamente como Cesarion. Porém, se arrancamos o passado daqueles que amamos – até mesmo se para protegê-los – não estaremos arrancando também sua própria essência?

Ele se mexeu, murmurou, e lentamente tirou o braço dos olhos. Senti os músculos de seu estômago se enrijecerem ao sentar-se. Pegou minha cabeça em suas mãos e a levantou.

– Chega disso – ele disse. – Não posso aceitar tamanha honraria. Não é digno de uma rainha.

Olhei demoradamente para minha imagem refletida em seus olhos castanho-escuros.

– Não estou lhe oferecendo honraria – disse por fim. – Se você não sabe disso, então é completamente ignorante no que diz respeito ao amor, apesar de todas as mulheres que teve.

– Talvez o seja – ele disse. – Talvez o seja.

Meu desejo por ele parecia não ter limites; sentia que não importava o que fizesse, ou como fizesse, não conseguia expressá-lo bem ou satisfazê-lo. Beijei-o, acariciando seu rosto com minhas mãos. Mas ao toque da minha boca, ele se transformou da criatura lânguida e relaxada nas almofadas para um homem sedento. Senti sua mão agarrar minha coxa. Sua outra mão me tomou as costas e me puxou contra ele com tanta força que quase cai em cima dele. Juntos, deitamos nas almofadas macias.

O quadrado feito pela luz do sol no tapete sobre nossas cabeças irradiava um calor morno. Sua pele para mim era como aquele quadrado de luz, deliciosa e morna. Encostei meu rosto em seu ombro e esfreguei-o. Pele contra pele era ao mesmo tempo relaxante e excitante.

Quanto tempo se passara desde que tínhamos deitado assim juntos? Desde minha chegada a Roma, tivemos tão poucas horas privadas. Não houve tempo, e não queríamos causar escândalo. Já era escândalo suficiente minha presença em Roma com Cesarion, morando na vila de César.

Virou-se e forçou minhas costas contra o tapete, beijando-me longa e profundamente, quase deixando-se sem fôlego. Mas não me importei; a tontura apenas aumentou meu desejo, fazendo minha cabeça rodar e desatando minha modéstia natural. Era como estar flutuando num outro mundo tão longe do meu próprio ser como essa sala estava longe da vida diária.

Mas não foi por isso mesmo que eu a criei – para que pudéssemos flutuar livremente para fora da vida ordinária?

Com um gemido de desejo refreado, arranquei seu cinto. Estava amarrado frouxamente e logo se desatou.

– Sula tinha razão – eu cochichei. – As roupas folgadas estão deixando você arrebatado.

– É claro que Sula tinha razão – ele respondeu. – Nossos inimigos muitas vezes nos conhecem melhor do que nossos amigos.

Afundou o rosto em meu pescoço, beijando-o como se fossem as pétalas mais delicadas e finas. O toque suave de seus lábios na minha pele fez meu desejo se desvairar. Era quase impossível agüentar.

Agora era eu a criança sem experiência, mas impaciente. Se fosse por mim, tudo teria chegado ao clímax dentro de minutos, antes que o sol se movesse muito naquele quadrado de tapete. Mas ele, que tinha como característica na guerra o avanço rápido, parecia nada apressado a concluir sua campanha, lutada em almofadas macias, colchões e tapetes orientais. Ele me perseguia, me tentava, me emboscava, levando-me à beira de um ataque, somente para adiar o ajuste de contas final até decidir que as condições eram, finalmente, perfeitas para o seu propósito. Só então... não posso descrever. Posso apenas lembrar.

Dormimos. Para mim, era como me afundar numa realidade sem forma tal qual as almofadas; para ele, parecia profundamente restaurador. Acordei antes dele e fiquei surpresa de ver como era profundo o seu sono. A luz havia mudado, ficando mais prolongada e suave. Devíamos estar no fim da tarde.

Fechei os olhos e fiquei pensando. Tínhamos tão pouco tempo juntos, e o tempo estava voando. No entanto, tudo o que podia fazer era ficar quieta, com as pernas dobradas e o rosto encostado no dele, acompanhando o ritmo de sua respiração.

A luz não formava nenhum objeto geométrico quando ele finalmente acordou, aparentemente sem qualquer transição. Virou a cabeça na almofada e me viu deitada ao seu lado, como se visse um terreno desconhecido.

– Ainda estamos aqui – ele disse, surpreso. – Pensei que era um sonho e que eu acordaria em minha cama de campanha.

– Não, meu querido, estamos muito longe de um campo de batalha. Apoiei a cabeça no meu braço.

– Uma pena – ele disse. – Creio que lá seríamos felizes.

– Lutando numa guerra? – perguntei, atônita. – Levantando toda manhã sem saber se seria nossa última juntos?

– Dá uma sensibilidade maior ao resto do dia – sorriu e moveu as almofadas, alcançando sua túnica. Vestiu-a com apenas um movimento. – É assim que uma pessoa se veste num campo de batalha.

– Tão rápido que o olho quase não consegue acompanhar.

Queria que ele não fosse embora ainda. No entanto, era o que esperava. Seu tempo era curto. Pelo menos estaria mais descansado. Era tão pouco o que eu podia oferecer.

Sentou-se de pernas cruzadas. Mas não calçou as sandálias.

– Tê-la aqui é muito precioso – ele disse finalmente.

– Preciso voltar para o Egito – eu disse.

Os Triunfos acabaram; o status do Egito como Amigo e Aliado do Povo Romano havia sido ratificado e Cesarion, reconhecido. Não havia razão para me demorar. Mas odiei ao dizer as palavras "Meu lugar é lá".

– Eu sei – ele disse. – Eu sei. No entanto... se pudesse ficar um pouco mais – antes que eu pudesse discordar, ele levantou a voz e continuou. – A época para navegação está quase no fim. Teria de embarcar amanhã para poder viajar em segurança. E... nem eu quis admitir, até para mim mesmo, mas... terei de deixar Roma para enfrentar mais uma campanha.

– O quê? – Não acreditei no que acabara de ouvir. – Você acabou de celebrar quatro Triunfos.

– Prematuramente, como bem vê – sua voz voltou a ser pessimista. – Durante dias tenho lutado contra a certeza de que terei de voltar à batalha novamente. Desta vez na Espanha, onde lutei há quatro anos – sacudiu a cabeça. – Para mim, é uma chaga aberta que incha e supura toda desafeição do mundo romano. Insurreição, tropas que se amotinam, cidades desleais... e agora o resto dos seguidores de Pompeu: o esqueleto das tropas de Cipião, o traidor Labieno, meu antigo general, e os dois filhos de Pompeu. Foi meu azar que eles tenham escapado da África. E que tenham se juntado a uma tropa em rebelião.

– Mas não é necessário que *você* vá – eu disse. – Tem muitos comandantes de campanha para mandar.

– Já enviei dois, e não conseguiram pôr ordem no território. Suas forças são muito pequenas. Cneu Pompeu, que conseguiu se arrastar até a costa, foi recebido pelas tropas rebeldes e ele mesmo conseguiu levantar mais onze legiões. Meu governador foi expulso. Ninguém pode triunfar sobre Labieno. Somente eu. Afinal, fui eu que ensinei o que ele sabe. E ele aprendeu muito bem.

– Mas você se arrisca perder tudo... até mesmo sua vida. Não pode deixar o trabalho de Roma por fazer! Mande outra pessoa. Há tantos generais; mas César só existe um com um plano para Roma.

– Já mandei outros. Agora sou eu que devo ir – esperou um momento antes de dizer: – Espere por mim aqui. Volto o mais rápido que puder.

– E se não voltar?

Detestei o que disse, mas temia por ele. Sua sorte, sua fortuna não poderiam favorecê-lo para sempre.

– Preciso ir – repetiu. – Você fica aqui enquanto eu estiver longe?

– Por quanto tempo? Não posso ficar indefinidamente.

– Se lutar uma campanha de inverno, até fevereiro estará terminada.

– Ah, então já planejou tudo!

– Planejou-se sozinha. Cada guerra exige seu próprio limite de tempo e necessidade. Então, qual é sua decisão?

– Ficarei – respondi – mas só até os mares se abrirem de novo na primavera. Mais do que isso é impossível.

Foi com relutância que dei minha palavra. A idéia de ficar em Roma sem ele não era agradável. Mas honraria minha palavra.

– Fico grato.

Levantou minhas mãos e as beijou.

– É com muita dificuldade que lhe peço alguma coisa.

– Não deve ter medo de pedir-me nada.

– Disse que era difícil e não que tinha medo. É difícil porque amo você e sei o quanto odeia recusar-me algo, mas, ao mesmo tempo, tem as necessidades do seu próprio Estado para considerar, tanto quanto as minhas – sorriu. – Isso é amar uma rainha. Se ela não fosse uma boa rainha, eu não poderia amá-la.

As nuvens do crepúsculo moviam-se atravessando a janela, róseas e púrpuras. O pôr-do-sol era um espetáculo expansivo e colorido nos céus de Roma.

– As horas dos seus dias são tão diferentes aqui – eu disse, apontando para o céu. – Nunca temos crepúsculos como este.

– Devo ensiná-la um pouco da história de Roma. Temos alguns objetos sagrados que supostamente são da nossa origem. Na verdade, posso mostrá-los, porque sou o guardião da Régia. Talvez então venha a adquirir o respeito por nossos modos antigos!

Ri.

– Modos antigos!

– Não zombe – ele disse. Não sabia se estava falando sério ou não. – Sabe que Roma foi fundada por meu ancestral, Enéias, depois que escapou de uma Tróia incendiada. E trouxe estes objetos...

– Alguém precisava escrever tudo isso em versos. Precisa de um Homero romano para contar sua história. É estranho como não admitimos a existência da história até que seja celebrada com um poema nacional ou um monumento de pedra.

– Tal é a natureza humana. Mas se vier à Régia amanhã, perto da nona hora, mostrarei nossos tesouros. Como Pontífice Máximo, sou seu guardião. E depois, quero mostrar os projetos que meu arquiteto desenhou para a biblioteca, o teatro e o templo. Vai poder ver as origens de Roma... e o seu futuro – seus olhos brilhavam. Neles pude ver mais uma vez o amor ávido que sentia por sua cidade.

– Irei com todo prazer – disse eu.

Estava pegando suas sandálias quando uma cabecinha de cachos apareceu na porta, os dedinhos gordos segurando a armação.

– Papai! – gritou Cesarion feliz e correu pelo tapete, tropeçando num monte de almofadas. Abriu os braços para César, que o levantou e encostou o nariz no dele.

Seus rostos eram iguais. Com dezoito meses, os traços de Cesarion eram uma miniatura dos de César. Ninguém tinha como duvidar quem era seu pai.

César abraçou-o e rolou com ele, cobrindo-o como um urso. O menino caiu no riso.

Depois, César levantou-o no ar, deixando suas perninhas gordas se balançarem e chutarem.

– Veja – ele disse. – Um novo homem. Um homem do mundo novo que nós criaremos. Roma e Egito, juntos. Ocidente e Oriente, um só. Um cidadão, um nascimento, uma aliança.

— Mas não uma língua — eu disse em latim.

— Não é necessário — respondeu ele em grego. — Vamos nos entender muito bem usando nossas próprias línguas.

29

Cheguei à Régia exatamente na hora marcada por ele. Tinha assuntos com o Senado naquela manhã e reuniões com seus secretários, Balbo e Ópio, no começo da tarde, mas prometeu estar livre na hora marcada para nosso encontro.

Quando me aproximei da fachada imponente da Régia, com sua casa ao lado, fiquei rezando para que Calpúrnia não estivesse em casa para me ver se aproximando.

A mulher de César nunca era mencionada entre nós. Não queria questioná-lo, e ele evidentemente não queria revelar que relações tinham. Enquanto não precisava pensar nela como uma pessoa de verdade — uma pessoa espiando pela janela, lamentando-se de sua infertilidade, uma pessoa que também temia a partida de César para mais um campo de batalha — eu podia agüentar a situação. Ela era a mulher de César, e não minha.

Entre pela porta central, César me dissera. Vi uma pesada porta de madeira, decorada com bossas de bronze, abrindo-se diretamente para a Via Sacra. Empurrei-a e entrei.

Duas salas abriam-se em ambos os lados. Eram mal iluminadas e exalavam o odor de incenso recente. Mas também davam para um pátio calçado, margeado por um pórtico de madeira. Como César ainda não havia chegado, achei que seria mais agradável esperar lá fora. Era um dia claro e ventoso, fazendo redemoinhos das folhas secas.

De um lado do pátio havia um altar abandonado. Havia também um banco, em que me sentei, para aproveitar a luz do sol, porque a parede estava morna. Encostei a cabeça na pedra e fechei os olhos.

Mas logo que o vento parou de brincar com as folhas, estalando e farfalhando, tomei consciência de um ruído inconfundível que vinha de dentro.

Gemidos e pequenos gritos entrecortados, murmúrios excitados. Depois, muito sacudido e rangido. Ouvi algo cair no chão — o chão atrás da parede em que me encostava.

Lentamente, virei-me e olhei pela janela do canto. Lá, no lado mais distante da sala, num divã baixo, uma mulher e um homem estavam se amando com fervor. A mulher se remexia e gemia, e as costas do homem subiam e desciam com sua respiração apressada. Pude discernir todos os músculos de suas costas. Tinha braços finos, braços pálidos e – quando vi seu rosto de relance, quase dei um grito. Era Otávio!

As roupas estavam emaranhadas num monte no chão, mas as sandálias, estranhamente arrumadas num canto. Olhei para as sandálias. Elas me pareciam estranhas. Eram… suas solas eram muito grossas. Foram feitas assim para dar mais altura àquele que as vestia.

Olhei noutra direção, com a mão sobre a boca em choque. Otávio! Otávio, o quieto, o santarrão! Estava satisfazendo sua luxúria no meio do precinto do Pontífice Máximo. E usava sandálias que aumentavam sua altura! Não sei o que me surpreendia mais.

Espiei de novo. Quem era sua amante? Por um momento não pude distinguir, mas logo a reconheci… era a mulher de alguém que tinha vindo à festa egípcia. Não me lembrava do nome.

Então também era um adúltero. As pessoas realmente são cheias de surpresas.

Rapidamente entrei numa das outras salas que davam para o pátio.

Era melhor que ele se apressasse, eu pensei, senão César o pegaria em flagrante. Quase ri. Não sei por que, mas sabia que César ficaria chocado com a idéia de alguém estar fazendo aquilo na proximidade de objetos tão sagrados da história romana… ou, melhor, ficaria chocado que Otávio não desse a mínima importância a esse fato. Havia uma diferença.

Otávio deve ter descoberto que a Régia oferecia privacidade durante certas horas do dia e deve fazer uso dela com regularidade. Afinal de contas, ele *era* um membro do Conselho de Pontífices!

Espalhadas na mesa havia várias bolsas com papéis. Talvez fossem os planos de César para os edifícios romanos. Desenrolei um dos pergaminhos, mas logo vi que eram cartas privadas e relatórios. Meu latim era bom o suficiente para que eu decifrasse que diziam respeito aos movimentos de Labieno e Cneu Pompeu. Deviam ser despachos dos comandantes de César na Espanha. O que faziam ali?

Enquanto colocava-os de volta, ouvi um movimento na porta. Otávio estava parado lá, com a toga perfeitamente arrumada, encarando-me. Fiquei admirada de ver que não tinha quase uma dobra fora do lugar. Como conseguira? Não se notava a diferença nas suas sandálias, uma vez nos seus pés. Seu sapateiro deve ter talento.

– O que está fazendo aqui? – ele perguntou. Estava tão surpreso quanto eu ficara alguns minutos atrás.

– Vim me encontrar com César – eu disse, deleitando-me com a expressão do seu rosto.

– Agora?

Veio até a mesa e juntou os papéis, agindo como se fossem dele.

– Na verdade, ele está atrasado – eu disse. – Mas deve chegar a qualquer momento.

Otávio olhou para mim atentamente, tentando calcular há quanto tempo eu estava ali.

– Achei muito opressivo esperar aqui dentro – eu disse, com ares inocentes. – por isso fui apreciar o dia de sol no pátio.

Travou uma luta no pensamento e decidiu arriscar.

– Não conte nada a meu tio, por favor, não conte.

– Por quê? Ele não me parece em posição de julgá-lo. Pode ser até que o aplauda por imitá-lo. Nem eu também estou numa posição de julgá-lo, por óbvias razões.

– Eu... eu ... – ele engoliu seco – é melhor que ele não saiba. Sinto muito.

Eu ri.

– Não precisa se desculpar comigo. Não sou o marido da sua amante.

– Por Apolo! – ele gemeu. – Você o conhece. Sabe quem ela é. Não conte ao meu tio! Por favor, jure que não conta!

– Não imagino que seja necessário. Prometi que não vou contar a ele.

Pegou os papéis e enfiou-os embaixo do braço, com um jeito ainda mais furtivo.

– Preciso ir – falou entre os dentes, segurando os papéis. No meio da sala, virou-se e olhou para mim com uma mistura de raiva e preocupação. Depois retirou-se.

O que era para eu pensar? Será que tinha se apoderado dos papéis de César do mesmo jeito que se apoderou da esposa de outrem? Era um menino furtivo atrás de seus olhos azuis. Será que César notava isso? Com certeza devia notar.

César chegou alguns minutos depois, caminhando apressado.

– Tanta correspondência! – ele exclamou. – Perdoe-me por estar atrasado. Olhou ao redor.

– Espero que não tenha se entediado. Esta sala não tem muita coisa. Mostrou a mesa vazia.

– Não. Na verdade deu-me oportunidade para pensar.

Estava morrendo de vontade de contar sobre Otávio. Porém, dera minha palavra.

– Venha, na sala ao lado – ele disse, guiando-me até lá – fica o santuário de Marte. Aqui está o escudo sagrado de Numa, o segundo rei de Roma, que foi recebido do céu. Ele prediz a vitória romana.

Era uma sala mal iluminada, apesar da luz do dia lá fora. Uma grande estátua de bronze de Marte estava erguida num pedestal e, ao redor, nas paredes, reluziam vários escudos.

– Para evitar que fosse roubado, Numa fez onze cópias. Ninguém sabe qual é o verdadeiro. E aqui estão as lanças, que predizem nossa ruína se vibrarem.

– Será que estão vibrando? O que dizem sobre a Espanha?

Ele pegou uma lança.

– Nada. Está quieta.

– Então você é o guardião dessas coisas?

– Devem ser guardadas pelo Pontífice Máximo.

– Mas pertencem a um rei.

– A Régia era a corte dos reis. *Rex – Regia*. O Pontífice Máximo herdou os poderes sacerdotais dos reis. Esses não morreram com eles.

– Como também, aparentemente, a idéia de reinado. Nunca ouvi tanta conversa sobre reis quanto aqui em Roma. Então você é descendente de reis e exerce uma tutela real. Não falta muito para ser forçado a aceitar o título de vez.

Preferiu não responder. Em vez, ele disse:

– Deve interessá-la saber que sou servido por um sacerdócio de mulheres, as Virgens Vestais. No seu santuário, fica o Paládio, a estátua de madeira de Palas que caiu do céu em Tróia e foi trazida aqui por Enéias. Quer vê-la?

– Se você estiver disposto a mostrá-la.

Pressenti por seu tom de voz que ele não receberia bem as peripécias de Otávio na sombra de Enéias. Talvez houvesse um vislumbre de respeito por algo sagrado que ele venerava, afinal de contas. Otávio sabia disso, e eu não.

O novo calendário foi anunciado, e os dias extras foram introduzidos. As pessoas "viveram" o mesmo dia outra vez, o que deu lugar a comportamentos esquisitos. Alguns se forçaram a repetir tudo exatamente do mesmo jeito, mas tentando fazer melhor; outros decidiram que um dos dias não contava. E aqueles que precisavam reclamar de tudo – como Cícero – fizeram comentários acerbos. Quando alguém mencionou que a constelação Lira ia aparecer, Cícero escarneceu, "Sim, por decreto".

A nova guerra na Espanha também foi anunciada, causando apreensão e alarme. Será que a guerra civil não chegaria a um fim? Uma disposição de ânimo desesperado começou a tomar conta do povo, tornando-se ainda mais aparente com os dias se encurtando e tornando-se cada vez mais frios. O céu azul dos Triunfos e tudo o que eles prometiam parecia ter minguado, morto com a primeira geada.

As chuvas vieram, dias tormentosos trazendo manhãs friorentas. Precisamos acender braseiros e fechar as janelas na vila. Fiquei surpresa de sentir como o tempo escuro e chuvoso afetava o meu espírito; e ao mesmo tempo me perguntava quanto do meu humor e de minhas energias usuais eram derivados do clima brilhante e confortante de Alexandria. Sempre acreditara ter nascido com eles, em vez de ser influenciada pela luz e o ar ao meu redor.

Fiquei muito pouco com César. Estava tão ocupado com as preparações e em passar suas reformas no Senado que não tinha muito tempo para outra coisa. Às vezes, se por acaso eu estivesse no Fórum, avistava-o passando rapidamente de sua residência para um de seus novos prédios. A distância, sempre o reconhecia por sua postura. Também sabia quando ele me via, pelo jeito que hesitava por um instante. Mas nunca se aproximou ou mudou seu caminho.

Temia muito sua partida; a única coisa boa era que, uma vez que partisse, teria de voltar... teria de voltar...

Queria poder lhe dar a notícia antes de ele partir de que estava para ter outro filho dele. Mas aqui não era como no Egito, onde vivemos juntos dia e noite. Aqui, raramente ficávamos juntos, e os ares de Roma eram muito diferentes da fertilidade arrebatadora do Egito. Não concebi, como se os deuses de Roma tivessem trancado meu ventre. Não gostavam de mim, eu podia sentir.

Os deuses duros de pedra de Roma não eram como Ísis, a Rainha do Paraíso, ela que possui tanto paixão quanto compaixão...

César embarcaria no fim do terceiro novembro – uma preparação precipitada, mesmo para ele. Levaria apenas as veteranas Quinta e Décima legiões com ele, daria ordens para que outras duas legiões veteranas o seguissem e levantaria outras mais tarde. Infelizmente, tinha dissolvido algumas de suas famosas legiões depois das últimas guerras, e os soldados agora estavam ocupados com as terras que lhes foram presenteadas como aposentadoria.

Anunciou em Roma que levaria seu sobrinho-neto Otávio para lhe dar experiência de guerra de primeira mão. E talvez isso servisse para encher os seus bracinhos finos com músculos.

Pensei comigo mesma que sua leitura oculta dos planos da correspondência de guerra lhe daria grande vantagem junto a César; daria a impressão de estar milagrosamente a par do assunto. Mas foi este, sem dúvida, exatamente o seu objetivo.

Otávio, porém, não ocupou muito os meus pensamentos. Ptolomeu adquiriu uma tosse e uma febre. O inverno não lhe fazia bem; ele passava o tempo todo em sua cama estreita e me olhava com seus olhos tristes cada vez que eu entrava no seu quarto.

– Quero voltar para o Egito – ele disse. – Quero o sol. Quero ver Olímpio.

E começava a tossir uma tosse seca.

– Ptolomeu – eu dizia suavemente. – é muito tarde para que possamos fazer a travessia. Precisamos esperar que as tempestades de inverno passem.

– Estarei morto então – ele murmurava, sacudindo a cabeça.

– Há médicos em Roma. Pelo que ouvi, muitos são gregos. Vou mandar buscar um para você. O melhor que houver aqui.

Passei uma faixa perfumada em sua testa.

– Também tem Ísis, nossa deusa. Vou procurar um santuário dela e pedir ajuda. Ela nunca me desamparou.

Charmian e eu fomos procurar um templo de Ísis, um que ouvira dizer ficava no Campo de Marte. Era uma manhã fria e chuvosa, quando parecia não haver cores no mundo, apenas tons de cinza. As ruas, cobertas de neblina, eram corredores misteriosos que levavam a praças e avenidas desconhecidas. Tinha aprendido o suficiente para saber em que esquina virar e encontrei o lugar onde devia estar o templo sem muita dificuldade.

Mas o templo era apenas um amontoado de pedras. Apenas o chão liso de mármore, colunas quebradas e destroços espalhados no meio dele mostravam o local em que uma vez houve um templo. Foi então que vi: a profanação. Uma estátua de Ísis caída ao lado de um bloco de pedra... seu pedestal talvez?... e sem rosto. Alguém havia raspado suas feições.

– Charmian! – segurei seu braço. A imagem de uma deusa profanada é uma coisa perturbadora.

– Foi destruído de propósito – ela disse, olhando ao redor, apreensiva. – Por um inimigo de Ísis.

Um inimigo de Ísis era também um inimigo meu, porque ela era a protetora da minha casa real.

– Quem se atreveu? – perguntei num murmúrio.

Ajoelhei e limpei o rosto machucado da deusa, do mesmo modo que confortei Ptolomeu.

– Sei que não é muito – pedi desculpas a ela. – mas eles não podem danificar o seu poder, ou arrancar a sua compaixão. Os deuses não se enfraquecem com os danos humanos.

E isso me oferecia sossego. Imagine se os deuses perdessem o seu poder quando atacamos suas imagens? Os deuses não eram as imagens, que eram simplesmente nosso esforço de moldá-los.

– Ísis, ouça-me – implorei. – Aqui não possuo o sistro, nem a água sagrada do Nilo, nem a jarra para desempenhar o seu ritual neste lugar que já foi o seu templo sagrado. Mas, você, que é a esposa mais leal e mãe devota, com o seu poder, faça Ptolomeu melhorar. Permita que ele veja de novo sua terra natal.

Observei o rosto desfigurado, ainda sofrendo com o que via. Por impulso, tirei um colar que estava usando e coloquei ao redor de seu pescoço.

– Não, minha senhora, será apenas roubado – disse Charmian, tentando me fazer mudar de idéia.

– Um dia tudo será roubado – eu disse. – Quebrado, destruído, roubado.

De repente, tive a visão de um quadro cruel. Tudo se acabava com colunas quebradas e coisas se desmoronando… as linhas nas placas de mármore, os degraus, as juntas dos braços e os ombros de mármore.

– Assim, faço minha oferenda enquanto ainda está inteira.

E ali ficou o colar, o lápis-lazuli, a única faísca de cor, a não ser pelas ervas daninhas verdes que cresciam entre as rachaduras nas pedras.

Senti conforto com a oferenda; havia jogado uma coisa de valor nas vísceras da destruição.

– Venha, vamos embora deste lugar.

Conseguimos um bom médico, um homem chamado Apolo, que era grego, mas se tornara um cidadão romano.

– Graças a César – ele disse – a médicos estrangeiros, eruditos e artistas é concedida cidadania especial. Vim aqui para aprender por um período de tempo, mas não pretendia ficar permanentemente. Foi César quem mudou as regras.

Ele se inclinou para auscultar o peito de Ptolomeu.

– Congestão – ele pronunciou. – Temos de usar fumaça para aliviar a congestão. Queime feno-grego seco e faça um emplastro de figos secos. Vai fazer de você um homem novo. Vai ver só.

Ele sorriu para Ptolomeu e tocou no seu peito. Depois olhou para mim e gesticulou com a cabeça para que eu o acompanhasse para conversar a sós.

– Não fique preocupada – ele disse. – Ele vai se recuperar. Recomendo enrolar suas pernas em lã para mantê-las quentes e alimentá-lo com comidas que aqueçam seu estômago. Grão de bico e nozes.

– Este clima não faz bem a ele – eu disse. – Mas acho que é também porque está com saudade de casa. Em Alexandria também temos tempestades e chuva; não é sempre ensolarado como o resto do Egito.

– Logo o sol vai voltar a Roma – ele disse. – Nossos invernos são curtos.

– Tentei visitar o templo de Ísis para pedir auxílio. O que aconteceu com ele? Ele saberia.

– Foi destruído por ordem do Senado – contou. – Primeiro, alguns altares no Monte Capitólio foram quebrados por dois cônsules, e depois o Senado votou para remover o grande templo. Mas ninguém teve a coragem de tocá-lo, nenhum trabalhador obedecia a ordem de destruí-lo, até que um Cônsul, Emílio Paulo, tirou sua toga e malhou a porta com um machado.

– Mas, por quê?

– Creio que as pessoas têm repulsa pelo que é estrangeiro. Roma passa por períodos de expurgos. Eu mesmo já senti a hostilidade por estrangeiros que eles têm. Você não? Perdoe-me se estou sendo tão direto.

– Sim, sim, eu também já senti. Então, se não querem estrangeiros perto deles, nunca deveriam ter se aventurado a sair de sua preciosa Roma!

De quem era a culpa que Roma estivesse metida em tantos países?

– A visão de César é diferente – ele comentou. – Ele não parece partilhar do preconceito – riu. – Você é prova disso, não é mesmo?

César veio dizer adeus na clara manhã que marcou o início do terceiro novembro. Vi quando ele chegou apressado pelo caminho, seu rosto sem expressão, seu manto voando às suas costas. Saí para recebê-lo e esperei no átrio.

Havia criados por todo lado; suas palavras foram formais.

– Venho para dizer adeus, no dia da minha partida, e para desejar tudo de bom para você em Roma enquanto eu estiver longe.

As palavras pairavam no ar. Tolas, levianas.

Peguei sua mão e levei-o para meu quarto.

– Não me deixe com essa lembrança – eu disse. – Suas palavras formais deixam muito a desejar.

Fiquei na ponta dos pés e beijei-o no rosto.

– Então já vai partir? Quando? E as suas legiões?

– Parto dentro de um dia – ele disse, sentando-se. – Vou por terra para a Espanha, dois mil e quatrocentos quilômetros, numa carruagem dura. Pretendo cobrir pelo menos oitenta quilômetros por dia e atacar o inimigo de surpresa. Assim, calculo minha chegada para o primeiro de dezembro.

– Sei que você já lutou em campanhas de inverno, mas desta vez não estará em desvantagem? O inimigo já está acampado e tem suprimentos. O que você fará?

– Devo confiar em mim para achar a solução.

– Não seria mais prudente planejar um pouco?

– Fiz todo o planejamento que pude dadas as circunstâncias. Devo confiar que o resto virá quando eu chegar lá.

Ele me pareceu diferente, como se já estivesse distante.

– Que os deuses o protejam. Que Ísis o receba no seu colo de proteção.

– Sabe que não acredito nestas coisas – ele disse, suavemente. – Mas se eu acreditar que você me tem sob sua proteção, então...

Abracei-o.

– Na minha proteção, no meu pensamento, no meu coração!

Beijei-o longamente, como para lembrar mais tarde que ele era de verdade, para lembrar como eram seus lábios e seus dentes, como seu queixo se encaixava no meu.

Ele deu um passo para trás e me olhou pelo que pareceu muito tempo. Depois disse:

– Adeus, e fique em paz.

30

As chuvas não pararam; os dias se prolongavam, enquanto a cidade se preparava e esperava notícias do que estava acontecendo na Espanha. Teriam um novo comandante, o jovem Cneu Pompeu?

Sem dúvida, receberiam-no com os mesmos vivas que receberam César, eu pensei. Minha adorada Ísis, não deixe César perder a vida num campo de batalha tão longe de casa! Porque não é nem um lugar de grandeza nem o inimigo é considerado um lutador. Dê-lhe qualquer coisa, menos um fim desprezível.

Rezei. E esperei como todo mundo.

O grande festival do solstício de inverno, a Saturnália, chegou, e o povo de Roma explodiu em celebrações. No encerramento, quando a celebração final seria feita, Charmian e eu levamos Ptolomeu para um passeio. Eu sabia que qualquer recaída que o frio trouxesse seria compensada pela novidade de ver esse festival tão romano.

A área ao redor do Fórum estava repleta de celebrantes, todos se comportando de maneira muito peculiar – alguns mascarados, outros fantasiados. Era confuso e difícil de compreender o que tudo significava. Parecia uma festa sem medidas, mas percebi, pelas bonecas e as comidas embrulhadas que todos carregavam, que havia certas regras.

Devia ter trazido alguém comigo para explicar o que se passava, pensei, cobrindo minha cabeça com o capuz para me proteger do frio.

Só então notei um disfarce descortês – alguém estava usando uma máscara com a cara de Otávio. Depois, quando a pessoa se aproximou, empurrando a multidão de modo resoluto enquanto tentava passar, percebi que *era* Otávio.

Acenei para ele e pedi que viesse até nós. Precisou empurrar muita gente à sua frente, com uma expressão irritada o tempo todo.

— Majestade – ele disse, inclinando-se. – Mas não, não pode ser Cleópatra durante a Saturnália. Tem de ser outra pessoa... tomar um outro nome.

— Bem – eu disse. – Então serei... a Rainha Hatshepshut.

— Não, não, não pode ser uma rainha. Rainhas não podem ser rainhas. Tem de se tornar uma pessoa completamente diferente.

— Então serei... Charmian! – belisquei o braço de Charmian. – E ela deve ser eu. E Ptolomeu, escolha alguém.

— Escolho Sócrates – disse Ptolomeu, suspirando.

Otávio fez uma careta.

— Não, Sócrates não! Você não quer beber cicuta, ou quer?

— Não. Então serei Platão.

— Que desejos sérios você tem! – exclamou Otávio. – Eu desejo ser Aquiles!

– Então está possuído pelo ódio? – perguntei. Estranho que Otávio, tão comedido, quisesse ser o feroz Aquiles!

– Não, mas tento imaginar como seria ser o maior guerreiro no mundo.

– Por que está aqui? – pensara que meus olhos estivessem enganados quando o vi. – César me disse que você o acompanharia à guerra.

Ele parecia se desculpar.

– Peguei uma febre e não pude partir com ele. Vou mais tarde. Assim que estiver completamente recuperado.

Ele tossiu uma tosse rouca e lúgubre.

– Tem notícias? – odiava ter de perguntar, porque era admitir que eu não tinha.

– Sim – disse Otávio cheio de orgulho. – Ele chegou à Espanha ileso. Tudo está bem.

Foi preciso um mês para saber que ele tinha chegado. Batalhas com certeza já deviam ter sido lutadas desde então. Até mesmo naquele momento, enquanto estávamos ali, sem saber.

– Graças a todos os deuses! Qual é a situação lá? Como ele achou o lugar?

Uma leva de celebrantes passou por nós, tropeçando e rindo. Cantavam um coro de palavras confusas.

Otávio se aproximou.

– Este não é um lugar bom para se conversar. Quase não consigo ouvir o que você diz.

Mais um grupo de pessoas, passando como a correnteza de um rio, tropeçou nele, quase o derrubando.

– Venha nos ver esta noite! – um deles gritou, agarrando seu braço. – Mas, por favor, ponha uma fantasia.

– Isso mesmo! Queremos uma audiência grande! – disse uma mulher com vinhas de hera entrelaçadas nos cabelos.

– Talvez – respondeu Otávio. – Obrigado.

– Quem eram? – perguntou Ptolomeu.

– Um grupo de atores – disse Otávio, sério. – Ignore-os.

– Haverá uma peça hoje? – continuou Ptolomeu. – Posso ir? – virou-se para mim. – É tão chato ficar em casa na cama o tempo todo!

– Não creio que o que ofereçam seja adequado para você – disse Otávio. – Qualquer papel que Citéride interpreta é sujo.

No mesmo instante que pronunciou essas palavras, a expressão no seu rosto me disse que ele se lembrava do que eu tinha visto na Régia.

– Citéride – eu disse, tentando aliviar o embaraço do momento. Não desejava causar-lhe embaraço, ou fazê-lo associar minha pessoa à humilhação. – Já a conheço... mas de onde?

– Acho que eu a vi naquela festa egípcia que você deu – ele disse.

– Que César deu – eu o corrigi. – Mas por que deveria me lembrar dela?

– Em primeiro lugar, porque ela é bela. Em segundo, porque é escandalosa. E em terceiro, porque foi um vexame vê-la com Marco Antônio, seu amante na época.

– Na época?

– É. Fúlvia ganhou a batalha e Antônio. Que troféu! Casaram-se há algumas semanas. Agora, ao que parece, Antônio se emendou. Mas imagino que esteja no meio da multidão vestido de Hércules. No fundo, as pessoas nunca mudam. Pelo jeito, Citéride recuperou-se muito bem de sua mágoa.

– Podemos ir? – Ptolomeu continuou insistindo.

– Primeiro temos de ver o que estão apresentando – eu disse. – Então, sobre a Espanha.

Estava ansiosa para saber mais sobre a situação. Precisava saber o que César encontrara lá.

Otávio franziu as sobrancelhas.

– Parece que a maior parte do sul da Espanha passou para o lado inimigo. Pelo que sei, os insurgentes contam com treze legiões. Duas delas são veteranas, o que restou das forças antigas de Pompeu. Essas duas mais experientes estão vigiando Córdoba, e o resto está espalhado pelo campo. César tem oito legiões, quatro delas veteranas, que são mais bem treinadas do que as inimigas. Assim, talvez estejam de igual para igual: os números superiores de um lado igualados ao melhor treinamento do outro. Uma vantagem: César tem oito mil cavalarias, fornecidas por Bogud, contra as seis mil do inimigo.

Senti o frio se apoderar de mim, como se a temperatura do dezembro pudesse penetrar pela pele.

– De igual para igual – ecoei suas palavras. – Imagino que Labieno duplicará suas táticas na África e fará o que for possível para prolongar a guerra e evitar uma batalha súbita. Já estão situados lá, afinal de contas, embaixo de um teto, enquanto César tem de viver num campo aberto! – Detestava Labieno como detestava todas as pessoas desleais. Para mim, deslealdade é o crime mais horrendo de todos.

— Então será tarefa de César duplicar sua vitória na África ao empurrá-los para o campo de batalha – disse Otávio. – Talvez seja necessário enganá-los.

O sul da Espanha. Os ingratos – o mesmo lugar onde César serviu como governador e onde era o patrono! Nenhum lugar era seguro e nunca haveria um lugar permanentemente conquistado.

— Cleópatra, querida irmã, vamos assistir à peça? – Ptolomeu sorria para mim.

Fomos. Levei todo o meu séquito, assim Roma poderia ver que nós, os egípcios, participávamos de um drama romano, em vez de ser apenas uma irmã concedendo um desejo sensual do irmão. Na verdade, fiquei feliz de ver alguma coisa levantando o ânimo de Ptolomeu, porque aqueles realmente doentes não se interessam por peças teatrais. Nem por atrizes escandalosas.

Os romanos tinham uma opinião muito dividida no que dizia respeito ao drama. Não eram um povo dado à estética, e as sutilezas das tragédias gregas não os emocionavam – ou eles não as compreendiam? Talvez não. Preferiam a simples matança de caçadas a animais selvagens e a disputa entre gladiadores ao agoniado Édipo. As trocas de quartos, o marido traído, o escravo esperto: isso eles compreendiam. Assim, suas peças giravam em torno desses temas e personagens.

E de fato, a peça *era* suja. Provavelmente Ptolomeu não entendeu as piores partes, mas algumas piadas sujas o fizeram corar.

Citéride era realmente bela, e compreendi por que ela era aceita – de certa maneira – na alta sociedade de Roma. A beleza parece conferir seu próprio *imperium*, embora gostemos de negar isso.

Quando deixamos o teatro, pequenos flocos brancos caíam do céu noturno. Giravam ao redor das tochas, fazendo ruídos assoviantes. A calçada estava coberta com o que parecia uma geada grossa.

— Neve! – eu exclamei. – Deve ser neve.

Ficamos parados no meio da rua, olhando para a neve. Os flocos que caíam sobre nós pareciam plumas picadas – leves e flutuantes. Pregavam-se às dobras de nossas roupas e queimavam nossos lábios.

— Neve – disse Ptolomeu, maravilhado. – Pensei que nunca veria neve!

Grudou nos nossos sapatos, derretendo-se e nos deixando com um frio penetrante. Quando nossos liteiros nos deixaram em casa, pude ver as marcas de seus pés no carpete branco.

Neve. Haveria muita neve na Espanha, onde César estava sendo obrigado a viver sob tendas de couro ao ar livre.

Para ocupar meu tempo, estudei muito sobre Roma. Fiz muitas excursões – visitei seus santuários sagrados, as tumbas dos grandes homens, os jardins de Lúculo desenhado por Esquilino e, mais interessante para mim, o templo de Asclépio na ilha do Tibre, junto com seu hospital. O deus grego da cura encontrou um lugar de moradia no meio do rio, o Tibre lamacento e cheio de correntezas.

Acabei não chegando a nenhuma conclusão sobre Roma. Era grande em certas coisas, corrupta em tantas outras. No entanto, dava a impressão de ser uma combinação calculada para atrair fortemente a natureza humana.

Esmagarão tudo por onde passarem com as rodas de suas bigas, a Kandake me avisou. E aqui, quando vi as bigas passarem ruidosas e testemunhei o pragmatismo romano – manifestado mais freqüentemente com a insensibilidade –, soube que ela tinha razão. Eles esmagarão. A não ser que, de alguma maneira, possam ser contidos ao se associarem a nossas sensibilidades antigas.

Otávio partiu, atrasado, para se unir a César. Numa manhã de janeiro, veio se despedir de mim e perguntar se eu queria enviar alguma mensagem por ele.

Achei muito gentil da sua parte, mas eu não tinha nenhum recado privado para César que quisesse confiar-lhe.

– Nada aconteceu ainda – Otávio disse. – Não recebemos nenhuma notícia de batalha.

Então César tivera de agüentar um mês inteiro de ociosidade num campo congelado.

– Desejo-lhe grande sucesso – eu disse.

Meus votos de sucesso obviamente não adiantaram muito, porque Otávio encontrou os mais terríveis obstáculos na sua jornada de pesadelo, que acabou num naufrágio. Ele se arrastou até César de qualquer jeito, muito tempo depois da batalha crucial da guerra.

E, dessa forma, ele se meteu nas boas graças de César. Sua obstinação – sua habilidade, como um mastim, de abocanhar uma coisa e não soltar – deve ter impressionado César como a maior das virtudes. Os dentes eram fracos e se agarravam precariamente, mas a coragem de continuar agarrando foi o que determinou o futuro promissor de Otávio. Disso eu sei agora. Se apenas ele tivesse continuado doente demais para continuar – como foi o caso em todas as outras importantes batalhas que se seguiram. A batalha de Filipos, a batalha de Náuloca, e finalmente a batalha de Áccio, em todas essas batalhas Otávio estava acamado em sua tenda com uma doença qualquer. Caso nunca tivesse chegado à Espanha, nenhuma das outras batalhas teria existido. E eu...

Mas, silêncio, meu coração. Tudo acabou. E falo de antes, não de agora.

A primavera chegou em março. As margens do Tibre explodiram num carpete de flores do campo amarelas e em nosso jardim as árvores começavam a abrir folhas tenras. A tosse de Ptolomeu passou assim que o tempo melhorou e, como para compensar o tempo perdido, ele cresceu rapidamente.

Mas ainda não havia notícias do resultado da campanha na Espanha. Parecia um insulto nos deleitarmos nas brisas primaveris e passear nos crepúsculos mornos enquanto o futuro de Roma estava sendo decidido. Os festivais romanos de Lupercais, de Ana Perena e de Baco passaram, e não foi antes do vigésimo dia de abril que as novas alcançaram Roma, causando uma explosão de celebração nas ruas.

César vencera. Em dezessete de março, ele finalmente conseguira levar as forças rebeldes a uma batalha decisiva em Munda.

Foi uma luta desesperada, uma das mais sangrentas na história romana. Quando terminou, trinta mil seguidores de Pompeu jaziam mortos no campo de batalha, contra apenas mil apoiadores de César. Labieno estava morto; Cneu Pompeu estava morto; Sexto, o irmão mais novo, fugira.

A história era contada nas ruas com admiração. Ouvi as mesmas palavras serem repetidas muitas e muitas vezes:

– Aquilo em que se transformou a batalha, já que os lados estavam quase igualados, escurecia e as tropas de César começavam a desanimar, ficando para trás, era o próprio César forçando passagem até a linha de frente, onde havia uma brecha. Ele arrancou seu capacete e gritou "Vocês estão querendo entregar o seu comandante nas mãos desses meninos?", e começou a lutar desesperadamente, mano a mano. Esse quadro deu ânimo aos seus soldados, e a batalha mudou de curso.

Devo confiar em mim para achar a solução, ele dissera antes de partir. E fez justamente isso, com uma jogada dura, impulsiva e selvagem, que tinha sua assinatura e não poderia ser de mais ninguém.

Enfraqueci ao ouvir o relato. Sua coragem era algo sobre-humano. Como também sua sorte.

Foi imediatamente declarado que o dia vinte e um de abril – o dia depois que a notícia chegou em Roma – seria celebrado para sempre com uma corrida de bigas no Circo. Depois, o Senado superou a si mesmo numa tentativa de conferir honrarias a César. César teria o título de Imperador para o resto da vida e todos os títulos seriam outorgados para a hereditariedade. Ele seria Cônsul por dez anos. Todos os aniversários de suas vitórias anteriores seriam a partir de agora celebrados com sacrifícios anuais. Ele poderia usar sua coroa de louros o tempo todo, e seu traje de *Triumphator* em todas as ocasiões oficiais. Sua estátua deveria ser colocada num templo em Quirino, com a inscrição "Para o deus invencível". Em jogos públicos, uma estátua sua de marfim deveria ser carregada numa liteira, e uma biga com arreios se seguiria em companhia das estátuas de outros deuses. Uma outra estátua sua deveria ser colocada junto às estátuas de reis antigos de Roma. Um templo dedicado à liberdade que César conquistara deveria ser construído com dinheiro público.

E, no seu retorno, cinqüenta dias de ação de graças deveriam ser promulgados.

Eu estava morrendo de saudade dele. Apesar de minha contenda de que devia retornar ao Egito assim que os mares se abrissem, as boas notícias de Alexandria agora me permitiam ficar um pouco mais em Roma. Como poderia deixar que enquanto toda a multidão o visse retornar e o coroasse o conquistador do mundo, Cesarion e eu não lhe déssemos as boas-vindas – para sua casa e sua cidade?

Mas quando retornaria? Ninguém sabia ao certo. Continuava na Espanha, resolvendo problemas administrativos e distribuindo postos. Otávio se juntara a ele no seu quartel-general. Outros se apressaram para encontrá-lo perto da Gália, por onde passaria no caminho de volta: Bruto, Antônio, Décimo.

Finalmente chegou: uma carta pessoal para mim. Fora escrita em Híspalis. Agradeci ao mensageiro, dando-lhe alguma coisa (sem dúvida mais do que o necessário) e depois esperei até poder fechar a porta do meu quarto para lê-la a sós.

Acabou, e fui vitorioso. Sei que já deve ter ouvido a notícia. Mas o que não ouviu é o que vou lhe contar agora: sempre lutei pela vitória, mas, em Munda, lutei pela minha vida.

Fui poupado. Volto para você, e para Roma, são e salvo.
Meu carinho para você e nosso filho.

Lutei pela minha vida. O que eu fiz naquele dia? Por que não senti? Parecia impossível que tivesse sido um dia normal para mim. Sem querer, amassei o papel precioso por segurá-lo tão apertado.

Levou muito tempo para ele voltar. Não retornou para o aniversário de seu primeiro Triunfo, quando os romanos desfilaram com sua estátua em companhia da de Vitória, nos Jogos da Vitória. Não pôs os pés na sua cidade até o calor começar a amenizar; até mesmo se retirou para sua residência privada em Lábico por uma semana antes de chegar. Lá rescreveu seu testamento. Mas ninguém soube disso até muito depois.

Havia rumores de que César celebraria um Triunfo. Mas era improvável que ele se permitisse fazer isso, já que seus inimigos foram todos romanos também. Triunfos eram apenas celebrados sobre vitórias estrangeiras.

E então chegou a Roma, acabando com toda a especulação. Voltara. Vitorioso. Começaria tudo do começo. A suspensão de eventos chegava ao fim.

Não me enviou qualquer mensagem, ou me convidou para comparecer a nenhum evento privado de boas-vindas. Mesmo assim, sabia que ele esperava, como eu. Tudo no seu próprio tempo.

A noite em que ele veio à vila era chuvosa e fria – o ano virava de novo. Ouvi o ruído de pedras sob cascos de cavalo, e percebi que alguém se aproximava. Não achei que fosse ele; não tinha um dia específico para esperá-lo. Bastava saber que ele viria.

Ouvi sua voz. Ouvi quando mandou os criados se retirarem. Depois ouvi seus passos nos degraus, um de cada vez, até minha porta. Abri-a, e me vi olhando diretamente em seus olhos na luz fraca.

Parecia uma eternidade; parecia que eu o tinha visto pela última vez havia apenas um instante. Fui tomada pelo impacto do reencontro e afundei meu rosto em seus ombros. Não tinha palavras para expressar a felicidade de tê-lo comigo novamente.

Ele tocou levemente na minha nuca e levantou minha cabeça para que eu pudesse vê-lo. Um sorriso leve brincava em seu rosto, um sorriso diferente de qualquer outro que jamais vira nele. Então me beijou, um beijo prolongado, que falava da dor da nossa separação.

– Vamos fechar a porta – eu disse, finalmente. Estávamos na entrada da porta, onde podíamos ser vistos por todos. Levei-o para dentro.

Tinha mudado pouco. Parecia mais magro. Seu rosto lembrava ainda mais uma águia – fino, mais alerta.

– Graças a todos os deuses – eu disse. – A deusa Fortuna não lhe abandonou.

– Não – ele disse. Sua voz estava mais suave, mais serena. – Os sacrifícios antes da batalha de Munda falavam de desastre. Mas não dei ouvidos. Disse que faria bem porque desejava fazer bem.

Tremi.

– Fortuna foi muito misericordiosa com seu filho predileto depois de uma arrogância tão grande.

– Talvez ela goste assim – ele se aproximou e me abraçou. – E você?

– Faz parte de você. E como amo tudo sobre você…

– É verdade? Então é diferente de todos os outros.

A chuva caía lá fora, os galhos das árvores se balançavam com o vento, e nos aconchegamos debaixo da colcha do meu divã, como se procurássemos abrigo.

– Foi assim na sua tenda na Espanha? – perguntei, deitada ao seu lado, ouvindo a chuva cair.

– Não. Isso aqui é luxo. O teto não vaza, e os lençóis não estão molhados da água do chão – segurou minha mão. – Você não viveu até passar por uma campanha de inverno.

– Então precisa me levar na próxima vez – eu disse. Quando ele não riu, acrescentei: – Certamente não está planejando mais uma? Não existe mais nada para lutar.

– A não ser a Pártia.

– Deixe a Pártia em paz – eu disse. – E ela não lhe incomodará.

– Um dia, as águias das legiões destruídas de Crasso terão de ser devolvidas.

– Não por você – eu disse. – Roma é seu grande desafio hoje. Deixe a Pártia para Cesarion. Afinal, se você conquistar o mundo inteiro, o que sobrará para ele? Precisa deixar alguma coisa com que inspirar a próxima geração.

– Faço uma troca com você – ele disse com a voz calma, num tom de brincadeira, mas com um toque de seriedade. – Fico em Roma por um tempo se você ficar também – pausa. – Você fica? – outra pausa. – Fica?

Sim, por que me apressar de nos ver longe um do outro depois de uma separação tão longa? Abracei-o com toda força. Acorrentá-lo-ia a mim com argolas de ferro, para afastá-lo de qualquer perigo. Sem mais territórios. Sem mais conquistas. Que ele consolidasse o que já havia conquistado.

Por aquela noite, ele estava contente com as fronteiras do pequeno quarto, comigo e com o que eu podia oferecer. E ofereci todo o meu ser.

Contra tudo o que eu considerava sensato, César estava determinado a fazer um Triunfo para celebrar sua vitória. Diria que a guerra tinha sido uma revolta espanhola, ajudada por traidores romanos. Mas isso não enganaria ninguém, como fiz questão de lembrar. Ele disse que não se importava.

Há quem diga que César, durante aqueles dias, não se comportava racionalmente, que sua percepção aguda (seu traço notável de caráter) ficara podada e seu julgamento era suspeito. Minha interpretação é a de que ele estava exausto, tornando-se cada vez mais amargo com o fracasso de sua política de reconciliação e a suspeita automática e hostil da aristocracia a cada gesto seu. Além de sua pressa. Tratava o senado e o povo de Roma como uma batalha que devia ser lutada sem demora, imediatamente. Política e guerra não eram a mesma coisa; sua genialidade no campo de batalha não se transferia bem para os corredores do governo.

Ao dar cabo de todos os seus inimigos e ser nomeado Ditador, ele também recebera o mandato tácito de reorganizar o governo, como Sula também recebera. Esperava-se que ele, de alguma maneira, "restaurasse a República" – palavras que se ouviam em cada esquina.

Mas a verdade é que a tão idolatrada República estava condenada. Até mesmo hoje, fico imaginando se havia alguma coisa que se pudesse fazer para "restaurá-la" – a não ser voltar no tempo para um período em que tinha funcionado. A República era um clube privado, como o meu clube egípcio, a Sociedade de Imhotep, da minha infância. Respondia às necessidades de uns poucos aristocratas, enquanto excluía um vasto número de homens com interesses igualmente poderosos. Era com esse segundo grupo que César havia apostado seu destino, passando por cima da antiga ordem estabelecida. Não tinha como entregar as rédeas do governo de volta ao antigo grupo rígido. E era isso que significava "restaurar a República".

O Triunfo Espanhol aconteceu – contrário ao meu conselho e aos de Cícero, Bruto, Cássio, Lépido, Décimo e, até mesmo, alguns disseram, de Balbo e

Ópio. O dia estava quente para um começo de outubro e, uma vez mais, as ruas foram varridas, os monumentos e prédios decorados com grinaldas, e as arquibancadas erguidas. César desfilou em glória, como fizera no ano anterior, acompanhado pelo solene Otávio em sua biga. Mas, no meio de todos os vivas e adulações, numa das tribunas os espectadores se recusaram a levantar enquanto a biga triunfal passava.

Fiquei chocada quando César, em vez de continuar olhando para frente, fez seus cavalos pararem e encarou a tribuna ofensiva. Com a voz dura, gritou:

— Então, Póntio Aquila! Por que não me faz desistir do estado? Afinal de contas, você é um tribuno!

Aquila, espantado, apenas encarou de volta. Mas não se levantou.

Como o banquete não satisfez as expectativas de César (ou será que foi do povo?), ele acabou encomendando um outro alguns dias depois.

Foi então que pôs mais lenha na fogueira da opinião pública, permitindo que seus dois comandantes incompetentes, Pédio e Fábio, celebrassem seus próprios Triunfos, apesar de sua incapacidade de conter o inimigo com quem César teve de lutar por fim.

Ao mesmo tempo, bruscamente renunciou ao seu posto de Cônsul e apontou Fábio e um outro homem para preencher a vaga pelos últimos três meses do ano.

— Onde está com a cabeça? — perguntei-lhe, numa tarde em que veio até a vila. Um tarde rara, quando teve um momento livre.

— Ficam me acusando de ser um tirano — respondeu. — E um tirano renuncia a seus cargos?

— Por que precisa ter tanto ódio? Teve ódio de Cneu Pompeu e Vercingétorix? E se tivesse tido, será que os teria derrotado?

— Ah, agora você também se acha no direito de me dar conselhos… você, cuja experiência de guerra foi um empate entre suas forças e as de seu irmão; você, cuja única revolta no governo a fez perder o trono e ter de fugir! — César cuspiu as palavras.

Recusei-me a me rebaixar ao nível que ele desejava.

— Isso eu admito, mas tinha apenas vinte e um anos de idade, e foi minha primeira experiência de soberania, ou de uma batalha. Mas você, o soldado mais experiente do mundo, deveria saber mais.

— E agora você já é sabedora — ele retrucou. — Quantos anos tem?

– Vinte e quatro, como sabe muito bem – respondi. – E tive a vantagem de ser uma espectadora neste cabo-de-guerra. Um espectador pode muitas vezes ver coisas que aqueles no meio da confusão não conseguem. E o que vejo é um homem agindo como se estivesse sendo atacado por uma matilha de lobos – um homem atacando em todas as direções, vingativo. Será que foi realmente necessário dizer com tanto sarcasmo no fim de cada promessa política desde o Triunfo "Se Aquilas me permitir"? Parece com o que uma camponesa diria à beira de um poço sobre sua rival. Não é do seu nível.

Ele sacudiu a cabeça e se afundou numa cadeira.

– Tem razão – disse finalmente. – É mesquinho e petulante. Mas é que me esgotam a tolerância!

Eu ri.

– Esgotam sua tolerância? Você, que sobreviveu a raízes e neve, que fez jornadas sob condições torturantes. Quantos quilômetros percorreu em um dia na sua viagem à Espanha, no meio do inverno?

– Mais de oitenta – ele disse. E sorriu, seu sorriso maroto. – E compus um longo poema no caminho... não desperdicei um minuto. Chama-se "A Jornada".

– Então precisa me deixar ler – disse, ralhando com ele. – Mas, como estava dizendo, como pode deixar essas farpas políticas tirá-lo do sério, quando tudo o que a natureza jogou contra você não conseguiu lhe incomodar?

– Pessoas me endoidecem mais do que frio, fome, sede ou calor.

Ajoelhei-me ao seu lado. Sim, ajoelhei-me. Olhei nos seus olhos.

– Você chegou a este ponto, conquistou tanto, para perder tudo agora por causa de uma fraqueza humana? Refreie essa fraqueza! Não permita ser controlado por ela – será que me ouviria? – Será sua ruína, vai acabar anulando tudo pelo que trabalhou tão arduamente.

– E eu não sou um ser humano? – ele gritou, angustiado. – Como posso ordenar a mim mesmo ser duro como pedra? Essas coisas me laceram por dentro. Cortam meu íntimo como uma adaga!

– Então feche a ferida e descanse. Seu espírito está ferido e precisa deixá-lo cicatrizar, do mesmo modo que faria com um corte em qualquer parte de seu corpo. Temo que – continuei, devagar – se não o fizer, ele ficará contaminado. O que, decerto, já pode estar acontecendo.

Talvez ele tenha feito como eu aconselhara; pois desapareceu durante vários dias. Mas a inquietação e os rumores continuaram. Para uma cidade em paz, e sem ameaça de inimigos externos, Roma parecia ter os nervos à flor da pele.

Fiquei surpresa quando, no fim do mês, Otávio apareceu na vila. Convidei-o para a sala que se abria para o átrio – pintada de um vermelho profundo, com cenas místicas para compensar a falta de mais janelas.

Ele parecia mais alto, mais maduro. (Será que mandara fazer sandálias mais altas?) Sua figura delicada parecia mais tranqüila, e seu corpo por baixo da toga, mais substancial, mais resistente. A campanha espanhola fizera dele um homem, afinal, apesar de ele não ter participado de uma batalha de verdade. A luta que travou só para chegar lá fora suficiente.

– Você se tornou imponente – eu disse. – A viagem parece ter tido um efeito saudável em você.

Fiquei surpresa com meus próprios sentimentos amenos para com ele; acabou por conquistar-me de certa maneira. E sua lealdade por César fora provada. Isso contava muito.

– Vim para me despedir – ele disse. – Meu tio acertou para que Agripa e eu partamos para Apolônia atravessando o Adriático e recebamos mais treinamento, tanto retórico quanto belicoso.

– Sei como é difícil para ele mandá-lo para longe – eu disse, com sinceridade.

– Vamos nos encontrar na sua próxima campanha, quando poderemos ser mais úteis a ele.

Próxima campanha? Então haverá outra?

– Pártia? – perguntei baixinho. Devia ser Pártia.

– Sim. Estaremos no meio do caminho. Ele nos mandará buscar depois que fizer a travessia.

Depois que fizer a travessia... Quando?

– Na primavera que vem? – perguntei, já sabendo a resposta.

– Creio que sim.

– Desejo a você e a Agripa uma viagem segura. Sem naufrágios! E espero que seu treinamento seja tudo o que deseja.

Olhei para ele. Para seus traços puros e incandescentes, seus olhos separados, seus cabelos levemente assanhados. Naquela hora, pensei apenas em como a família de César era bonita.

– Foi um benefício conhecê-lo – acrescentei.

– Para mim também – ele disse, com um sorriso agradável.

E este, eu juro, foi o meu último encontro com ele, e essas, as últimas palavras que trocamos olhos nos olhos. Como os deuses gostam de zombar de nós! Relembro esse encontro mais e mais, como se alguma palavra pressagiosa pudesse flutuar para dentro da minha lembrança. Mas nenhuma vem. Nada além de um adeus cordial entre duas pessoas que amavam César e teriam dado a vida por ele.

31

As ruas estavam apinhadas de gente. Minha liteira quase não conseguia passar. Os empurrões e as sacudidas davam a impressão de estarmos navegando – de fato, estávamos, lutávamos para atravessar um mar de pessoas.

– Que divertido! – exclamou Ptolomeu, espiando pelas frestas. Sua voz era fraca; com o retorno do inverno, sua tosse e sua debilidade também voltaram.

Desejei não ter aceitado o pedido de César de ficar mais tempo. Agora, estávamos presos até a primavera. Sentia saudade das ruas largas de Alexandria, onde nunca se via um amontoado assim. Queríamos fazer uma visita ao bairro dos ourives de prata e ouro, porque Ptolomeu queria vê-los trabalhando. Ptolomeu tinha uma inclinação firme para o artístico, especialmente tudo o que envolvia desenho. A visita fora marcada dias antes; nos esperavam nas suas oficinas e agora estávamos emperrados no meio da rua.

O que se passava? Espiei irritada da liteira, como se pudesse fulminar o culpado com meu olhar. Vi apenas grupos e grupos de cabeças e ombros. Avistei uma estátua grande amarrada com cordas sendo empurrada num vagão. Atrás da primeira, vinha uma segunda. Não reconheci o que eram.

– Olhe! É César ali nos degraus! – gritou Ptolomeu, apontando.

Virei-me para olhar; era mesmo César e outros parados nos degraus do teatro de Pompeu e seus prédios adjacentes, maiores do que o próprio teatro.

– Para lá! – gritei para os liteiros e eles fizeram uma curva e atravessaram a rua.

Que prédio imponente aquele, eu pensei. Poderia até pertencer a Alexandria.

César me viu se aproximar e veio até nós.

– Então até você é atraída por isso? – ele perguntou, espiando dentro da liteira.

– Não – respondi. – Estamos aqui por acaso. O que é isso?

– Hoje é o dia da devolução das estátuas – ele respondeu. – Venha assistir – ao notar minha relutância, acrescentou: – Para onde quer que estivesse indo, não vai conseguir chegar. Então por que não se juntar a nós?

Ergueu o braço e nos ajudou a descer. Continuou segurando minha mão ao voltar para os degraus.

– Que dia, hein? – exclamou um homem que reconheci ser Lépido, depois de buscar na memória. – Quem diria que elas seriam repostas?

– De volta do armazém – disse outro. Era Marco Antônio. – Só precisaram limpar as teias de aranhas e ficarão novinhas em folha!

– É, nunca se deve jogar nada fora – disse a mulher ao seu lado; era Fúlvia, sua nova mulher. – É o que sempre digo.

– Mas não deve ser sobre coisas caseiras – retrucou Lépido – porque o mundo inteiro sabe que, por essas, você não tem qualquer interesse.

Fúlvia não achou engraçado.

– Lido muito bem com os afazeres domésticos – ela disse. – Antônio não se queixa.

Olhou para Antônio, esperando confirmação.

– Não, não – ele disse. – Nada do que reclamar.

E virou-se para mim.

– No Egito, vocês celebram a ressurreição dos mortos – ele disse. – É a primeira vez que acontece aqui em Roma. As estátuas dos que foram derrotados e dos que foram proibidos se erguem novamente em seus pedestais.

Uma estátua maior do que as outras se aproximava, balançando-se no vagão, sendo segurada pelos trabalhadores. Dois bois cansados, de chifres abaixados, caminhavam penosamente na direção do teatro carregando seu fardo.

– É Pompeu – disse César para mim. – Reconhece seu rosto de lua?

– Reconheço, embora já se tenham passado anos.

Graças aos deuses não o tinha visto no seu fim, como César vira.

– Por que estão trazendo sua estátua de volta?

– *Suas* estátuas – corrigiu César. – Pela cidade inteira, elas estão sendo repostas. Junto com as de Sula.

– Mas por quê? – para mim, era muito estranho.

– Para mostrar que as perturbações da guerra civil de Roma chegaram ao fim – disse César – agora seus heróis podem ser honrados pelos seus feitos, sua bravura ou ingenuidade, sem referência a que lado tomaram. Tudo pertence ao passado.

— Isso é o que você deseja — disse Fúlvia, séria. — Mas vai precisar mais do que repor velhas estátuas em seus pedestais para colocar tudo de volta no lugar certo!

Olhei atentamente para Fúlvia. Seu rosto tinha um aspecto classicamente agradável, mas sua expressão severa me fez pensar em Atenas com seu capacete. Ela tinha a aparência de uma mulher, mas suas palavras e maneira de se portar eram diferentes.

— O que você quer é mais estátuas para fazer companhia às suas — disse Antônio para César. — Tantas estão sendo erguidas, que você não quer se sentir sozinho!

— Tenha paciência, Antônio! — Fúlvia olhou severamente para Antônio. — Às vezes você parece um idiota!

— Cale-se, meu amor — disse Antônio, alegre. — Vamos ver, vai ter duas no Rostro e uma em cada templo de Roma, como também uma para cada cidade no país e nas províncias. O bom é que podem ser copiadas de um único modelo, senão você ficaria cansado de posar, meu caro César.

— Um governante não deve nunca se cansar de posar — disse Fúlvia. — Em alguns países, é sua ocupação primordial. E no Egito?

Ela jogou a pergunta para mim como um desafio.

O que havia de errado com ela? Parecia se coçar por uma briga. Mas, como rainha, não lhe daria tal satisfação.

— Talvez você não tenha visto a estátua de Cleópatra que mandei pôr no templo de meus ancestrais — disse César, com calma. — Sugiro que faça. Então terá sua resposta.

Fúlvia franziu a testa e caminhou até o vagão, a pretexto de examinar a estátua de Pompeu, que os homens embrulhavam num lençol e amarravam a uma plataforma de madeira, antes de levantá-la e carregá-la para dentro do prédio.

Lépido caiu na risada e pôs a mão sobre os lábios, mas Antônio não se continha, como se não se importasse que todo mundo o ouvisse. Era uma risada de puro deleite, raramente presenciada num adulto. Geralmente esse tipo de felicidade sem trela morre com nossa infância.

— Silêncio — pediu César. — A Fera o ouvirá!

E logo os três riram como meninos. César soltou minha mão e torceu a barriga. Riu até as lágrimas correrem do canto dos olhos.

— O que foi tão engraçado? — perguntou Ptolomeu, intrigado. E olhou ao redor com curiosidade.

– Uma coisa que os romanos sempre acham engraçado – eu disse. – Esposas.

Um mercante carregando uma cesta de lingüiças e pão passava oferecendo sua mercadoria para a multidão.

– Vamos comprar a cesta inteira! – disse Antônio, acenando com a mão. – Aqui, aqui!

Antônio pulava para chamar a atenção do homem.

O homem levantou sua túnica e subiu os degraus, esperançosamente. Tinha um macaquinho pendurado no ombro.

– Vai ver como são as melhores. Lingüiças de Lucânia, pão assado esta manhã da *simila* mais fina.

– Compraremos a cesta inteira – disse Antônio. – Ah! E a macaca também!

O homem ficou perplexo.

– Mas ela não está à venda.

Antônio fez cara de decepção.

– Então pode esquecer o resto. Sabe o que é, na verdade era a macaca que queríamos.

– Mas, meu senhor... ela é a favorita dos meus filhos... no entanto, se... talvez... – ele parecia desolado – Será que não quer levar a cesta em vez...?

– Não. Para que quero uma cesta? – disse Antônio, sério. – É a macaca, ou nada.

– Bem, então, se insiste...

Levantou o braço e, devagar, pegou a macaca e entregou-a para Antônio, que a abraçou com seu braço musculoso.

– Maravilhoso! Faz anos que Fúlvia tem uma receita para cérebro de macaco – ele disse alegremente.

O homem empalideceu, e Antônio não conseguiu prosseguir. Delicadamente, devolveu a macaca.

– É brincadeira – ele disse. – Pode ficar com sua macaca. Não preciso de uma – ele riu. – Mas, afinal, se um homem tem filhos, para que precisa de uma macaca? Para mim são iguais em aparência, se comportam do mesmo jeito, também. Mas, as lingüiças, nós compramos, meu bom homem.

Depois que o homem foi embora, agarrado à macaca, Lépido encheu as mãos de lingüiça e pão e experimentou uma.

– Forte! – ele disse. – Manjericão demais e alho em excesso. Com certeza é para esconder alguma coisa. Por que não experimentou uma antes de comprar a cesta inteira?

Antônio, mastigando uma lingüiça, deu de ombros.

– Muito trabalhoso – ele disse. – Além disso, queria distribuir o resto.

E gritou para a multidão de pessoas paradas nos degraus:

– Aqui! Lingüiças e pão de graça! Venham, peguem, cortesia de Marco Antônio, Cônsul eleito, marido suspeito...

César começou a rir de novo.

– Cuidado. Senão Fúlvia vai lhe bater, e vou ter de cancelar meu compromisso.

– Junto com todos os outros novos que marcou? – Antônio virou-se para mim, como se contasse um segredo. – César aumentou o número de senadores de seiscentos para quase novecentos. Alguns deles bárbaros de verdade, importados da Gália. Com certeza vai dar o que falar. Assim, ninguém vai me notar lá; sou muito comum.

– São aqueles que me ajudaram a ser vitorioso. Se fossem piratas e assassinos, também teriam sua recompensa – disse César. – Pelo menos são amigos leais.

– Mas vestem calças! – lamentou Lépido. – Calças, em vez de togas. Calças na casa do Senado! É o fim do mundo!

– Que absurdo – retrucou César. – Aqui usarão togas, independentemente do que usam em casa.

Os homens que carregavam a estátua pela escada gemiam, e notei a figura deslizando levemente da sua plataforma. Mas estavam quase no topo.

– Venha – disse Antônio. – Não vai querer ficar aqui para assistir a estátua ser colocada no pedestal, não é? Vamos nos divertir. Conheço um lugar...

César grunhiu de brincadeira.

– Peças, não. Corrida de bigas também não.

– Eu sei. Vamos até o estádio atlético disputar uma corrida. Como fazíamos, lembra-se? – Inclinou-se e pôs seu braço sobre o ombro de César.

– Lembro, sim – disse César. – Fico pensando se ainda posso ganhar de você.

– Então venha – disse Antônio. – Venha. Mas vou logo avisando...

Rindo, os dois desceram os degraus. César caminhava leve.

Nunca esquecerei daquele dia nos degraus; serve de consolo quando penso que o mundo é um lugar cruel. Pedacinhos de alegria na memória, lustrosos e brilhantes, pulando pelos anos. É uma coisa pura por si mesmo, a alegria, e uma das raras qualidades em um ser humano.

Era época da Saturnália de novo, aquela festa que celebrava a liberdade. Agora compreendia melhor; era alguma coisa ligada a Saturno, mas por que todo mundo usava o barrete da liberdade e senhores e escravos trocavam de posição e a toga era proibida de se usar, não fazia idéia do porquê. As pessoas podiam dizer todo tipo de coisa que normalmente eram consideradas impróprias, assim, esses sete dias de festa eram um banquete para os ouvidos.

As casas ficavam de portas abertas para os amigos, e os amigos vinham, passando de uma casa para outra, trocando presentes. Eram presentes curiosos, quase sempre uma coisa disfarçada em outra – velas que pareciam comida, comida que parecia jóia, plantas pintadas para parecerem estátuas de pedra. Algumas das casas mais abastadas contratavam um mestre de cerimônias, um *Saturnalicius princeps*, que dava ordens para as pessoas representarem – cantando, dançando ou recitando poesia. César também abriu sua residência, permitindo às pessoas circularem livremente por seu domínio. No Monte Palatino, Cícero fez o mesmo, como fez Antônio, que agora ocupava o antigo palácio de Pompeu, próximo de Cícero e de todos os que tinham ligação com a política. Era uma oportunidade para mostrar as virtudes romanas de acessibilidade e generosidade… e uma maneira menos sangrenta do que os jogos de agradar o povo.

Como Ptolomeu implorou para ir – queria se vestir como um eunuco e fingir ser Mardian –, concordei em visitar algumas casas.

– Mas não todas – avisei. – Não vou ficar passando de casa em casa. Isso não é uma coisa que reis e rainhas façam.

– Mas não seremos reis e rainhas. Eu sou Mardian.

– Como alguém vai poder saber? Ninguém conhece Mardian, a não ser César. E como vai se vestir como um eunuco? Vestem-se como qualquer um.

Odiava ter de decepcioná-lo, mas a verdade é a verdade.

– Falo com a voz fina – ele disse.

– Sua voz já é fina – lembrei-o. – Acho que a idéia do eunuco… é muito complicada. Por que não escolhe outra coisa, um pirata ou um gladiador? Ou um corredor de biga? Tem tantos outros papéis de escravos ou homens livres que você pode representar.

– A minha voz é mesmo fina? Tão fina quanto a de um eunuco? – soava preocupado.

– Ainda não mudou… – eu disse. – Talvez daqui a um ano…

Suspirei. Não queria que ele se preocupasse com isso. Havia preocupação suficiente com sua tosse persistente.

– Agora, o que posso ser? Não uma rainha… também não quero ser uma serva, é o que todo mundo espera… talvez possa ser uma gladiadora… quero dizer, se você não quiser ser.

– Não, *você* tem de ser a gladiadora – ele disse ligeiro – existem mulheres gladiadoras?

– Acho que ouvi falar de algumas – eu disse.

Mas será que tinha ouvido mesmo? Talvez tivesse sido minha imaginação.

– Que tipo de espada vai querer? E vai carregar uma rede e um tridente? – ele perguntou.

– Não sei. Acho que Décimo, o general predileto de César, tem uma escola de gladiadores. Tenho certeza de que pode providenciar uma fantasia para mim. No entanto, acho que carregar uma rede e um tridente no meio do povo não é uma boa idéia

– Seria divertido espetar alguém só por acaso. Alguém como Cícero! Ou aquela Fúlvia!

– Cícero gritaria e depois faria um ensaio sobre o caso. Mas Fúlvia… ela mesma deve carregar um tridente às vezes, e bem afiado. E eu não ia querer lhe dar uma desculpa para usá-lo, não é?

O dia curto de inverno começava a escurecer quando chegamos à casa de César. Seu átrio, sua sala de jantar, seu jardim estavam cheios de gente, a maioria com o barrete da liberdade, significando escravos libertados. O ruído era intolerável.

Segurei a mão de Ptolomeu de um lado e, do outro, a de Charmian. Nessa festa, os escravos, os criados e os senhores se misturavam, e os senhores serviam os escravos.

Minha fantasia de gladiadora era do tipo chamado Samnita, e eu a modificara para dar um pouco mais de decoro, já que um gladiador de verdade usava apenas uma espécie de tanga e protetores de canela, além do magnífico capacete. Decidi cobrir meu peito com um escudo de metal e meus braços com fraldas de couro. Mas o capacete era maravilhoso. Tinha uma aba pesada e curvada e era decorado por toda a coroa e por toda a viseira.

Quando Décimo em pessoa trouxe o costume, peguei o capacete com as duas mãos e o coloquei na cabeça. Assim que se encaixou, senti-me diferente. Soube pela primeira vez como era ser um guerreiro, entrar num campo de batalha. Soube também que era o que queria fazer – liderar tropas, ou comandar navios. Era verdade que já tinha juntado um exército contra meu irmão alguns anos antes, mas não presenciara uma luta de verdade. Esse capacete pesado, essa espada na mão, fizeram meu sangue cantar, o que me pegou de surpresa.

– Muito gentil ter-me trazido a fantasia – eu disse, tirando o capacete.

– É um prazer – ele respondeu. – Espero que sirva bem. Emprestei de um dos meus menores lutadores, um homem de Malta. Mas, por pequenos que sejam, os malteses são ferozes.

Gostava daquele homem tanto pela sua maneira educada quanto por saber que César gostava dele. Décimo servira-lhe muito bem durante as duas batalhas marítimas na Gália, e César tinha me contado que planejava anunciar sua indicação para o posto de governador da Gália para o ano seguinte.

– Você parece uma *gladiatrix* formidável – ele disse. – Mas precisa de um oponente. Foi por isso que trouxe duas fantasias… Charmian pode ser sua adversária.

Entregou a Charmian a fantasia antiquada de um lutador trácio.

– Não temos mais necessidade dessas roupas, mas achei que daria uma ótima fantasia.

Na hora pensei: que homem gentil e atencioso!

Agora Charmian e eu, duas *gladiatrices*, e Ptolomeu, o corredor de bigas, vestido com a cor verde de um campeão, que o interessara por ser a tonalidade do Nilo, passamos pelas pessoas no átrio de César, procurando rostos conhecidos na luz fraca.

Inicialmente não vi ninguém conhecido e me perguntei por que toda multidão parece igual. Depois, aliviada, vi Lépido encostado na parede, mastigando alguma coisa. Não usava uma fantasia, o que era bom, porque nunca o teria reconhecido.

– Saudações, lutador intrépido! – ele me saudou. Removi o capacete para conversar com ele. Ele ficou surpreso quando viu quem era o gladiador.

– Grande Rainha! Que batalhas você luta?

Vi que ele olhava para meus braços e pernas com apreciação. Pensei que era melhor lembrá-lo de César.

– Apenas contra aqueles que parecem inimigos de César.

Ele indicou a sala inteira.

– A casa está repleta deles. Mas César declarou anistia àqueles que não aceitam um perdão direto e vieram correndo para Roma. Imagine só, até Catão, o seu inimigo mortal, se estivesse vivo, talvez estivesse aqui esta noite.

Um grupo de escravos veio na nossa direção, gritando sobre um jogo de azar.

– Apostas fechadas. Os dados vão rolar!

– Esta é a única ocasião em que os escravos podem jogar – disse Lépido. – Abertamente, quero dizer.

Deu espaço para eles passarem.

Depois um grupo de homens e mulheres vestidos como gauleses entrou na sala posando e gritando:

> *César levou os gauleses ao triunfo,*
> *Subindo e descendo morros*
> *Para a casa do Senado os trouxe*
> *Casa que era a glória da cidade*
> *– Tirem as calças já – ele gritou*
> *– Troquem por um robe púrpura!*

E quando disseram "calças", todos abaixaram as calças. Todo mundo gritou. César, num canto distante do átrio, riu e jogou um robe púrpura para eles.

– Cubram-se! – gritou.

– Então, César não se sente envergonhado com isso – disse Lépido. – Interessante. Ele é imprevisível. Catão o preocupa, mas isso não – olhou ao redor. – Estou surpreso de não haver versos sobre os *libertini* também – Quando viu que não respondi, ele explicou. – Os escravos libertados. César pôs seus filhos no Senado. É como se estivesse querendo agradar o povo, pisando nos calcanhares da aristocracia.

O povo comum e seus legionários: eram o forte de César. Atrelara os últimos e agora estava querendo atrelar os primeiros. Um jogo muito perigoso.

O calor gerado pela massa de corpos começava a ficar opressivo, e o nível de barulho, desagradável. Deveria ir até César cumprimentá-lo, mas Calpúrnia parada, resoluta, ao seu lado me deteve. Fiquei espiando através dos buracos no meu capacete. Como se dirigia a ela? Será que ela pegara a mão dele? Ou ele pegara a dela primeiro? Por que ainda continuavam casados?

Lépido cochichou no meu ouvido.

— Parece que vão levar um voto ao Senado para permitir que César se case com mais de uma mulher.

— O quê?

Não havia uma sociedade que permitisse tal coisa, ao menos que eu soubesse. Homens tinham concubinas legais, sim; porém mais de uma esposa verdadeira e igual, não.

— Ouvi de fontes seguras — Lépido disse. — Para permitir que César tenha herdeiros legais, já que Calpúrnia é infértil. Existem várias honras hereditárias dadas a César que ele não poderá passar adiante — os títulos de Imperador e de Pontífice Máximo — por falta de um herdeiro.

— Então por que não deixam que se divorcie de Calpúrnia? — questionei. — É o que todo mundo parece fazer aqui em Roma — Tinha acabado de ouvir que o casamento de Cícero com a núbil Publília acabara em divórcio. Não que fosse surpresa para ninguém.

— Ao que parece — Lépido hesitou — não é o seu desejo.

Claro. Evidentemente era esse o caso. Senão, já teria feito. Mas eu nunca consentiria em me tornar sua segunda esposa enquanto ele mantivesse a primeira. Eu seria a única esposa verdadeira... ou não seria nenhuma.

— De quem foi a idéia?

Se César pensava que eu pudesse consentir com tal disparate, então não me conhecia. Ou talvez tivesse começado realmente a se achar isento das regras normais de decência.

— Não posso crer que tenha se originado em qualquer outro lugar senão... do próprio César — disse Lépido. — Ninguém jamais proporia isso sem o seu conhecimento.

Que insulto! De repente comecei a odiá-lo, parado ali tão bem apessoado com sua Calpúrnia pendurando-se no seu braço, observando seus convidados, incluindo aqueles que com tanta magnanimidade perdoara, quisessem eles ou não.

— Venha, Charmian! Ptolomeu! Creio que prefiro a hospitalidade de Cícero! Isso mesmo, até a hospitalidade de Cícero!

Agarrei as mãos dos dois.

– Mas acabamos de chegar! – reclamou Ptolomeu.

– Tem muita gente – eu disse. – A casa de Cícero é maior. Vamos até lá.

Empurramos os convidados e saímos para a lateral do Fórum, onde a escuridão que caía e as tochas acesas eram convidativas depois do calor e da confusão de dentro.

Havia grupos de pessoas passeando, mas vinham em bandos, que, quando passavam, deixavam a calçada vazia.

Viramos para o leste e passamos pela casa das Vestais, depois viramos no local do Templo de Júpiter Estator e achamos a rua, a Ladeira Palatina, que levava à ladeira do Monte Palatino. As tochas estavam plantadas ao longo do caminho, e os pinheiros em forma de guarda-chuva murmuravam ao vento. Era um lugar ameno para se morar, pensei, acima dos aborrecimentos de Roma. O ar tinha um perfume delicado de pinho e dos ventos que sopravam do campo.

Não foi difícil achar a mansão de Cícero, famosa tanto por sua localização quanto pelo fato de que o inimigo político de Cícero, Clódio, havia mandado demoli-la e Cícero, por vingança, a reconstruíra ainda mais grandiosa. As luzes brilhavam em todas as janelas, e os arbustos podados pareciam tão ordenados como as próprias escrituras polidas de seu dono. A casa refletia o homem. Mas não é sempre assim?

Mostre-me a mulher de um homem, sua casa e seu criado e, depois de observá-los atentamente, posso dizer tudo sobre ele, disse o meu tutor uma vez. Acho que tinha razão.

Entramos num átrio espaçoso, no centro, uma grande piscina *impluvium*, que juntava água da chuva. Imediatamente percebi como eram de bom gosto os murais, com fundos verdes e pretos, formando cenas de grinaldas de flores e árvores frutíferas, tão perfeitas que tive vontade de levantar a mão e apanhar as maçãs.

Em vez da multidão opressiva da casa de César, havia grupos discretos de pessoas conversando. Vi Cícero carregando uma bandeja de comida e servindo os convidados. Aproximei-me, não esquecendo de tirar o capacete.

– Bem-vinda, Majestade – ele disse. – Dê-me um instante, por favor – ele ofereceu uma cesta de frutas para um grupo de pessoas que estava perto. Um deles levou muito tempo para escolher um figo.

– É Tiro, o meu secretário – disse Cícero, quando voltou sua atenção para mim. – Ele se diverte imensamente com essa troca de papéis.

Ofereceu as frutas para mim também. Recusei.

— Então? Não quer uma maçã, ou mesmo uma pêra? Estas vêem da minha residência do campo em Túsculo. Está ofendendo minhas habilidades como agricultor.

Peguei uma fruta.

— Por que é que os romanos querem também ser vistos como agricultores mesmo sendo homens de política? É muito típico de seu país.

— Eu sei. Ninguém imagina um alexandrino colhendo pêras, ou Péricles cuidando de uma fileira de pés de feijão. Viajo para minha casa de campo em dois dias e estou contando as horas.

— Se fosse para eu ter uma casa de campo no Egito... não, não posso nem imaginar!

— Você é uma criatura da cidade. E que cidade! A bela Alexandria, com seu mármore branco reluzente! Tenho há muito o desejo de entrar na sua Biblioteca e ler os seus pergaminhos. Que tesouros existem ali, fechados nos seus nichos!

— Temos orgulho de possuir a melhor biblioteca do mundo. Mas César planeja construir uma similar aqui em Roma.

Ele sorriu timidamente.

— Sim, mas já sou um homem idoso. Sinto que nunca teria a oportunidade de desfrutá-la.

Naquele momento, vi um grupo de homens que reconheci bem: Bruto, Cássio e Casca. Viviam juntos, como se estivessem amarrados uns aos outros. Bruto estava com uma mulher desconhecida ao seu lado. Devia ser sua nova mulher, Pórcia. Ao seu lado, estava Servília.

Senti uma ponta de ciúme quando vi Servília. Talvez César fizesse dela uma de suas esposas auxiliares, pensei. Afinal, precisaria de muitas, ou o privilégio especial teria pouco valor!

Cícero continuou falando, mas perdi o fio da conversa. Terminou com... "se você puder considerar".

— Desculpe, poderia repetir?

— Estava perguntando se seria possível que eu tomasse emprestado um dos manuscritos que vocês têm do *Ilíada*. E também estou interessado em alguns dos poemas de Safo. Ouvi dizer que há fragmentos de sua escrita que se encontram somente nos seus arquivos.

Seus olhos, rodeados de rugas, estavam ávidos. Desejei poder fazer-lhe aquele favor.

– Sinto muito, mas é estritamente proibido remover qualquer pergaminho da Biblioteca.

Sua expressão mudou de súbito.

– Certamente que se você ordenasse... – ele disse.

– Não. Até mesmo eu não posso removê-los. Mas posso mandar fazer uma cópia.

– Então, não confia em mim? – ele exclamou. – Cópias!

– Mas já disse, são as regras...

– Você não é uma soberana absoluta? Não tem o poder para ordenar a remoção de um?

– Não seria certo. Não posso ordenar uma coisa apenas por capricho pessoal.

– Com certeza se fosse César que pedisse, removeria num instante! – ele disse friamente.

– Uma cópia seria suficiente. Dessa maneira você pode guardá-la para sempre na sua biblioteca. Com todos os naufrágios, tem de admitir que não posso confiar um manuscrito ao alto mar.

Sua maneira gentil e o sorriso se esvaneceram.

– Compreendo.

– Está me testando de algum modo? Porque se não, não faz sentido. Já disse que teria prazer em mandar fazer uma cópia do que quiser.

– Não tem importância – ele disse. – Não se dê o trabalho.

Para minha perplexidade, ele me deu as costas e foi embora.

Em toda a minha vida, ninguém jamais fizera tal coisa. Mas estava em Roma, e era a festa da Saturnália, um período de licença. Senhores viravam escravos, e anfitriões viravam as costas aos convidados, até mesmo a rainhas.

– Venham – chamei Charmian e Ptolomeu. – Acho melhor irmos embora.

– Mas acabamos de chegar! – ele repetiu. – Por que fica mudando o tempo todo?

A única outra casa que eu conhecia era a de Antônio. Era também famosa, porque ele a tomara dos bens confiscados de Pompeu e vivia nela de modo permissivo, deixando seus móveis serem levados por jogadores e bajuladores. Contavam que uns escravos ganharam as colchas púrpuras de Pompeu, cobrindo seus estrados com elas, e que toda a mobília fora levada nos ombros de jogadores de dados vitoriosos.

Era também fácil de encontrar. Uma mansão saliente numa área chamada Carina, a uma caminhada curta da casa de Cícero. A localização não era tão perfeita, porque ficava numa faixa de terra que descia o Palatino, mas ainda ficava bem acima do Fórum.

As luzes brilhavam. Já havia escurecido por completo, e as chamas douradas das tochas eram os únicos focos de luz na cidade.

Ouvia-se o burburinho alto na porta de entrada. Parei, pus o capacete, fechando a viseira. De repente, senti um cansaço grande. Estava fazendo aquilo por Ptolomeu. Minhas duas primeiras escolhas não ofereceram muito a ele. Esperava que esta última fosse melhor. Endireitei os ombros e entrei.

Uma explosão de barulho e calor quase me derrubou para trás. Parecia um mercado combinado com uma corrida de bigas. Um povaréu se divertia lá dentro, dançando, comendo, bebendo.

– Vamos! – eu disse. – Vamos entrar à força!

Levantei a viseira e comecei a sacudir minha espada, da esquerda para a direita. Adorava a sensação de carregá-la. As pessoas abriram caminho ligeiras. Ah, que maravilha ser guerreira! Homero tinha razão.

Atrás de mim, Charmian fazia o mesmo, e Ptolomeu gritava, "Adiante! Adiante!", estalando seu chicote. Eu sabia que deveria ter arranjado uma biga de mentira e um corcel. Teria feito sua entrada muito mais imponente e o ajudaria a fingir melhor.

Os convidados, turvados com a bebida, saíram do caminho, bem-humorados. Minha espada zunia. Fiquei na posição de luta. Todos olhavam.

Finalmente cheguei ao lugar em que me senti em casa. Aquelas pessoas não eram cheias de preconceito, estavam meramente à procura de diversão – o que era de certa maneira muito mais difícil de se obter. Mas não se importavam com quem estivesse oferecendo – na sua constante busca de entretenimento, eram verdadeiros democratas. Rainha, escravo, homens livres… podem nos fazer rir?

Eu não conseguia ver pelas laterais do capacete. De repente, Antônio estava ao meu lado.

– Quem tenho aqui? – ele perguntou. – Guerreiros ferozes estão invadindo minha casa.

Como Lépido, vi que ele olhava com cobiça para minhas pernas, descobrindo que não era um homem. Tirei meu capacete e tive o prazer de vê-lo chocado.

– Majestade – gaguejou. – Eu... é uma honra imensa!

– Tem uma casa que facilita a entrada. E digo isso como o maior dos elogios.

– Espero que os ladrões não sintam o mesmo – ele riu. – Mas já redecorei a casa uma vez antes. Posso fazer de novo. Desta vez, porém, Fúlvia pode não gostar.

– Quis dizer que me sinto em casa aqui.

– Mas uma rainha certamente sente-se em casa em qualquer lugar – ele disse.

– Uma rainha pode ir a qualquer lugar, isso é verdade. Mas, sentir-se em casa... ou melhor, bem-vinda... não.

– Venham, deixem-me oferecer-lhes algo para beber! – acenou para um criado. – Meu banqueiro é quem está passando as bandejas esta noite.

Taças de ouro tosco puro foram trazidas.

– Aceite uma.

Olhei perplexa.

– Você permite a seus convidados usarem estas taças?

– Sim, por que não?

– Mas são de ouro puro!

– Então, que melhor uso teria para elas? Não foram feitas para conter vinho?

Pegou uma taça, passou-a cerimoniosamente para Ptolomeu e encheu-a de vinho.

– Este aqui é De Cécubo – ele disse. – Beba o quanto quiser.

Ptolomeu corou com a implicação de que era completamente adulto.

Olhei ao redor.

– As fantasias são complicadas – comentei.

Em todo lugar havia capacetes, turbantes, escudos, capas, botas altas. Olhei atentamente para Antônio. Estava usando uma túnica tingida de púrpura; uma grinalda de hera entrelaçada em seus cachos escuros. A túnica, ao contrário das de César, tinha mangas curtas, revelando os músculos dos ombros e dos braços.

– Quem é você? – perguntei.

– Um provador de vinho. É o trabalho de escravo que mais combinaria comigo.

De repente, lembrei de seu conhecimento profundo de vinhos e vinhas de muito anos atrás, durante o festival de Baco, em Alexandria.

– Então, parece que você é um verdadeiro Dionísio – eu disse.

– É apenas um passatempo – ele disse. – Apesar do que dizem meus inimigos, não é minha ocupação regular.

– E qual é sua ocupação regular, então?

Fiquei curiosa. Como ele via a si mesmo?

– Sou um soldado, é claro. E o braço direito de César.

– E não tem outra aspiração?

Ele pareceu genuinamente surpreso.

– Que outra aspiração poderia ter?

– Ser o primeiro no mundo, em vez de apenas o tenente.

– Ser o tenente de César é ser o primeiro em todo respeito – ele disse.

32

– Então você vai ter um monte de esposas? – eu disse. – Nem Júpiter teve. Mesmo que todo mundo lhe chame de "Júlio Júpiter", seu novo título, não tem esse direito. Isso apenas o limitaria a ter uma, Calpúrnia, sua Juno!

Era a primeira vez que César e eu ficávamos a sós desde o Ano Novo. A proposta de permiti-lo ter várias esposas ainda fazia meu sangue borbulhar de raiva.

– Não existe tal proposta – ele disse, com frieza. – Nem para me chamarem de "Júlio Júpiter", nem também para que eu possa ter mais de uma esposa. Pelos deuses! Meus inimigos espalham as calúnias mais absurdas sobre mim!

Levantou os braços para o céu, depois virou-se e olhou seriamente para mim.

– E você acreditou nisso! Não acredito que você possa ter pensado uma coisa dessa de mim! Posso esperar tudo de meus inimigos, mas de você, minha...

– Minha o quê?

Que ele respondesse!

– Meu amor, minha alma gêmea, minha outra metade.

– Mas não sua esposa. Para isso você tem Calpúrnia.

Ele se virou.

– Isto me cansa.

– Cansa você, talvez. Mas eu quero ter as coisas claras: por que ainda está casado com ela? Você a ama?

– Divorciar-me dela seria mais um escândalo...

– Um escândalo nunca o deteve. Convidar os gauleses e os *libertini* para o Senado foi um escândalo.

– Seu latim está melhorando – ele disse, sarcástico.

– Então me responda!

– Casei com Calpúrnia há quatorze anos – ele disse. – Sua vida comigo tem sido de ausências e separações. Agora, estou recebendo as honrarias. Por que ela não deveria partilhar delas, como recompensa por todas suas privações?

Seu raciocínio era claro, persuasivo, como se eu fosse a megera exigente e egoísta.

– Você é uma rainha, de um país repleto de riquezas. Não precisa das honrarias que estou recebendo. Mas ela... sem mim, ela não é nada. Sofre por ser minha mulher, vivendo no meio de romanos que me detestam. Então, não deve haver uma recompensa por sua tolerância? Eu não seria visto como o pior dos mesquinhos se a descartasse agora? Ninguém a tomaria como esposa, já que é infértil.

Era um orador eloqüente. Não era de se admirar que fosse conhecido em Roma como o melhor, com exceção de Cícero, na oratória.

– Que nobreza de caráter e sacrifício pessoal – eu disse, finalmente.

– Há um lugar para nós – ele disse. – Prometo. É um lugar diferente, grandioso, mais permanente.

– Que você nunca revela o que é.

– Logo – assegurou. – Logo. O plano está quase pronto.

– Enquanto isso, honrarias sem tamanho continuam a ser jogadas aos seus pés. O Senado passa horas discutindo o que mais podem lhe oferecer. Vamos ver... o que fizeram na semana passada? Você será chamado de *Pater Patriae* – Pai da nossa pátria...

– Seu latim realmente melhorou.

– Não me interrompa. Além disso, sua imagem deve ser cunhada em moedas, e seu mês de nascimento finalmente foi nomeado *Julius* – Julho. Ah, sim! Você terá uma cadeira dourada no Senado e vestirá os trajes usados antigamente pelos reis.

Virou o rosto, como se isso lhe causasse embaraço.

– Não seja acanhado – eu brinquei. – Sei que há outras honras. Vamos, conte-me! Não precisa ser modesto.

Percebi que agora o tinha realmente deixado irado.

– Não vou permitir que zombe de mim dessa maneira!

— Não, quero mesmo saber – tentei ser mais suave. – Eu saberia. Saberia o que significam.

— Propuseram que todos os meus decretos, passados, presentes e futuros, sejam finais.

— Futuros? Como podem saber o que seriam?

— Não podem. E é isso que me confere um privilégio impressionante, como também uma grande responsabilidade – fez uma pausa. – Além disso, minha pessoa será considerada sacrossanta. Quando o Senado se reunir da próxima vez, vão jurar defender minha vida. Assim, para mostrar minha boa-fé, vou dispensar meus guarda-costas.

— Não é um pouco precipitado?

— Eles são um empecilho – respondeu César. – Então, isso me dá uma boa desculpa para demiti-los. Também decidiram que deverá ser criado um colégio de sacerdotes ligado ao templo para minha Clemência. Serão chamados de *Luperci Julii*.

— Isto chega a proporções … monstruosas.

Mas os romanos pareciam não notar.

De repente, César riu.

— E indicarei Antônio como meu sacerdote-mor!

Fiquei chocada.

— Está tentando mostrar desprezo pelas honrarias que recebe? Não seria um insulto para eles e acabaria por levá-los à fúria?

— Fúria posso engolir. É a hostilidade silenciosa e a conspiração que não admito – pegou minhas mãos e me olhou atentamente. – Posso compreender sua raiva por Calpúrnia – ele disse. – Mas não poderia agüentar sua animosidade e seu rancor – beijou-me levemente. – Mas isso não tenho, não é? Não poderia viver se tivesse.

Ele era muito persuasivo, convincente; me arrebatava, como sempre. Não consegui impor-lhe minha raiva ou meus avisos; fosse assim, ele ainda estaria vivo.

Estávamos fechados em sua sala de trabalho. Seus guarda-costas espanhóis, prestes a ser dispensados, conforme ele dissera, estavam parados no átrio principal.

— Tenho um encontro – ele disse, espiando pela janela para ver onde pairava o sol. – Devo estar no Fórum Juliano na nona hora para encontrar os senadores. É a pedido deles. Venha comigo.

Ele parecia cansado.

– Não creio que apreciariam minha presença.

– E o Fórum não é um lugar público? Foram eles que pediram para me ver lá, em vez de na Casa do Senado.

Pegou sua toga e começou a vesti-la, impacientemente.

– Pelo menos caminhe comigo até lá. Você já viu sua estátua depois que coloquei os brincos de pérola?

– Ainda não. É sempre tão cheio lá dentro, com tanta gente espiando, que prefiro não freqüentar o templo. No entanto, vou caminhar com você.

– Ótimo.

Jogou o manto sobre os ombros para se prevenir caso o tempo ficasse ruim. Juntos deixamos sua casa. Um grupo de guardas nos seguiu, marchando.

Devo admitir que os céus cinzentos e as árvores desfolhadas combinavam com o Fórum. As pedras travertinas, o mármore, todas as variações de cinza ou branco-acinzentado pareciam realçadas ainda mais sobre um fundo do mesmo tom. Até mesmo o ar de nossos pulmões, enquanto caminhávamos, fazia pequenas nuvens de um branco-opalino.

As pedras mais novas do Fórum Juliano faziam-no parecer iluminado, eram tão mais brilhantes do que qualquer outra coisa ao seu redor. O edifício fora completado, e a estátua de César num pedestal tomara seu lugar no templo. Havia também uma fonte que jorrava lentamente devido à temperatura baixa.

César dava voltas, esperando, com passos rápidos e impacientes. Ninguém se aproximava, e ele começou a se irritar. Foi então que os avistou, um grupo de dez magistrados, aproximando-se devagar, com as togas flutuando ao vento.

– Ficarei lá dentro – eu disse. Subi os degraus e parei atrás de uma coluna, observando.

Vi César sentar-se, pegar uma carta e começar a ler, sem olhar para cima, até eles se aproximarem mais. Depois, saudou-os amistosamente. Houve muitas saudações, bajulações e discursos e, finalmente, algo foi entregue a César. Ele pegou o pergaminho, desenrolou-o, sorriu e estendeu a mão. Os homens moviam-se, fazendo uma espécie de dança rítmica ao redor do banco em que César estava sentado. Por que ele não se levantava?

Notei pela expressão dos homens e pelo jeito que recuaram, que não gostaram de algo que ouviram. Bajularam mais um pouco antes de se despedirem e caminhar em fila através do pátio e entrar no Fórum antigo. César permaneceu sentado, olhando-os sair, depois fechou os olhos e parecia ter contraído o queixo.

Esperei até ter certeza de que os homens não voltariam e só então fui até ele, que ainda estava sentado no banco, com o rosto pálido e todo o corpo rígido. Sem dizer qualquer palavra, ele me passou o pergaminho. Desenrolei e li as palavras DITADOR VITALÍCIO. O resto, escrito em latim e em letras miúdas, não consegui decifrar.

– O que é isso? – perguntei.

Mas ele não respondeu. Quando vi seu rosto, compreendi o que se passara.

– Tem condições de voltar caminhando para casa? Apóie-se em mim. Caminharemos devagar.

Sofrera mais um ataque e fora forçado a disfarçar diante dos senadores.

Levantou-se com dificuldade e, escondido sob a capa, pôs seu braço ao redor do meus ombros. Juntos, atravessamos a curta distância entre o Fórum antigo e sua casa; agradeci pelo tempo frio, porque o agrupamento usual de vendedores, passantes e negociantes não estava presente.

Assim que chegamos à sua casa, ele caiu na cama e fechou os olhos.

– Acho que logo passa. Não creio que vá piorar – disse, com os dentes cerrados.

Molhei a barra do meu vestido numa bacia pequena com água e limpei sua testa. Confesso que senti um alívio triunfante por Calpúrnia não estar em casa.

Ele ficou inerte na cama pelo que pareceu uma longa hora. Depois virou-se e suspirou.

– Acho que agora está tudo bem. Está passando.

– Pensei que tivesse me dito que controlara essa doença.

– E é verdade. Não deixo que ela me controle – sua voz ainda era fraca. – Na Espanha, aconteceu a mesma coisa uma vez. Logo antes de uma batalha. Mas agora não me deixo prostrar.

– Não, porque se senta antes – eu disse, com um sorriso.

– Você é testemunha de como era antes. Sentar-se não era uma cura – sentou-se com cuidado. – Pronto. A sala parou de rodar. Meus braços me obedecem. E não perdi a consciência – parecia aliviado.

– E aqueles homens, o que queriam?

Foi então que ele contou como se sentiu mal naquele momento. Precisou pegar o pergaminho e lê-lo novamente antes de responder.

– O Senado me fez Ditador Vitalício – ele disse, hesitante, pronunciando cada palavra como um animal levado ao sacrifício. – Mas é impossível – Era óbvio que ele não se lembrava do que os homens disseram quando entregaram o pergaminho a ele, nem as restrições que pudessem ter mencionado. Ele sacudiu a cabeça. – Um Ditador é indicado apenas para um termo temporário. Um ditador é um ofício fora dos ofícios ordinários do governo como cônsul, pretor, censor, tribuno. Não é uma parte normal do governo, porque o poder de um ditador suplanta todos os outros ofícios. Ditador vitalício... é uma outra expressão para "rei". Porque: o que é um rei se não um Ditador vitalício? Por isso não pode ser.

– Mas... – indiquei o pergaminho – está escrito aqui.

– Deve ser um truque. Será que era para eu recusar? Talvez era o que esperavam – sacudiu de novo a cabeça. – Mas não me lembro do que disseram.

– Você não recusou, disso eu estou certa.

– Como sabe?

– Os homens não pareceram satisfeitos. Talvez você não tenha aceitado com o prazer que eles esperavam.

– Não era prazer o que sentia... mas tontura e dormência.

– Mas *eles* não sabem disso – lembrei-o. – Pronto – coloquei alguns travesseiros nas suas costas para que ele se sentasse mais confortavelmente. – Amanhã, quando estiver recuperado por completo, deve ir ao Senado. Agradeça profusamente pela grande honra que recebeu. Isto é, se você pretende aceitá-la. Sempre pode recusar, não é? – ofereci a decisão diante dele. – Pode dizer que lutou com sua consciência a noite inteira e chegou à conclusão de que, pelo bem de Roma, era melhor recusar.

– Mas a verdade é que, pelo bem de Roma, devo aceitar. Recusar a proposta seria para o meu próprio bem – sua voz soava mais forte agora, embora baixa.

– Até agora você não recusou nada que o destino lhe conferiu – eu disse. – Está na essência de seu caráter.

No dia seguinte, Roma inteira borbulhava com comentários sobre a tamanha arrogância e insolência de César ao recusar-se a levantar quando os senadores o presentearam com a grande honra. César era castigado por seu orgulho presunçoso, quando apenas a verdade sobre sua doença o teria exonerado. Mas ele se recusou a divulgá-la, e teve de carregar o pesado fardo das acusações. Foi-lhe oferecido mais um dia para que declinasse da honra. Mas, como eu já sabia, César não seria César se recusasse.

O incidente seguinte aconteceu quando ele retornava de uma cerimônia fora da cidade; uma aglomeração de pessoas o saudou como rei. (Pensei comigo mesma na época, e ainda penso, se não haviam sido plantados ali por seus inimigos, para ele acreditar que era um movimento popular que queria fazer dele um rei). Ele respondeu, "Não sou rei, sou apenas César". E as línguas de Roma se ocuparam mais uma vez.

E não levou muito tempo para que uma mão invisível colocasse um diadema na estátua de César no Rostro e um dos tribunos do povo mandasse removê-la. César deu ordens para que o diadema fosse dedicado a Júpiter, o único soberano de Roma. Ainda assim, Roma se alvoroçava. Sob ordens de quem aconteciam estas coisas? Ordens de César, de seus inimigos, ou eram indicações verdadeiras do sentimento popular?

Tive uma idéia de como tirar a iniciativa das mãos invisíveis, que eu sabia não serem as de César. Devíamos deixar que César desse seu próprio espetáculo para proclamar suas verdadeiras intenções. Marquei um encontro secreto em minha vila uma noite para discutir a idéia. Convidei não apenas César, como também Lépido e Antônio. Antônio era necessário para o plano, porque era agora um sacerdote do *luperci* juliano, como César brincara – ou ameaçara – anteriormente, e, como Cônsul, participaria de uma certa cerimônia que seria representada sem demora. Lépido era o Mestre do Cavalo, o segundo na linha de comando para um ditador, e eu sabia que era leal a César. Além de Antônio e Lépido, não confiava em mais ninguém.

Estava escuro havia várias horas, e todas as lamparinas já tinham sido enchidas mais de uma vez, antes que César chegasse como o primeiro convidado. Sacudiu a geada de sua capa e entregou-a ao criado antes de virar-se para mim:

– Um encontro clandestino na calada da noite faz sentir-me como um conspirador.

– É exatamente isso que somos. Conspiradores contra seus conspiradores, quem quer que sejam eles – respondi.

Era uma noite fria, e os ventos conseguiam se infiltrar pelas janelas e portas fechadas, fazendo tremer as lamparinas, sacudindo as lâmpadas de pé, desenhando sombras macabras nas paredes pintadas. Do andar de cima, ouvia-se os acessos de tosse de Ptolomeu.

Eu estava usando sapatos fechados, mas, mesmo assim, o frio do chão subia através das solas e fazia meus pés gelarem. Antes desse inverno em Roma, não imaginava que o mármore pudesse ser tão frio.

— Venha — eu disse, dirigindo-me para a pequena sala, em que um braseiro já fora aceso.

— Acabei me tornando um verdadeiro estranho na minha própria casa — ele disse. — Você mora aqui há tanto tempo que parece que sempre lhe pertenceu.

— Não é minha própria casa — admiti — e logo...

— Sim, sim, eu sei. Falaremos sobre isso mais tarde — ele disse. — Tenho planos que, creio, vão lhe deixar satisfeita neste aspecto.

Antes que eu pudesse acrescentar qualquer coisa, ouvi Lépido chegando. Os criados o trouxeram à sala. Ele parecia intrigado.

— Saudações, cara Rainha. Estou morrendo de curiosidade — olhou para César.

— Não olhe para mim. Não tenho nada a ver com isso — disse César. — Estou no escuro tanto quanto você.

Lépido parou em frente ao braseiro e esfregou as mãos com vigor.

— Espero que não envolva alguma coisa ao ar livre — ele disse, com um sorriso.

Depois foi a vez de Antônio chegar. Ele pareceu surpreso por ser o último.

— Foi um desafio me desvencilhar de Fúlvia — disse. — Não podia dizer que era assunto político, porque ela insistiria em vir. Nem também podia fingir que era um passeio de prazer, que não me deixaria vir.

— Então Fúlvia conseguiu lhe domar tão completamente, Antônio? — perguntou Lépido.

— Bom, o fato é que conseguiu vir — eu cortei. — Por favor, sentem-se — os três estavam parados, em pé, no meio da sala. — Fiz questão de fazer com que os divãs fossem confortáveis — olhei para César. Queria que ele se lembrasse das almofadas e dos tapetes no andar de cima.

Com cautela, os três tomaram seus lugares nos divãs — divãs com pernas de madeira e almofadas extras para amenizar sua austeridade. Olharam para mim sem demonstrar qualquer expressão, esperando.

— Quero saber sobre o festival da Lupercais — eu disse, tomando meu lugar numa cadeira de encosto alto diante deles.

Sabia que estavam pensando: Será que eu os convidara, os três homens mais poderosos de Roma, para que me explicassem sobre um festival popular? Finalmente Antônio disse:

— É uma cerimônia antiga. Só os deuses sabem há quanto tempo é celebrada. Tem a ver com a fertilidade. Os sacerdotes de vários colégios correm pelas ruas chicoteando as pessoas com tiras de couro de animais sacrificados. É um festival impetuoso e travesso.

— O que ele esqueceu de dizer é que os sacerdotes correm pelas ruas quase nus, e são as mulheres que desejam conceber que gritam pelas chicotadas das tiras de couro. As tiras são chamadas de *februa*. É uma coisa sangrenta e desordenada. Não é o tipo de festival que me atraia — acrescentou Lépido.

— Se me lembro do que vi no ano passado, parece ser extremamente popular — eu disse. — Todo mundo sai às ruas para ver. E você, César, não estará no Rostro assistindo? Não é o seu lugar oficial?

— É — respondeu Antônio. — É exigido dele que presida o festival, sentado na sua cadeira dourada, usando os seus trajes triunfais.

— Então todo mundo estará de olho em você? — perguntei a César sem rodeios.

— Não sou a figura central do festival, se é isso que você quer dizer — ele disse, dando de ombros.

— Mas os sacerdotes precisam correr até ele; César é o destino deles — disse Antônio. — Correm pelas ruas de Roma até chegar ao Rostro.

— Você quer dizer: é isso, que *você* vai fazer — disse Lépido. — Agora é também um dos sacerdotes.

— Mas também é Cônsul — disse César, com um leve tom de desaprovação na voz. — A dignidade de um Cônsul pode não permitir as altas travessuras de um sacerdote na Lupercais.

— Foi você mesmo quem criou o conflito — falei para César, que ficou atônito — quando apontou Antônio para os dois cargos contraditórios.

Ele me olhou firme. Nunca ralhei com ele em público e ficou claro que ele não gostou.

— Qual é a razão para tudo isso? — ele perguntou, impaciente e friamente.

De repente me dei conta de como devia ser estranho para eles serem convocados por uma mulher. Mulheres romanas ficam em casa tomando conta de seus afazeres, ou então fazendo o que se dizem em peças e canções: resmungar, mandar no marido, proibir. Como uma rainha estrangeira, eu era a única mulher de igual valor a eles e, portanto, tinha o poder de convocá-los, interrogá-los e aconselhá-los em assuntos além de afazeres domésticos. Pensei que era uma pena; deveria haver outras.

– Muito bem – eu disse, me levantando. – Chegou a hora de você revelar suas intenções régias, ou a falta delas, e torná-las absolutamente claras diante da multidão. Que época melhor do que a Lupercais? Terá até mesmo seu próprio palco, onde todo mundo vai poder vê-lo. Aproveite o momento e grite sua mensagem para que todo mundo ouça.

– Que mensagem? – perguntou César. Virou os pés e sentou-se apoiando nos dedos.

– É para você decidir. Mas estou imaginando que deseja assegurar ao povo que não está querendo se tornar um rei – fiz uma pausa. – Já não se cansou de suportar estas calúnias encenadas... as pessoas gritando os títulos para você, mãos anônimas colocando coroas em estátuas, pessoas invisíveis escrevendo propaganda republicana na cadeira de pretor de Bruto?

Ele suspirou.

– Claro que estou enfadado com isso.

– Então dê um basta! Um de vocês... Antônio ou Lépido... deve oferecer a César a coroa em frente ao Rostro no dia do Lupercal, com toda Roma de testemunha. Precisam fazer tão ostensiva e cerimoniosamente quanto possível, e você, César, deve renunciá-la com veemência. Depois, deve fazer um registro no Templo de Júpiter no Monte Capitolino de que recusou.

Sentaram em silêncio por um momento, mas pude perceber que a única queixa de César em relação a tudo era que ele não tinha tido a idéia primeiro.

– Muito inteligente – ele disse. – Seria a solução para o problema.

– Se é esta a solução que você procura – eu disse. – Consulte seu coração para ter certeza.

Seus olhos faiscaram. Vi que atravessei a linha. Devia ter feito a pergunta a sós. Mas era necessário que fosse respondida agora, assim Antônio e Lépido poderiam ser designados para cada parte.

– Bem – César disse. – Tenho certeza. Não serei um rei em Roma, nem desejo ser.

Será que fui eu apenas que notei a distinção: *em Roma*, em vez de *Roma?*

– Então concordará com o plano? Antônio vai oferecer a coroa, e você a recusará? Ou Lépido?

— Eu ofereço – disse Antônio. – Já me conhecem como alguém que tem mania de representações teatrais, enquanto você, Lépido, é um pouco mais reservado.

— Talvez por isso eu devesse ser aquele que entrega a coroa – disse Lépido. – Daria mais credibilidade.

— Não. Seria mais real e espontâneo se Antônio fizesse – disse César. – Antônio é conhecido por extravagâncias e caprichos, enquanto você é tido como um planejador. Não queremos que pensem que foi tudo planejado.

— As pessoas são uma coisa – disse Antônio. – Mas quem vocês pensam que está por trás dos outros gestos? Foram tão espontâneos quanto este será.

— Não sei – disse César, devagar. – Claro que os aristocratas intransigentes, aqueles conhecidos como *optimates*, que querem retomar o poder perdido. Mas qual deles? Tentei oferecer lugares no governo… nomeei Bruto e Cássio pretores, e os outros seguidores de Pompeu que perdoei estão todos sob meu controle e reconciliados… mas não posso ler seus pensamentos. Sinto mais do que posso provar. Dia após dia, eles se aglomeram ao meu redor, agradáveis, sim, mas quando se reúnem em privado, como estamos fazendo agora, o que dizem?

— Precisávamos pôr espiões entre eles! – disse Antônio.

— Então eu serei realmente o que cochicham nas minhas costas: um tirano. Um governante com uma polícia secreta, espiões e suspeitas. Não. Prefiro morrer nas mãos deles do que ser o que eles imaginam de mim.

— Não diga isso – exclamei, séria. – Um bom sistema de espiões já salvou muitos homens de bem.

— Que opinião oriental a sua! – disse César. – Às vezes esqueço de onde você vem, minha pequena Ptolomeu, filha do Nilo. Mas aqui isto não seria bem aceito.

Uma criada apareceu na sala para encher as lâmpadas com azeite de oliva. Ela ficou na ponta dos pés e derramou o óleo verde-dourado de odor pungente dentro das lâmpadas com uma jarra de bico fino. Seria uma espiã? Será que estava escutando? Como era fácil ficar paranóica. Talvez César tivesse razão.

Esperamos em silêncio até que ela acabasse e, depois que foi embora, começamos a rir nervosamente.

— Então está decidido? – perguntei por fim. – Quando é a Lupercais?

– Em quatorze dias – disse Antônio. – Dia quinze de Fevereiro. Ora, o nome do mês é em homenagem às tiras de couro que servem de chicotes! – ele acrescentou, como se tivesse acabado de notar o fato.

– Então será logo – disse Lépido. – Será logo.

Depois que Antônio e Lépido foram embora, desaparecendo na escuridão, César hesitou. Levou muito tempo para pegar sua capa e parou na sala estudando os murais como se nunca os tivesse visto antes. Um deles, com fundo verde-escuro, mostrava um navio no porto, com um fantástico promontório de rochedos. As ondas no porto mostravam a espuma branca, e as velas do navio estavam infladas.

– Com certeza esta paisagem não é novidade para você – eu disse. – Você mesmo deve tê-la escolhido e visto muitas vezes – encostei-me nele, o primeiro gesto íntimo que me permiti naquela noite.

– Sim – ele respondeu. – Mas hoje parece diferente. Representa um mundo limpo e novo – abraçou-me. – Estou cansado de coisas feias das cidades... de rumores cochichados, emoções fingidas, eleições corruptas, propaganda espalhada por anônimos. Agora eu também participo do mesmo subterfúgio, com essa demonstração encenada – antes que eu pudesse defender minha idéia, ele acrescentou: – Mas sou realista o suficiente para saber que é um plano bom. Você tem mais do que um toque de gênio político e às vezes me admira muito. Tem muito o que me ensinar. E terá a oportunidade de fazê-lo. Logo.

– A que, afinal, você fica fazendo alusões? Imploro que me conte.

– Não antes da Lupercais. Só então revelarei o plano por inteiro. Primeiro, precisamos encenar o seu. Durma bem, minha rainha – beijando-me de leve, ele se virou para partir.

– Você gosta de escondê-lo de mim – eu disse. – Deixa-lhe com poder sobre mim.

– Não – ele disse – não sobre você. Sobre meus inimigos. É melhor por enquanto que ninguém saiba além de mim.

Com seus passos ligeiros, desapareceu dentro da noite, engolido pela escuridão.

Depois que ele partiu, subi a escada até meu quarto, sentindo as pernas cansadas. Era tarde; que horário adverso os conspiradores tinham de enfrentar! Imaginei quem mais estaria acordado naquela noite em Roma, em reuniões secretas na casa de alguém, murmurando. Havia uma neblina no ar, e uma lua minguante plantada no céu como uma cabeça de mármore desgastada atravessava as sombras dos pinheiros. Qualquer um saindo à rua agora teria de se esconder da inquisidora luz do luar.

Parei à porta do quarto de Ptolomeu e escutei. Estava dormindo, mas ainda podia ouvir uma tosse fraca de vez em quando. Assim que os mares se abrissem, partiríamos. Roma fazia muito mal a sua saúde.

Entrei em meu quarto, onde deixara uma lâmpada queimando. A luz formava sombras tremulantes nas paredes, mas estava prestes a se extinguir. Cesarion ainda partilhava dos aposentos comigo, e dormia serenamente em sua pequena cama de ébano decorada com panteras e elefantes. Olhei para seu rosto e senti, como sempre, a alegria e sentimento de posse. Ele era parte de mim, mas não era eu. Estava com dois anos e meio agora. Não era mais um bebê. Era uma criança, correndo com pernas firmes e começando a falar. Latim. Era sua primeira língua. Se não voltássemos logo, acabaria falando grego e egípcio como línguas estrangeiras.

Ajoelhei-me e alisei seus cabelos. Eram loiros e finos. Meu filho querido, pensei. Que Ísis sempre lhe tenha sob sua proteção.

Despi-me e vesti minha camisola. Era muito tarde para pedir ajuda a Charmian. Deitei na cama estreita tipo divã e me enrolei nos cobertores de lã, tiritando até o ar ao meu redor se esquentar sob as cobertas.

Frio. Frio. Roma era fria, e aqui se treme sempre, pensei. Era estranho como já fazia tanto tempo que estava ali mas tudo ainda era muito alheio. Não era apenas o clima, mas o estilo de vida. Tão constringente. Tão vigilante. Tão ensaiado.

Talvez, pensei, isso ocorresse apenas entre a classe alta do poder. Certamente o povo comum não era assim. Era exatamente o contrário: explosivo, indulgente, barulhento e esfomeado. Bastava observá-lo no Fórum, nas ruas, nos jogos, para chegar a essa conclusão.

Senti uma dor aguda no peito quando lembrei das margens marrons do Nilo, de suas palmeiras. Era saudade. Simplesmente isso. Meu corpo ansiava pela volta ao Egito.

Virei-me na cama dura e estreita. Por que até as camas no Alto Egito eram mais confortáveis do que esta? Sim, eu devia voltar. Não podia imaginar que plano César tinha para nós dois. Era óbvio que não havia lugar para mim em Roma, onde não poderia jamais participar do governo ou aparecer publicamente ao lado de César.

Não há nada para nós, nada para nós...

Cesarion deu um grito enquanto dormia e depois virou-se na cama.

Apenas este filho, eu pensei. Mas ele também não pode ter um lugar em Roma.

Quinze de Fevereiro, o dia da Lupercais, nasceu claro e gelado. Estava frio na vila, mas sabia que do outro lado do Tibre, nas ruas romanas, a aglomeração de corpos mais do que compensaria a baixa temperatura. As pessoas se prepararam para o festival durante dias e, muito antes do alvorecer, espalharam-se pelas ruas, esquentando as mãos em fogueiras de carvão, enchendo as bocas de queijo e carne de cabra vendidos nas bancas e cantando junto com os músicos.

Eu não pretendia sair antes do final da manhã. Sabia que a cerimônia de sacrifícios da cabra e do cachorro, símbolos de Pã e Luperco, não aconteceria até então, e os sacerdotes, com suas tiras manchadas de sangue, não apareceriam antes disso. Mas Ptolomeu e eu fomos levados até o Fórum em tempo e tomamos nossos lugares de honra nos degraus do Templo de Saturno do lado oposto ao Rostro, junto com os dignitários de Roma que tinham permissão de entrar no recinto do templo – uma área exclusiva, porque era onde ficavam os tesouros do Estado. Pelo canto do olho, vi algumas das pessoas sobre quem havíamos falado anteriormente: os exilados que retornaram, membros do antigo grupo de Pompeu, os senadores que reconheci, mas cujos nomes não lembrava, e outros que conhecia, Bruto e os dois irmãos Casca, Trebônio e Tílio Cimbro. Sorri e acenei com a cabeça para Décimo e seu primo Bruto, que estavam de pé, um pouco mais à frente.

Abaixo de nós, o Fórum era um amontoado de pessoas. César estava sentado calmamente na sua cadeira dourada no Rostro, usando seu robe púrpura de *Triumphator* e a coroa de louros na cabeça. Em cada canto da plataforma havia duas estátuas de César, como se o vigiassem e o duplicassem. Pensei no nosso *ba* e *ka* egípcios, que eram gravados em tumbas, supostamente para incorporar as diferentes essências da alma, e pensei como eram similares.

Um grito se elevou no ar; os *luperci* estavam a caminho, correndo e saltitando. A multidão abriu caminho, e os homens, selvagens e seminus, saltaram diante de todos, estalando seus chicotes sangrentos. Corriam de um lado para o outro, ágeis como o próprio Pan, como se seus pés fossem patas e suas coxas, ancas. As mulheres se agachavam e gritavam, mas algumas mostravam as costas nuas para receber as chicotadas.

Antônio estava entre eles, vestindo uma tanga de pele de cabra, com os ombros e o torso manchados do sangue dos sacrifícios e do couro esfolado dos animais. Brilhava de suor, mas, além disso, não mostrava qualquer sinal de exaustão.

– Um Cônsul romano! – ouvi o comentário alto e assoviante, cheio de desprezo. Era Décimo? Trebônio?

– Pelos deuses! – gritou outro.

Mas pensei comigo mesma que havia um esplendor em Antônio naquele dia – não apenas na sua coragem de aparecer em público daquela maneira, como também na sua própria estrutura física, esbanjando saúde e energia, sem timidez, como um atleta grego da antigüidade. Era algo que os romanos nunca poderiam compreender totalmente, sua glória e beleza, por isso murmuravam e condenavam. O mundo das togas não respeitaria jamais a exaltação grega do corpo humano.

Agora ele se aproximava do Rostro, separando-se dos seus companheiros *luperci* e pulando, num gracioso bote, para a plataforma. Na sua mão, trazia um diadema branco real. Onde conseguira? Será que Lépido, parado perto, pusera em suas mãos?

– César! – gritou. – Ofereço-lhe este diadema. É o desejo do povo que você o aceite e seja seu rei!

Seu braço perfeito, forte e reto, esticou o diadema diante de César. O diadema tremeluzia no ar frio, sua brancura fazendo-o reluzir um pouco.

César olhou para o diadema como se fosse uma serpente, ou um animal perigoso, pronto para dar o bote.

– De jeito nenhum – disse ele, empurrando o diadema para longe.

Um grito de viva tomou conta do ar, quase equilibrado por um grunhido de decepção.

Antônio chegou mais perto de César.

– Uma vez mais o povo lhe oferece este presente! – proclamou.

Novamente, César ergueu a mão, afastando o objeto.

Dessa vez, os vivas foram mais altos do que os gritos de decepção.

Antônio segurou o diadema no ar e caminhou de um lado para o outro do Rostro, mostrando o objeto para o público.

– Vejam! – ele gritou com toda a força da voz. – Pela terceira vez o oferecemos. Não recuse o desejo do povo! – voltou para perto de César numa tentativa de arrancar a coroa de louros e trocá-la pelo diadema. Por um instante, sua mão pairou sobre a cabeça de César.

Então, César se levantou.

– Não – ele disse, segurando a mão de Antônio e fazendo-o soltar o diadema.

Um bramido de aprovação tomou conta da multidão.

César acenou com o diadema.

– Somente Júpiter é o rei dos romanos! Queira, então, levar esta coroa para a estátua de Júpiter em seu templo, no Capitolino!

Gritos selvagens de aprovação explodiram do povo, enlouquecido com a excitação do momento. César sentou-se com movimentos pensados; Antônio saltou para fora do Rostro e correu até os degraus que levavam ao templo de Júpiter, subindo como um leão de montanha, acenando o diadema.

Abaixo de mim, vi as cabeças dos dignitários balançando, enquanto cochichavam para seus vizinhos. Tinham testemunhado o que queríamos que testemunhassem; teriam acreditado?

33

Sozinha naquela noite, recebi uma mensagem de Lépido dizendo que, pelo que observara, a coisa (não identificara exatamente o que) tinha sido bem recebida. Desejei que ele estivesse certo, mas somente nos dias seguintes a verdade se revelaria. Ainda mais tarde, perto da meia-noite, chegou uma mensagem de César, dizendo apenas: *Não há nada mais que posso fazer. Vamos deixar as coisas como estão.*

Dobrei a carta e tentei imaginar o que quisera dizer. Talvez fosse uma outra maneira de dizer, como fizera havia muito tempo às margens do Rubicão, *Deixem os dados voarem.* As coisas teriam de correr seu próprio curso; seriam o que teriam de ser.

Assistir ao drama deixou-me exausta. Não tinha percebido antes como cada músculo de meu corpo estava teso, como quase não havia respirado durante o episódio todo e como me concentrara profundamente, querendo acreditar que cada um dos presentes acreditasse no que eu desejava que acreditassem. Agora sentia-me esgotada. Sozinha, enchi uma taça de vinho doce. Esperava que acalmasse meu raciocínio incessante e, assim, logo estaria adormecida na minha cama estreita e dura.

*   *   *

Passou-se um dia, depois dois, e três. Na vila localizada no monte acima de Roma, eu estava protegida do que era dito nas ruas e no Senado. Permaneci onde estava, esperando, e comecei a fazer planos para minha partida de Roma. Logo os mares se abririam e poderíamos atravessar o oceano, voltando para casa.

Alguns navios haviam enfrentado bravamente as águas tumultuosas para levar e trazer despachos entre as duas nações e, pelo que parecia, tudo estava em ordem no Egito – uma das bênçãos de se deixar bons ministros no comando. Mas eu estava ansiosa para tomar as rédeas do meu governo; não é bom para um soberano ficar ausente por longos períodos, como eu sabia muito bem pelo episódio do meu pai, como também por minha própria experiência.

Caminhando pelas trilhas do vasto jardim ao redor da vila, mentalmente despedindo-me das estátuas que já conhecia bem, escondidas no meio das cercas vivas bem podadas, imponentes sobre fontes e laguinhos. Aqui, Afrodite se cobrindo depois de um banho, ali um atleta se inclinando, pronto a jogar um disco, mais além um Mercúrio de pés ligeiros, com os calcanhares no ar. Ao fim de uma avenida de ciprestes verde-escuros, havia até mesmo um Hércules, com abundantes cabelos cacheados formando uma auréola ao redor da cabeça, a pele de leão amarrada em um nó bem-feito, fazendo com que as patas do animal atravessassem o peito do herói, cujo taco descansava elegantemente no ombro. Agora que conhecia Antônio um pouco melhor, não o achava mais tão parecido com Hércules. Isso talvez não agradasse muito a Antônio.

Passara a gostar dessas caminhadas; Cesarion aprendera a correr nesses jardins e possuía algumas cicatrizes de bebê de suas quedas nas pedrinhas dali. Tornaram-se parte de nós e, quando eu retornasse ao Egito, sabia que, em algumas noites, deitada em minha cama, recordaria tudo. Fechei meus olhos e respirei fundo. Tinha o cheiro da mudança de estações. Um cheiro aguçado como o de cogumelos secos.

Estranho como as estações podiam mudar tão rapidamente; a Lupercais havia sido gelada, e agora, apenas duas semanas depois, a terra fechada parecia derreter-se. Perséfone havia sido libertada do mundo subterrâneo mais cedo do que o normal, e o calor inundava a terra.

Abri meus olhos e vi um mensageiro se aproximando, suando pelo esforço de subir o monte. Passou-me um recado de César e ficou esperando.

César queria fazer uma longa cavalgada no campo. Ficaria honrado se eu o acompanhasse e me permitiria escolher o meu cavalo dentre os seus no estábulo, onde me aguardava.

Então! César não suportava mais a cidade e precisava escapar. Era um dia perfeito, com os restos do inverno sendo enxotados pelas nuvens altas. E eu não recusaria a oportunidade de vê-lo a sós; era uma ocasião rara, pelo menos durante o dia.

No estábulo encontrei César já segurando as rédeas de seu cavalo, um animal de tamanho extraordinário, alisando sua crina brilhante.

– Então esse é seu famoso cavalo de batalha – eu disse, me aproximando. Quando cheguei mais perto, vi que havia pêlos brancos misturados aos negros; o cavalo, embora com boa saúde, era velho.

– Sim – César falou. – Foi ele quem escolheu sair para o campo hoje. Seus dias de guerra já se foram, mas quem resiste a uma corrida num dia de primavera?

– Onde ele esteve com você?

César riu.

– Você quer dizer onde ele não esteve? Nasceu na minha propriedade há quase vinte anos e esteve comigo na Gália, na África, na Espanha. Existe uma profecia sobre mim através dele, mas falo sobre isso mais tarde – passou as rédeas para um menino do estábulo e me levou para o cercado. – Escolha qualquer um desses – indicou um grupo de cavalos alertas e bem proporcionados, a maioria pardos e castanhos. – Todos são velozes, e o meu cavalo não é mais tão ligeiro.

Gostei em particular de um castrado jovem com pernas esbeltas e firmes e peito largo. Seu pêlo marrom-dourado lembrava âmbar salpicado, e seus movimentos rápidos levantando as patas me diziam que seria um desafio montá-lo.

– Quero aquele – eu disse, apontando, e César acenou para que o menino o preparasse.

– Qual é o nome dele? – perguntei.

– Barricada, porque ele pula sobre elas. E o meu se chama Odisseu, pelas suas viagens e batalhas.

– E agora está aposentado? De volta a Ítaca para sempre.

– Tão aposentado quanto um guerreiro pode ficar.

Não demorou muito para nos afastarmos de Roma. Com todos os seus quase um milhão de habitantes, a cidade não cobria uma área muito larga;

nem todos dos sete montes eram povoados. Logo depois de passarmos pelo portão de Capena, estávamos em campo aberto. Deixamos a Via Ápia em seguida e tomamos a direção leste através dos campos ainda adormecidos. Estavam cobertos com o manto amarronzado do inverno, mas os camponeses já aravam a terra, deixando trincheiras de solo escuro revirado sob o sol. Acima, os falcões voavam, vigiando enquanto galopávamos pelos campos, com nossas sombras correndo abaixo de nós.

Ouvira muito sobre a habilidade de César na garupa de um cavalo, mas nunca o vira galopando velozmente.

– Ponha as mãos para trás – gritei. – Não acredito que possa fazer isso – era famoso por essa proeza: continuar galopando sem nada para direcioná-lo, sem rédeas para segurar, nem braços para se equilibrar.

Com um sorriso, como se detestasse ter de demonstrar, ele soltou as rédeas e cruzou os braços nas costas, incitando Odisseu a correr mais rápido com um toque de seus joelhos. O cavalo pulou para frente – quem poderia suspeitar que ainda tivesse tanta energia? –, mas César sequer se deslocou. Permaneceu sentado ereto, com seu equilíbrio perfeito, enquanto Odisseu subia e descia com cada cavalgada. Era como se César fosse parte do próprio animal.

Instiguei meu cavalo atrás dele, mas Barricada teve dificuldade em alcançá-lo. Enquanto segurava as rédeas e me inclinava para frente, resolvi que um dia aprenderia o truque de César.

– Pare! – gritei, quando ele desapareceu num matagal. Nesse momento, surgiu diante de mim uma barreira de arbustos, sobre a qual Barricada saltou sem diminuir o galope, quase me jogando no chão. Meu rosto bateu em sua crina e, por um instante, não vi nada; mas logo me ajeitei e vi que passávamos por uma fileira de aveleiras e que César já estava do outro lado, ainda galopando com as mãos nas costas.

Odisseu queria correr, sim, e César deixou-o correr. O céu aberto de primavera me fez pensar no vasto oceano, incitando-nos a galopar eternamente. Nuvens corriam na direção oposta, cinzas e brancas, e o vento que soprava em meus cabelos era fresco e leve.

Não cavalgava assim havia anos – desde que deixara meu exército para trás em Ashkelon. Na verdade, desde os meus dias no deserto ao oeste de Alexandria, quando criança, querendo distância da vida palaciana.

Sem palavras ou sons, num mundo silencioso – a não ser por eventuais balidos de cabras nos montes e grasnidos de alguns corvos – cavalgamos, distantes um do outro.

Finalmente, chegamos ao que parecia um rio, com as margens marcadas por fileiras de árvores e, além dele, um bosque com um templo circular na metade da subida de um morro. César desapareceu numa ladeira, e eu o segui, chegando ao topo do monte, onde uma fileira de álamos reais margeava um riacho. Suas formas retas e altas eram como os cariátides nos templos gregos. César parou ao lado de um e esperou. Ainda estava com as mãos nas costas.

— Agora pode soltar suas mãos — eu disse, desmontando do cavalo. — Já me convenceu — não tinha por que esconder a admiração que ele merecia — você é o melhor cavaleiro que já vi. E fui ensinada pelos árabes do deserto, que praticamente nascem em cima de um cavalo.

Ele pareceu genuinamente satisfeito por ter me impressionado.

— Eles lhe ensinaram muito bem — ele disse. — Eu jamais acreditaria que uma mulher pudesse cavalgar como um homem. Você é a própria Atenas — fez um afago em Barricada. — Vi que você tentou derrubá-la naquela barreira. Melhor sorte no caminho de volta, amigo.

— Agora, Odisseu, conte-me sobre a profecia — pedi ao cavalo, que olhou para mim como se pudesse responder.

— Está vendo seus cascos divididos? — César apontou para os cascos, que eram mesmo fendidos. — Quando ele era um potro, seus cascos chamaram a atenção dos adivinhos. Eles predisseram que seu cavaleiro um dia dominaria o mundo. Naturalmente, fiz questão de ser o primeiro, e até agora fui o único, a montá-lo.

— Posso montá-lo?

Ele hesitou um pouco, depois me ergueu e me pôs na garupa do cavalo.

— Agora a profecia se altera um pouco — ele disse.

Cavalguei em Odisseu apenas um pouco nas margens do riacho, mas o que importava era que eu o tinha montado. Afinal, Perséfone havia comido apenas seis sementes.

Desmontei, e amarramos os cavalos. César caminhou pela margem do riacho que corria rapidamente. A água fazia um barulho borbulhante e ria com uma voz clara e infantil. César encontrou uma pedra alta e sentou-se, balançando uma perna.

— Venha, sente-se aqui comigo — segurou minha mão e me ajudou a subir.

Curiosamente, a pedra estava quente; devia ter absorvido o calor do sol fraco e a armazenara de alguma maneira, dobrando sua magnitude. Olhei para César, que me observava atentamente.

– Tenho de contar-lhe sobre meus planos – ele disse. – Mas detesto quebrar o encanto deste dia tão claro e azulado.

Esperei. Sabia que ele falaria.

– Estou planejando uma investida militar – ele disse, finalmente, fitando o riacho, sem olhar para mim. – Vou à Pártia, vingar a derrota de Crasso, conquistá-la e acrescentá-la aos nossos domínios.

Disso eu já suspeitava. Era a única região ainda intocada pela mão romana, a única região que ainda a desafiava. Era também valente e remota, provavelmente invencível. Alexandre a conquistara. Mas eram outros aqueles tempos.

– Quando? – foi tudo o que disse.

– Em março. Assim me permitirei o luxo de iniciar uma campanha no começo da estação.

– Março! – gritei. Março estava ali. – Março, mas já é quase Março. Como poderá organizar tudo?

– Tenho feito planos há algum tempo – ele disse. – Já tenho seis legiões prontas, com seus auxiliares, na Macedônia.

– Onde mandou Otávio e Agripa esperar – eu disse. – Sim, estou sabendo.

– Vou levantar mais dez legiões e empregar uma cavalaria de dez mil. Esta não pode ser uma operação improvisada; foi o que nos levou a derrotas anteriores. Crasso tinha apenas sete legiões e cavalaria de quatro mil.

– Pensei que tinham sido as flechas dos partos que levaram à sua derrota – eu disse. Todo mundo conhecia as histórias horríveis de como as legiões romanas foram dizimadas.

– Foi o *suprimento* de flechas dos partos – disse César, sério. – O general deles, Surena, equipou um corpo de mil camelos que carregavam nada além de flechas para repor as usadas pelos dez mil cavaleiros. Estranho como ninguém pensou nisso antes – deu uma risada amarga. – Você sabia que Cássio escapou? Ele se salvou ao desertar e correr de volta para a Síria, supostamente para defendê-la.

– O mesmo Cássio que agora é pretor? – Cássio, o republicano intransigente que olhava ferozmente sempre que nos via.

– O mesmo. Ele é parte da humilhação romana que precisa ser vingada. O vitorioso Surena chegou a encenar uma paródia de Triunfo Romano no deserto, com uma imagem ridícula de Crasso vestido de mulher. Não posso descansar até que as águias das legiões caídas retornem.

– Mas... agora não é o momento de deixar Roma. Há muito o que fazer. Não a deixe nas mãos de seus inimigos! Quanto tempo planeja ficar longe? – não conseguia aceitar o seu raciocínio.

– Acredito que três anos – ele disse.

– Não! Não! Imploro, não faça isso! É insano! – agarrei seu braço. Os músculos eram duros e fortes, mas em três anos ele teria quase sessenta anos.

– O que pode ser mais insano do que a própria Roma neste momento? Nos anos que estive fora, cresci demais para ela. Sua conformidade mesquinha, os murmúrios maliciosos e constantes, a falta de qualquer visão ou mesmo presciência para as coisas mais simples. Mas no campo... no campo me sinto livre de novo, livre para desafiar, tomar decisões, ser obedecido. Ninguém me amou mais do que meus soldados! – ele cuspiu.

– Nisso tem razão. Se é amor o que procura, não obterá em Roma. Mas, por que fugir? Apenas fará de você um outro Cássio!

Ele começou a dizer algo, depois ficou em silêncio. A distância, ouvi o tinido de um sino de ovelha num dos lados escondidos de um monte.

– Quais são seus planos militares? – perguntei.

– Preciso acertar uma desordem na Macedônia – ele respondeu. – Depois, quero invadir a Pártia pelo Norte, através da Armênia. Essa rota ainda não foi experimentada; todo mundo sempre invade pelo Oeste ou pelo Sul.

Virou-se para mim e segurou minha mão.

– Você é uma parte essencial do meu plano – ele disse. – Enquanto eu estiver na Pártia, você estará no Egito, minha aliada principal. Será minha parceira na conquista, porque vou confiar no apoio do Egito e nos seus recursos para a campanha. Você concorda? – esperou minha resposta. – Não preciso do apoio do Senado ou do povo de Roma enquanto tiver você. Eu *tenho* você?

– Você quer saber se tem o Egito? – de repente fui tomada pela terrível suspeita de que talvez ele tivesse me visto todo o tempo apenas como uma encarnação do Egito, alguém para se tornar cúmplice de seus planos. Ele não anexara o Egito a Roma porque, assim, entregaria o Egito ao dispor do Senado, a última coisa que queria. – Você quer dizer os recursos do meu país?

– É claro que é o que quero dizer! – sua voz denotava impaciência. – Mas como parceiro – segurou minha mão mais apertado. – Você é uma rainha; venho até você como *seu* cliente. Se eu tivesse uma coroa e um cetro, iria colocá-los aos seus pés. Quero que considere o meu pedido.

– E o que planeja para nós?

– Um reino onde você e eu possamos governar juntos, de igual para igual. E que seria herdado por nosso filho – antes que eu pudesse dizer qualquer coisa, ele continuou rápido: – Sabe que ele não pode ter qualquer herança em Roma. Mas, e daí? Existem coisas maiores. Que ele seja o rei do Egito e da Pártia e de todas as regiões entre os dois países. E eu, embora não um rei de verdade, teria gerado um rei. Para mim já é o suficiente.

– O que está pedindo é um compromisso enorme. O Egito está em paz. A Pártia nunca nos atacou. Está pedindo que o Egito gaste homens e dinheiro para ir em busca de seus sonhos.

– Seus sonhos também.

– Não, este não é o meu sonho.

– Então, qual é o seu sonho?

– Já alcancei o meu sonho. O Egito está em paz, é independente e forte. Eu sou a soberana absoluta. Não tenho necessidade da Pártia.

– Não tem necessidade de *mim*? Porque somente longe de Roma podemos ter uma vida juntos.

– Seu preço é muito alto. Para isso, preciso gastar um monte de prata e ouro, derramar rios de sangue, somente para que tenhamos uma vida juntos?

– Não deve avaliar assim as coisas.

– Desculpe, mas é a única maneira como posso avaliar. Daria tudo por você, mas o Egito não.

Ele me olhou com respeito.

– Vejo que você é melhor rainha do que amante. Seus súditos são afortunados.

Desceu da pedra e caminhou um pouco pela margem do riacho. Segui-o e parei ao seu lado.

– Serei sua aliada, providenciarei um palco para sua preparação, um lugar para o descanso, mas não tenho desejo de lutar contra a Pártia. Serei a primeira a partilhar com você do júbilo de sua conquista. Pode oferecer o maior Triunfo do mundo em Alexandria, se assim desejar.

Tentei manter minha voz leve e alegre, quando o tempo todo fui tomada pelo terrível pressentimento de que ele não retornaria jamais. Nunca, nunca mais voltaria do oriente, morreria como Alexandre, às sombras da Babilônia… senti náuseas.

– Talvez seja suficiente – ele disse finalmente, ouvindo apenas minhas palavras, ignorando meus pensamentos. Por fim, depois de muitos minutos de silêncio, enfiou a mão por dentro de sua túnica até o peito e tirou um saquinho de couro.

– Isso é para você – ele disse, passando-me o saquinho.

Abri-o lentamente e, dentro, encontrei um medalhão de prata, numa pequena corrente. Coloquei-o na palma da mão. De um lado, tinha uma gravura de um elefante. Do outro, uma inscrição.

– Pertenceu a minha mãe – ele disse. – O elefante é um dos emblemas dos César; um ancestral nosso matou um desses animais do exército de Cártago num momento crucial. Ela o usou em honra do meu pai. E eu quero que você o use.

Inclinei-me para que ele o prendesse em meu pescoço.

– Ela nunca o tirava. Há anos que o guardo. Tive grande carinho por minha mãe; até hoje ainda sinto sua falta. Morreu seis anos antes de eu conhecer você. Quero que aceite. Não sei o que mais poderia lhe dar para mostrar o que você representa para mim, como preenche o lugar vazio na minha vida toda. Este medalhão é o que tenho de mais precioso e bem guardado.

Ao sentir seus dedos tocando meu pescoço, sabia que era de certa maneira uma sagração. César me fazia parte de sua família da única maneira que achava possível.

– Sinto-me honrada – eu disse, levantando a cabeça. Toquei no medalhão, pendurado entre os meus seios. Para mim era muito mais precioso do que ouro, esmeraldas ou lápis. Protegera a mãe de César, a única mulher a quem ele sempre respeitou e foi leal. Agora, era a mim que passava, a mãe de seu filho.

– Já disse que você é parte de mim – ele disse, e seus lábios procuraram os meus. Estavam sedentos por mim, querendo nos unir. Fiquei na ponta dos pés à beira do riacho e abracei-o fortemente.

Os cavalos esperavam pacientemente, olhando, despreocupados com o futuro.

– Vai levar Odisseu? – murmurei.

– Não, ele está muito velho. Merece seu descanso. Além disso, não suportaria vê-lo cair em solo estranho.

Sinto o mesmo, pensei. Por que está sendo mais cuidadoso com seu cavalo do que eu estou com você? No entanto, não podia impedi-lo, e não liberar as tropas do Egito não fez diferença para os seus planos. O que mais poderia fazer, que outra influência seria capaz de fazê-lo?

Minhas mãos tremiam quando o acariciei. Tudo ao nosso redor era ar e céu aberto e ainda era muito cedo para que houvesse folhas cobrindo os arbustos e galhos.

– Venha – ele disse, atravessando o pequeno curso de água. – O templo não está longe.

Era o único abrigo em quilômetros e parecia abandonado, com suas trilhas cobertas de mato e o teto parcialmente caído. O velho mármore, porém, ainda brilhava na sua brancura com veias azuis, e era belo em sua forma circular.

Quando nos aproximamos, vi os lagartos verdes correndo de um lado para o outro. Que templo era este, eu me perguntei. Aproximamo-nos da porta estragada e avistamos uma estátua de Vênus desmoronando-se num pedestal.

– Vênus – César disse. – Que extraordinário. Até mesmo aqui meus ancestrais não me abandonam.

Entramos. O templo estava num estado deplorável. As raízes das árvores se esticavam do chão, fazendo seu ladrilho de mármore branco e preto se levantarem. Lodo, mato e flores do campo nasciam de suas paredes rachadas. A deusa abandonada se inclinava no seu pedestal e nos olhava tristonha. Aos seus pés uma poça escura de água. A luz brilhava pelo vão na cúpula quebrada, fazendo uma réstia no canto mais distante do templo.

– Pobre deusa – disse César. – Faço aqui um juramento que, quando retornar de Pártia, vou restaurar este templo, se apenas for me dada a vitória mais uma vez.

A deusa não deu sinal de que ouvira, e seus olhos sem visão continuaram fixos através da porta para os campos abertos.

– Não me parece que alguém venha aqui – disse César. – Estamos sozinhos.

Ele encostou seu braço forte contra a parede. Depois, virou-se para mim e, baixando a cabeça, começou a me beijar o pescoço, passando lentamente para minhas orelhas.

Virei a cabeça para um lado e deixei-o continuar. Era uma sensação doce, seus lábios na minha pele, mesmo naquele palco desordenado. O chão em declive estava úmido, e os lagartos e minhocas caminhavam por ele. O vento era frio. Mesmo assim, encostei meu corpo contra a parede dura e esfarelada e deixei-o se aproximar de mim. Seu corpo esbelto e musculoso contra o meu me fazia tremer de desejo. Tinha passado tanto tempo desde a última vez que estivemos juntos como homem e mulher que eu estava sedenta pelo seu toque, ainda mais porque era difícil prever quando surgiria uma oportunidade.

Joguei a cabeça para trás, fechando meus olhos e me deixando levar pela inundação de prazer que tomava meu corpo. Ele não dizia nada, não fazia um ruído a não ser o de seus sapatos arrastando um pouco no chão. Sua boca, mais faminta agora, descia pela minha face e procurava minha boca; e, quando me beijou, foi um beijo tão longo e profundo que tive dificuldade de respirar.

De repente, percebi que não poderíamos parar, ou interromper no meio, com meu sangue galopando mais veloz do que meu cavalo pelos campos, latejando nos meus ouvidos, na minha garganta, no meu ventre. Gemi, um gemido de desejo protelado, e suspirei.

– Este chão é pior do que o leito do riacho.

Ele tomou minha perna direita e a encostou contra seu quadril, me posicionando cuidadosamente contra a parede, depois levantou minha outra perna, colocando seus braços sob meus ombros, murmurando no meu ouvido:

– Então vou fazer com que você não toque no chão.

Moveu seu corpo para firmar suas pernas no chão e repetiu:

– De fato, este não é lugar para uma rainha – sua voz soou quebrada, e depois não falou mais.

Fizemos amor assim, ele olhando para meu rosto o tempo todo, e pensei que eu morreria de exaustão e prazer. Desejei tanto que sua força de vida me invadisse, assim eu poderia tê-lo para sempre comigo e, quando aconteceu, senti como se fosse exatamente o que tinha ocorrido. Mas tudo terminou logo, e ficamos ali, ofegantes e tremendo, naquele templo triste, de onde a beleza já batera em retirada há muito tempo.

Fizemos nosso caminho de volta pelos campos ao pôr-do-sol. O céu estava listrado de púrpura – a mesma cor de um robe de *Triumphator* –, e a luz amarelada muito romana atravessava o fim da tarde e cobria tudo ao redor. Incandescia com um vigor alegre, banhando de dourado as costas retas de César.

Ao portão da vila não houve despedida. Ele tomou as rédeas de Barricada e disse que levaria os cavalos de volta aos estábulos.

– Que você descanse bem esta noite – ele disse, e se foi.

Mas não descansei. Como poderia?

César anunciou no Senado sobre sua iminente campanha na Pártia e, ao mesmo tempo, revelou que preenchera todos os cargos políticos para os próximos três anos. Para este ano, os cônsules seriam Antônio e César, que seria substituído por Dolabela quando partisse para o oriente. Para o ano seguinte, os cônsules seriam Hírcio e Pansa; e no terceiro ano, Décimo e Pansa. Os governadores das províncias seriam Décimo para a Gália, substituído por Pansa e Bruto depois. Trebônio tomaria conta da Ásia e Tílio Cimbro, da Bitínia. Seu plano era deixar um governo bem engrenado quando partisse.

Mas quem ele estava pensando em empregar como seus generais? Antônio estaria ocupado em Roma. Munácio Planco também. E Cássio – um general muito bom, apesar de seu episódio de covardia na Pártia – era agora um Pretor Peregrino em Roma e não poderia sair. Certamente César não estava pensando em lutar nesta guerra com Otávio e Agripa – meninos ainda! Meu temor por seu bem-estar aumentou.

Enquanto isso, continuei me preparando para deixar Roma. Pelo menos no Egito seria capaz de ajudá-lo, de maneira limitada. Aqui eu era nada mais do que uma convidada problemática.

Suas novas não foram bem-recebidas. As pessoas ficaram horrorizadas que ele planejasse deixar Roma sem abdicar do controle absoluto do governo. Por três anos as decisões ficariam em suspenso; os negócios diários da vivência ficariam paralisados. Todo o poder fora investido em César, e agora o próprio César se removia sem providências para um substituto. Quando estivera longe no Egito e na África, havia sido a mesma coisa. Ninguém tinha a autoridade de agir em seu nome. Todo mundo detestava a situação, e isso era apenas o começo do que estava por vir. O Ditador vitalício agarrava Roma pela garganta, estrangulando-a, e estava preparado para deixá-la sem fôlego, ao abandoná-la na sua busca do oriente.

Não vi César nenhuma vez. Ele estava extremamente ocupado, defendendo-se dos golpes de seus críticos, tentando fazer os últimos preparos tanto para seu exército quanto para os seus subordinados. Foi então que um rumor estranho começou a circular. E circular de forma tão abrangente que até os meus criados ouviram no mercado: os sacerdotes consultaram os livros Sibilinos de profecia – os mesmos que proibiam alguém de "restaurar o rei do Egito com uma multidão" –, e os livros diziam que ninguém conquistaria a Pártia, a não ser um rei. Quem tentasse, seria aniquilado, e Roma, exposta à humilhação. Se Roma enviasse César, ou permitisse sua ida, teria de ser como um rei. O momento chegara, o momento pelo qual, todos pensavam, César teria calculado o tempo todo.

Segundo os boatos, o Senado finalmente iria conferir a César o título, quando se reunisse no teatro de Pompeu pela última vez antes da partida para Pártia, nos idos de março. E César então seguiria à Pártia... como rei.

34

Os ventos mornos sopraram no jardim durante a primeira metade de março, suavemente incentivando os arbustos a desabrochar e as árvores a abrir suas folhas delicadas e novas. Minha preparação para a viagem ocupava meus pensamentos, mas não acalmava meu coração. Pártia... por que ele estava indo? Qual era a razão verdadeira? O que o levava até lá? O papel do Egito na sua campanha... não importava o quanto meus pensamentos remoessem o assunto, meus sentimentos ainda eram os mesmos que tive assim que ele me contou. Não, não envolveria o Egito nisso! E o presente da jóia de sua mãe... como poderia expressar adequadamente a profundidade de minha gratidão por ele? Prometi a mim mesma nunca tirar o medalhão de meu pescoço até ele retornar da Pártia – como se esse pequeno gesto compensasse a minha recusa em lhe dar homens e armas. Estava confusa e com muita saudade dele, desejosa de termos uma despedida feliz. Na noite antes de o Senado se reunir, ele planejou vir à vila, mas, no fim da tarde, mandou uma mensagem dizendo que devia jantar com Lépido naquela noite. Teria de adiar nosso encontro até o dia seguinte. Mas havia ainda três dias em Roma, assim, teríamos tempo para nossa despedida.

O tempo virou bruscamente na hora em que o mensageiro me trouxe o recado e todo mundo procurou abrigo. As nuvens escuras se aglutinaram e cobriram o sol, e um vento uivante começou a soprar entre as árvores. As janelas fechadas faziam o barulho de uma velha batendo os dentes.

– O tempo em Roma muda tão rápido – Charmian reclamou. – Igual a opinião romana.

Eu estava quase me acostumando com as tempestades severas de trovões e relâmpagos que Júpiter lançava sobre sua cidade favorita, mas a verdade é que nunca aprenderia a gostar delas. E o relâmpago… todo mundo tinha uma história para contar sobre uma estátua, ou uma pessoa, que fora atingida por um.

– Que noite horrorosa! – exclamou Charmian, enrolando-se ainda mais no seu xale de lã. Assustou-se quando uma das lâmpadas de chão – uma bonita com a haste fina e a base formada com patas – foi derrubada pelo vento. Rolou, fazendo um ruído, e depois parou, deixando um rastro de óleo pelo chão.

Fiquei com pena de César por ele ter de sair num tempo tão terrível, mas pelo menos a casa de Lépido não era tão distante dele, como era esta vila, do outro lado do Tibre.

O que pensava César sobre os rumores? Acreditava serem verdadeiros? Será que os encorajava? Descartava-os? Havia tanto que eu precisava saber.

Mas não seria nesta noite que eu saberia.

Quase não dormi, porque os reflexos constantes dos relâmpagos e o barulho estrondoso dos trovões pareciam invadir meu quarto. Talvez tenha sonhado, porque houve um momento em que pensei que a janela fora escancarada pelo vento e uma faísca de relâmpago passara pelos pés da minha cama.

Na manhã seguinte, a depressão da noite não havia se dissipado. Nas águas da tempestade, as árvores do jardim foram arrancadas pelas raízes, e as plantas no laguinho ornamental foram afogadas. Além disso, a estátua de Hércules tombara, e seu taco, quebrado, embora ele ainda tivesse os olhos para o céu como se estivesse no controle da situação.

Enquanto caminhava pelo jardim desfeito, ouvi vozes agoniadas vindo do outro lado do Tibre; havia gente lutando, ou lamentando os danos que a tempestade causara a suas bancas no mercado.

Forcei-me a continuar com o trabalho de embalar minhas roupas com a ajuda de Charmian. Tinha trazido tantos vestidos maravilhosos, tantas jóias, tantas sandálias decoradas, alfinetes de cabelo, diademas e adornos para a cabeça. Acabei por usar quase tudo e agora cada um deles estava para sempre ligado a alguma coisa em Roma. Havia o vestido que usara para o jantar na casa de César e o traje para o Triunfo e agora o meu traje de cavalgar, que usei para galopar pelos campos com César.

Posso me lembrar com clareza como eu estava acariciando o material daquela roupa, passando meus dedos pelo seu linho bem-tecido, quando ouvi a comoção no andar de baixo. Gritos e gemidos, e depois os passos de alguém se aproximando da minha porta. Olhei para cima e vi um menino que reconheci como um dos criados da casa de César. Estava parado, tremendo, sem fôlego.

E então pronunciou as palavras. As palavras malditas que me lançaram por terra.

– Assassinato! Assassinato! César foi assassinado! – ele gritou. Prostrou-se aos meus pés e depois caiu nos meus braços, soluçando sem controle. – César está morto!

No meu mais terrível pesadelo ouvira aquelas palavras – em pesadelos que não se tem coragem sequer de repetir para si mesmo no dia seguinte, escondendo o horror, caso aconteça de verdade. O impensável.

Charmian estava de olhos fixos, seu rosto pálido, suas mãos cobrindo a boca.

César morreu. César morreu. Não. Não era possível. César não podia morrer. Não podia estar ouvindo aquelas palavras naquele momento. Não quando o perigo tinha passado, as velhas guerras haviam sido vencidas, uma nova ainda por começar, ele ainda em Roma, com todas as suas honrarias... Um frio estranho tomou conta de meu corpo, urgente, e me levava a um lugar que nunca imaginei ir – desligado de tudo, além do tempo, um frio, frio, frio, tudo o que era familiar foi congelado. Não. Não era verdade.

Ouvi minha voz perguntando: – O que aconteceu? – e senti minhas mãos afagando os cabelos do menino, como se fosse meu próprio filho.

Ele estava errado. Explicaria tudo ou... se houvesse mesmo alguma coisa errada, César estaria apenas ferido.

– Como sabe que César está morto? – perguntei, bem baixinho. Quase murmurei, como se ao falar alto pudesse tornar realidade as palavras.

Tudo o que fez foi soluçar incontrolavelmente, e eu não suportei mais. Não quis lhe dar um minuto a mais sem que ele refutasse a falsa notícia. E enquanto isso aquela frieza horrível me envolvia, formando um escudo rígido ao meu redor.

– Diga-me!

Perdi o controle. Era tão vital que eu ouvisse que não era verdade, e até mesmo se fosse verdade, talvez eu pudesse reverter o fato, ou alguém pudesse, claro... há médicos em Roma, claro...

Sacudi seus ombros, mas tudo o que fez foi chorar mais alto.

– Conte o que viu! – gritei. – César foi atacado em casa?

Mas os guardas o protegeriam… Não, César dispensara os guardas!

– Não, não foi em casa – o menino choramigou.

Uma tranqüilidade tola se apoderou de mim, prova de que era falsa a notícia, fundada na idéia de que *este menino era de sua casa e que este menino não vira nada, e não havia outro lugar onde César pudesse ter sido atacado. Não na casa de Lépido e certamente não no Senado!*

– Alguém tentou atacá-lo na rua? – gritei para ele. Ladrões? Mas César sabia se defender.

E então as palavras… aquelas palavras!

– Não… – o menino choramingou de novo. – Eles mataram César no Senado. Diante de todos! Rodearam-no e o esfaquearam mortalmente, havia muitos deles. Depois ele cobriu o rosto e morreu aos pés da estátua de Pompeu. Aquela que ele… que ele acabara de reerguer.

A estátua… a mesma que vimos ser levantada pelos degraus…

Não, tinha de ser um erro. Tinha sido outro. Ninguém teria… não alguém que conhecia…

– Quem são "eles"? – gritei mais alto, minha voz se levantando muito além das paredes. Minha garganta rasgada pelo meu urro angustiado.

– Um grupo de senadores… não sei bem quem, não estava lá. Bruto e Cássio foram os primeiros a sair da sala e alcançar o pórtico, onde eu estava esperando, e correram com sangue nas roupas, levantando suas adagas e gritando sobre liberdade para a República. E, ao seu redor, todos os senadores fugiam para se salvar, levantando as togas e correndo. Agora uma revolta começara no Fórum, com os assassinos gritando, Cícero tentando fazer um discurso e uma companhia de gladiadores soltos e saqueando tudo ao redor.

Sim. Foi o que ouvi do jardim, mesmo tão distante de lá. Mas não liguei o burburinho a nada importante. Em Roma sempre há revoltas.

– Pelos deuses – acho que foi o que disse. Não sei distinguir entre o que pensei e o que disse, porque aquela jaula fria em que me encontrava era como uma prisão, com o choque me envolvendo como um manto macabro. Queria lutar para sair, mas não conseguia me mover.

O povaréu… o povaréu romano… podia ouvi-los claramente, agora que meus ouvidos se abriam. Será que viriam atrás do filho de César aqui na vila? Agora fora tomada pelo horror, fazendo-me cativa, acrescentando-se ao choque e à dor. *Todo mundo sabe que o filho de César está aqui, seu único filho. E se odeiam César, então também odeiam seu filho. Meu filho!* Estariam naquele instante correndo para cá, de adagas em punho?

– Estão lhe perseguindo? – perguntei ao menino.

– Não. Correram na direção contrária. Ninguém ficou lá.

Mas poderiam se lembrar, a qualquer momento. Tenho de proteger meu filho. E César? Ó deuses e deusas, onde estava César? Tinha de ir até ele.

– Onde está César? O que aconteceu com ele? – gritei. Precisava ajudá-lo. Salvá-lo.

– Ele... ele ainda jaz aos pés da estátua. Todo mundo correu e o deixou ali, sozinho na Casa do Senado, numa poça... de sangue – e começou a chorar incontrolavelmente de novo.

Agora começara a sentir alguma coisa, a dor penetrando o manto frio, como se eu também tivesse sido esfaqueada – num corte profundo, tão mortal, que me perfurou por inteiro. Era impossível... deixá-lo assim. Todo mundo fugiu?

– Ah, a vergonha! – chorei. – Deixá-lo assim! Será que todo mundo está com medo dos assassinos? Será que ninguém nem mesmo quer tocar no seu comandante caído, o homem que até esta manhã chamaram de sacrossanto? Será que seu corpo também não deve ser honrado?

Neste momento, o menino lembrou-se de outra coisa terrível.

– Disseram que... que iam jogar o corpo do tirano no rio Tibre! Sim, foi o que ouvi enquanto gritavam e saíam correndo do prédio!

Fiquei enjoada. Era desumano, degradante. Odiei-os com um furor que não sabia ser possível sentir.

– Jamais! – eu disse.

Sabia que precisávamos ir até ele. E devíamos correr! E quando chegássemos lá talvez... talvez ele ainda estivesse vivo. Se tivesse sido deixado sozinho, e sem ninguém com ele, talvez, talvez estivesse apenas inconsciente, e poderíamos revivê-lo. Quando chegássemos lá. Sim, tudo estaria bem.

– Vamos até lá agora, levá-lo para casa – eu disse. – Se alguém tentar me deter, terá de me matar também! Chame outros meninos e traga uma liteira. Vamos! Leve-me diretamente para onde deixou César.

– Não, minha senhora! – gritou Charmian segurando meu braço e tentando me fazer ficar. – É perigoso! O povo está demente! E os assassinos de César...

– Os assassinos de César são covardes e homens do mais baixo nível de desonra. Você pensa que eu vou me esquivar deles? Jamais!

Naquele momento meu ódio recente me servia de proteção, formando um escudo até mesmo ao redor do frio que invadia meu coração.

* * *

O teatro de Pompeu no Campo de Marte ficava mais perto da vila do que o Fórum e não levou muito para chegarmos até lá. A estrutura enorme, com seu pórtico de cem colunas, apareceu a distância. Vi que estava deserto. Ninguém por lá, a não ser um gladiador ou dois com as mãos carregadas de mercadoria roubada e, quando nos viram, desapareceram da vista.

O prédio estava escuro e vazio.

– Onde? – perguntei ao menino. Havia muitas salas que davam para o pórtico, e eu não saberia qual acomodaria todo o Senado.

Ele apontou um dedo trêmulo para uma entrada do outro lado. Para lá caminhamos, mas, quando chegamos à porta, ele parou depois de espiar para dentro.

– Ainda está lá … intocado – ele disse.

Palavras estranhas, não deixei de notar. Mas agora ele estaria mesmo seguro, nós o protegeríamos, nós o salvaríamos…

Na parede de trás da sala, vi primeiro a estátua, maior do que um homem normal e orgulhosa no seu pedestal. E aos seus pés… um monte de roupas manchadas de sangue, com os pés aparecendo, pés que pareciam muito pequenos para serem os de César.

Imediatamente o alívio: *não era ele.*

Aproximei-me do monte de roupa inerte, retendo a respiração, certa de me deparar com uma outra pessoa. Ajoelhei-me e com a mão tão trêmula que mal consegui segurar o tecido, levantei a toga e vi o rosto de César.

Gritei quando o vi e soltei o tecido. Seus olhos estavam fechados, mas ele não parecia dormir. Estava de um jeito que jamais vira antes. Mentem aqueles que dizem que um morto parece dormir. Depois, quando me controlei, levantei o tecido de novo e afaguei seu rosto: frio, como se a frieza do chão de mármore tivesse passado para dentro dele, tomando conta de seu ser.

Olhei para ele, e todo o meu ser pareceu se esvanecer; meu espírito se derretia e senti-me completamente perdida, desertada, abandonada. Minha vida se fora, rasgada de mim, arrancada, e não suavemente extinguida.

– Meu amor, meu amigo! – murmurei, tocando seu rosto novamente.

Fiquei parada sem me mover, mas não tão inerte como ele. E toda a verdade inundou meu ser. Senti a mais pura angústia.

– Ó Ísis! – gemi.

De repente, toda a história de Ísis que eu conhecia tão bem sobre a morte de seu marido, Osíris, cruelmente assassinado e desmembrado pelo irmão tornou-se verdade. *Eu* era Ísis e ali jazia o meu Osíris, atacado por aqueles que o chamavam de "pai de sua pátria" e que juraram proteger sua vida com a deles. Agora vi os rasgões no tecido da toga – pareciam centenas – onde as adagas atravessaram. Ele fora atacado sem defesa, porque é contra a lei portar armas no Senado.

Joguei-me sobre seu corpo e o abracei, mesmo duro e sangrento como estava. Sabia que o sangue me manchava também, mas não me importava. Queria ficar ali com ele para sempre… mas, ao mesmo tempo, senti urgência de removê-lo daquele lugar abominável.

O menino voltou, trazendo com ele dois companheiros e uma liteira de lona. Ficaram parados à soleira da porta e esperaram. Finalmente, eu disse:

– Venham cá.

Eles obedeceram, pisando de leve como se temessem que César fosse se levantar sob a toga.

Ah, se apenas ele pudesse! Teria dado minha vida se ele pudesse.

– É hora. Levem-no para casa. Calpúrnia… ela já sabe?

Também teria de enfrentar isso.

O menino disse que sim.

– Então, levem-no. Sigo atrás.

Com cuidado, os três levantaram seu corpo e puseram-no na liteira. Cobriram seu rosto novamente, assim ninguém poderia bisbilhotar no caminho. Levantaram a liteira à altura dos ombros. Notei que deixaram um braço caído para fora. Balançava-se com o movimento, a mão totalmente flácida.

A visão daquela mão, agora totalmente sem poder, rasgou meu íntimo de tal modo que quase não consegui me manter em pé. Se pelo menos Charmian estivesse aqui, eu poderia me apoiar nela. Mas não devo me prostrar, não devo falhar àquele braço, agora totalmente incapaz de se defender por si mesmo.

E me vingaria, mesmo se levasse minha vida inteira. De alguma maneira o faria, usando qualquer arma, ou pessoa, que estivesse à mão.

À minha frente, o braço balançava, a liteira sacolejava.

Estou aqui, César. Não vou abandoná-lo, nem deixarei de punir seus inimigos. E o que eu deixar por fazer, seu filho, Cesarion, terminará. Juro solenemente.

Os meninos carregaram a liteira pelos degraus, os mesmos degraus em que Antônio tinha comprado as lingüiças e César tinha rido tão espontaneamente.

O Fórum era um aglomerado de gente se movendo, mas conseguimos passar sem sermos perturbados, como se estivéssemos invisíveis, com toda a confusão que havia. Estava caminhando e não chamei a atenção sobre mim com uma liteira decorada, e ninguém suspeitou que os meninos pudessem estar carregando algo importante. Estranho como uma multidão confusa pode ser tão cega e dormente, até mesmo na maior agitação.

A casa de César apareceu à frente, e os meninos sabiam qual entrada usar com sua preciosa carga. Entramos e rapidamente trancamos a porta.

O mesmo átrio arejado, a mesma piscina central, refletindo calmamente o céu cinzento, onde César tão elegantemente recebera seus convidados, nos esperava. Os meninos colocaram a liteira no chão, e Calpúrnia surgiu das sombras, caminhando indecisa, apoiada por dois criados.

Seu rosto mudara quase tanto quanto o de César. Estava inchado e devastado ao mesmo tempo. Gemendo, ela deu um passo na direção da liteira, arrastando os pés. Virei-me e fui até o outro canto da sala, para dar-lhe privacidade. Ouvi gritos altos, choro, gemidos angustiantes e depois um silêncio mortal. Finalmente, quando voltei a me virar, vi seu corpo por cima de César, o lençol que o cobria puxado para um lado.

Fui até ela, incerta sobre o que fazer, mas me sentindo unida a ela de uma maneira terrível. Agachei-me e pus minhas mãos nos seus ombros trêmulos. O rosto de César – aquele rosto – estava virado para nós. Não suportei vê-lo tão desfigurado e paralisado. Cobri-o com o lençol de novo.

– Minha querida – eu disse, e ela era mesmo querida naquele instante, enquanto se debruçava sobre César, porque agora tudo o que ele tocara ou a que fora ligado de alguma maneira era de uma preciosidade inestimável para mim. – Sei que está sentindo as adagas como se tivessem penetrado sua própria carne.

Ela se permitiu encostar de leve em mim.

– É verdade – ela chorou. – Senti-as quando aconteceu. – Virou-se e me fitou. – Sonhei a noite passada inteira. Vi. Senti. A única diferença foi que, no meu sonho, ele morreu nos meus braços – vi-o vivo, não assim como... desse jeito!

Tentou levantar o lençol novamente, sentindo a necessidade de vê-lo mais uma vez, mas sua mão não juntou coragem suficiente e caiu, fracamente. – Avisei-o... implorei... para que ele não fosse ao Senado!

Ficou de joelhos, inclinada sobre o corpo.

– Ele sonhou que estava sendo levado numa nuvem e Júpiter estirava o braço para recebê-lo. Ah, foi tão claro! *Sabíamos! Sabíamos!* Mesmo assim ele foi...

Prostrou-se novamente. Depois, sua voz se elevou, como se tivesse se lembrado de algo.

– Acabou por concordar em não ir! Um adivinho o tinha avisado sobre os idos. Sim... e a hora passou, e ele não apareceu no Senado. Então Décimo veio e implorou para que ele fosse. Ele explicou sobre o sonho e os maus agouros – porque durante a tempestade os escudos de Marte caíram da parede, um aviso terrível! – e disse que não iria. E então... então... Décimo riu e disse que o Senado podia mudar de idéia sobre as honrarias se ele tivesse de informar que César ficara em casa por causa do sonho da esposa. Ele fez a coisa toda parecer tão tola... mas meu sonho não me enganava. Jamais deveríamos ter consentido!

Tive uma suspeita assustadora.

– Décimo, qual é a relação dele com vocês?

– Por quê? Era um dos amigos mais leais de César – ela respondeu.

– E foi ele quem acompanhou César até o Senado?

– Creio que sim – ela disse. – Saíram juntos, César na sua liteira. Eu os vi. Havia gente por todo lugar e... alguém entregou um pergaminho nas mãos de César. Mas muitos solicitantes fazem isso.

– A liteira cerimonial em que César foi levado, onde está?

– Não sei.

– Ainda está no teatro – um dos meninos disse.

– Então, vá buscá-la – ordenei. – Traga-a, assim não deixamos nada de César para o povaréu revoltoso.

Talvez o pergaminho ainda estivesse dentro.

Lá fora, o burburinho agitado do povo.

– Fique de olho em quem anda por aí. Para onde foram os assassinos?

Calpúrnia levantou-se e ficou de pé.

– Tenho medo que venham saquear esta casa! Não há ninguém para protegê-la. César dispensou seus guardas.

Lépido. Lépido tinha uma legião na cidade, como o segundo em comando de César. Que outras forças havia? Décimo tinha seus gladiadores.

Gladiadores! O que foi que o menino disse? *Uma companhia inteira de gladiadores estava solta e saqueando tudo.* De novo, meu pressentimento nauseante. Os gladiadores de Décimo... por que estariam lá?

Décimo os trouxe para Roma e os colocou lá. *Décimo era um dos amigos mais leais de César.*

Foi um complô, um complô sem tamanho. Não foram apenas Bruto e Cássio, foi mais gente, um corpo organizado de assassinos.

Durante semanas, César estivera rodeado de inimigos secretos – porque se Décimo era um deles, então havia outros, partidários insuspeitos. E Antônio? Seria um deles? E Lépido? Será que Calpúrnia e eu éramos suas únicas partidárias leais?

César sentou-se à mesa com eles, bebeu e riu com eles, planejou sua campanha para a Pártia com eles, caminhou para o Fórum com eles. E eles o bajularam e votaram mais honrarias para serem dadas a César... lembrome dos magistrados aduladores encontrando César no templo... tudo enquanto tencionavam matá-lo! Como devem ter se vangloriado disso em seus encontros clandestinos, zombando dele.

Os meninos voltaram com a liteira, e nela se encontravam vários pergaminhos enrolados, nenhum havia sido lido. Muitos continham, de fato, solicitações, mas um deles detalhava o complô inteiro e pedia a César para se salvar. Dizia que a conspiração reunia mais de setenta homens.

Setenta!

Como puderam manter o segredo?

Mas, na verdade, não conseguiram manter em segredo. César foi avisado com este pergaminho. Chegou, porém, muito tarde.

Dizia também que Cássio queria matar Antônio, mas que Bruto argumentara contra, dizendo que o sacrifício de César não seria um sacrifício, mas apenas um assassinato comum se houvesse outras vítimas. Assim Trebônio foi designado para impedir que Antônio entrasse no Senado.

Antônio era leal. Senti um imenso alívio. Mas onde estava? Para onde tinha fugido?

O burburinho lá fora aumentou de volume. Mandei buscar uma escada para poder ver das janelas de cima sem precisar abrir a porta. Não sabia se deveria agradecer ou não pela casa de César ser no meio do Fórum.

Uma multidão tinha se aglomerado perto do centro do Fórum, e vi uma fileira de homens vindo do Capitolino agitando as mãos e gritando "Cícero! Cícero!", mas não vi ninguém que parecesse com Cícero. Vi Dolabela, um homem selvagem e desvairado, um experto em açoitar a multidão, de pé num pedestal para fazer um discurso. Depois, vi Bruto e Cássio. Não dava para discernir o que diziam, mas sabia como uma multidão reagia, e vi que eles não estavam satisfeitos. Os conspiradores viraram-se e subiram o monte até o Capitólio.

Estava escurecendo. De súbito! Mas é claro que não foi de súbito; é que o tempo não passava mais na sua normalidade de minutos, era uma coisa monstruosa. O sol continuou sua jornada, como se aquele fosse apenas mais um dia.

Deveria ter parado. Deveria ter lançado faíscas. Qualquer coisa, em vez dessa passagem pacífica pelo céu. Agora era um crepúsculo como qualquer outro.

Ouvi uma batida estrondosa na porta, e quando os ferrolhos foram destrancados, Antônio entrou alvoroçado. Olhou ao redor, com uma expressão selvagem, tirando o capuz de seu manto de escravo, seu disfarce.

– César! César! Meu senhor, meu capitão!

Correu para a liteira e se prostrou de joelhos. Arrancando o lençol, jogou a cabeça para trás e soltou um gemido longo e doloroso. Cerrou os punhos, seus braços rígidos levantados. Depois, cobriu o rosto com as mãos e caiu em pranto.

Calpúrnia e eu ficamos paradas, em silêncio. Passaram-se muitos minutos antes que seus ombros parassem de tremer e ele secasse seu rosto e nos visse.

– Graças aos deuses você está aqui – disse Calpúrnia.

Antônio levantou-se devagar.

– E graças aos deuses estamos seguros – olhou ao redor. – E César está aqui conosco. Agora não podem profaná-lo, a não ser que nos matem a todos.

– Com certeza não hesitariam – eu disse. – O que deteria suas mãos, as mesmas que juraram proteger o homem que acabaram de assassinar?

– Apenas sua crença mal-orientada de que são gente de mente superior e não assassinos ordinários – ele disse. – Acreditam que são homens de honra.

– De honra?! – exclamou Calpúrnia.

– Acreditam que foi digno matar César e igualmente digno nos poupar a vida – disse Antônio.

– Então devem morrer pela sua honra – eu disse.

O ódio e a tristeza lutavam dentro de mim, e o ódio venceu naquele momento.

Antônio virou-se para mim.

– Quando?

– Assim que tivermos forças para opô-los.

– Os próprios deuses vão fornecer a hora e o lugar – disse Calpúrnia.

– Não. César e eu vamos! – jurei, olhando para ele. Sabia que seu espírito e o meu vagueariam pelo mundo até que seus assassinos estivessem mortos.

– Primeiro devemos acalmar a cidade – disse Antônio. – Não queremos que Roma seja destruída numa explosão de revoltas sem sentido, a cidade que César tanto cuidava. Depois que o perigo passar, vamos atrás dos assassinos. Mas tudo na sua hora.

– Temos uma vida inteira – eu disse.

– Sou o Cônsul – disse Antônio. – Sou agora o ápice do governo, o magistrado maior. Tomarei o controle da melhor maneira que puder, mas será difícil. Precisamos desarmar os conspiradores, literal e figurativamente. Convocarei uma reunião do Senado para amanhã.

– Como se tudo estivesse normal! – eu gritei.

– Devemos fingir para eles que achamos que sim – ele disse. – Não devemos alarmá-los, mas temos de arrancar o controle das mãos deles.

Virou-se para Calpúrnia.

– O testamento de César, onde está?

– Com as virgens vestais.

– E os outros papéis de César, seu dinheiro?

– Tudo está aqui – ela respondeu. – Aqui! – Indicou uma sala, cuja porta dava para o átrio.

– Devem ser transferidos para minha casa – disse Antônio. – Hoje, na calada da noite. Não podem cair nas mãos dos conspiradores. Quando estiverem sob nosso controle, teremos mais poder. Virou-se para mim e disse: – Volte para a vila. Fique lá até eu mandar notícia de que é seguro sair.

– Temos soldados sob nosso comando? – perguntei.

Eu tinha meus guardas egípcios, e eles vigiariam Cesarion a noite toda.

– Lépido está do nosso lado – ele disse.

Lépido. Então essa dúvida foi esclarecida.

– Ele trará sua legião para o Campo de Marte esta noite. Estarão preparados para tomar e ocupar o Fórum ao amanhecer. Tomaremos o tesouro do Estado também para prevenir que os conspiradores tenham dinheiro à disposição – Antônio me abraçou. – Volte para a vila agora – ele disse. – Volte e reze para que tudo corra bem para nós nos próximos dois dias.

Olhei para a liteira, ao lado da piscina. Nenhum movimento, nenhuma mudança. A mão ainda à vista. Fui até lá, tomei a mão na minha, beijei-a.

– Adeus, e fique em paz – murmurei. Essa era sua maneira favorita de se despedir, as palavras que usou quando foi para a Espanha.

Não queria jamais deixá-lo, mas não podia suportar mais ficar ao seu lado com ele tão inerte.

Olhei pela janela do meu quarto a noite inteira. Como poderia dormir? César estava morto – o mundo inteiro havia sido destruído. Nunca, por um instante, aquela visão terrível, ele morto, se apagaria da minha mente; cobria e amortalhava tudo, as coisas que via e as que não podiam ser vistas. Fiquei em pé, apoiada em meu cotovelo trêmulo, à janela, enquanto as estrelas passaram pelo céu negro e lentamente se esvaneceram na madrugada.

O que aconteceria comigo? E com Cesarion? Com Roma? Com o Egito? Eu tinha apenas vinte e cinco anos. O que mais quarenta anos sem ele me ofereciam? O universo ficou vazio; aquele que riscara o céu agora não existia mais.

Na hora mais profunda da noite, quando o tumulto no Fórum começou a morrer, finalmente derramei minhas lágrimas. Quieta, porque não queria acordar Cesarion – o meu pequeno Cesarion, sem qualquer consciência do que acabara de perder. Não pude cair no pranto alto como precisava, assim, toda a dor ficou contida dentro de mim. As lágrimas quentes que rolaram do meu rosto não foram suficientes; minha garganta ardia e parecia inchar no meu esforço de segurar os gritos; meu peito queimava, cheio de dor, uma dor sobrenatural. Meus soluços eram arfadas que cortavam meu íntimo e pareciam aumentar meu sofrimento, em vez de apaziguá-lo. *César morreu, morreu, morreu... como serei capaz de continuar a viver?* A morte súbita arrancou meu mais querido protetor para longe de mim pela segunda vez.

O dia seguinte passou como um dia depois de uma catástrofe natural. Não havia nada a fazer, mas esperar, e continuar a preparação para minha partida. Estava exausta com meu choro engolido e movia-me como uma sonâmbula, ou uma pessoa submersa, como se temesse que qualquer movimento súbito causasse ainda mais dor. As coisas que antes me preocuparam – será que este caixote é impermeável, será que organizei minha correspondência oficial em ordem cronológica para, assim, poder transferi-la intacta para os arquivos em Alexandria? – eram de pouca conseqüência agora, assim, o que antes era tão difícil e exigia tanto tempo logo foi terminado. Mais tarde, quando desfiz a bagagem, não me lembrava de nada.

Antônio lealmente enviou mensageiros me deixando a par dos eventos. Bruto convocara mais uma reunião no Capitólio para tentar gerar apoio e entusiasmo público, mas falhou novamente. O povo começou a se revoltar de verdade; o pretor Cina, que denunciara César, foi perseguido até uma casa próxima, e a multidão alucinada teria reduzido a casa a cinzas se os soldados de Lépido não a tivessem detido.

Mais uma noite sem dormir para mim. Quantas noites em claro uma pessoa pode passar? As estrelas brilharam de novo, circulando o céu, e morreram de novo, quando a madrugada chegou, deixando-me zonza e exausta além de sentir um cansaço mortal. Fiz uma comunhão a sós com minha dor através dessas horas de escuridão, mas não encontrei conforto algum, e essa segunda noite foi pior do que a primeira. Cada hora parecia aumentar minha agonia e minha consciência, em vez de deixá-las dormentes ou amainá-las.

Mais mensagens. O Senado se reunira, e os senadores expressaram reações variadas. Os mais extremos propunham que aos conspiradores fossem dadas honras como benfeitores públicos. Como eram valiosas as "honras" do Senado! Os menos extremos meramente disseram que uma anistia devia ser oferecida a todos, e Cícero propôs um "ato de esquecimento".

Um ato de esquecimento... como o que cometeram com César?

Um outro disse que César devia ser oficialmente declarado um tirano e todos os seus atos invalidados. Antônio lembrou-os que, se isso fosse feito, todos os que deviam sua indicação a César teriam de se demitir. Não haveria os cargos de pretores para Bruto e Cássio, nem a Bitínia para Tílio Cimbro, nem a Ásia para Trebônio, nem a Gália Cisalpina para Décimo.

Deveria haver tortura e inferno para Décimo nas mãos de seus gladiadores!

Os conspiradores tentaram evitar a leitura do testamento de César, mas o pai de Calpúrnia, recusando-se a ser intimidado, ordenou que as virgens vestais o liberassem, e anunciou que Antônio o leria na sua casa. Depois, o Senado tentou impedir um funeral público para César, mas Antônio lembrou que a todo Cônsul que morrera ainda no ofício fora sempre permitido um funeral público, e César era um Cônsul.

O mundo inteiro mandaria condolências e o homenagearia. Seus inimigos que o mataram... veriam como seriam odiados.

Começou a escurecer de novo e, desta vez, senti o sono chegar. Sabia que finalmente descansaria, ou o que de agora em diante devia servir como descanso. Mas, à meia-noite, chegou um mensageiro com um recado urgente de Antônio:

O testamento – li-o em voz alta para os amigos e família de César. Não é o que esperava. Ele nomeou Otávio como seu herdeiro principal e pediu para adotá-lo como filho! Deve assumir o nome de Caio Júlio César! E César nomeou Décimo como um de seus herdeiros secundários, no caso de seu outro sobrinho-neto morrer cedo. Ah, a perfídia de Décimo se mostra ainda mais medonha!

Ele deixou os jardins da vila – sua vila – para o povo de Roma, junto com três partes de ouro para cada pessoa. Muito generoso. E quando as pessoas ouvirem isso, não poderei garantir a sua segurança contra nenhum dos conspiradores – ou Libertadores, como se autoproclamam.

Fui forçado a ter Cássio como convidado esta noite, em troca de meu próprio filho como refém no Capitólio. A comida tinha o gosto de veneno. Perguntei a Cássio se ele tinha uma adaga e ele respondeu: "Sim, e é uma adaga muito grande, caso você queira fazer-se de tirano também!"

Vamos ver o que o espera nas mãos da horda!

O funeral será amanhã à noite. Vou fazer o panegírico, como seu parente mais próximo do mesmo sexo. Haverá uma pira funerária no Campo de Marte, mas a cerimônia será no Fórum, onde será erguida a essa. Se quiser comparecer, você e Calpúrnia estarão seguras nos degraus do Templo de Vesta, onde Lépido colocará seus soldados.

Minha cabeça zunia. Otávio será seu… filho? Tomará seu nome? Mas ele já tinha um filho que trazia o nome de César: Ptolomeu César.

Como poderia haver mais de um César?

Como se Otávio pudesse ser César! Seu parentesco era distante, um sobrinho-neto. E não havia nada de César em Otávio. Seu corpinho frágil, sua falta de atletismo ou arte militar ou oratória… absolutamente nada!

O que deu na cabeça de César para nomeá-lo? E por que não me avisou?

Talvez o conhecesse muito pouco. Quanto mais eu teria para aprender, se apenas os deuses nos tivessem dado o tempo!

Carregada como se por um vento forte, fui ao Fórum na noite do funeral de César. Cheguei ainda antes de escurecer; minha liteira passou pela pira funerária no Campo de Marte ao lado da tumba de sua filha Júlia. As toras já tinham sido arrumadas e decoradas. Tremi. Odiava a idéia de cremar alguém, mas, por outro lado, os romanos odiavam nosso hábito de embalsamar. Eram todos feios; não havia como se redimir da morte, não importava o método que escolhessemos para consumir o corpo.

Calpúrnia já estava lá, nos degraus curvos do templo redondo de Vesta. Ela pareceu quase satisfeita de me ver, sua irmã nessa tragédia, sua companheira na perda.

— Estão a caminho — ela disse. — Levaram seu... levaram-no hoje de manhã. Olhe! É ali que vão colocá-lo.

Indicou uma grande essa, feita para se assemelhar ao templo de Vênus Genetriz. Sob suas colunas, um divã de marfim coberto com púrpura e um pano dourado esperava para recebê-lo.

Um som suave flutuou no ar, quando os músicos começaram a tocar hinos fúnebres e a bater solenemente nos tambores ao redor da essa. As pessoas acompanharam os hinos, gemendo e se balançando.

As tochas foram acesas ao redor do Fórum, formando uma corrente de luz dourada ao seu redor. Agora eu via a procissão se aproximar de nós. Um suspiro conjunto foi ouvido da multidão.

Uma liteira decorada, carregada por dez magistrados, fazia seu caminho para a essa à espera. Quando chegou, foi colocada reverentemente no divã, e os homens deram um passo para trás. Antônio apareceu e subiu na essa. Resplandecia em seus robes de Cônsul.

Primeiro, um precursor recitou em tom solene todos os decretos passados em nome de César pelo Senado e pelo povo de Roma, incluindo o juramento de lealdade que fizeram. Ao ouvir isso, o povo deu um grunhido. Depois, recitou as guerras e batalhas de César, seus inimigos derrotados e os tesouros que ele enviou para casa, os territórios incorporados a Roma, os dias de ação de graças devotados a ele.

Antônio então parou ao lado da essa e começou a entoar um canto funerário sonoro. As pessoas passaram a acompanhar, gemendo e se balançando para a frente e para trás.

Quando o canto chegou ao fim, Antônio falou com uma voz alta e ressonante com a oratória por que era famoso.

— César, César! — ele gritou. — Será que algum dia Roma terá outro como você... você, que tão ternamente a amou como um filho, tratou-a com o carinho de um esposo e a honrou como a uma mãe? Não, não, jamais, nunca mais!

Olhou ao redor para a multidão inteira, com a cabeça erguida.

– Para os deuses, César foi apontado como sacerdote-mor; para nós, Cônsul; para seus soldados, Imperador; e para o inimigo, Ditador. Mas por que preciso enumerar estes detalhes, quando com uma frase vocês o chamaram de pai desta pátria, sem contar o resto de seus títulos?

Virou-se e gesticulou na direção do corpo de César, que jazia no divã de marfim.

– No entanto, este pai, este sacerdote-mor, este ser inviolável, este herói e deus, está morto, ai de nós! Morto não pela violência de uma enfermidade, nem desgastado pela idade avançada, nem ferido no estrangeiro numa guerra, nem atacado inexplicavelmente por forças supernaturais, não! Ele, que conduziu seu exército para a Bretanha, morreu aqui mesmo, dentro das muralhas da sua própria casa por causa de um complô!

Sua voz se elevou, e ele levantou o braço direito num círculo, indicando todos à sua frente.

– O homem que alargou suas fronteiras, emboscado dentro de sua própria cidade! O homem que construiu para Roma uma nova casa do Senado... assassinado dentro dela! O guerreiro destemido... desarmado! O promotor de paz... sem defesa! O juiz... em frente à corte de justiça! O magistrado... ao lado de sua cadeira de julgamento! Aquele que nenhum inimigo foi capaz de matar até mesmo quando se jogou no mar... morto nas mãos de seus cidadãos! Ele que muitas vezes teve compaixão pelos seus companheiros... morto nas mãos desses mesmos companheiros!

Virou para César de novo e gritou para ele:

– De que valeu, César, sua humanidade, de que valeu, César, sua inviolabilidade, de que valem as leis? Agora, você que passou tantas leis para que homem nenhum seja aniquilado por inimigos pessoais, você foi abatido sem piedade pelos seus próprios amigos! E agora, a vítima do assassinato, morto no Fórum pelo qual passou tantas vezes coroado, liderando os Triunfos. Ferido de morte, você foi aniquilado no Rostro, de onde muitas vezes falou com o povo. Infortúnio para sua cabeça manchada de sangue, ai de nós pelos robes rasgados, que você vestiu somente para ser morto.

Sua voz foi cortada pelas lágrimas que rolavam em suas faces.

Foi nesse momento que alguém perto da essa gritou um verso de uma peça famosa de Pacúvio:

– O quê, salvei estes homens somente para que eles me matassem? – e pareceu que a voz vinha do próprio César.

De repente, Antônio arrancou a toga manchada de sangue de César e a segurou no ar com sua lança, girando-a. A luz das tochas mostrava as manchas – agora negras – e os buracos no tecido.

– Olhem! Vejam! Vejam! Vejam como ele foi brutalmente assassinado... ele que amava Roma, tanto que deixou de herança para o povo o seu jardim, como também partes de dinheiro. Esta é a recompensa por tê-lo amado, o povo de Roma!

Ele agitou a toga como uma bandeira de batalha, e um grito enorme subiu da multidão.

Começaram a andar para a frente, uma massa gritante, pronunciando o nome de César. De repente, como se por mágica, começaram a empurrar móveis até a essa – bancos, bancas de mercado, cadeiras, escadas – transformando-a numa pira funerária.

– Aqui! Aqui no Fórum! – eles gritaram, empilhando os móveis. Antônio desceu rapidamente da plataforma antes que a primeira tocha, fazendo piruetas no ar, caísse na essa, começasse a tremular e pegasse fogo. Uma chuva de tochas se seguiu.

As pessoas correram para perto do fogo ruidoso quando ele começou a engolir o divã. César! Meu coração parou de bater quando vi as chamas começarem a consumir o divã e César ali, imóvel. O povo começou a arrancar as roupas e a jogá-las no fogo. Os carpideiros, que vestiam os quatro robes dos Triunfos, rasgaram-nos em tiras e os jogaram na fogueira. Os soldados arrancavam seus peitorais valiosos e os lançavam na fogueira, e as mulheres tiravam suas jóias, como um sacrifício num ritual primitivo para o deus César.

E foi assim que o povo o proclamou deus muito antes que Otávio o fizesse.

As pessoas se prostravam no chão, soluçando, batendo no peito, gemendo. A fumaça subia em ondas de nuvens, cobrindo as estrelas; as faíscas subiam para a escuridão, cada uma como uma estrela, incendiando-se e morrendo.

Um grupo de pessoas vestidas com trajes diferentes ficou parado perto das chamas, cantando hinos e se balançando. Fiquei sabendo depois que eram judeus, que viam César como partidário e amigo. Haviam obtido muitos privilégios de César e seriam vistos muitos dias depois ainda gemendo ao lado das cinzas da pira funerária.

Ficamos olhando, atônitos, até o grande sacrifício ser consumido pela noite. Os deuses aceitaram. E eu entreguei César nas suas mãos implacáveis.

AQUI TERMINA O TERCEIRO PERGAMINHO

A AUTORA AGRADECE AS AUTORIZAÇÕES PARA
REPRODUZIR TRECHOS DAS SEGUINTES OBRAS:

The Complete Works of Horace, de Horacio, editada com uma introdução de Casper J. Kraemer, copyright © 1936 de Random House, Inc. Com permissão da Random House.

Sappho and the Greek Lyric Poets, de Willis Barnstone, copyright © 1962,1967,1988 de Willis Barnstone. Com permissão da Schocken Books, distribuído por Pantheon Books, uma divisão da Randon House, Inc.

Copyright © 1956, 1972 de Horace Gregory, por seu Poems of Catullus (Norton, 1972). Usado com permissão.

Virgil's Eclogues: The Latin Text with a Verse Translation and brief notes, de Guy Lee (Francis Cairns Publicational Liverpaal 1980). Com autorização dos editores e da Biblioteca Clássica Loeb (Loeb Classical Library); Virgils's Eclogues, Georgics, Aeneid I-IV, traduzido por Rushton Fairclough, Cambridge, Mass: Harvard University Press, 1916, 1935. A Biblioteca Clássica Loeb é uma marca registrada do Presidente e Membros do Harvard College.

Dio's Roman History, vols. VI e V, traduzido por Ernest Cary, Ph.D., Cambridge, Mass.: Harvard University Press, 1916,1987. Com permissão de editores e da Biblioteca Clássica Loeb (Loeb Classical Library).

The Nile, de Emil Ludwig, traduzido por Mary H. Lindsay; o copyright © da tradução de 1937 é de Emil Ludwig. Usado com permissão de Viking Penguin, uma divisão da Penguin Books USA, Inc.

Collected Poems, de Robert Graves, Carcanet Press Limited, copyright © 1937. Usado com permissão.

A Child's Book of Myths and Enchantment Tale, de Margaret Evans Price, Checkerboard Press 1986. Usado com permissão.

Alexandrian, Spanish, e African Wars, de César, traduzido por AG. Way, M.A ., Cambridge, Mass.: Harvard University Press, 1955, 1988. Reproduzido com permissão de editores e da Biblioteca Clássica Loeb.

The Greek Anthology, editada por Peter Jay, tradução de Peter Jay, copyright © da tradução de 1973,1982 de Peter Jay. Usado com permissão de Penguin Books UK Inc.

The Bible as History, de Werner Keller, William Morrow and Co., edição revista , copyright ©1980.Usado com permissão.

Três trechos de Hymns to Isis in her Temple at Philae, de Louis V. Zabkar, copyright ©1988 da Brandeis University, com permissão da University Press da Nova Inglaterra.

The Odes of Horace: The Centennial Hymn, traduzido por James Michie, copyright © 1965 de James Michie, Macmillan Publishing.

Cleopatra, de Jack Lindsay, Constable Publishers, copyright © 1971.

Copyright © 1997 do mapa by Mike Reagan.

IMPRESSÃO E ENCADERNAÇÃO

**DONNELLEY - COCHRANE GRÁFICA
EDITORA DO BRASIL LTDA.
UNIDADE HAMBURG**
Rua Epiacaba, 90 - Vila Arapuá
04257-170 - São Paulo - SP - Brasil
Fone: (55 11) 6948 8000
Fax : (55 11) 6948 1555 Comercial
FOTOLITOS FORNECIDOS PELO CLIENTE